Victor Hugo

Choses vues

SOUVENIRS

JOURNAUX, CAHIERS

1847-1848

*Édition établie,
présentée et annotée
par Hubert Juin*

Gallimard

AVANT-PROPOS

On le sait, le titre de ce livre célèbre : Choses vues, *n'est pas de Victor Hugo, mais de Paul Meurice. Et le contenu même de cet ouvrage capital n'est pas le fait du poète, mais des exécuteurs testamentaires qu'il s'était choisis. Il ne faut pas leur jeter la pierre. Les lecteurs d'alors allaient au plus pressé, c'était la coutume. On livrait de l'œuvre ce qui paraissait appartenir à l'œuvre seule, et non à cette « totalité » dont nous sommes — aujourd'hui — fervents.*

Victor Hugo, il est vrai, avait envisagé de réunir certains textes qui figuraient dans les nombreux cartons et cahiers qu'il avait remplis et entassés au cours de son existence. Lorsqu'il publie, en 1881, les Quatre Vents *de l'esprit, il indique, comme devant paraître, un tome intitulé :* Pages de ma vie. *Nous ignorons quel en aurait été le contenu. Et j'ignore même si cet ouvrage ne s'est pas révélé, à l'écrivain, comme littéralement impossible. Il fallait tout dire, — ou rien. Les éditeurs des œuvres posthumes firent un tri, et — sans doute — firent-ils bien, en leur temps.*

L'auteur des Misérables *leur avait, en quelque façon, donné l'exemple, — dans la mesure où il avait livré au public, lui-même, des observations et des remarques touchant la vie publique et son attitude personnelle dans les années 1819 et 1820, ce fut :* Journal des idées, des opinions et des lectures d'un jeune jacobite de 1819. *Dans un second volume,* Journal des idées et des opinions d'un révolutionnaire de 1830, *il procédait de même façon pour les années 1830, 1831. Mais à partir de 1830, sans prendre l'habitude encore de tenir un journal régulier, Victor Hugo accumule, avec plus ou moins de régularité, des notes qui touchent moins à lui-même qu'aux personnages de la scène politique et mondaine. Plus tard viennent les tourments et les tumultes. Les aveux.*

Les notes, textes personnels et remarques touchant ces années importantes que sont, dans l'existence de Victor Hugo, 1847 et 1848, ont été publiés par Henri Guillemin, aux éditions Gallimard, d'une part dans le Journal (1830-1848), *utilisé pour une grande partie dans le premier volume de la présente édition ; et, d'autre part, dans* Souvenirs personnels (1848-1851). *Nous avons complété, et corrigé parfois, l'édition d'Henri Guillemin en nous rapportant à celle du* Journal de ce que j'apprends chaque jour, *tenu par Hugo de juillet 1846 à février 1848, et exemplairement publié par René Journet et Guy Robert aux éditions Flammarion, dans la série des « Cahiers Victor Hugo ».*

L'amalgame, chez Hugo, de ce qui est vie intérieure, vie intime et vie publique est tel qu'il fallait — comme il l'indiquait lui-même — livrer au lecteur l'ensemble des écrits privés. La présente édition ne prétend pas être définitive. Elle vise simplement à mettre, commodément, sous les yeux de l'amateur, la somme de ces écrits justement, et tels que nous les connaissons par les travaux et publications antérieurs.

Hubert Juin.

CHRONOLOGIE

1847

13-1/14-1. Émeutes paysannes à Buzançais. Un propriétaire tue un émeutier et est mis à mort par la
foule.

18-1. Au cours d'un bal, incendie, rue d'Astorg, chez la
duchesse de Galliera.

11-2. Empis est élu à l'Académie française.

20-2. Inauguration du Théâtre Historique (*La Reine
Margot* de Dumas).

24-2. Mort d'Alexandre Guiraud.

1-3. Haïti : Faustin Soulouque, chef de l'État.

20-3. Mort de Mlle Mars.

15-4. Toulouse : début de l'affaire Léotade, ignorantin,
accusé d'avoir violé et tué Cécile Combettes, âgée
de quatorze ans.

16-4. Trois émeutiers de Buzançais sont exécutés.

22-4. Jean-Jacques Ampère est élu à l'Académie française.

4-5. Début du scandale Teste-Cubières.

6-5. La Chambre des pairs se prépare à juger le général
Despans-Cubières.

8-5. Trois ministres démissionnent. Ils sont remplacés
vaille que vaille le lendemain.

30-5. Bugeaud démissionne.

3-6. Dans *La Presse*, le 12 mai, Girardin ayant dénoncé
avec violence la corruption ministérielle, la Chambre
des pairs décide de le faire comparaître.

8-6. Début de la « campagne des banquets ».

VIE ET ŒUVRES

1847

15-2.   A la Chambre des pairs, V. H. dépose et soutient la pétition Pasquier en faveur de la création de maisons de refuge et de retraite pour les ouvriers.

26-2.   A l'enterrement de Guiraud, V. H. tient l'un des cordons du poêle.

6-3.   V. H. assiste au bal de l'Association des artistes dramatiques.

26-3.   V. H. est présent à l'enterrement de Mlle Mars.

5-4.   V. H. visite la prison de la Roquette et s'entretient avec Marquis, élève de Viollet-le-Duc et condamné à mort.

11-4.   Chez V. H., tirage d'une loterie d'autographes réalisée au profit des crèches.

16-4.   V. H. s'insurge contre les tortures utilisées dans l'armée d'Afrique (lettre à Moline de Saint-Yon, ministre de la Guerre).

28-4.   Pour éviter à Charles de faire son service militaire, V. H. « achète » un remplaçant. Adolphe Grangé signera ce contrat en échange de 1 100 francs.

13-5.   Le Théâtre-Français reprend *Marion de Lorme.*

12-6.   V. H. fait inscrire à l'ordre du jour de la Chambre des pairs la discussion sur l'abrogation de la loi d'exil pour les Bonaparte (la pétition est du roi Jérôme).

ÉVÉNEMENTS

12-6.   Mort de Ballanche.
22-6.   Comparution de Girardin devant la Chambre des
        pairs. Acquitté par 134 voix sur 199.
25-6.   La Chambre des pairs met en accusation Teste,
        Cubières, Parmentier, Pellapra.
27-6.   Plusieurs morts à Mulhouse, la troupe ayant ouvert
        le feu sur les émeutiers.
Juin.   Londres : premier Congrès de la Ligue des commu-
        nistes.

1-7.   Hencke, astronome amateur, découvre la planète
        Hébé.
6-7.   Pellapra s'enfuit.
8-7.   Début du procès Teste-Cubières.
9-7.   Dans les jardins du Château Rouge, à Montmartre,
        premier banquet réformiste.
12-7.   Tentative de suicide de Teste.
15-7.   Teste est condamné à trois ans de prison et à une
        lourde amende.
16-7.   Cubières est condamné à la dégradation civique
        et à une amende.
17-7.   Parmentier est condamné à une amende.
18-7.   A Mâcon, banquet offert à Lamartine.
5-8.   Lecture, à la Chambre des pairs, d'une lettre
        accusatrice de Warnery.
17-8.   La fille du maréchal Sébastiani, devenue l'épouse du
        duc de Choiseul-Praslin est assassinée par son mari.
20-8.   Praslin s'empoisonne.
24-8.   Mort de Praslin à la prison du Luxembourg.
        Exécution, à Versailles, de Marquis.
28-8.   Première publication du *Chaix*.
31-8.   Émeutes rue Saint-Honoré. Elles vont durer plu-
        sieurs jours.
11-9.   En remplacement de Bugeaud, le duc d'Aumale
        est nommé gouverneur général de l'Algérie.

14-6. A la Chambre des pairs, discours de V. H. « sur la famille Bonaparte ».

21-6. Pour le premier anniversaire de la mort de Claire Pradier, V. H. se rend à la messe à Saint-Mandé. Il avait la veille dîné chez la princesse Mathilde (fille du roi Jérôme).

22-6. V. H. parle en faveur de Girardin.

5-7. V. H se remet à la rédaction des *Misérables*. Il y travaille depuis des mois avec des arrêts. Ce travail sans cesse repris et interrompu durera longtemps.

26-7. A la Chambre des pairs, Montalembert met en accusation le vandalisme des restaurations. V. H. l'approuve pleinement.

3-8. La Chambre des pairs discutant du budget de l'Intérieur, V. H. intervient en faveur d'une subvention aux théâtres.

12-8. Excellent résultat de Victor Hugo (fils de V. H.) au concours général.

14-8. V. H. envoie à Alice Ozy un quatrain à propos de son lit.

15-8. Second quatrain à Alice Ozy.

16-8. Date probable des relations intimes avec Alice Ozy.

28-8. Le fils de V. H., Victor, est atteint de la typhoïde.

14-9. Victor entre en convalescence.

20-9. Première tension entre V. H. et son fils Charles

15-9.　　Soult abandonne la présidence du Conseil.
19-9.　　Guizot, président du Conseil.
23-9.　　Mort de Frédéric Soulié.

4-10.　　Espagne : Isabelle II accepte Narvaez pour ministre.

2-11.　　Suicide du comte Bresson, pair de France, ambassadeur à Naples.
4-11.　　Mort de Félix Mendelssohn.
29-11.　　Londres : au 2e Congrès de la Ligue des Communistes, Marx et Engels sont chargés de rédiger un « Manifeste ».
18-12.　　Banquet réformiste de Chalon-sur-Saône. Durcissement.
23-12.　　Abdel-Kader se rend à Lamoricière.
25-12.　　Le dernier banquet réformiste en province : Rouen.

1848

2-1.　　Au Collège de France, le cours de Michelet est suspendu.
6-1.　　Jean Vatout est élu à l'Académie française. Musset a eu deux voix.

à propos d'Alice Ozy, avec laquelle ils entretiennent chacun une liaison.

23-9.   Départ de la famille Hugo pour Villequier.

27-9.   V. H. prononce un discours aux funérailles de Frédéric Soulié.

30-9.   Départ de V. H. (avec Juliette) pour la Normandie. Mantes, les Andelys, Caudebec.

3-10.   V. H. est à Caudebec avec Juliette, et à Villequier avec sa famille.

5-10.   Évreux, Vernon.

7-10.   Retour à Paris.

9-10.   Adèle est atteinte par la typhoïde.

18-10.   Adèle est hors de danger.

26-10.   V. H. dîne avec le roi Jérôme chez la princesse Mathilde.

30-12.   V. H. signe avec Renduel et Gosselin un contrat pour la publication, en 4 volumes, d'un roman intitulé *Les Misères*.
V. H. refuse d'être nommé une nouvelle fois directeur de l'Académie.

1848

6-1.   A l'Académie française, l'une des deux voix qui se sont portées sur Musset est sans doute celle de V. H.

9-1.   On joue *Marion de Lorme* au Théâtre-Français.

ÉVÉNEMENTS

14-1.   Le dernier banquet, prévu à Paris, est interdit.

15-1.   Article antisocialiste de Morny dans *La Revue des Deux Mondes*.

20-1.   Au Danemark, Frédéric VII succède à Christian VIII.

29-1.   Lamartine revient à la tribune de la Chambre des députés : il y prononce un discours antigouvernemental.

3-2.   Pétitions pour la reprise du cours de Michelet.

9-2.   A Munich : manifestations contre Lola Montès.

14-2.   Girardin renonce à son mandat de député.

21-2.   Les organisateurs du banquet interdit le 14 l'avaient prévu pour le 22. Ils souhaitaient l'appuyer par une manifestation préalable. Devant la double interdiction gouvernementale, ils s'inclinent.

22-2.   Malgré l'interdiction, des cortèges se forment, et des barricades (aussitôt détruites) se construisent.

23-2.   Émeutes et barricades reprennent. La Garde nationale refuse de charger le peuple. Louis-Philippe dépose Guizot, appelle Molé (qui refuse). Fusillade du boulevard des Capucines. Barricades partout.

24-2.   Dans la nuit du 23 au 24, le roi remplace Molé par Thiers. Il nomme Bugeaud commandant des troupes de Paris.
Devant le triomphe de l'insurrection, le roi remplace Thiers par Odilon Barrot, puis renvoie Bugeaud. Enfin, il abdique en faveur du comte de Paris, son petit-fils. La duchesse Hélène d'Orléans tente de faire proclamer la régence, c'est en vain. La famille royale s'enfuit.
Un gouvernement provisoire est proclamé à l'Hôtel de Ville. Il proclame la République.

25-2.   Devant les manifestants de l'Hôtel de Ville, Lamartine fait adopter, au lieu du drapeau rouge, le drapeau tricolore.

13-1.   A la Chambre des pairs, discours de V. H. « sur le pape Pie IX ».

21-1.   Au Théâtre-Français, on joue *Hernani*.

19-2.   V. H. veut interpeller, à la Chambre des pairs, sur la situation politique, mais il y renonce.

24-2.   V. H. tente de proclamer la régence, d'abord place Royale ; ensuite, place de la Bastille. Sans succès, au contraire.

25-2.   A l'Hôtel de Ville, Lamartine nomme V. H maire provisoire du VIIIe arrondissement, et souhaite le voir accepter les fonctions de ministre de l'Instruction publique. V. H. refuse l'un et l'autre.

27-2.   V. H. félicite Lamartine pour l'abolition de la peine de mort.

ÉVÉNEMENTS

Blanqui revient de Blois à Paris.

26-2.   Création des « Ateliers nationaux ».
Abolition de la peine de mort en matière politique.

27-2.   Parmi les nombreux journaux créés : *Le Salut Public* de Champfleury, Baudelaire et Toubin (il aura deux numéros).

28-2.   Création d'une « Commission du gouvernement pour les travailleurs », présidée par Louis Blanc.
Louis Bonaparte quitte Londres et arrive à Paris.

Fin février.   Publication, à Londres, du *Manifeste du parti communiste.*

2-3.   A la demande du gouvernement provisoire, Louis Bonaparte regagne Londres.

3-3.   Karl Marx reçoit en même temps une expulsion hors de la Belgique et une invite (par le gouvernement provisoire) à résider en France.

5-3.   Paris : pour les élections à la Constituante, on organise le suffrage universel.

6-3.   Abrogation des lois restreignant la liberté de la presse.
Michelet reprend son cours.

9-3.   Abolition de la prison pour dettes.

12-3.   Abolition des châtiments corporels.

13-3.   A Vienne, Metternich s'enfuit devant l'émeute populaire.

15-3.   Cours forcé des billets de banque (Paris).

17-3.   Caussidière est nommé préfet de police.

22-3.   Les Autrichiens sont chassés de Venise. Ils évacuent Milan.

31-3.   Publication du « document Taschereau » visant à discréditer Blanqui.

21-4.   L'impôt sur le sel est aboli.

23-4.   Élections à la Constituante. Lamartine est élu dans dix départements et arrive en tête à Paris.

27-4.   Manifestations populaires à Rouen. La troupe tire sur les ouvriers.

VIE ET ŒUVRES

1-3. La Société du Peuple du VIIIe arrondissement
témoigne sa profonde méfiance à V. H., dont elle
juge le républicanisme douteux.

2-3. Place des Vosges, V. H. prononce un discours
pour « la plantation d'un arbre de la Liberté ».

11-3. Classant ses manuscrits, V. H. prévoit (entre autres)
les recueils suivants : *Les Contemplations*, *Les
Petites Épopées*, *La Poésie de la rue*, *Les
Quatre Hymnes du Peuple*.

29-3. H.-H. Bramtôt supplie V. H. de se porter candidat
à la Constituante.
V. H. publie sa *Lettre aux électeurs*. Il ne sera pas
candidat, mais il ne refuserait pas son mandat
s'il était malgré tout élu.

23-4. Aux élections à l'Assemblée constituante, V. H.
a recueilli 59 446 voix (il est 48e). Il ne sera pas
élu. Lamartine a 259 800 voix. Le 34e et dernier élu
est Lamennais, avec 104 871 voix. V. H. précède
Changarnier qui n'a obtenu que 58 654 suffrages.

29-4.   Changarnier nommé gouverneur général de l'Algérie.
10-5.   Le Gouvernement provisoire est remplacé, par vote de la Constituante, par une Commission exécutive de cinq membres : Arago, Garnier-Pagès, Marie, Lamartine et Ledru-Rollin.
11-5.   Nomination d'un ministère.
15-5.   Une émeute révolutionnaire échoue. Blanqui est en fuite. Barbès, Raspail, Albert, Sobrier, Flotte sont arrêtés. La droite triomphe.
16-5.   La Commission des travailleurs (Commission du Luxembourg) est supprimée.
17-5.   Eugène Cavaignac, ministre de la Guerre.
26-5.   Blanqui est arrêté.

2-6.   La loi d'exil est abrogée pour Louis Bonaparte.
14-6.   Élu député aux élections complémentaires du 4 juin, Louis Bonaparte renonce à son mandat.
21-6.   La Constituante approuve la dissolution des Ateliers nationaux.
23-6.   Manifestations et barricades dans Paris. Cavaignac obtient les pleins pouvoirs. La Commission exécutive démissionne.
25-6.   Suite de la répression. Seul, le faubourg Saint-Antoine résiste jusqu'au soir. Mgr Affre, archevêque de Paris, tente, face aux insurgés, de leur faire entendre raison. Il est tué d'une balle dans le dos (on dira : une balle perdue).
26-6.   Ultime résistance du faubourg Saint-Antoine. On exécute massivement les insurgés. On arrête et on déporte sans jugement. Cavaignac triomphe.
28-6.   Cavaignac est élu chef du pouvoir exécutif.
29-6.   Le ministère est remanié.
4-7.   Mort de Chateaubriand.
10-7.   Mgr Sibour devient archevêque de Paris.

VIE ET ŒUVRES

22-5.   V. H. décide de se porter candidat aux Élections complémentaires.

26-5.   V. H. rend publique sa déclaration électorale : *Victor Hugo à ses concitoyens*.

27-5.   V. H. remercie Lamartine d'avoir voulu nommer Charles à la légation du Brésil, mais refuse en son nom.

28-5.   V. H., président de la « Société de Petit-Bourg », qui se donne pour tâche d'œuvrer en faveur des enfants pauvres, indigents, abandonnés ou orphelins.

29-5.   Discours de V. H. à la réunion des Cinq Associations d'art et d'industrie. Celles-ci désignent V. H. comme candidat soutenu par elles.

4-6.   Aux élections complémentaires, V. H. est élu 7e de onze députés élus de Paris. Il obtient 86 965 voix. Louis Bonaparte en obtient 84 420.

10-6.   V. H. se rend, pour la première fois, à la Constituante.

20-6.   A la Constituante, discours de V. H. « sur les Ateliers nationaux ».

24-6.   V. H. est l'un des soixante commissaires spécialement nommés par la Constituante pour rétablir l'ordre dans Paris. Il paie de sa personne en entraînant la garde mobile au feu.
        Les insurgés occupent pacifiquement la maison de V. H., place des Vosges.

25-6.   V. H. toujours commissaire-délégué.

1-7.   V. H. et sa famille vont s'installer au numéro 5 de la rue d'Isly.

11-7.   Caution financière imposée aux journaux. Beaucoup
        disparaissent, dont *Le Peuple constituant* de Lamen-
        nais.

22-7.   A Saint-Malo, Chateaubriand est enterré dans
        l'île du Grand-Bé.

28-7.   Restriction des réunions publiques et des clubs.

25-8.   Par 493 voix contre 292, la Constituante autorise
        des poursuites contre Louis Blanc et Caussi-
        dière.

2-9.   *Le Peuple* de Proudhon (1er numéro).

9-9   Le baron Charon, gouverneur général de l'Algérie.

17-9.   Élections complémentaires. Louis Bonaparte est
        élu par cinq départements.

23-9.   Louis Bonaparte quitte Londres.

26-9.   Première apparition de Louis Bonaparte à l'Assem-
        blée.

6-7. V. H. entreprend son action en faveur des prisonniers politiques et contre les mesures extrêmes qui les frappent.

12-7. A la Constituante, V. H. intervient contre les restrictions apportées à la liberté de la presse.

17-7. A la Constituante, discours de V. H. « sur les secours aux théâtres ».

31-7. Sortie des presses du numéro-spécimen de *L'Événement*, journal inspiré par V. H., dirigé par Charles et François-Victor (c'est ainsi que signera désormais Victor Hugo, pour se distinguer de son père), Auguste Vacquerie et Paul Meurice.

1-8. Le premier numéro de l'*Événement* est mis en vente.

8-8. Dans *L'Événement*, publication d'une lettre de V. H. affirmant qu'il est « absolument étranger » à la rédaction de ce journal.

13-8. A la Constituante, discours de V. H. : « Pour les secours aux transportés ».
Sous la présidence de l'évêque de Langres, un bureau destiné à venir en aide aux déportés de Juin est créé. V. H. en assure la vice-présidence.

17-8. Le Théâtre historique reprend *Marie Tudor*.

25-8. V. H. vote contre les poursuites engagées contre Louis Blanc et Caussidière.

29-8. A la Constituante, à l'issue du débat touchant la publication des documents trouvés aux Tuileries, V. H. vote contre (avec la gauche).

2-9. A la Constituante, discours de V. H. « sur la levée de l'état de siège ».

3-9. V. H. vote avec la gauche (proposition Ceyras sur les indigents invalides).

7-9. V. H. vote avec la gauche pour que figure une référence aux Droits de l'homme dans le préambule de la Constitution.

27-9.   Par 530 voix contre 289, l'Assemblée repousse le principe des deux Chambres.

9-10.   La Constituante décide massivement de confier au suffrage universel direct l'élection du président de la République.

12-10. L'état de siège est levé.

15-10. Cavaignac remanie son ministère.

22-10. Le général comte d'Hautpoul, gouverneur général de l'Algérie.

4-11.   La Constitution est votée par une majorité de droite.

12-11. Place de la Concorde, la Constitution est proclamée.

14-11. Armand Marrast, président de l'Assemblée.

20-11. Louis Bonaparte publie un manifeste électoral.

2-12.   Autriche : abdication de Ferdinand Ier. Son neveu, François-Joseph, âgé de dix-huit ans, lui succède.

VIE ET ŒUVRES

11-9.   Intervention de V. H., à la Constituante, « sur la liberté de la presse ».

15-9.   A la Constituante, discours de V. H. « contre la peine de mort ».

20-9.   V. H., à la Constituante, intervient « sur la censure et le théâtre ».

27-9.   V. H. est parmi les opposants qui ont voté pour le principe des deux Chambres.

29-9.   V. H. témoigne devant le 2e Conseil de guerre de Paris.

3-10.   *L'Événement* publie un article en faveur de la candidature de Lamartine à la présidence de la République.

6-10.   Devant le 15e bureau de l'Assemblée, V. H. prononce son « Opinion sur l'exclusion des Bonaparte ».

11-10. A la Constituante, discours de V. H. « pour la liberté de la presse et contre l'état de siège ».

15-10. V. H. et sa famille s'installent 37, rue de la Tour-d'Auvergne.

22-10. Dans *Le Moniteur*, V. H. précise qu'il a voté, avec la majorité, contre la pratique du remplacement militaire.

25-10. Date approximative de la visite de Louis Bonaparte à V. H. pour lui demander son appui.

28-10. *L'Événement* prend parti pour la candidature de Louis Bonaparte.

4-11.   Pour des motifs qui ne sont pas ceux de la gauche, V. H. a voté comme elle contre la Constitution.

10-11. A la Constituante, discours de V. H. « sur la question des encouragements aux lettres et aux arts ».

25-11. V. H. vote contre le décret que prend l'Assemblée de déclarer que le général Cavaignac a bien mérité de la patrie.

novembre. Juliette s'installe cité Rodier.

9-12.   A la suite d'un article de *L'Événement* et malgré les démentis de V. H., le commissaire de police de

ÉVÉNEMENTS

10-12. Louis-Napoléon Bonaparte est élu président de la
République.

20-12. Louis-Napoléon Bonaparte est proclamé président
de la République et prête serment devant l'Assemblée. Il constitue aussitôt son gouvernement.

26-12. Le ministère Odilon Barrot se présente devant
l'Assemblée.

l'Assemblée fait prévenir le poète qu'il doit veiller à sa sécurité. Si Cavaignac tente un coup de force, V. H. sera enlevé.

22-12. *L'Événement* se dit déçu par le cabinet proposé par le Président.

23-12. V. H. est invité à l'Élysée.

1847

On tue par an dans Paris environ *quinze* chiens attaqués de la rage. Il y meurt en moyenne deux personnes mordues.

2 janvier.

Le quart des parisiens naît à l'hôpital.

2 janvier.

Cette nuit, à deux heures du matin, je revenais par le boulevard. La lune était pleine et claire. Il faisait un froid de 6 degrés. Pas une nuée au ciel. Les rares passants qui allaient aux bals masqués, ou qui en revenaient, se hâtaient, le nez dans leurs manteaux et les yeux pleurant à cause de la bise.

Au coin de la rue Poissonnière, il y avait une charrette à bras chargée d'oranges et éclairée d'une chandelle, pauvre boutique portative qui attendait le jour. Trois êtres étaient là, assis sur des pliants. Un vieux homme et deux vieilles femmes enveloppés dans des couvertures grises et des haillons de laine déchiquetés et troués, le chapeau et les coiffes sur les yeux, les pieds sur les dalles. Les pauvres gens gardaient leur marchandise jusqu'à ce que le matin leur amenât des chalands. Ils allaient passer là toute la nuit. Ils avaient encore cinq

heures à attendre dans le givre et dans l'obscurité. Ils
causaient. Ce qu'ils disaient, je l'ignore. Seulement,
au moment où je passais, j'ai entendu ces paroles prononcées par une des vieilles : « — Tout ce que fait le bon
Dieu est bien fait. »

3 janvier.

Méry disait avant-hier soir chez Jules Lefèvre [1] : « — *Il
manque deux choses à M. P... comme homme d'esprit et
comme poète, c'est qu'il est bête et qu'il ne sait pas faire
les vers.* »

4 janvier.

En apprenant les détails de la fameuse partie d'échecs
gagnée par M. de La Bourdonnais [2] en cinquante-deux
coups et racontée par Méry en vers alexandrins [3],
le bonze de la grande pagode de Jagrenat s'écria :
— *Vishnou s'est incarné pour la onzième fois, et il est
aujourd'hui joueur d'échecs.*

5 janvier.

On a calculé que l'échange annuel de cartes au jour
de l'an entre les trois cents membres de la Chambre des
pairs coûte en bloc à la pairie la somme de *onze mille
sept cents francs.*

6 janvier.

M. Casimir Bonjour [4] disait un jour à M. Trognon [5] :
« — Vous avez un nom terrible. Il est impossible d'en
rien faire. Otez le *t*, il reste *rognon*; ôtez l'*r*, il reste *ognon*;
ôtez l'*o*, il reste *gnon*; ôtez le *g*, il reste *non*; ôtez l'*n*, il
reste *on*. »
La chose est jolie. Si j'étais sûr que M. Casimir Bon-

jour l'eût dite, je lui donnerais ma voix pour l'Académie. Ce mot vaut mieux que toutes ses comédies.

7 janvier.

Hier soir, nous avons joué aux bouts rimés. On m'a donné ces quatre rimes : *coloquinte, périgourdin, quinte, gourdin.* J'ai fait ce quatrain féroce :

O vieux J. [1]*, je préfère à votre coloquinte*
Le grouin délicat du porc périgourdin.
Et lorsque vous toussez, j'applaudis à la quinte
Que je voudrais aider à grands coups de gourdin.

Puis on m'a donné ces quatre autres rimes : *songe, pied, plonge, estropié.* J'ai fait ce quatrain adressé à Mme L... [2] :

Si Puck, le nain qu'on voit en songe,
Osait un jour risquer son pié
Dans le soulier où ton pied blanc se plonge,
Il en serait estropié.

M. le duc d'Aumale [3] donne en ce moment des séances à un jeune sculpteur, M. Victor Vilain [4], pour un buste qu'il destine à je ne sais plus quelle ville de la province de Constantine où il a commandé. Le prince est fort gai et bon garçon. Il pose en uniforme. « Cela change la physionomie, d'être en pékin », dit-il. Il amène sa femme et son fils aîné, le duc de Penthièvre, qui a quinze mois. L'autre jour, l'énfant s'est tout à coup accroupi au milieu de l'atelier. « — Emmenez-le! s'est écrié le prince. Vite! le voilà qui prend des poses inquiétantes! » Il n'y avait personne là. Mme la duchesse d'Aumale a emporté elle-même l'enfant et on l'a entendue pendant une minute ou deux appeler avec détresse dans les corridors.

Le prince cause beaucoup. Il disait à M. Vilain :

« — Vous devriez faire le buste de Joinville. Mais vous
auriez de la peine ; il remue toujours. Il ne reste pas
une minute en place. La reine serait venue voir votre
buste aujourd'hui, mais elle est trop enrhumée pour
sortir. Ma femme, regarde donc s'il est ressemblant ! »
La princesse prend son enfant dans ses bras, monte sur
un tabouret, car elle est fort petite, et présente le marmot au buste en disant : « — Voilà papa ! » L'enfant
tend ses petits bras. La princesse a trouvé les yeux
trop grands. Quand elle est partie, le prince a dit :
« — A-t-elle raison ? » « — Oui », a dit le sculpteur.
« — Vous n'êtes pas courtisan », a repris le prince.

La princesse est napolitaine. Habituellement, elle lit
à haute voix pendant que son mari pose. Un jour, c'était
l'histoire de Napoléon qu'elle lisait. Tout à coup, elle
s'arrête court. « — Eh bien ? dit le prince. Va donc !
— Mais c'est que ce n'est pas agréable. — Qu'est-ce donc ?
— Mais des injures contre Naples et les Napolitains. —
Bah ! dit le prince. Va toujours ! C'est de l'histoire ! »

Mme la duchesse d'Aumale est une bonne et charmante
personne. Elle est laide, mais sa bonté rachète sa laideur.
Le prince s'amuse à la taquiner. « — Vous allez voir
comme je vais la scier », a-t-il dit l'autre jour à M. Vilain ;
et il s'est mis a causer avec ses aides de camp de *tableaux
vivants*, de *poses plastiques* et de femmes nues qu'on voit
en ce moment à la Porte-Saint-Martin, au Cirque, au
Palais-Royal et au Vaudeville. « — Vous me chassez,
a dit la princesse ; je vais m'en aller. — Non, je veux
que tu restes. — Alors ne parlez pas de ces vilenies.
— Pourquoi donc ? — Alors, je m'en vais. — Non.
— Eh bien, taisez-vous ! — Non. » Et de rire.

Jean Journet, l'apôtre phalanstérien, me disait ce
soir : « — Nous avons tous nos torts. Moi-même, n'ai-je
pas mes fautes et mes manquements ? Tenez, par exemple, j'ai des reproches à me faire comme père et comme
mari. Je n'ai été que demi-apôtre, de ce côté-là. Je me

suis mal conduit avec ma famille. Votre Fénelon, à vous, chrétiens, dit, et il a raison : *Avant la famille, la patrie ; avant la patrie, l'humanité.* Et bien ! moi, j'ai été faible. J'ai consenti à garder et à nourrir ma femme et mes enfants. J'ai failli à mon devoir. J'aurais dû leur dire : *Vous m'êtes étrangers !* J'aurais dû les mettre à la porte. Enfin, on n'est pas parfait ! »

8 janvier.

Le jour de la première représentation de la tragédie d'*Agnès de Méranie* [1], Méry reçut de la part du directeur de l'Odéon le coupon d'une loge. Il le renvoya à M. Bocage [2] avec un point d'interrogation derrière.

9 janvier.

La Commission instituée pour restaurer le Théâtre-Français fait des théories, se perd dans les nuages, assemble des hypothèses, combine des imaginations et ignore absolument la matière. Moi, je leur rappelle les faits et je tâche de les faire redescendre à la pratique. Je leur disais aujourd'hui : « — Messieurs, je me fais l'effet d'un avoué dans une assemblée de poètes. »

10 janvier.

Ce fut la voix de Laujon [3] qui détermina l'élection de M. de Chateaubriand [4] à l'Académie française.

14 janvier.

J'ai vu aujourd'hui M. Leverrier [5]. C'est un homme d'environ trente-cinq ans, laid, blond, les cheveux roulés à la mode d'il y a deux ans, les sourcils jaune-paille, l'œil intelligent et doux, l'air d'un piocheur.

Alfred de Vigny et moi avons fait manquer aujourd'hui l'élection à l'Académie.

D'un côté, on portait Empis ; de l'autre, Victor Leclerc [1]. Nous ne voulions ni de l'un ni de l'autre. Nous avons mis des billets blancs.

Il y avait trente-quatre votants ; majorité : dix-huit voix. Il y a eu cinq tours de scrutin. M. Empis a eu jusqu'à quinze voix, M. Victor Leclerc, jusqu'à seize.

Il y a eu des voix données, aux divers tours, à MM. Émile Deschamps [2], La Mennais, Alfred de Musset et Béranger. Avec nos deux voix, nous pouvions faire l'élection. Nous avons tenu bon.

Il a fallu remettre, et l'on a remis à un mois.

Au premier tour, quand on a proclamé les deux billets blancs, M. Flourens a dit :

« — Voilà deux voix perdues. »

Je lui ai répondu :

« — Perdues! dites : placées à gros intérêts! Mon intention est d'amener l'un des deux partis à s'entendre avec nous, qui sommes l'appoint tout-puissant, et à nommer Balzac ou Dumas en échange de nos voix. »

C'est de cette façon que j'ai fait nommer, il y a deux ans, Alfred de Vigny.

FAITS CONTEMPORAINS

Hier jeudi, 14 janvier, j'ai dîné chez M. de Salvandy, ministre de l'Instruction publique.

Il y avait le marquis de Normanby, ambassadeur d'Angleterre ; le duc de Caraman, jeune grand seigneur intelligent et simple, très occupé d'études philosophiques ; Dupin aîné, avec son air de bourgeois brusque ; M. de Rémusat, l'académicien d'il y a huit jours, esprit fin, intelligence impartiale ; M. Gay-Lussac, le chimiste, que sa renommée a fait pair de France et à qui la nature a donné une figure de bon paysan ; l'autre chimiste, M. Dumas, homme de talent, un peu trop frisé, et montrant beaucoup le ruban de commandeur de la Légion

d'honneur ; Sainte-Beuve, chauve et petit ; Alfred de
Musset, avec son air jeune, sa barbe blonde, ses opinions
équivoques et son visage spirituel ; M. Ponsard, homme
de trente-deux ans, aux traits réguliers, aux yeux grands
et ternes, au front médiocre, le tout encadré d'une
barbe noire et d'une chevelure noire, beau garçon pour
les boutiquières, grand poète pour les bourgeois ; M. Michel Chevalier, avec sa tête tondue, son front fuyant,
son profil d'oiseau et sa taille mince ; Alfred de Vigny,
autre blond à profil d'oiseau, mais à longs cheveux ;
Viennet, avec sa grimace ; Scribe, avec son air placide,
un peu préoccupé d'une pièce qu'on lui jouait le soir
même au Gymnase et qui est tombée ; Duplaty, triste
de sa chute du 7 en pleine Académie ; Montalembert,
avec ses cheveux longs et son air anglais, doux et dédai-
gneux ; Philippe de Ségur, causeur familier et gai, au
nez aquilin, aux yeux enfoncés, aux cheveux gris imitant
la coiffure de l'empereur ; les généraux Fabvier et Rapatel, en grand uniforme, Rapatel avec sa bonne figure
ronde, Fabvier avec sa face de lion camard ; Mignet,
souriant et froid ; Gustave de Beaumont, tête brune,
vive et ferme ; Halévy, toujours timide ; l'astronome
Leverrier, un peu rougeaud ; Vitet, avec sa grande taille
et son sourire aimable, quoiqu'il lui déchausse les dents ;
M. Victor Leclerc, le candidat académique qui avait
échoué le matin ; Ingres, à qui la table venait au menton,
si bien que sa cravate blanche et son cordon de commandeur semblaient sortir de la nappe ; Pradier, avec ses
longs cheveux et son air d'avoir quarante ans, quoiqu'il
en ait soixante ; Auber, avec sa tête en torticolis, ses
façons polies et ses deux croix d'officier à sa boutonnière.

J'étais à côté de lord Normanby, qui est un fort aimable homme, quoiqu'il soit l'ambassadeur de la mauvaise
humeur. Je lui ai fait remarquer le bout de la table
ainsi composé : Ingres, Pradier, Auber, la peinture, la
sculpture et la musique.

Mme de Salvandy avait lord Normanby à sa droite et M. Gay-Lussac à sa gauche ; M. de Salvandy avait à sa droite M. Dupin et à sa gauche M. de Rémusat.

La Chambre des pairs est dans l'usage de ne jamais répéter dans ses réponses aux discours de la couronne les qualifications que le roi donne à ses enfants. Il est également d'usage de ne jamais donner aux princes le titre d'altesse royale en parlant d'eux au roi. Il n'y a point d'altesse devant la majesté.

Aujourd'hui 18 janvier, on discutait l'adresse. M. de Boissy a quelquefois des saillies d'esprit vif et heureux à travers ses déraisons. Il disait aujourd'hui : « — Je ne suis pas de ceux qui savent gré au gouvernement des bienfaits de la providence. »

Il s'est querellé comme d'ordinaire avec M. le chancelier. Il faisait je ne sais quelle excursion, *extra vagabat*, la Chambre murmurait et criait : « — A la question ! » Le chancelier se lève : « — Monsieur le marquis de Boissy, la Chambre vous rappelle à la question. Elle m'en évite la peine. (J'ai dit tout bas à Lebrun : — Notre confrère eût bien pu dire *m'en épargne*.) — J'en suis charmé pour vous, monsieur le Chancelier », répond M. de Boissy. Et la Chambre de rire. Quelques instants après, le chancelier a pris sa revanche. M. de Boissy s'était empêtré dans je ne sais quelle chicane à propos du règlement. Il était tard. La Chambre s'impatientait. « — Si vous n'aviez pas soulevé un incident inutile, dit le chancelier, vous auriez fini votre discours depuis longtemps, à votre satisfaction et à la satisfaction de tout le monde. »

A cela tout le monde riait. « — Ne riez pas ! s'est écrié le duc de Mortemart. Ces rires sont la diminution du Corps. En entendant de telles choses, j'ai plutôt envie de pleurer. » M. de Pontécoulant a dit : « — M. de Boissy taquine M. le chancelier ; M. le chancelier tracasse M. de Boissy. Absence de dignité des deux parts! »

Un moment après, M. Dubouchage parlait. M. le vicomte Dubouchage nasille. J'entre et je dis à M. le prince de la Moskowa :

« — Qu'y a-t-il?

— Dubouchage parle.

— De quoi?

— Du nez. »

Pendant la séance, M. le duc de Mortemart est venu à mon banc et nous avons causé de l'empereur. M. de Mortemart a fait les grandes guerres. Il en parle noblement. Il était officier d'ordonnance de l'empereur dans la campagne de 1812.

« — C'est là, me dit-il, que j'ai appris à connaître l'empereur. Je le voyais de près à chaque instant, jour et nuit. Je le voyais se raser le matin, passer l'éponge sur son menton, tirer ses bottes, pincer l'oreille à son valet de chambre, causer avec le grenadier de faction devant sa tente, rire, jaser, dire des riens, et à travers tout cela, dicter des ordres, tracer des plans, interroger les prisonniers, consulter les généraux, statuer, résoudre, entreprendre, décider, souverainement, simplement, sûrement, en quelques minutes, sans rien laisser perdre, ni un détail de la chose utile, ni une seconde du temps nécessaire. Dans cette vie intime et familière du bivouac, il était sublime et, à chaque instant, son intelligence jetait des éclairs. Je vous réponds que celui-là faisait mentir le proverbe : *Il n'est pas de grand homme pour son valet de chambre.*

— Monsieur le duc, lui ai-je dit, c'est que le proverbe a tort. Tout grand homme est grand homme pour son valet de chambre. »

A cette séance, M. le duc d'Aumale, ayant ses vingt-cinq ans accomplis, est venu siéger pour la première fois. M. le duc de Nemours et M. le prince de Joinville étaient assis près de lui derrière le banc des ministres, à leurs places ordinaires. Ils n'étaient pas de ceux qui riaient le moins.

M. le duc de Nemours, s'étant trouvé le plus jeune de son bureau, y a fait les fonctions de secrétaire, comme c'est l'habitude. M. de Montalembert a voulu lui en épargner la peine. « — Non, a dit le prince, c'est mon devoir. » Il a pris l'urne et a fait, comme secrétaire, le tour de la table pour recueillir les scrutins.

FAITS CONTEMPORAINS

Le 18 janvier 1847, il y eut un bal chez Mme la duchesse de Galliera. Le feu prit. Voilà la fumée partout. On crie au feu! Chacun songe à l'incendie de la princesse de Schwartzenberg. Panique. C'est à qui se sauvera. *C'est à qui sauvera.* Les cavaliers emportent les femmes évanouies. Les maris s'effarent et tremblent qu'on ne sauve leurs femmes. Les valses s'achèvent en dévouements. On voit M. Molé emporter dans ses bras Mme de Castellane. Un moment après, quelqu'un arrive et dit à Mme de Girardin : « — Où est M. Molé? Avez-vous vu M. Molé? » Mme de Girardin, qui regardait le feu et ne s'étonnait pas, répondit tranquillement : « — Je viens de le voir occupé à sauver quelque chose d'affreux. »

La maison était un hôtel de la rue d'Astorg appartenant au marquis d'Aligre. Mme de Galliera avait chez elle la *Madeleine* de Canova, qui ne courut aucun risque, et un admirable tableau de Murillo qui un moment fut exposé. M. de Nieuwerkerque s'écria : « — Sauvez le Murillo! » et en oublia Mme la princesse Mathilde Demidoff.

Il y avait un « invité » qui poussait beaucoup à la démolition de la maison. C'était M. Visconti, architecte.

M. le duc de Montpensier ne voulut pas s'en aller, quoi qu'on lui dît : « — *Mais, Monseigneur, c'est l'heure où Votre Altesse se retire d'habitude.* » Il y eut un moment

de danger. Une salle en planches bâtie dans le jardin
faillit prendre feu. Quand le feu fut éteint, les trois
quarts des invités étaient partis. Il ne restait plus
qu'une salle non brûlée et quelques danseurs intrépides
qui se remirent à valser avec les danseuses qu'ils
avaient sauvées. Mme la duchesse de Miallé entra dans
ce salon et dit : « — *Je viens voir danser le bataillon
sacré.* »

FAITS CONTEMPORAINS

Au sortir de la séance du 21 janvier 1847 où la
Chambre des pairs parla de Cracovie et se tut sur la
frontière du Rhin, je descendais le grand escalier de la
Chambre en causant avec M. de Chastellux. M. Decazes
m'arrêta au passage. « — Eh bien! qu'avez-vous fait
pendant la séance? — J'ai écrit à Mme Dorval (je tenais
la lettre à la main). — Quel beau dédain! Pourquoi
n'avez-vous pas parlé? — A cause du vieux proverbe :

> *Tout avis solitaire*
> *Doit rêver et se taire.*

— Vous différiez donc d'opinion?... — Avec toute
la Chambre? Oui. — Que voulez-vous donc? — Le
Rhin. — Ah! diable! — J'aurais protesté et parlé sans
écho, j'ai mieux aimé me taire. — Ah! le Rhin! avoir le
Rhin! Oui! c'est beau, poésie poésie! — Poésie que nos
pères ont faite à coups de canon et que nous referons à
coups d'idées! — Mon cher collègue, a repris M. Decazes,
il faut attendre. Moi aussi, je veux le Rhin. Il y a trente
ans, je disais à Louis XVIII : Sire, je serais désolé
si je pensais que je mourrai sans voir la France maîtresse de la rive gauche du Rhin. Mais avant d'en
parler, avant même d'y songer, il faut que nous fassions
des enfants. — Eh bien! ai-je répliqué, voilà trente ans
de cela. Les enfants sont faits. »

28 janvier.

Il y a aujourd'hui dix-neuf ans que j'ai perdu mon père.

29 janvier.

Le grand lama actuellement régnant est un enfant de huit ans. Il habite Lassa, ville où aucun Européen n'a encore pénétré.

31 janvier.

Il y a quelques années, rue de Vendôme, dans le jardin turc, on trouva une petite source sulfureuse, très chaude et très chargée. Des spéculateurs achetèrent le terrain un prix fou, et l'on se mit à y bâtir une immense maison de bains, toute en pierre de taille. La maison terminée, il n'y eut plus qu'un petit inconvénient, la source avait disparu. Le poids de la maison avait tassé le terrain, et la source thermale avait fusé ailleurs [1].

Cartouche avait été condisciple de Voltaire. Mandrin naquit l'année de la mort de Louis XIV, en 1715. Ils moururent tous deux sur la roue, Cartouche en 1721, à l'âge de vingt-huit ans, Mandrin, en 1755, à l'âge de quarante ans.

FAITS CONTEMPORAINS

Le marquis de Normanby, ambassadeur d'Angleterre, me disait en janvier 1847 :

« — Quand on saura le côté secret de l'affaire de Cracovie, on saura ceci : c'est que la Russie a dit à l'Autriche : Prenez Cracovie. Voulez-vous ? Non ? Alors, je la prends.

— Ainsi, ai-je répondu, l'Autriche a cédé, et son audace est de l'obéissance! Sa violence est une lâcheté! Son usurpation est une abdication! »

Lord Normanby est un homme d'une cinquantaine d'années, de haute taille, blond, l'air anglais, — on l'aurait à moins, — élégant, gracieux, grand seigneur, bon garçon et dandy.

Il a été vice-roi d'Irlande et ministre de l'intérieur en Angleterre. Il est auteur de deux ou trois romans de *high-life*. Il a un ruban bleu sur sa cravate blanche, une plaque en diamant sur son habit noir. Il parle français avec difficulté et avec esprit.

1er février.

M. Scribe est né rue Saint-Denis, au *Chat noir* [1].

2 février.

> *Voici le mois de février,*
> *Toute bête lève le nez.*

5 février.

Concert chez le roi. J'y suis allé. Un de mes chevaux s'est abattu rue Saint-Antoine devant le portail de Saint-Paul. La foule s'est amassée. J'étais en habit de l'Institut. Un gamin de dix ans s'est haussé sur la pointe des pieds, a regardé dans la voiture et s'est écrié : « — Ah! ce marquis! »

FAITS CONTEMPORAINS

Hier, 5 février, j'étais aux Tuileries. Il y avait spectacle. Après l'opéra, tout le monde alla dans les galeries où était dressé le buffet, et l'on se mit à causer.

M. Guizot avait fait dans la journée à la Chambre des députés un discours très noble, très beau et très fier sur notre commencement de querelle avec l'Angleterre. On parlait beaucoup de ce discours. Les uns approuvaient, les autres blâmaient.

M. le baron de Billing passa auprès de moi, donnant le bras à une femme que je ne voyais pas.

« — Bonjour, me dit-il. Que pensez-vous du discours ? »
Je répondis :

« — J'en suis content. J'aime à voir qu'on se relève enfin, dans ce pays-ci. On dit que cette fierté est imprudente, je ne le pense pas. Le meilleur moyen de n'avoir pas la guerre, c'est de montrer qu'on ne la craint pas. Voyez, l'Angleterre a plié devant les États-Unis il y a deux ans. Elle pliera de même devant la France. Soyons insolents, on sera doux ; si nous sommes doux, on sera insolent. »

En ce moment, la femme à laquelle il donnait le bras s'est tournée vers moi, et j'ai reconnu l'ambassadrice d'Angleterre.

Elle avait l'air très fâchée ; elle m'a dit :

« — Oh ! monsieur !... »

J'ai répondu :

« — Ah ! madame !... »

Et la guerre a fini là. Plaise à Dieu que ce soit là aussi tout le dialogue entre la reine d'Angleterre et le roi de France !

FAITS CONTEMPORAINS

Au spectacle de la cour, qui eut lieu le 5 février 1847, on donnait *L'Élixir d'amour* de Donizetti. C'étaient les chanteurs italiens, la Persiani, Mario, Tagliafico. Ronconi jouait (jouait est le mot, car il jouait très bien) le rôle de Dulcamara, habituellement représenté par Lablache. C'était pour la taille, non pour le talent, un

nain à la place d'un géant. La salle de spectacle des
Tuileries avait encore en 1847 sa décoration Empire,
des lyres, des griffons, des cous de cygne, des palmettes
et des grecques, d'or sur fond gris, le tout froid et pâle.

Il y avait peu de jolies femmes ; Mme Cuvillier-
Fleury était la plus jolie, Mme V. H. la plus belle. Les
hommes étaient en uniforme ou en habit habillé. Deux
officiers de l'empire se faisaient remarquer par le costume de leur époque. Le comte Dutaillis, manchot de
l'empire et pair de France, avait son vieil uniforme de
général de division, brodé de feuilles de chêne jusque
sur les retroussis. Le grand collet droit lui montait à
l'occiput ; il avait une vieille plaque de la Légion
d'honneur tout ébréchée ; sa broderie était rouillée et
sombre. Le comte de Lagrange, ancien beau, avait un
gilet blanc à paillettes, une culotte courte de soie noire,
des bas blancs, c'est-à-dire roses, des souliers à boucles,
l'épée au côté, le frac noir, et le chapeau de pair à plume
blanche. Le comte Dutaillis eut plus de succès que le
comte de Lagrange. L'un rappelait la Monaco et la
Trénitz ; l'autre rappelait Wagram.

M. Thiers, qui avait fait la veille un assez médiocre
discours, poussait l'opposition jusqu'à être en cravate
noire.

Mme la duchesse de Montpensier, qui avait quinze ans
depuis huit jours, portait une large couronne de diamants
et était fort jolie. M. de Joinville était absent. Les trois
autres princes étaient là en lieutenants généraux, avec
la plaque et le grand cordon de la Légion d'honneur.
M. de Montpensier seul portait la Toison d'or.

Mme Ronconi, belle personne, mais d'une beauté
effarée et sauvage, était dans une petite loge sur la scène,
derrière le manteau d'arlequin. On la regardait beaucoup. Du reste, on n'applaudissait personne, ce qui
glaçait les chanteurs et tout le monde.

Cinq minutes avant la fin du spectacle, le roi commençait à faire son petit ménage. Il pliait son bulletin

satiné et le mettait dans sa poche, puis il essuyait les verres de ses jumelles, les refermait avec soin, cherchait son étui sur son fauteuil et remettait les jumelles dans l'étui en ajustant fort scrupuleusement les agrafes. Il y avait tout un caractère dans cette façon méthodique.

M. de Rambuteau y était. On se racontait ses derniers *rambutismes* (le mot était d'Alexis de Saint-Priest). On prétendait que M. de Rambuteau, au dernier jour de l'an, avait mis sur ses cartes : « *M. de Rambuteau est Vénus.* » Ou par variante : « *M. de Rambuteau, Vénus en personne.* »

11 février.

31 présents. Il faut 16 voix.

Absents : Thiers, Ballanche, Chateaubriand, Lamartine, de Vigny.

Brifaut et Guiraud, malades.

PREMIER TOUR

Émile Deschamps............	2 voix
Victor Leclerc	14 —
Empis.....................	15 —

MM. de Lamartine et Ballanche arrivent à la fin du premier tour. M. Thiers arrive au commencement du second ; ce qui fait 34.

Le directeur demande à M. Thiers s'il a promis sa voix. Il répond en riant : « *Non* », et ajoute : « — *Je l'ai offerte.* » On rit.

M. Cousin, à M. Lebrun, directeur : « — Vous ne vous êtes pas servi de l'expression sacramentelle. On ne demande pas à l'académicien s'il a *promis* sa voix, mais s'il l'a *engagée.* »

Il y a un fauteuil vide près de moi. De Vigny est

absent. Pongerville est allé voter à l'écart. J'ai à ma droite Feletz et à ma gauche Scribe.

SECOND TOUR

34, majorité 18.

Émile Deschamps............ 2 voix
Empis..................... 18 —
Victor Leclerc .... 14 —

Empis, 18, nommé. La nomination a été déterminée et faite par MM. de Lamartine et Ballanche.

En sortant, j'ai rencontré Léon Gozlan, qui m'a dit : « — Eh bien? » J'ai répondu : « — Il y a eu élection. C'est Empis.

— Comment l'entendez-vous? m'a-t-il dit.

— Des deux manières.

— Empis?...

— Et tant pis! »

L'Académie nomme M. Empis. L'élection a été déterminée par Lamartine, qui est venu voter pour, et par Vigny, qui n'est pas venu voter contre.

Académie. 11 février. Élection Empis.

M. Villemain. « — Je voudrais qu'il y eût un commentaire sur le règlement intérieur de l'Académie fait par quelqu'un de compétent. Je ne sais si ce livre existe, je ne l'ai pas lu... »

M. Guizot, *survenant, le prenant à bras-le-corps.* « — Monsieur, quel est le livre que vous n'avez pas lu? »

12 février

Mme de Chateaubriand est morte.

FAITS CONTEMPORAINS

Mme de Chateaubriand mourut le 11 février.

C'était une personne maigre, sèche, noire, très marquée de petite vérole, laide, charitable sans être bonne, spirituelle sans être intelligente.

Elle était fort convenablement avec M. de Chateaubriand. Dans mon extrême jeunesse, quand je venais voir M. de Chateaubriand, j'avais peur d'elle. Elle me recevait d'ailleurs assez mal.

M. de Chateaubriand, au commencement de 1847, était paralytique ; Mme Récamier était aveugle. Tous les jours, à trois heures, on portait M. de Chateaubriand près du lit de Mme Récamier. Cela était touchant et triste. La femme qui ne voyait plus cherchait l'homme qui ne sentait plus ; leurs deux mains se rencontraient. Que Dieu soit béni! on va cesser de vivre qu'on s'aime encore.

FAITS CONTEMPORAINS

L'autre jour, j'étais dans mon cabinet à travailler. On m'apporte une lettre ainsi conçue :

« *J'envoie à M. le vicomte Victor Hugo un billet pour le bal du 15 février donné à... au profit des pauvres. Prix : 20 francs. Mon domestique attendra la réponse.*

La comtesse de L. »

J'ai mis un napoléon sous cachet et j'ai écrit ceci sur l'enveloppe :

> *Voici mes vingt francs, comtesse,*
> *Quoiqu'on puisse en vérité*
> *Manquer à la charité*
> *Qui manque à la politesse.*

Puis j'ai fait remettre la chose au laquais.

20 février.

Samedi. Ouverture du Théâtre-Historique. J'en suis sorti à trois heures et demie du matin.

Mlle Mars était la seule personne vivante qui figurât dans les peintures du porche du Théâtre-Historique. Mme d'A... en entendant dire cela, a dit : — Ceci range Mlle Mars parmi les morts. Elle n'a pas longtemps à vivre. — Mlle Mars est morte le 20 mars, un mois jour pour jour après l'ouverture du Théâtre-Historique.

23 février.

On a demandé à Alexandre Dumas comment il se faisait qu'il n'eût point appelé en duel le marquis Henri de Castellane pour la façon dont il avait parlé de lui à la tribune [1]. On prétend que Dumas a répondu : « — Je ne puis, c'est mon cousin. »

24 février.

Mort d'Alexandre Guiraud [2].

FAITS CONTEMPORAINS

Le mercredi 24 février, il y eut concert chez M. le duc de Nemours aux Tuileries. Mlle Grisi, Mme Persiani, une Mme Corbari, Mario, Lablache et Ronconi chantèrent. M. Auber, qui dirigea le concert, n'y mit par malheur rien de sa musique. Ce fut tout Rossini, Mozart et Donizetti. La première partie du quintette de *Matilda di Chabran* y fut chantée admirablement. C'est une chose exquise.

On arrivait à huit heures et demie chez M. le duc de
Nemours, qui logeait au premier étage du pavillon Marsan, au-dessus des appartements de Mme la duchesse
d'Orléans. En arrivant, on attendait dans un premier
salon que les deux portes du grand salon s'ouvrissent, les
femmes assises, les hommes debout. Dès que le prince
et la princesse paraissaient, ces portes s'ouvraient toutes
grandes, et l'on entrait. C'est une fort belle pièce que
ce grand salon. Le plafond est évidemment du temps de
Louis XIV, quoique M. Lamy s'en prétende l'auteur.
Les murs sont tendus de damas vert à galons d'or. Les
fenêtres ont des sous-rideaux de damas rouge. Le meuble
est damas vert et or. L'ensemble est royal.

Le roi et la reine des Belges étaient à ce concert ; le
duc de Nemours entra, donnant le bras à la reine sa sœur,
le roi donnant le bras à la duchesse de Nemours. Suivaient Mmes d'Aumale et de Montpensier. La reine des
Belges ressemble à la reine des Français, à l'âge près.
Elle était coiffée d'une toque bleu-ciel ; Mme d'Aumale
d'une couronne de roses, Mme de Montpensier d'un dia-
dème de diamants, Mme de Nemours de ses cheveux
blonds. Les quatre princesses prirent place en face du
piano, sur des fauteuils à dos élevé ; toutes les autres
femmes derrière elles ; les hommes derrière les femmes
emplissant les portes et le premier salon. Le roi des
Belges avait une assez belle et grave figure, le sourire
fin et agréable ; il était assis à gauche des princesses.

Le duc de Broglie vint s'asseoir à sa gauche, puis
M. le comte Molé, puis M. Dupin aîné. M. de Salvandy,
voyant un fauteuil vide à droite du roi, s'y assit. Tous
cinq avaient le cordon rouge, y compris M. Dupin. Ces
quatre hommes représentaient autour du roi des Belges
l'ancienne noblesse militaire, l'aristocratie parlemen-
taire, la bourgeoisie avocassière, et la littérature clair-de-
lune ; c'est-à-dire un peu de ce que la France a d'illustre
et un peu de ce qu'elle a de ridicule.

MM. d'Aumale et de Montpensier étaient à droite,

dans une fenêtre, avec M. le duc de Wurtemberg, qu'ils
appelaient *leur frère Alexandre*. Tous les princes avaient
le grand cordon et la plaque de Léopold pour faire
honneur au roi des Belges ; MM. de Nemours et de Montpensier la Toison d'or. La Toison de M. de Montpensier
était en diamants et magnifique.

Les chanteurs italiens chantaient au piano debout
et s'asseyaient dans les repos sur des chaises à dossiers
de bois.

M. le prince de Joinville était absent, ainsi que sa
femme.

On contait que dernièrement il était allé en bonne
fortune. M. de Joinville est d'une force prodigieuse. Un
grand laquais disait derrière moi : « — Je ne voudrais
pas qu'il me donnât une calotte. » Tout en cheminant
vers son rendez-vous, M. de Joinville crut s'apercevoir
qu'on le suivait : il revint sur ses pas, aborda l'escogriffe
et tapa — comme un sourd.

Après la première partie du concert, MM. d'Aumale
et de Montpensier vinrent dans le second salon où je
m'étais réfugié avec Théophile Gautier, et nous causâmes
une bonne heure. Les deux princes me parlèrent beaucoup de choses littéraires, des *Burgraves*, de *Ruy Blas*,
de *Lucrèce Borgia*, de Mme Halley, de Mlle George, de
Frédérick Lemaître. Et beaucoup aussi de l'Espagne, du
mariage, des combats de taureaux, des baise-mains,
de l'étiquette, que M. de Montpensier « déteste ». « — Les
Espagnols aiment la royauté, ajoutait-il, et surtout
l'étiquette. En politique comme en religion, ils sont
bigots plutôt que croyants. Ils se sont fort scandalisés
pendant les fêtes du mariage parce que la reine a osé
un jour sortir à pied ! »

MM. d'Aumale et de Montpensier sont de charmants
jeunes gens, vifs, gais, gracieux, spirituels, sincères,
pleins de cette aisance qui se communique. Ils ont tout
à fait bon air. Ce sont des princes ; ce sont peut-être aussi
des intelligences. M. de Nemours est embarrassé et em-

barrassant. Quand il vient à vous avec ses favoris blonds,
ses yeux bleus, son cordon rouge, son gilet blanc et son
air triste, il vous consterne. Il ne vous regarde jamais
en face. Il cherche toujours ce qu'il va dire et ne sait
jamais ce qu'il dit.

25 février.

L'*Époque* [1] tombe et disparaît dans une trappe prati-
quée par M. Émile de Girardin.

26 février.

Enterrement de Guiraud. Grand froid. Quatre discours.

28 février.

L'acteur Bocage [2] a quitté la direction de l'Odéon. Il
en est sorti exécré des auteurs et des comédiens. Léon
Gozlan [3] montre des cheveux blancs qu'il a sur les tempes
et les appelle des *Bocages*.

1er mars.

Frédérick [4] est rentré : on a repris *Ruy Blas*.

3 mars.

Rembrandt n'aimait pas qu'on regardât sa peinture
de près. Il repoussait les gens du coude et disait : « — *Un
tableau n'est pas fait pour être flairé.* »

5 mars.

La reine Victoria vient d'ordonner dans toute l'Angleterre un jour de jeûne liturgique et d'humiliation pour

obtenir de la divine providence qu'elle daigne ne plus appesantir son bras sur l'Irlande. Quelle dérision, l'Angleterre jeûne pour l'Irlande qui meurt de faim! Ne jeûnez pas, nourrissez-la!

6 mars.

Vacance à l'Académie par la mort de Guiraud. Après M. Empis, voici M. Ampère. J'ai dit à Ségur : « — *Je ne sais pas si cela empisse ni si cela ampère, mais je suis sûr que cela empire.* »

7 mars.

On vient de juger et de condamner à Châteauroux les gens de Buzançais [1] qui, à l'occasion de trois charrettes de blé, lesquelles ont traversé leur ville, ont pillé plusieurs maisons le 13 janvier dernier et affreusement tué un bourgeois appelé M. Chambert, à coups de haches, de fourches, de marteaux, de talons de souliers. Un des témoins a dit : « — *J'ai vu M. Chambert déjà blessé à la tête qui s'enfuyait. Son visage était si inondé de sang que j'ai cru qu'il avait la face couverte d'un foulard rouge* [2]. »

8 mars.

Le 20 février on a vu à Rome ce qui ne s'y était jamais vu, un ambassadeur du *Turc* au pape.

L'ambassade de Bajazet à Innocent VIII fut purement politique. Celle-ci est purement cordiale. L'ambassadeur s'appelle Chékib-Effendi. Le sultan et le pape ont échangé des promesses d'*amitié*. Encore un pas de l'esprit civilisateur en dehors de l'esprit catholique. Et ce pas s'est fait à Rome.

9 mars.

A Carlsruhe, il y avait un théâtre, dans ce théâtre une loge pour le grand duc, dans cette loge une draperie, à côté de cette draperie un bec de gaz. Dimanche dernier 28 février, le théâtre était plein, on donnait la *Jeanne d'Arc* de Schiller. Le spectacle allait commencer. On laisse une porte ouverte. La draperie flotte, le gaz la rencontre, la draperie prend feu, le théâtre s'embrase, la foule veut sortir et ne peut. Mardi, on avait retiré des décombres cent dix cadavres.

M. Thiers, dans son histoire du premier Empire, si mal écrite, raconte que l'empereur voulut visiter, à Potsdam, le tombeau du grand Frédéric, et il ajoute : « — On introduisit l'empereur dans un caveau *simple jusqu'à la négligence* », disant ainsi d'un caveau ce qu'il faudrait dire de son style.

Aujourd'hui mardi, 9 mars, à cinq heures moins un quart de l'après-midi, on admirait encore le récit de Théramène à l'Académie. M. Mérimée lisait les poèmes envoyés au concours pour la *découverte de la vapeur*. Il lit mal les vers. M. Viennet l'a interrompu et lui a dit : « — *Vous tueriez le récit de Théramène !* »

10 mars.

Il y avait lundi dans *Le Moniteur* la nomination d'un avocat général appelé *Tropamer*. Un autre, à Rouen, s'appelle *Baillehache*.

FAITS CONTEMPORAINS

Méry, ce soir, 10 mars, a fait une violente sortie contre Lamartine. Il a nié l'existence d'Elvire et célébré la laideur de Mme de Lamartine, et il s'est écrié : « — Je

hais les poètes rêveurs qui inventent des Elvire pour
épouser des Anglaises... »

Cette sortie a un peu contristé tout le monde (c'était
chez Mme de Girardin). Méry a promené son regard sur
l'auditoire silencieux et, après une minute, a ajouté d'un
ton foudroyant : « au nez rouge! »

11 mars.

L'autre soir, au bal des comédiens, à l'Opéra-Co-
mique, Mlle Brohan [1] me dit : « — Venez donc dans
ma loge. J'y ai l'ambassadeur de Russie, M. Kisseleff [2]
(elle prononçait les *ff* comme un *v*. Puis elle ajouta :)
J'aime beaucoup monsieur Kisseleff. » J'ai répondu :
« — J'aime mieux Madame qui se couche. »

12 mars.

On a accroché dans ma salle à manger la lampe hol-
landaise. Mélanie est entrée et a dit : « — Tiens, une
lampe arabe! » Cela était en effet hollandais il y a deux
cents ans ; cela est arabe aujourd'hui. Il y a des modes
qui montent lentement du midi au nord, d'autres qui
descendent du nord au midi.

16 mars.

Aujourd'hui, à l'Académie, en écoutant les poèmes,
mauvais jusqu'au grotesque, qu'on a envoyés au
concours de 1847, M. de Barante disait : « — Vraiment, dans ce temps-ci, on ne sait plus faire les vers
médiocres. »

Grand éloge de l'excellence poétique et littéraire de
ce temps-ci, sans que M. de Barante s'en doutât.

17 mars.

Les grands penseurs se rudoient entre eux. — *Je pense, donc je suis*, dit Descartes. — *Paralogisme !* réplique Gassendi.

18 mars.

Mlle Cuvillier-Fleury est née le 4 avril 1820.

19 mars.

Cette semaine on a joué à l'Odéon l'*Alceste* [1] d'Euripide. Mlle Araldi [2] jouait Alceste. Elle imite Mlle Rachel comme Mme Halley [3] imite Mlle George ; même accent, même air, même façon dure et sombre, beaucoup plus de gestes. Mlle Araldi vient de l'Opéra. A de certains moments, elle se déhanche, met sous la tirade des mouvements de cachucha. On sent qu'avant de copier Mlle Rachel, elle copiait Mlle Essler [4]. Mlle Araldi danse la tragédie.

20 mars.

Aujourd'hui dans mon bureau à la Chambre, on parlait de l'utilité possible d'une loi qui établirait un conseil supérieur de la guerre présidé par un prince du sang. « — On ne peut pas mettre cela dans la loi, a dit M. de Pontécoulant ; la Constitution ne connaît pas les princes. »

21 mars.

Mlle Mars est morte ; dans son mois.

22 mars.

M. de Vigny et M. Molé ne se sont pas encore pardonné [5]. L'autre jeudi, à l'Académie, M. Molé venait de

parler. M. de Vigny, parlant après lui, a évité de prononcer son nom, comme un mot obscène, et l'a ainsi
qualifié : « *le dernier membre qui vient de parler* ».

M. Molé a immédiatement demandé la parole, uniquement pour dire, en parlant de M. de Vigny, dans une
phrase insignifiante, du reste : « — *Le dernier membre
qui vient de parler.* »

23 mars.

Aujourd'hui, en revenant de l'Institut par l'ancien
quai de la Ferraille, j'ai vu passer une voiture bourgeoise si rapidement que cela m'a étonné. J'ai regardé
dans la voiture et j'y ai reconnu le roi, accompagné de
M. Gabriel Delessert, préfet de police. Le préfet de
police était au fond, à droite, le roi à gauche, précaution évidente pour dérouter. Le roi causait et riait aux
éclats. Le store de son côté était baissé. Il n'y avait à la
voiture que le cocher et le laquais, vêtus de gris. Elle se
dirigeait vers les Tuileries.

Un moment après, j'ai rencontré l'escorte habituelle du roi qui s'en revenait au pas, les cavaliers de
la garde marchant en tête, et les cavaliers de l'armée en
queue. On était aux fenêtres, on regardait, on entendait des groupes d'ouvriers murmurer : « — C'est lui!
C'est le roi! » Il y avait quelque émotion sur tout le
quai du Pont-Neuf à l'Hôtel de Ville. Des sergents de
ville et des agents de police en bourgeois allaient et
venaient d'un air affairé.

24 mars.

J'ai écrit hier à Lamartine, à propos de son *Histoire
des Girondins* : « *Incedo per ignes.* Tout ce que j'ai déjà
lu de votre livre est magnifique. Voilà enfin la révolution traitée par un historien de puissance à puissance.
Vous saisissez ces hommes gigantesques, vous étrei-
gnez ces événements énormes avec des idées qui sont

à leur taille. Ils sont immenses, mais vous êtes grand.

« Parfois seulement, dans l'intérêt même de cette sainte et juste cause des peuples que nous aimons et que nous servons tous les deux, je voudrais que vous fussiez plus sévère. Vous êtes si fort que vous le pouvez. Vous êtes si noble que vous le devez. Mais je suis ébloui et ravi du succès.

« Je vous envoie un serrement de main du fond du cœur.

« V. H. »

25 mars.

J'ai dit à l'Académie (on causait candidats) : « — Je ne veux pas d'Ampère parce qu'il commence comme Empis et finit comme Leclère. Vous avez fondu vos deux candidats du mois passé dans un. »

26 mars.

Enterrement de Mlle Mars [1]. Elle est morte à soixante-neuf ans. Elle avait deux ans de plus que Mlle George. Mlle Mars avait cinquante-deux ans lorsqu'elle créa Doña Sol, personnage de dix-sept ans. Elle laisse un fils, caissier chez le banquier Gontard [2]. On n'a pas envoyé de billets de faire part à cause de l'embarras de mettre : « *Mademoiselle Mars* est morte. *Son fils* a l'honneur de vous en faire part. »

FAITS CONTEMPORAINS

26 mars.

J'ai été à l'enterrement de Mlle Mars.

Je suis arrivé à midi. Le corbillard était déjà à la

Madeleine. Il y avait une foule immense et le plus
beau soleil du monde. C'était jour de marché aux fleurs
sur la place. J'ai pénétré avec assez de peine jusque sur
le perron ; mais, là, impossible d'aller plus loin. L'unique
porte était encombrée ; personne ne pouvait plus entrer.

J'apercevais dans l'ombre de l'église, à travers la
clarté éblouissante de midi, les étoiles rougeâtres des
cierges rangés autour d'un haut catafalque noir. Les
peintures du dôme faisaient un fond mystérieux.

J'entendais les chants des morts qui venaient jusqu'à moi, et tout autour de moi les propos et les cris
de la foule. Rien n'est triste comme un enterrement ;
on ne voit que des gens qui rient. Chacun accoste gaiement son voisin et cause de ses affaires.

L'église et le portail étaient tendus de noir, avec un
écusson en galons d'argent contenant la lettre M. Je
me suis approché du corbillard, qui était en velours noir
galonné d'argent, avec cette lettre M. Quelques touffes
de plumes noires avaient été jetées à l'endroit où l'on
met le cercueil.

Le peuple de Paris est comme le peuple d'Athènes,
léger, mais intelligent. Il y avait là des gens en blouse
et en manches retroussées qui disaient des choses
vraies et vives sur le théâtre, sur l'art, sur les poètes.
Ils cherchaient et nommaient dans la foule les noms
célèbres. Il faut à ce peuple de la gloire. Quand il n'a
pas de Marengo ni d'Austerlitz, il veut et il aime les
Dumas et les Lamartine. Cela est lumineux et ses yeux
y courent.

Je suis resté sous le péristyle, abrité du soleil par une
colonne. Quelques poètes m'avaient rejoint et m'entouraient, Joseph Autran, Adolphe Dumas, Hippolyte
Lucas, Auguste Maquet.

Alexandre Dumas est venu à nous avec son fils. La
foule le reconnaissait à sa tête chevelue, et le nommait.

Vers une heure, le corps est sorti de l'église, et tout
le monde.

Les propos éclataient parmi les assistants :

« — Ah! voilà Bouffé! — Où est donc Arnal? — Le voici. — Tiens, ceux-ci en noir sont les sociétaires du Théâtre-Français. — Le Théâtre-Français assiste à son propre enterrement. — Voilà des femmes, Mme Volnys, Mme Guyon, Rose Chéri. — Celle-ci, c'est Déjazet ; elle n'est plus très jeune ; cela doit lui donner à réfléchir. Etc., etc. »

Le corbillard s'est mis en mouvement et nous avons tous suivi à pied. Derrière nous venaient une douzaine de voitures de deuil et quelques calèches où il y avait des actrices. Il y avait bien dix mille personnes a pied. Cela faisait un flot sombre qui avait l'air de pousser devant lui le corbillard cahotant ses immenses panaches noirs.

Des deux côtés du boulevard, il y avait une autre foule qui faisait la haie. Des femmes en chapeaux roses étaient assises, souriantes, sur les espèces de degrés que font les trottoirs. Les balcons étaient encombrés de monde. Vers la porte Saint-Martin, j'ai quitté le convoi, et je m'en suis allé pensif.

27 mars.

J'ai écrit hier quelques pages sur l'enterrement de Mlle Mars. Voici quelques autres détails. Dumas est allé jusqu'au cimetière avec son fils. Frédérick Lemaître s'y trouvait donnant le bras à Mlle Clarisse Miroy [1]. Toutes les actrices du Théâtre-Français étaient là, vêtues de deuil. Mlle Doze [2] (l'élève favorite de Mlle Mars qui l'élevait contre Mlle Plessy), nouvellement mariée à M. Roger de Beauvoir, y était aussi, mais point en deuil. On l'a remarqué. On a remarqué aussi que, pendant les discours, les prêtres sont remontés dans leur voiture pour ne point entendre l'éloge d'une comédienne. La foule était telle qu'on montait sur les tombes et qu'on défonçait les grilles des sépultures. La multitude a piétiné la fosse d'une jeune fille enterrée de la veille, qui se trouvait par malheur près de là. La croix de la jeune fille morte a été foulée aux pieds et sa couronne d'oranger écrasée et traînée dans la boue. Ils croyaient honorer la gloire et ne s'apercevaient pas qu'ils offensaient la virginité. Triste chose que cette vierge immolée à cette comédienne.

Toutes les actrices avaient d'énormes bouquets de violettes [1] qu'elles ont jetées sur le cercueil de Mlle Mars. Cela faisait un monceau haut de plus de deux pieds. Les bouquets de Mlle Rachel et de Mme Volnys [2] étaient de vraies bottes de fleurs. Mme Doche donnait le bras à Mlle Rachel. Il y avait aussi quelques chanteurs des Bouffes, entre autres Lablache [3]. Viennet, dans son discours, a appelé Mlle Mars *l'illustre Mars*. On a déposé provisoirement Mlle Mars dans le caveau de sa nièce Georgina Mars, morte il y a quelques années.

FAITS CONTEMPORAINS

Dans sa dernière maladie, Mlle Mars avait souvent le délire. Un soir, le médecin arrive. Elle était en proie à une fièvre ardente et rêvait tout haut ; elle parlait du théâtre, de sa mère, de sa fille, de sa nièce Georgina, de tout ce qu'elle avait aimé ; elle riait, pleurait, criait, poussait de grands soupirs.

Le médecin s'approche de son lit et lui dit : « — Chère dame, calmez-vous, c'est moi. » Elle ne le reconnaît pas et continue de délirer. Il reprend : « — Voyons, montrez-moi votre langue, ouvrez la bouche. » Mlle Mars le regarde, ouvre la bouche et dit : « — Tenez, regardez. Oh ! toutes mes dents sont bien à moi ! »

Célimène vivait encore.

28 mars.

Le général Drouot est mort à Nancy.

29 mars.

Le baron de Sch. [1], qui a une barbiche blanche pointue, la tête presque chauve et la mine tout à fait hétéroclite, était à la tribune aujourd'hui. Le duc d'H., qui est une façon de nain, s'approche de moi, me le montre et dit : « — *Voilà un être qui paraîtrait baroque à des Esquimaux.* » Un moment après, M. de Sch. descend de la tribune et me dit tout bas : « — *Tout en parlant, je regardais le duc d'H. Savez-vous qu'on gagnerait de l'or à le montrer dans les foires ?* »

30 mars.

Le prince de Polignac est mort à Saint-Germain.

2 avril.

On causait nègres, émancipation, colonies, etc. Émile Deschamps faisait des calembours et disait qu'Alexandre Dumas ressemblait à un nègre. J'ai dit : « — Moi aussi, je ressemble à un nègre. » Là-dessus, on éclate de rire. J'ai riposté par ceci :

A Madame ***
Quoique les noirs ne soient pas blonds.
Eux et moi nous nous ressemblons,
Et sous le sens la chose tombe :
Ils ont pour maîtres des colons,
J'ai pour maîtresse une colombe.

Il y a eu un doux sourire au bout de cela.

4 avril.

De Madrolle [2] ôtez Rolle. — Il reste Mad. — Fort bien. De Rolle ôtez crétin. Que vous reste-t-il ? — Rien.

5 *avril.*

Le comte Roy vient de mourir. Il avait deux millions
cinq cent mille francs de rente. Il vivait avec deux cent
mille francs par an. « — C'est dommage, disais-je hier,
qu'un poète n'ait jamais deux millions de rente. On
verrait. Ce serait un beau spectacle qu'une grande imagination se jouant dans une grande richesse. « — Oh !
s'est écrié Théophile Gautier, *si j'avais deux millions de
rente, je voudrais que Paris passât sa vie, assis sur son
derrière, à me les regarder manger !* »

6 *avril.*

J'ai visité hier la Roquette et la prison des condamnés. Le directeur de la prison de la Roquette s'appelle
M. Boulon.

FAITS CONTEMPORAINS

La prison des condamnés à mort, placée à côté et
bâtie en pendant de la prison des jeunes détenus, est
une vivante et saisissante antithèse. Ce n'est pas seulement le commencement et la fin du malfaiteur qui se
regardent ; c'est aussi la confrontation perpétuelle des
deux systèmes pénitentiaires, la claustration cellulaire et l'emprisonnement en commun. Il suffit presque
de ce vis-à-vis pour juger la question. C'est un duel
sombre et silencieux entre le cachot et la cellule, entre
la vieille prison et la prison nouvelle.

D'un côté, tous les condamnés pêle-mêle, l'enfant de
dix-sept ans avec le vieillard de soixante-dix, le prisonnier de treize mois avec le forçat à vie, le gamin
imberbe qui a chipé des pommes et l'assassin de grandes
routes sauvé de la place Saint-Jacques et jeté à Toulon
par les circonstances atténuantes, des presque innocents
et des quasi damnés, des yeux bleus et des barbes

grises, de hideux ateliers infects où se coudoient et
travaillent, dans des espèces de ténèbres, à des choses
sordides et fétides, sans air, sans jour, sans parole, sans
regard, sans intérêt, d'affreux spectres mornes, dont les
uns épouvantent par leur vieillesse, les autres par leur
jeunesse.

De l'autre côté, un cloître, une ruche ; chaque tra-
vailleur dans sa cellule, chaque âme dans son alvéole ;
un immense édifice à trois étages remplis de voisins
qui ne se sont jamais vus ; une ville composée d'une foule
de petites solitudes ; rien que des enfants, et des enfants qui ne se connaissent pas, qui vivent des années
l'un près de l'autre, sans jamais entendre ni le bruit de
leurs pas, ni le son de leur voix, séparés par un mur et
par un abîme ; le travail, l'étude, les outils, les livres,
huit heures de sommeil, une heure de repos, une heure
de jeu dans une petite cour à quatre murs, la prière soir
et matin, la pensée toujours.

D'un côté, un cloaque ; de l'autre, une culture.

Vous entrez dans une cellule ; vous trouvez un enfant debout devant un établi qu'éclaire une fenêtre à
vitres dépolies dont un carreau du haut peut s'ouvrir.
L'enfant est vêtu de grosse bure grise, propre, grave,
paisible. Il s'interrompt, car il travaillait, et il salue.
Vous l'interrogez ; il répond avec un regard sérieux et
une parole douce. Les uns font des serrures, douze par
jour ; les autres des sculptures pour meubles, etc.
Il y a autant d'états que d'ateliers, autant d'ateliers
que de corridors. L'enfant, en outre, sait lire et écrire.
Il a dans sa prison un maître pour l'esprit comme pour
le corps.

Il ne faut pas croire cependant qu'à force de douceur
cette prison soit inefficace comme châtiment. Non, elle
est profondément triste. Tous ces détenus ont un air
qui est particulier.

Il y a du reste encore beaucoup de critiques à faire ;
le système cellulaire commence. Il a presque tous ses

perfectionnements devant lui ; mais déjà, tel qu'il est, incomplet et insuffisant, il est admirable à côté du système de l'emprisonnement en commun.

Le prisonnier, captif de tous les côtés, et libre seulement du côté du travail, s'intéresse à ce qu'il fait, quoi qu'il fasse. Tel enfant joueur, qui haïssait toute occupation, devient un ouvrier acharné. C'est que peu de travail ennuie et beaucoup de travail amuse.

Quand on est séquestré, on parvient à trouver du plaisir dans le travail le plus aride, comme on finit par trouver de la lumière dans la cave la plus noire.

L'autre jour, le 5 avril, je visitais la prison des condamnés, je dis au directeur qui m'accompagnait :

« Vous avez un condamné à mort ici en ce moment ?

— Oui, monsieur, le nommé Marquis, qui a essayé de tuer à coups de couteau une fille Térisse pour la voler.

— Je voudrais, dis-je, parler à cet homme.

— Monsieur, dit le directeur, je suis ici pour prendre vos ordres, mais je ne puis vous introduire près du condamné.

— Parce que ?

— Monsieur, les règlements de police nous défendent de laisser pénétrer qui que ce soit dans la cellule des condamnés à mort. »

Je repris :

« J'ignore, monsieur le directeur de la prison, ce que prescrivent les règlements de police ; mais je sais ce que prescrit la loi. La loi place les prisons sous la surveillance des chambres et les ministres en particulier sous la surveillance des pairs de France, qui peuvent être appelés à les juger. Partout où il peut y avoir un abus, le législateur doit entrer et regarder. Il peut y avoir des choses mauvaises dans le cachot d'un condamné à mort. Il est de mon devoir d'entrer et de votre devoir d'ouvrir. »

Le directeur ne répliqua point et me conduisit.

Nous côtoyâmes une petite cour où il y a quelques fleurs et qu'entoure une galerie. C'est le promenoir spécial des condamnés à mort. Quatre hauts bâtiments l'entourent. Au milieu d'un des côtés de la galerie, il y a une grosse porte bardée de fer. Un guichetier l'ouvrit et je me trouvai dans une sorte d'antichambre obscure et dallée de pierres. Je vis devant moi trois portes, une en face, les deux autres à droite et à gauche ; trois lourdes portes de chêne percées d'un guichet à grille et chargées d'une énorme armature de fer. Ces trois portes donnent sur trois cellules destinées à des condamnés à mort qui attendent leur sort après leur double pourvoi en grâce et en cassation. C'est en général un répit de deux mois. « Il n'y a encore eu, me dit le directeur, que deux de ces cellules occupées à la fois. »

On m'ouvrit la porte du milieu. C'était celle du cachot habité en ce moment.

J'entrai.

Au moment où j'entrai, un homme se leva vivement et resta debout.

Cet homme était au fond de la chambre. Ce fut lui que je vis d'abord. Un jour blafard qui tombait d'une large fenêtre à hotte placée au-dessus de sa tête l'éclairait par derrière. Il avait la tête nue, le col nu, des chaussons aux pieds, un pantalon de laine brune et la camisole. Les manches de cette camisole de grosse toile grise étaient nouées par-devant. A travers cette toile, on distinguait sa main qui tenait une pipe toute bourrée. Il allait allumer cette pipe à l'instant où la porte s'était ouverte. C'était le condamné.

On ne voyait par la fenêtre qu'un peu de ciel pluvieux.

Il y eut un moment de silence. J'éprouvais trop d'émotions à la fois pour pouvoir parler.

C'était un jeune homme ; il n'avait évidemment pas plus de vingt-deux ou vingt-trois ans. Ses cheveux,

châtains et naturellement frisés, étaient coupés courts ;
sa barbe n'était pas faite. Il avait les yeux gands et
beaux, mais le regard petit et vilain, le nez écrasé, les
tempes proéminentes, les os de derrière l'oreille larges,
ce qui est mauvais signe, le front bas, la bouche laide,
et, à gauche, au bas de la joue, ce gonflement particulier que donne l'angoisse. Il était pâle. Toute cette figure
était bouleversée ; cependant, à notre entrée, il s'efforça
de sourire.

Il était debout, il avait à sa gauche son lit, une espèce
de grabat en désordre, sur lequel il était probablement
étendu le moment d'auparavant, et à sa droite une
petite table de bois barbouillée en jaune, ayant pour
dessus une planche peinte en marbre Sainte-Anne. Sur
cette table, il y avait des écuelles de grosse terre ver-
nie contenant des légumes cuits à l'eau et un peu de
viande, un morceau de pain et une blague de cuir pleine
de tabac à fumer et ouverte. Une chaise de paille était
à côté de la table.

Ce n'était plus ici l'effrayant cabanon des condamnés de la Conciergerie. C'était une chambre assez vaste,
assez claire, badigeonnée en jaune, meublée de ce lit,
de cette chaise, de cette table, d'un poêle en faïence qui
était à notre gauche, d'une planche ajustée à un angle
du mur vis-à-vis la fenêtre et chargée de vieilles hardes
et de vieux tessons. Dans un autre angle, il y avait une
chaise carrée qui remplaçait l'ignoble baquet classique
des anciens cachots. Tout cela était propre ou à peu près,
rangé, aéré, balayé, et avait ce je ne sais quoi de bourgeois qui ôte aux choses leur horreur aussi bien que leur
beauté. La fenêtre, garnie de doubles barreaux, était
ouverte. Deux petites chaînes, destinées à en retenir
les châssis, pendaient à deux clous au-dessus de la tête
du condamné.

Près du poêle, deux hommes se tenaient debout, un
soldat, sans autre arme que son sabre, et un gardien.
Les condamnés ont toujours ainsi auprès d'eux deux

hommes qui ne les quittent ni jour ni nuit. On relève ces hommes de trois heures en trois heures.

Ce ne fut pas dans le premier moment que je pus considérer tout cet ensemble. Le condamné absorbait toute mon attention.

M. Paillard de Villeneuve m'accompagnait. Ce fut le directeur qui rompit le silence le premier.

« Marquis, dit-il en me montrant, monsieur vient dans votre intérêt.

— Monsieur, dis-je alors, si vous avez quelque réclamation à faire, je suis ici pour l'entendre. »

Le condamné s'inclina et me répondit en souriant d'un sourire qui faisait mal :

« Je n'ai à me plaindre de rien, monsieur. Je suis bien ici. Ces messieurs (il montrait les deux gardiens) sont très bons et veulent bien causer avec moi. M. le directeur vient me voir de temps en temps.

— Comment êtes-vous nourri ? repris-je.

— Très bien, monsieur. J'ai double ration. »

Il ajouta après un silence :

« *Nous* avons droit à double ration, et puis j'ai du pain blanc. »

Je regardai le morceau de pain, qui était très blanc, en effet.

Il ajouta :

« Le pain de la prison, c'est la seule chose à laquelle je n'aurais pas pu m'accoutumer. A Sainte-Pélagie, où j'ai été en prévention, nous avions formé une société de jeunes gens pour être entre nous et n'être pas mêlés avec les autres, et pour avoir du pain blanc. »

Je repris :

« Étiez-vous mieux à Sainte-Pélagie qu'ici ?

— J'étais bien à Sainte-Pélagie et je suis bien ici. »

Je poursuivis :

« Vous disiez que vous ne vouliez pas être *mêlé avec les autres*. Qu'entendez-vous par ce mot, *les autres* ?

— C'était, répondit-il, beaucoup de gens du commun qu'il y avait. »

Le condamné était fils d'un portier de la rue Chabanais.

« Votre lit est-il bon ? » lui demandai-je.

Le directeur souleva les couvertures et me dit : « Voyez, monsieur, un sommier, deux matelas et deux couvertures.

— Et deux traversins, ajouta Marquis.

— Dormez-vous bien ? » lui dis-je.

Il répondit sans hésiter :

« Très bien. »

Il y avait sur le lit un livre dépareillé tout ouvert.

« Vous lisiez ?

— Oui, monsieur. »

Je pris le livre ; c'était un *Abrégé de géographie et d'histoire*, imprimé au dernier siècle. Les pages du commencement et une moitié de la reliure manquaient. Le livre était ouvert à l'endroit du lac de Constance.

« Monsieur, me dit le directeur, c'est moi qui lui ai prêté ce livre. »

Je me tournai vers Marquis.

« Ce livre vous intéresse-t-il ?

— Oui, monsieur, répondit-il ; M. le directeur m'a prêté aussi *Les Voyages de Lapérouse et du capitaine Cook*. J'aime ces aventures de nos grands navigateurs. Je les ai déjà lues, mais je les relis volontiers et je les relirai avec plaisir dans un an ou dans dix ans. »

Il ne dit pas *je relirais*, mais *je relirai*. Du reste, le pauvre jeune homme était beau parleur et s'écoutait avec un certain plaisir. *Nos grands navigateurs* est textuel. Il parlait en style de journal. Dans tout le reste de la conversation, je remarquai cette absence de naturel. Tout s'efface devant la mort, excepté l'affectation. La bonté s'évanouit, la méchanceté s'en va, l'homme bienveillant devient amer, l'homme rude devient doux ; l'homme affecté reste affecté. Chose

étrange que la mort vous touche et ne vous rende pas
simple !

C'était un pauvre ouvrier vaniteux, un peu artiste,
trop et trop peu, que la vanité avait perdu. Il avait le
goût de paraître et de jouir. Il avait dérobé un matin
cent francs dans la commode de son père et, le lendemain, après une journée de plaisir, de bons repas, de
spectacle, de débauches, etc., il avait assassiné une
fille pour la voler. Cette affreuse échelle qui a tant
d'échelons, qui va du vol domestique à l'assassinat,
de la réprimande paternelle à l'échafaud, les scélérats
comme Lacenaire et Poulmann mettent vingt ans à la
descendre ; lui, ce jeune homme, qui n'était qu'un
enfant hier, l'avait enjambée. En vingt-quatre heures,
il avait, comme disait dans la cour un vieux forçat
ancien maître d'école, *pris tous ses grades.*

Quel abîme qu'une telle destinée !

« Est-ce que vous n'aviez aucun moyen d'existence ? »

Il releva la tête et répondit avec une sorte de fierté :
« Si fait, monsieur. »

Puis il continua, je ne l'interrompais pas :

« J'étais dessinateur pour meubles ; j'ai même étudié
pour être architecte. Je m'appelle Marquis, je suis élève
de M. Le Duc. »

Il voulait parler de M. Viollet-Le Duc, architecte
du Louvre. Je remarquai dans la suite de ses paroles
qu'il prononçait avec quelque complaisance les mots
Marquis, M. Le Duc.

Cependant il ne s'était point arrêté.

« J'avais commencé la fondation d'un journal de
dessins pour les ébénistes. J'avais fait déjà quelques
planches. Je voulais donner aux tapissiers des dessins
dans le goût Renaissance, faits selon les règles du
métier, ce qu'ils n'ont jamais. Ils sont forcés de se contenter de gravures de modes fort incorrectes.

— Vous aviez une bonne idée. Pourquoi ne l'avoir
point mise à exécution ?

— Cela a manqué, monsieur. »

Il dit ce mot d'un ton paisible et ajouta :

« Pourtant, je ne peux pas dire que j'aie manqué d'argent. J'avais du talent ; je vendais mes dessins ; j'aurais, bien sûr, fini par les vendre ce que j'aurais voulu. »

Je ne pus m'empêcher de lui dire :

« Alors, pourquoi ?... »

Il me comprit et répondit :

« Je ne sais vraiment pas. C'est une idée qui m'a traversé l'esprit. Je ne me serais vraiment pas cru capable de cela jusqu'à ce jour néfaste. »

Sur ce mot, *jour néfaste*, il s'interrompit, puis reprit avec une sorte d'insouciance :

« Je regrette de n'avoir point là quelques dessins, je vous les montrerais. Je faisais aussi le paysage. M. Le Duc m'avait appris l'aquarelle. Je réussissais le genre Cicéri. J'ai fait des choses qu'on aurait juré qu'elles étaient de M. Cicéri. J'aime beaucoup le dessin. A Sainte-Pélagie, j'ai dessiné les portraits de plusieurs de mes compagnons, mais au crayon seulement. On n'a pas voulu laisser entrer ma boîte d'aquarelle.

— Pourquoi ? » dis-je sans réflexion.

Il hésita, je regrettai ma question, car j'entrevoyais le motif.

« Monsieur, reprit-il, c'est qu'on se figurait qu'il pouvait y avoir du poison dans les couleurs. On avait tort. Ce sont des couleurs à l'eau.

— Mais, observa le directeur, il y a du minium dans le vermillon ?

— C'est possible, dit-il. Le fait est qu'on n'a pas voulu, et j'ai dû me contenter du crayon. Les portraits étaient tout de même ressemblants.

— Et ici, que faites-vous ?

— Je m'occupe. »

Il resta rêveur sur cette réponse, puis ajouta :

« Je dessinerais bien. Ceci (en montrant la camisole)

ne me gênerait pas. A la rigueur, on dessinerait (il
agitait sa main sous la manche en parlant ainsi). Et
puis ces messieurs (montrant les gardiens) sont très
bons. Ils m'ont déjà offert de me laisser lever les manches. Mais je fais autre chose. Je lis.

— Vous voyez, sans doute, l'aumônier.

— Oui, monsieur, il vient. »

Ici, il se tourna vers le directeur.

« Mais je n'ai pas encore vu l'abbé Montès. »

Ce nom dans cette bouche me fit un effet sinistre.
J'ai vu une fois dans ma vie l'abbé Montès, un jour d'été,
par un beau soleil, sur le pont au Change, dans la
charrette qui menait Louvel à l'échafaud.

Cependant le directeur avait répondu :

« Ah! dame! c'est qu'il est vieux ; il a près de quatre-
vingt-six ans ; le pauvre bonhomme fait son service
comme il peut.

— Quatre-vingt-six ans! dis-je. C'est ce qu'il faut,
pourvu qu'il ait un peu de force. A cet âge, on est si
près de Dieu qu'on doit avoir de bien belles paroles.

— Je le verrai avec plaisir, dit Marquis tranquillement.

— Monsieur, lui dis-je, il faut espérer.

— Oh! reprit-il, je ne me décourage pas. D'abord,
j'ai mon pourvoi en cassation et puis j'ai ma demande
en grâce. La sentence qui me condamne peut être
cassée ; je ne dis pas qu'elle ne soit pas juste, mais elle
est un peu sévère ; on aurait pu considérer mon âge et
admettre des circonstances atténuantes. Et puis j'ai
signé mon placet au roi. Mon père, qui vient me voir,
m'a dit d'être tranquille. C'est M. Le Duc qui remettra
lui-même le placet à Sa Majesté. M. Le Duc me connaît
bien, il connaît bien son élève Marquis. Le roi est
accoutumé à ne lui rien refuser. Il est impossible qu'on
ne me fasse pas grâce, je ne dis pas de tout, mais... »

Il s'arrêta.

« Oui, lui dis-je, ayez bon espoir. Vous avez ici-bas

vos juges d'un côté et votre père de l'autre. Mais, là-haut, vous avez aussi votre père et votre juge, qui est Dieu et qui ne peut pas sentir la nécessité de vous condamner sans éprouver en même temps le besoin de vous pardonner. Espérez donc !

— Merci, monsieur », répondit Marquis.

Il y eut encore un silence.

Je lui demandai :

« Désirez-vous quelque chose ?

— Je voudrais sortir et me promener dans la cour un peu plus souvent. Voilà tout, monsieur. Je ne sors guère qu'un quart d'heure par jour.

— C'est trop peu, dis-je au directeur. Pourquoi cela ?

— C'est que nous avons une telle responsabilité ! répondit le directeur.

— Comment ! dis-je, mettez quatre gardiens si deux ne suffisent pas. Mais ne refusez pas à ce jeune homme un peu d'air et de soleil. Une cour au centre de la prison, des verrous et des grilles partout, quatre hautes murailles tout autour, quatre gardiens toujours là, la camisole de force, des sentinelles à chaque guichet, deux chemins de ronde et deux enceintes de soixante pieds de haut, que craignez-vous ? Il faut que le prisonnier soit libre de se promener dans la cour quand il le demande. »

Le directeur s'inclina et dit :

« C'est juste, monsieur, je remplirai vos intentions. »

Le condamné me remercia avec une sorte d'effusion.

« Il est temps que je vous quitte, lui dis-je. Tournez-vous du côté de Dieu et ayez bon courage.

— J'aurai bon courage, monsieur. »

Il m'accompagna jusqu'au seuil et la porte se referma.

Le directeur me fit entrer à droite dans le cabanon voisin.

Celui-là était d'une forme plus allongée que l'autre, il n'y avait qu'un lit et un vase de terre grossière sous le lit.

« C'est ici, me dit le directeur, qu'a été enfermé

Poulmann. Dans les six semaines qu'il a passées ici,
il a usé trois paires de souliers à marcher sur ce plancher.
Il avait même usé les planches. Il marchait sans cesse
et trouvait moyen de faire quinze lieues par jour dans
son cabanon. C'était un terrible homme.

— Vous avez eu Joseph Henri ? lui dis-je.

— Oui, monsieur, mais à l'infirmerie. Il était malade.
Celui-là écrivait toujours. A M. le garde des sceaux.
A M. le procureur général. A M. le chancelier. A M. le
grand référendaire. Des lettres, des lettres de quatre
pages à tout le monde, et d'une petite écriture serrée.
Je lui dis un jour en riant : « Heureusement que vous
« n'êtes pas obligé de lire ce que vous écrivez! » Évidemment, personne ne les lisait, ces lettres-là. C'était un
fou. »

Comme je sortais de la prison, le directeur me fit
remarquer les deux chemins de ronde. De hautes murailles, une herbe rare, une guérite de trente en trente
pas, cela glace.

Il me fit remarquer, sous la fenêtre même des condamnés à mort, une place où deux soldats en faction se
sont brûlé la cervelle l'an dernier. Ils se sont mis le
canon de leur fusil dans la bouche et se sont fait sauter
le crâne. On voit encore la guérite trouée par les deux
balles. Les pluies de l'hiver ont lavé les taches de sang
sur le mur. L'un s'est tué parce que l'officier de ronde,
le voyant sans son fusil qu'il avait déposé dans la
guérite, lui avait dit en passant : « — *Quinze jours de
salle de police.* » L'autre, on n'a jamais su pourquoi.

9 avril.

Toto est revenu du Havre.

FAITS CONTEMPORAINS

9 avril.

Tous les jours en cette saison les princes vont à Neuilly. M. et Mme de Montpensier passent rue de Chartres chaque matin en voiture à quatre chevaux, toujours ensemble, toujours riant, causant, gesticulant, et parfois se baisant, heureux et amoureux. M. de Nemours arrive à cheval, seul avec un domestique. Mme de Nemours vient en voiture à deux chevaux et promène ses enfants.

M. le comte de Paris, qui a bientôt neuf ans, court et galope à cheval dans le parc, jouant ou parlant très haut, criant après son petit frère de Chartres et se plaignant qu'on va trop lentement. M. le comte de Paris est d'une gracieuse figure, il est vif et gai, et mange toujours allégrement quelque grosse brioche où il mord à belles dents.

Il y a trois ans, en juin 1844, Mme la duchesse d'Elchingen eut l'idée de faire pour son jeune fils qui s'appelle Michel Ney un livre-souvenir. Elle pria Mme la duchesse d'Orléans d'écrire une ligne sur la première page. Mme la duchesse d'Orléans écrivit :

« — La crainte du Seigneur est le principe de la sagesse. » Seulement *principe* est la traduction protestante. Notre version catholique dit : *est le commencement de la sagesse* ; ce qui est une autre idée, plus grande, *initium sapientiae.*

Au-dessous de la signature de sa mère, le jeune prince écrivit de sa grosse écriture d'enfant de six ans :

« — Mon cher Michel, souvenez-vous du petit Paris. »

Vers cette époque, le prêtre sicilien Contrafatto s'adressa à la reine pour obtenir sa grâce. La reine écrivit de sa main sur le placet un mot que j'ai vu et que voici : « — *Envoyer récomandée au garde des sceaux* (sic). »

La reine était sicilienne, ces fautes d'orthographe n'avaient rien que de très simple. Dans son placet, écrit en italien, Contrafatto appelait la reine *Sire* et signait *il sacerdote*. Il savait que cette qualité était de nature à faire une vive impression sur Marie-Amélie. Il donnait ainsi son adresse : « *Au bagne de Brest.* » Il y était détenu sous le n° 17105.

FAITS CONTEMPORAINS

9 avril.

Il y a en ce moment à Neuilly toute une maisonnée mystérieuse, venue là on ne sait pourquoi. Le hasard fait que je connais les détails dont les voisins s'entretiennent avec un certain effroi.

La rue de Chartres, à Neuilly, est une rue déserte à l'extrémité de laquelle il y a une maison isolée qu'on appelle le Point et qui commande la vieille route. D'une petite terrasse au premier, comme une proue, on voit d'un côté jusqu'à la porte Maillot, de l'autre vers Neuilly jusqu'à la grille d'honneur. Lorsque le roi sort par cette grille ou lorsqu'il rentre par la porte Maillot, on le voit deux ou trois minutes d'avance, si grand train qu'il aille, et il passe nécessairement sous la terrasse. Un homme embusqué sur cette terrasse n'aurait entre lui et le roi, au moment du passage, que le cavalier de l'escorte, surtout quand le roi vient du château. La droite de la voiture, où est le roi, est alors tournée vers la maison.

Cette maison n'était occupée, jusqu'à ces derniers temps, que par un homme et sa femme, vivant solitaires. L'homme de soixante ans, la femme de cinquante environ, l'homme affichant — quand, par aventure, on l'entendait parler — un g and dévouement aux d'Orléans, la femme au contraire légitimiste et *se cram-*

ponnant à la vie, disait-elle, *pour voir revenir Henri V*,
faisant émeute et bourrasque chez les boulangers à
cause de la cherté du pain ; du reste, l'homme et la
femme vivotant pauvrement...

Il y a quinze jours environ, un fiacre, chose inouïe,
s'est arrêté devant cette maison. On en a vu descendre
un vieillard et une femme d'une quarantaine d'années.
Le vieillard baragouinait l'allemand ; la femme avait
un voile et cachait son visage. On a entrevu pourtant
qu'elle est rousse. Tous deux paraissaient arriver d'un
long voyage, ce qui se devinait au délabrement de
leurs vêtements. Ils n'avaient pour tout bagage qu'un
sac de nuit assez volumineux noué dans de la toile
à matelas. Ils sont entrés dans la maison et, depuis lors,
on ne les en a pas vus sortir une seule fois.

Une heure environ après leur arrivée est venu sonner
à la porte du même logis un grand jeune homme de
vingt ans, à pied, vêtu d'une blouse, d'un gros pantalon
et d'une casquette, leste, marchant vite, ayant les
larges épaules d'un portefaix et le fin et délicat profil
d'un gentilhomme. Le grand jeune homme était accompagné d'un grand chien, tous deux maigres.

Depuis ce jour-là, les volets et les persiennes de la
maison ont été fermés. Les seules fenêtres du rez-de-
chaussée sur le jardin sont ouvertes, mais on ne les voit
pas. Il a fallu, pour les voir, un voisin très curieux qui a
escaladé le mur. Jamais personne n'entre dans cette
maison tant que le jour dure. Dès que la nuit est venue
et que tout le monde est couché dans Neuilly, la porte
de la maison s'ouvre et on y entend aller et venir jusqu'au matin. Des gens entrent, d'autres sortent. Les
voisins écoutent et ont peur.

Le grand jeune homme observe et regarde sans cesse
à travers les arbres du jardin. Il a fait deux voyages
à Paris et est revenu chaque fois avec des paquets. Du
reste, il ne sort pas, non plus que le vieillard et la femme
rousse. Il n'y a pas de domestique dans cette maison

et personne n'y pénètre. La seule personne qui sorte
et qu'on voie, c'est la maîtresse du logis, quand elle
va aux provisions.

10 avril.

Mme de Castellane [1] est morte subitement.

Elle recevait le soir et avait du monde à dîner. Un
quart d'heure avant de se mettre à table, elle achevait
de s'habiller. Elle s'écrie : « — Ah! mon Dieu! » Puis
elle ajoute : « — Allez chercher ma fille. » Sa fille, Mme de
Contades, habite la même maison, 57, faubourg Saint-
Honoré. Mme de Contades arrive en hâte.

« Qu'avez-vous, ma mère ? dit-elle. Vous vous trouvez
mal ?

— Non, dit Mme de Castellane, je meurs. »

Un moment après, elle expire. C'était une femme
bienveillante et spirituelle. Elle laisse M. Molé au désespoir. Elle avait été la maîtresse, assez aimée, de M. de
Chateaubriand.

Depuis un ou deux ans, elle devenait hydropique.
Ses jambes avaient enflé. Elle est morte de cela. Elle
avait été fort jolie ; mais elle s'était retirée de bonne
heure des prétentions à la beauté. Un jour, elle me
disait : « — *Quand j'entrais dans un salon, j'étais habituée
à ce que l'on se récriât : Qu'elle est belle ! Un jour, j'entrai
chez M. le Chancelier avec ma fille* (maintenant la marquise de Contades, et fort charmante en effet, quoique
avec une vilaine bouche), *je m'aperçus qu'on se récriait,
mais que c'était pour ma fille. Je fus ravie et triste, et
je renonçai.* »

Elle avait fort aimé l'amour. C'est d'elle que Mme Gay
disait : « — *Elle ne peut pas donner un sou à un pauvre
sans tâcher de le rendre amoureux d'elle.* »

11 avril.

On a tiré chez moi la loterie d'autographes pour les
crèches. Mme la duchesse d'Orléans a envoyé deux

magnifiques volumes, l'*Histoire universelle* de Bossuet,
avec huit vers de moi écrits de sa main. Il y avait
MM. Odilon Barrot, Alexandre Dumas, Balzac, Lamar-
tine, Émile Deschamps, Alphonse Karr, le duc et la
duchesse d'Elchingen, M. et Mme de Lacretelle, Eugène
Pelletan, Jules Lefèvre, Adolphe Dumas, Mme Gay,
Mme de Girardin, Armand et Édouard Bertin, le prince
Czartorisky [1], le prince de Craon, le marquis de Portes,
Charles Dupin [2], le comte et la comtesse Alexis de
Saint-Priest [3], le président de Belleyme, le comte Anatole
de Montesquiou, le vicomte d'Arlincourt [4], Champ-
fleury, la princesse Poninska, la princesse Mestzchersky,
M. Vatout [5], le prince de Ligne, Méry, la duchesse
Decazes, le duc et la duchesse de Bellune, le marquis
d'Abrantès, le duc de Caraman, etc., etc.

La loterie a produit près de mille francs, de quoi
fonder une vingtaine de berceaux.

15 avril.

On va s'écrire chez M. Molé, à l'occasion de la mort
de Mme de Castellane ; personne ne parle de s'écrire
chez M. de Castellane.

17 avril.

L'amiral Grivel est venu me voir. Nous causions.
Son neveu va se marier. Il me disait : « — Femmes de
marins, femmes de chagrins. »

18 avril.

Le nom de M. de Castellane est omis dans les billets
de faire part de la mort de Mme de Castellane. Ils sont
faits seulement au nom de ses enfants. C'est du reste
l'usage actuel.

— Interrompu [6] par la loi sur les prisons.

« — Ce que nous recueillons de notre vie secouée, me disait hier l'amiral G... [1], vieux marin, c'est la tranquillité. C'est là le premier des biens : la sérénité, l'égalité d'humeur ; nous le gagnons à la mer. Nous vivons au milieu de tant de choses qui ont des caprices, et qui sont si volontiers de mauvaise humeur, la mer, le ciel, la saison, le vent, les nuées, qu'il faut bien que nous ayons la paix en nous. Notre paix, c'est notre force. Tout fait rage sous nos pieds et sur nos têtes ; nous avons notre ancre en nous-mêmes. Qu'est-ce que nous deviendrions, au milieu de toutes ces choses iné- gales et bouleversées, si nous n'avions pas l'égalité d'âme ? Au dehors, tout ce qui fait l'agitation ; au- dedans, tout ce qui fait le calme ; voilà le marin. »

22 avril.

Élection de M. Ampère [2]. C'est un progrès sur les dernières. Progrès lent. Mais les Académies, comme les vieux, vont à petits pas.

Pendant la séance et après l'élection, Lamartine m'a envoyé par un huissier ces deux vers :

> *C'est un état peu prospère*
> *D'aller d'Empis en Ampère.*

Je lui ai répondu par le même huissier :

> *Mais le destin serait pis*
> *D'aller d'Ampère en Empis.*

23 avril.

On discute à la Chambre des pairs une loi assez mau- vaise sur le remplacement militaire. Aujourd'hui, c'était l'article capital qui passait.

M. de Nemours est venu à la séance. Il y a à la

Chambre quatre-vingts lieutenants généraux. La plupart trouvaient l'article mauvais. Tous se sont levés pour l'adopter, sous l'œil du duc de Nemours, qui semblait les compter tous.

Les magistrats, les membres de l'Institut, les ambassadeurs ont voté contre.

Je disais au président Franck-Carré, assis à côté de moi :

« — C'est la lutte du courage civil et de la poltronnerie militaire. »

L'article a été adopté.

24 avril.

Pensée d'avril. Ce qui fait la beauté d'un rosier fait la laideur d'une femme : avoir beaucoup de boutons.

26 avril.

J'ai dit aujourd'hui au prince de la Moskowa : « — La Chambre des députés manifeste sa vie politique par l'opposition ; la Chambre des pairs par le contrôle. La Chambre des députés doit être taquine et peut être hargneuse ; elle a été nommée par l'envie qui s'appelle égalité ; elle vit de la petite vie bourgeoise ; la Chambre des pairs vit de la grande vie nationale. L'autre Chambre fait et défait les impulsions et les idées. L'opposition c'est la haine et la lutte ; le contrôle, c'est la bienveillance et l'examen. Contrôlez le gouvernement et que ce contrôle aboutisse tantôt à l'indignation, tantôt à l'approbation, selon le cas, et dites-le au pays. Pair de France, vous êtes au-dessus de tout ce qui s'agite. Vous devez être calme, honnête, loyal, digne, indépendant, sincère, vrai, juste, ami du pouvoir, ami de la liberté ; vous devez être tout à la nation et il sied qu'on vous voie toujours appuyé sur elle et qu'on la voie appuyée sur vous. »

28 avril.

J'ai signé avec un sieur Adolphe Grangé l'engagement pour se substituer à Charles moyennant 1 100 francs.

Charles a eu le n° 28, Adolphe Grangé, le n° 448 [1].

29 avril.

La laitue romaine a été apportée d'Italie en France par Rabelais.

30 avril.

« Soyez simple de cœur et riche d'esprit », dit saint Barnabé.

31 avril.

Mlle Plessy [2] est jolie, mais assez mal faite. Elle a peu de buste et de longues jambes. Il y a deux ans, elle jouait dans une pièce intitulée *Guerrero* [3]. Au cinquième acte, elle avait à tomber. Elle tomba, mais d'une façon gauche et disgracieuse. Quelqu'un dit : « — Mme Dorval ne tomberait pas ainsi. — Mlle Plessy! dit Mélingue, Mlle Plessy a le derrière trop haut placé pour tomber comme Mme Dorval. »

1er mai.

On vient de décorer M. Lurine [4], — *sans doute*, a dit Alexandre Dumas, *parce qu'il a promis de ne plus manger d'asperges.*

4 mai.

Aujourd'hui à l'Académie, on lisait les poèmes sur l'*Algérie*. La séance avait été longue et tirait à sa fin.

On arrive au n° 20. L'Académie voulait lever la séance.
— *Bah*, dit Scribe, *le 20 est tiré, il faut le boire*.

Le père Cizos, père de Mlle Rose Chéri [1], s'est jeté hier
par la fenêtre d'un cinquième dans un accès de fièvre
chaude causée par la joie du mariage de sa fille. Il avait
écrit lui-même les adresses des billets d'invitation.

Le mariage de la fille devait se faire le 6. C'est l'enterrement du père qui se fera. La destinée humaine est
ainsi faite qu'il faut toujours s'attendre à l'inattendu.

5 mai.

Incident Cubières et Teste à la Chambre des pairs.
On disait qu'ils voulaient tous deux se brûler la cervelle. « — *En ce cas*, ai-je dit, *la Chambre des pairs n'aura
plus ni cul ni tête.* »

CHAMBRE DES PAIRS

6 mai.

Le nouveau garde des sceaux, M. Hébert, a apporté
aujourd'hui à la Chambre l'ordonnance qui la constitue
cour de justice pour juger le général Cubières à propos
de l'affaire Parmentier [1]. Le général assistait à la séance.
Il était à sa place, assis au bureau comme secrétaire
de la Chambre qu'il est en ce moment. Le chancelier
présidait. Le général paraissait calme et regardait de
temps en temps avec une lorgnette d'ivoire les tribunes,
où il y avait beaucoup de femmes. Personne n'est allé
lui parler, ni lui prendre la main. La Chambre était
nombreuse et triste. Il a deux ou trois fois adressé la
parole à M. de Ségur-Lamoignon, assis à côté de lui, qui
lui répondait avec une répugnance visible. Chacun se
demandait : « — Comment est-il là ? Pourquoi est-il
venu ? » Cousin, assis à côté de moi, me disait : « — Il

n'est donc pas allé consulter son vertueux ami intime
M. Passy, qui lui eût dit crûment son fait! »

Le comte Daru a lu l'ordonnance. Puis le général Cubières a demandé la parole. Le chancelier a dit : « — La
parole est à M. Despans-Cubières. » On a remarqué cette
forme. Le général est monté à la tribune, assez pâle, et
a parlé dix minutes environ, pour ne dire ni oui, ni
non, sans faiblesse et sans fermeté. Il expliquera,
a-t-il dit. Puis il est retourné à sa place de secrétaire,
à la grande stupeur de tous. La séance législative a
commencé, et le chancelier a appelé le comte Beugnot
à la tribune. Vingt minutes après, le général a quitté la
Chambre. Pas un ne lui a dit un mot. Cousin me disait :
« — J'ai été ministre avec lui, nous sommes presque
amis. Eh bien! s'il passait là, je ne lui donnerais pas
la main. Je ne suis pas assez brave pour cela. »

Comme le général descendait le grand escalier, Viennet, qui montait, l'a rencontré. Viennet est allé à lui
et lui a dit : « — Insensé! (style Viennet) comment
avez-vous écrit de telles lettres!

— C'est là mon seul tort, a répondu Cubières. Je
n'en ai pas eu d'autres. »

Du reste, il ne paraît pas comprendre la gravité de
sa situation. Il y a quinze jours, il était au concert du
ministre de l'Intérieur, où a chanté Mlle de Santa-
Colonna. Il était fort gai, cet affreux procès devait écla-
ter le lendemain. Ce hideux Parmentier le tenait. On
ne s'en serait pas douté. Il riait. Il avait de l'esprit, du
vrai esprit libre et heureux. Philippe de Ségur lui disait ce soir-là : « — Que dites-vous des recommandations
que fait le roi de Prusse à son peuple en lui donnant une
constitution? — Il me fait l'effet, répondit Cubières,
d'Arlequin qui donne des tambours et des trompettes
à ses enfants et qui leur dit : Amusez-vous bien, mais
ne faites pas de bruit. » Et tous de rire. Il était mardi à
la soirée de M. Guizot.

Au moment où il est sorti de la Chambre, le comte de

Pontécoulant est monté à mon banc avec son air de vieux sénateur de quatre-vingt-cinq ans. Il s'est penché sur mon fauteuil et m'a dit : « — Que pensez-vous de cela ? » J'ai levé les yeux au ciel. Il a ajouté : « — Un pair de France accusé d'escroquerie ! Nous revenons au temps du cardinal Dubois et de la princesse de Guéménée. J'ai trop vécu. »

M. de Cubières était un homme aimable et cordial. C'était lui qui m'avait fait les honneurs de la Chambre, le jour où j'y siégeai pour la première fois. Il me montra tout, les salons, la bibliothèque, la buvette, le vestiaire, le jardin. Il me fit admirer « nos roses et nos oiseaux ». Je le connaissais depuis son ministère de 1840. A cette époque, nous nous rencontrâmes dans un coucou allant tous deux à Saint-Prix, où nos femmes étaient à la campagne. Le général Cubières avait de l'esprit, de l'indécision, point d'éloquence, des manières faciles. Il était brave, et avait servi avec mon oncle Louis.

Je m'aperçois que je viens d'en parler comme s'il était mort.

« — Que n'a-t-il tué quelqu'un ! disais-je à Lagrenée ; que n'est-il traduit devant la cour des pairs pour haute trahison, ou pour attentat à la sûreté de l'État ! je voudrais qu'il m'eût tiré un coup de pistolet et être au lit de la blessure ! — Vous seriez, me dit Lagrenée, le Grangeneuve de la Chambre des pairs ! »

Les vieux généraux étaient particulièrement consternés.

7 mai.

Un jeune homme appelé M. Avoine de Chanterayne, fils d'un ancien magistrat, député sous la Restauration, s'est présenté l'autre jour, à la barre de la cour royale, pour prêter son serment d'avocat.

« — Comment vous appelez-vous ? lui demande le premier président Séguier.

Le jeune homme répond :

« — Je m'appelle M. de Chanterayne.

— Est-ce là tout votre nom ? reprend le premier président.

— Monsieur le Président, dit le jeune avocat, je m'appelle Avoine de Chanterayne.

— Pourquoi mangez-vous la moitié de votre nom ? » réplique M. Séguier.

10 mai.

Un valet de ville montrait à un curieux dans une galerie deux squelettes, l'un grand, l'autre petit.

— Ceci, dit-il en montrant le grand, c'est le fameux peintre Luca Giordano.

— Et celui-ci, dit le visiteur en désignant le petit.

— C'est le même Giordano, dans son enfance.

11 mai.

L'autre jour, l'apôtre Jean Journet, poussé à bout, a appelé quelqu'un : *simpliste imperméable* [1].

12 mai.

Cicéron met au premier rang des devoirs du sénateur l'exactitude. *Semper adesse.*

Mort du marquis d'Aligre [2]. Il a suivi de près le comte Roy. C'était les deux richards de France. Ni l'un ni l'autre n'étaient des richards Cœur-de-Lion.

13 mai.

Reprise de *Marion de Lorme* au Théâtre-Français. Mme Mélingue [3] à la place de Mme Dorval. Incident Beauvallet [4].

Beauvallet rappelé s'est écrié : « — Plus souvent que

j'irai montrer au public la hure de la Mélingue! » Il
fallait qu'il rentrât donnant la main à Mme Mélingue.

14 mai.

Beauvallet joue bien le dernier acte de *Marion* et
mal les trois premiers. Alexandre Dumas disait hier :
« — Il a l'air de Tartuffe au premier acte et de Bossuet
au second. »

15 mai.

Mme d'*** [1] appelle Louis Blanc un *bonhomminet*.

16 mai.

Dumas, à Saint-Germain, a trois singes, dont une
guenon. Il a nommé la guenon Mlle Maxime [2], un des
singes Kératry [3] et l'autre Pichot [4]. Tous trois viennent à leur nom. Dumas, en me parlant d'eux, me disait :
« — Je crois que Pichot devient borgne ; qu'il y prenne
garde, s'il continue, je l'appelle Buloz [5]. »

17 mai.

Il y a à Bruxelles un acteur nommé Delacroix qui a
un nez monstrueux et quelque talent. Mme Gay voulait le présenter à Mme de Girardin et a commencé son
speech ainsi : « — Tu n'aimeras pas son nez. »

19 mai.

> *Ce qui vît, qui se meurt, qui respire,*
> *D'amour parle, ou murmure, ou soupire.*

20 mai.

Mme Héléna Gaussin a été arrêtée pour vol le soir même du jour où j'ai reçu sa lettre ci-jointe [1].

22 mai.

O'Connell est mort à Gênes, le 15 mai ; presque en même temps est morte à Dublin Lord Besborough, vice-roi d'Irlande.

O'Connell en était le roi.

23 mai.

On a donné jeudi *L'École des familles* de M. Adolphe Dumas. Lundi M. Édouard Thierry demandait à Alexandre Dumas :

— Quand joue-t-on au Théâtre-Historique *L'École des familles* de votre homonyme ?

— Jeudi, dit Alexandre Dumas.

— Combien de temps pensez-vous qu'on la joue ?

— Jeudi.

— Mais je ne vous demande pas quand, je vous demande combien de temps on la jouera ?

— Eh bien! reprend Alexandre Dumas, je vous dis : jeudi.

24 mai.

Voici un rêve que j'ai fait cette nuit. Je travaillais, en robe de chambre dans mon cabinet, et je ne sais comment il se fait que Mlle Ozy [2] et Mlle Nathalie, que je ne connais pas, se trouvaient là. Il y avait d'autres personnes. On causait gaiement. Au milieu des propos et des éclats de rire, Isidore est entré et m'a remis *Le Moniteur*. Or c'était au milieu du jour, et cela m'a étonné. J'ai dit : « — Tiens! Qu'est-ce qu'il y a donc ? » J'ai déchiré la bande. La première ligne que j'ai lue, c'était : « *Le roi est mort.* » Cela m'a frappé, et je me suis promis d'écrire ce rêve, avec la date.

25 mai.

On dit que M. de Chateaubriand, après son deuil, épousera Mme Récamier.

28 mai.

Voici comment le cardinal Jacques de Vitry qualifie les écoliers de l'université de Paris dans son temps :
les Anglais sont poltrons et ivrognes,
les Français, fous, efféminés, fiers,
les Poitevins traîtres et avares,
les Bourguignons brutaux et sots,
les Bretons inconstants et légers,
les Lombards, méchants, lâches, avares,
les Romains, violents, séditieux, cruels, se rongeant les poings,
les Siciliens, despotes et cruels,
les Brabançons, routiers, voleurs, incendiaires, hommes de sang,
les Flamands, prodigues, amis de luxe, de bonne chère, et de débauche.

29 mai.

Les Chinois n'ont pas de cimetière. Quand un homme est mort, on l'emporte ; un sorcier marche devant le cercueil ; où le sorcier s'arrête, fût-ce au milieu d'un chemin, on enterre le mort.

Ce simple détail suffirait pour maintenir la Chine telle qu'elle est. Grandes routes obstruées, circulation difficile, pays impénétrable.

30 mai.

Il y a trois semaines, le sultan a reçu publiquement
le corps diplomatique, en pantalons blancs, en paletot,
en bottes vernies et en gants jaunes. S'il eût eu le chapeau rond, c'eût été un dandy européen. Il n'y a plus
de turban parce qu'il n'y a plus de couronnes. Tout
cela, c'était le vieux monde. Tâchons du moins que
le monde nouveau ne soit pas laid.

Je me suis aperçu aujourd'hui qu'un des deux peupliers qui sont au fond de ma cour était mort.

31 mai.

Dans *L'Ami des hommes*, quelqu'un adresse au marquis de Mirabeau cette question : « — *Où avez-vous pris
cela, que les hommes sont frères ?* » Il répond : « — *Dans
deux jours de leur vie, le premier et le dernier.* »

1ᵉʳ juin.

Le marquis de Mirabeau dit : « — *Les grands sont
plus ingrats que les petits. J'ai fait un peu de bien, je le
sais. Plus de bienfaits se perdent en montant qu'en descendant.* »

Le même dit encore : « — *C'est Dieu qui a fait les poètes
et les artistes. Il fallait bien rendre le monde logeable.* »

2 juin.

J'ai ignoré jusqu'à ce jour que la femelle d'un lapin
s'appelât *une hase*.

3 juin.

Le marquis de Mirabeau a quelquefois dans le style
une sorte de magnificence rococo. Il appelle le rivage
de la mer *le parvis d'Amphitrite*.

5 juin.

Il y a des maçons qui travaillent au rez-de-chaussée du numéro 12 de la rue Saint-Anastase. La portière est une vieille très haute qui les traite fort dédaigneusement. L'un d'eux lui disait hier : « — *Ah ! pardon, Madame, j'oubliais que vous êtes une princesse de la cour.* »

6 juin.

Il y a aux Tuileries M. Trognon et il y a M. Vatout. « — C'est désagréable, dit Vatout, de s'appeler Trognon quand on n'est le chou de personne. »

Le lion. C'est le surnom de Mlle Esther Guimont, la première maîtresse de Roqueplan. C'est une femme spirituelle et hardie. Un jour, appelée à témoigner en justice, on lui demanda sa profession. Elle répondit : « Courtisane », et se mit à épeler le mot à haute voix comme pour en dicter l'orthographe au greffier.

L'an dernier, Mlle Rachel était grosse, le lion dit : « — Elle me fait l'effet d'une ficelle où il y a un nœud. »

7 juin.

Interrompu [1] pour les travaux de la Chambre : affaire Cubières. Loi sur le travail des enfants. Pétition Jérôme.

8 juin.

Saint Médard. Il a plu.

11 juin.

Saint Barnabé. Il a fait beau.

12 juin.

L'amiral Grivel ne peut supporter l'idée que le fils
du maréchal Ney, le prince de la Moskowa, fasse de la
musique : « — Et encore il est médiocre! » me disait-il.
C'est à peine si on lui pardonnerait d'être Rossini.

13 juin.

M. Ballanche [1] est mort hier.

14 juin.

J'ai parlé aujourd'hui à la Chambre pour Jérôme Napoléon [2].

Voici les principaux qui ont voté comme moi : le
comte de Pontécoulant, le prince de la Moskowa,
l'amiral Grivel, le marquis d'Audiffret, l'amiral Hal-
gan, les généraux Marbot, Fabvier, Neigre, Lagrange,
Pernetty, Gourgaud, l'amiral Roussin, le maréchal Moli-
tor, le général Rapatel, le général Barthezène, le duc de
Trévise, Cousin, le comte Daru, le comte Mathieu de La
Redorte, le comte Lanjuinais, le comte Foy, le comte de
Mornay, le marquis de Boissy, le marquis de Gouvion-
Saint-Cyr, le prince de Wagram, le prince d'Eckmühl,
le duc de Massa.

Il y a eu contre dix-huit voix de majorité. Le chiffre
dix-huit! le 18 juin 1815! Louis XVIII!

Le général Fabvier m'a dit : « — Vous avez été si
gentil quand vous avez dit : *Parlons un peu de l'empereur !* » Un huissier, ancien chef de bataillon, pleurait
au bas de la tribune.

C'était, comme a dit le général Gourgaud, l'anniversaire de la bataille de Marengo et de la bataille de Friedland. J'ajoute que c'est dans quatre jours l'anniversaire
de la bataille de Waterloo. Avant la séance, le maréchal
Soult m'a abordé et m'a dit : « — Vous me faites de la

peine, vous allez plaider une mauvaise cause. » — J'ai
répondu en souriant : « — Monsieur le maréchal, je
respecte tant votre gloire que je n'enregistre pas ces
paroles-là. » Il a pris cela pour un compliment. Le duc
Decazes n'a pas voté. Le maréchal Soult et le duc de
Montebello ont levé la main contre la pétition. Le maréchal Soult, soit. Il a tant de gloire qu'il peut y mettre un
peu de honte, si cela lui plaît. Cela le regarde. Mais le
duc de Montebello! le fils de Lannes!

15 juin.

J'ai réussi hier, à la Chambre. Cousin me fait mille
caresses aujourd'hui.

16 juin.

N A P O L É O N	Napoléon
A P O L É O N	détruisant
P O L É O N	les villes
O L É O N	entières
L É O N	lion
É O N	étant.

17 juin.

J'ai entendu pour la première fois, il y a trois jours,
parler le duc de Montebello [1]. Son père s'appelait Lannes.
Je crains qu'il ne faille maintenir la prononciation et
changer l'orthographe.

18 juin.

Dialogue entendu. Deux petites filles de douze ans.
— T'es-tu bien amusée hier, chez toi?
— Non.
— Qu'est-ce qu'on a donc fait toute la soirée?
— On a lu.

— On a lu?

— Oui.

— On a lu quoi?

— Du Casimir Delavigne.

— Pfff! On lit du Casimir Delavigne chez toi! Chez nous, on ne lit que du Victor Hugo!

J'ai entendu cela aux Tuileries de mes deux oreilles.

19 juin.

Scandale de l'affaire Fould-Girardin [1]. En sortant de la Chambre des députés, M. Dupin a dit : « — C'est une tempête dans un pot de chambre. »

20 juin.

Je disais hier à Charles Dupin : « — M. Guizot est personnellement incorruptible et il gouverne par la corruption. Il me fait l'effet d'une femme honnête qui tiendrait un bordel. »

21 juin.

Anniversaire de la pauvre Claire [2]. Je suis allé à la messe à Saint-Mandé.

22 juin.

Affaire Girardin à la Chambre des pairs. Acquittement. On a voté par boules, les blanches pour la condamnation, les noires pour l'acquittement. Il y a eu 199 votants, 65 blanches, 134 noires. Je disais, en mettant ma boule noire dans l'urne : « — En le noircissant, nous le blanchissons. »

Je disais à Mme D... : « — Pourquoi le ministère et Girardin ne se provoquent-ils pas à un procès en cour d'assises ? » Elle m'a répondu : « — Parce que Girar-

din ne se sent pas assez fort et que le ministère ne se
sent pas assez pur. »

MM. de Montalivet et Molé et les pairs du château
ont voté, chose bizarre, pour Girardin contre le gouvernement. M. Guizot a appris le résultat à la Chambre
des députés et a paru furieux. Un député lui a dit :
« — Et les aides de camp qui ont voté contre vous! »

24 juin.

On a dit à tort que j'étais un des cinq pour le Comité
secret[1] dans l'affaire Girardin. J'ai fait démentir le fait
dans les journaux.

25 juin.

La Cour des pairs a statué en chambre du conseil
sur le président Teste dans l'affaire Cubières. A midi et
demi précis, appel nominal. M. le chancelier a été d'avis
d'intervertir l'ordre du réquisitoire du procureur général et de commencer par Teste. Ainsi fait. M. de Pontois, appelé le premier, a réservé son vote. M. de Pon-
thon, appelé le second, a dit non pour la mise en
accusation. Jusqu'à M. Troplong, presque tous ont dit
non. M. Troplong a parlé et bien parlé pour la mise en
accusation. Seulement il a justifié son nom. M. de Malleville aussi a trop longuement parlé dans le même sens.
M. Renouard a opiné assez éloquemment pour l'accusation. Mon tour venu, je me suis levé et j'ai dit : « — A
mon avis, retirer M. Teste de l'affaire, ce serait la juger
d'avance ; ce serait en retirer le fait de corruption ; ce
serait condamner M. le général Cubières à se débattre
uniquement désormais sous cette affreuse accusation
d'escroquerie que je souhaite passionnément voir écarter. Je maintiens M. Teste dans l'accusation. » Ceci a
été particulièrement au cœur des vieux généraux qui
ont applaudi. On a fait deux tours de scrutin. Au

premier, 188 votants ; il y a eu 148 *oui*, 40 *non* ; au
deuxième, 181 votants, il y a eu 142 *oui*, 39 *non*.
M. Teste a été mis en accusation. La séance, ouverte
à midi et demi, a été levée à six heures.

26 juin.

Suite de la délibération. Il y avait 187 pairs. La mise
en accusation :

1° Pour le fait de corruption, a été votée : contre
Cubières, au premier tour, par 163 *oui* contre 24 *non* ;
au deuxième, par 160 *oui* contre 26 *non* ; — contre Parmentier, au premier tour, par 62 *oui* contre 25 *non* ; le
second tour, n'ayant pas été réclamé, n'a pas eu lieu ;
— contre Pellapra, aux deux tours, par 162 *oui* contre
25 *non* ;

2° Pour le fait d'escroquerie : contre Cubières, au
premier et au second tour par 134 *oui* contre 53 *non* ; —
contre Pellapra, au premier tour, par 137 *oui* contre
50 *non*, au deuxième tour, qui a eu lieu sur la demande
formelle du duc de Coigny, par 136 *oui* contre 50 *non*.
Au premier tour, sur la question d'escroquerie, j'ai dit :
« — L'affaire est en ce moment obscure pour tout le
monde, pour le public et pour nous, juges ; elle ne se
compose encore à l'heure qu'il est que de vraisemblances
et d'invraisemblances. Eh bien! toutes les vraisemblances sont du côté de la corruption, toutes les invraisemblances du côté de l'escroquerie. Ceci me frappe.
Aucune pièce, dans ces deux volumes de 800 pages,
ne tend à établir réellement l'escroquerie. En cet état,
je ne puis me résigner à porter une accusation, qui est
déjà une dégradation, contre un pair de France, contre
un lieutenant général, contre un ancien soldat, et je
dis non. » Au deuxième tour, j'ai dit : « — Messieurs, je
persiste. Tout à l'heure, quand je mettais en regard la
qualité de la personne et la bassesse du délit, ce n'était
pas un argument ; c'était une manière de faire com-

prendre à la cour ma profonde répugnance à prononcer légèrement contre une telle personne une telle accusation. Messieurs, dans cette affaire, nous n'avons que le choix des choses tristes, la pensée va avec douleur de M. le président Teste à M. le général Cubières. Eh bien! dans cette alternative poignante, j'aime encore mieux voir à notre barre un ancien ministre corrompu qu'un ancien ministre escroc. Pour faire de tels choix, il faut, j'en conviens, être en de telles extrémités. Je ne veux donc pas accuser légèrement — je dis légèrement — le général Cubières d'escroquerie. Je répète qu'il n'y a dans le dossier aucune pièce qui prouve à sa charge ce délit, pire qu'un crime. S'il en était autrement, s'il y avait contre lui des indices réels, des indices suffisants, messieurs, sa qualité, que j'invoquais tout à l'heure, serait à mes yeux une circonstance aggravante ; et précisément parce qu'il est pair de France, précisément parce qu'il a été soldat, et soldat de nos plus glorieuses armées, je voterais l'accusation avec un sévère empressement. Il n'en est pas ainsi. Je dis non. »

M. de Broglie a dit *non*, M. Pasquier a dit *oui*.

La séance, ouverte à midi, a été levée à cinq heures et demie.

J'ai reçu, il y a cinq ou six jours, à l'occasion de mon discours du 14, une lettre anonyme injurieuse, où il m'a semblé reconnaître l'écriture du général Cubières.

En sortant de la séance, le duc de B... [1] m'a dit : « — Prenez garde, avec des procès comme ceux-là on ébranle plus que le cabinet, on court risque de faire tomber le gouvernement, les institutions, l'État. » J'ai répondu : « — L'homme n'est pas bien solide sur ses jambes qu'on fait tomber en lui brossant son habit. »

27 juin.

Il y a aujourd'hui vingt-six ans que j'ai perdu ma mère.

J'ai vu hier, chez Mme de C..., Mme la princesse M. N... [1]. Elle est de la classe des grosses jolies femmes. Elle est blanche, grasse, fraîche. C'est une beauté à la fois commune et royale. On en pourrait faire à volonté une superbe poissarde ou une magnifique reine. C'est très imposant et très appétissant. Elle a de beaux bras, de belles épaules, un beau cou, les yeux petits, mais vifs et doux. Elle m'a paru franche jusqu'à la naïveté, avec de l'esprit. Elle rit souvent, comme toutes les personnes qui ont de belles dents. Elle a la bouche grande. Elle déteste Lamartine.

Hier nous avons mis M. le président Teste en accusation pour corruption et M. le général Cubières en accusation pour escroquerie. Cette nuit, ces vers me sont venus en dormant :

> ... est-il possible, ô détresse ! ô douleur !
> Que sur ce banc hideux le juge le meilleur
> Sache mal distinguer l'honnête homme qui souffre
> Du scélérat riant de haine au fond du gouffre.

28 juin.

En arrivant à la Chambre, j'ai trouvé Franck-Carré très scandalisé.

Il tenait à la main un prospectus de vin de Champagne signé *le comte de Mareuil* et timbré du manteau de pair et de la couronne de comte avec les armes de Mareuil. Il avait montré la chose au chancelier, qui lui avait dit : « — Je n'y peux rien. »

« — Si un simple conseiller faisait chose pareille dans ma cour, me disait Franck-Carré, j'y pourrais pourtant

quelque chose. J'assemblerais les Chambres et je le ferais
admonester disciplinairement. »

Il avait raison.

29 juin.

Hier les quatre accusés ont été mandés (ils ne sont
pas arrêtés) au Luxembourg et interrogés de nouveau.
M. Cubières a dit qu'il voulait un salon pour lui seul,
à présent et pendant tout le procès, entendant ne pas
se trouver avec ses coaccusés. M. Teste est furieux ;
il a dit avec sa vivacité méridionale : « — *C'est bon. Je
vais en foudroyer plusieurs. On m'appelait il y a vingt
ans le lion du Midi, maintenant le lion est vieux, mais il
est toujours lion.* »

Voici ce qu'on raconte du reste. Mme Cubières aurait
dit à M. Hippolyte Passy, il y a deux jours : « *Eh bien !
mon mari parlera. Il le faut. La vérité est qu'il a donné
cent quinze mille francs à M. Pellapra pour M. Teste.* »
Je tiens ceci de M. de Mesnard, auquel M. Troplong l'a
dit, le tenant de Passy lui-même.

J'ai entendu aujourd'hui, à la Chambre des pairs,
dans un éloge de l'amiral Duperré, prononcé par M. le
baron Tupinier, ce prétérit : « *Ils concluèrent.* »

30 juin.

Amand [1].

1er juillet.

Saint Médard et saint Barnabé. Je leur dis *M* et je
leur dis *B*.

2 juillet.

Arcueil. MM. de Laplace et Cambacérès.

3 juillet.

Le général Despans-Cubières est fils naturel du marquis de Cubières et d'une Mme Despans, sœur de Mme Regnauld de St-Jean-d'Angély. Mme la comtesse Regnauld de St-Jean-d'Angély est venue me voir aujourd'hui pour me parler du général. Elle avait les larmes aux yeux et me les y a fait venir.

(Erreur. Voir mes notes sur le procès.)

4 juillet.

Amédée Trébuchet [1] est arrivé aujourd'hui de l'île Maurice.

Il était parti il y a seize ans. C'était alors un brave jeune homme, pauvre et intelligent. Aujourd'hui il a quarante ans, neuf enfants, cinquante mille livres de rente et n'a plus de cheveux.

5 juillet.

Voici mon protocole, pour mon secrétaire [2] :

A quiconque m'écrit : « Ma parfaite considération, ou l'assurance de mes sentiments. »

Aux colonels, maires, sous-préfets, etc. : « L'assurance de mes sentiments distingués. »

Aux présidents de chambre des cours royales, aux évêques, aux préfets, aux conseillers d'État : « Ma considération distinguée. »

Aux premiers présidents, aux députés, aux membres de l'Institut, aux lieutenants généraux : « Ma considération très distinguée. »

Aux pairs de France, aux maréchaux de France, aux ministres, aux archevêques, aux ambassadeurs, aux cardinaux, aux princes, aux hommes de génie ou de talent : « Ma haute considération. »

Au roi, à mon curé et aux femmes : « L'hommage de mon respect. »

6 juillet.

Hier, fête de nuit donnée par M. de Montpensier au parc des Minimes. « Que dites-vous de ma fête, a dit le prince à Émile Deschamps ?

— Monseigneur, qu'elle n'a rien de minime.

FAITS CONTEMPORAINS

6 juillet.

M. de Montpensier a donné cette nuit une fête dans le parc des Minimes, au bois de Vincennes.

C'était beau et charmant. La fête a coûté au prince deux cent mille francs. On avait dressé dans le bois une foule de tentes, empruntées au garde-meuble et au trésor d'armes de France, quelques-unes historiques. Cela seul a coûté dix mille francs. Il y avait la tente de l'empereur du Maroc, prise à la bataille d'Isly, et exposée il y a trois ans aux Tuileries, sur un plancher construit dans le grand bassin ; la tente d'Abd-el-Kader, prise avec la Smala, fort belle, avec des arabesques rouges et jaunes brodées en soie ; une autre tente du bey de Constantine, d'une forme admirablement élégante ; enfin la tente donnée à Napoléon par le sultan Sélim.

Celle-là effaçait toutes les autres. Du dehors, c'était une tente ordinaire, remarquable seulement par de petites fenêtres dans la toile, dont le châssis était indiqué avec de la corde ; trois fenêtres de chaque côté. On y entrait, c'était superbe. On était comme dans un immense coffret de brocart d'or ; sur ce brocart, des fleurs et mille caprices d'ornement. On regardait de près les cordes des fenêtres, c'était de la plus magnifique passementerie d'or et d'argent. Chaque fenêtre avait sa banne de brocart ; la chemise de la tente était de soie à larges raies rouges et bleues alternées. Si j'avais été

Napoléon, j'aurais aimé mettre mon lit de fer dans
cette tente d'or et de fleurs, et y dormir la veille de
Wagram, d'Iéna et de Friedland.

Ces admirables tentes étaient fort déparées par
d'affreux meubles en acajou qu'on y avait assez pauvrement installés.

M. de Montpensier faisait les honneurs avec beaucoup de bonne grâce.

On dansait sous une immense marquise où se tenaient
les princesses. Elles y étaient toutes, excepté Mme la
duchesse d'Orléans. M. le duc d'Aumale était revenu
exprès de Bruxelles pour assister à la fête. La reine
Marie-Christine y était près de sa fille, Mme de Montpensier. La *reyna gobernadora* a des restes de beauté,
mais elle est trop grasse et a les cheveux tout gris.

Les tables étaient dressées sous d'autres tentes. Il y
avait profusion de rafraîchissements, et des buffets
partout. Les invités, quoiqu'ils fussent plus de quatre
mille, n'étaient ni rares, ni nombreux. Nulle part ce
n'était cohue. Il n'y avait pas assez de femmes.

La fête avait un bel aspect militaire. Deux énormes
canons de bronze du temps de Louis XIV faisaient les
colonnes de la porte d'entrée. Les artilleurs de Vincennes avaient construit çà et là des colonnades de
piques avec des chapiteaux de pistolets.

L'allée principale du parc était éclairée en verres de
couleur. On croyait voir au milieu des arbres les colliers
d'émeraudes et de rubis des nymphes. Cette allée, vue
en enfilade, rappelait en petit la merveilleuse illumina-
tion de la grande avenue des Champs-Élysées en lustres
de couleur, au 29 juillet. Des mèches à sape brûlaient
dans les taillis et jetaient des lueurs à travers le bois.
Il y avait trois grands peupliers éclairés sur le ciel
sombre d'une manière fantastique qui surprenait. Les
branches et les feuilles remuaient au vent parmi des
clartés d'opéra.

Des deux côtés de la grande allée, on avait dressé les

panoplies gothiques du musée d'artillerie ; les unes,
adossées aux chênes et aux tilleuls ; les autres droites,
la lance au poing, visière baissée, sur des simulacres de
chevaux caparaçonnés, armoriés, enharnachés, et revê-
tus de chanfreins éclatants. Ces statues d'acier, mas-
quées et immobiles au milieu de cette fête, toutes couvertes d'éclairs et de ruissellements lumineux, avaient
quelque chose d'éblouissant et de sinistre.

On dansait des contredanses chantées. Rien de charmant comme ces voix d'enfants chantant au loin dans
les arbres des mélodies tendres et gaies ; on eût dit des
chevaliers enchantés arrêtés à jamais dans ce bois en
écoutant la chanson des fées.

Partout sous les arbres on avait suspendu des lanternes chinoises qui ressemblaient à de grosses oranges
lumineuses. Rien de plus étrange que ces fruits de feu
éclos tout à coup sur ces branches noires.

De temps en temps, des sonneries de trompettes cou-
paient triomphalement le bourdonnement de la fête.

Au fond de l'allée, les artilleurs avaient suspendu une
grande étoile de la Légion d'honneur faite avec des ba-
guettes de fusil. Ils avaient disposé dans le taillis, en
guise de bancs et de chaises, des piles de boulets, des
mortiers Paixhans et des obusiers. Deux monstrueux
canons de siège gardaient la croix d'honneur. Au-dessous étaient les bustes en plâtre du roi et de la reine.

Au milieu de tout cela allait et venait une foule où
j'ai vu Auber, Alfred de Vigny, Alexandre Dumas avec
son fils, Taylor, Charles Dupin, Théophile Gautier,
Thiers, Guizot, Rothschild, le comte Daru, le président
Franck-Carré, les généraux Gourgaud, Lagrange, Saint-
Yon, le duc de Fezensac, le garde des sceaux Hébert, le
prince de Craon, le préfet de police, lord Normanby,
Narvaez, duc de Valence, le ministre du Commerce,
M. Cunin-Gridaine, force pairs et ambassadeurs, etc.
On causait surtout et l'on s'indignait des deux langages
contraires tenus par le ministère aux deux Chambres

dans l'affaire de la pétition du roi Jérôme. Il y avait une
affreuse poussière.

M. Hébert m'a abordé et s'est mis à parler solennelle-
ment en débitant force sentences ; c'est sa manie ; il
parle comme une page de La Rochefoucauld ; il le croit
du moins. Tout à coup, il s'est interrompu et m'a apos-
trophé : « — Que dites-vous de ce parc des ministres ? »
« — Comme vous y allez ! ai-je répondu. Dites donc
parc des maximes. »

Il y avait deux Arabes en burnous blancs, le cadi de
Constantine et Bou-Maza.

Bou-Maza a de beaux yeux, mais un vilain regard,
une jolie bouche et un affreux sourire ; cela est traître
et féroce ; il y a dans cet homme du renard et du tigre.
Je lui ai cependant trouvé une assez belle expression
dans un moment où, se croyant seul dans le bois, il
s'était approché de la tente d'Abd-el-Kader et la consi-
dérait. Il avait l'air de lui dire : « — Que fais-tu ici ? »
Bou-Maza est jeune ; il paraît vingt-cinq ans.

Vers une heure du matin, on a tiré un feu d'artifice
et l'on a éclairé le bois avec des feux de Bengale. Puis
on a servi la table des princesses ; toutes les femmes ont
soupé assises, les hommes debout. Après, on s'est remis
à danser. Je regrette de n'avoir pu rester jusqu'à la fin.
J'aurais voulu voir apparaître à travers les branches
noires, au milieu de cette fête prête à s'éteindre, de ces
girandoles ternies, de ces illuminations mourantes, de
ces danseurs fatigués, de ces femmes couvertes de
fleurs, de diamants et de poussière, de ces visages pâles,
de ces yeux endormis, de ces toilettes défaites, cette
première lueur du jour si blanche et si triste.

Du reste, je crois, je ne sais pourquoi, que le souvenir
de cette fête restera ; elle m'a laissé quelque chose
d'inquiet dans l'esprit. Depuis quinze jours on en
parlait, et le peuple de Paris s'en occupait beaucoup.
Hier, depuis les Tuileries jusqu'à la barrière du Trône,
une triple haie de spectateurs garnissait les quais, la

rue et le faubourg Saint-Antoine, pour voir défiler les voitures des invités. A chaque instant, cette foule jetait à ces passants brodés et chamarrés dans leurs carrosses des paroles hargneuses et sombres. C'était comme un nuage de haine autour de cet éblouissement d'un moment.

Chacun en arrivant racontait son aventure. On avait hué Louis Boulanger et Achard ; on avait craché dans la voiture de Tony Johannot ; on avait jeté de la boue et de la poussière dans la calèche du général Narvaez. Théophile Gautier, si calme et si impassible, si turc dans sa tranquillité, en était tout pensif et tout sombre.

Il semblerait pourtant que cette fête n'eût rien d'impolitique et ne pouvait rien avoir d'impopulaire ; au contraire, M. de Montpensier, en dépensant deux cent mille francs, a fait dépenser un million. Voilà, dans cet instant de misère, douze cent mille francs en circulation au profit du peuple ; il devrait être content. Eh bien ! non.

Le luxe est un besoin des grands états et des grandes civilisations. Cependant il y a des heures où il ne faut pas que le peuple le voie. Mais qu'est-ce qu'un luxe qu'on ne voit pas ? Problème. Une magnificence dans l'ombre, une profusion dans l'obscurité, un faste qui ne se montre pas, une splendeur qui ne fait mal aux yeux à personne. Cela est-il possible ? Il faut y songer pourtant. Quand on montre le luxe au peuple dans des jours de disette et de détresse, son esprit, qui est un esprit d'enfant, franchit tout de suite une foule de degrés ; il ne se dit pas que ce luxe le fait vivre, que ce luxe lui est utile, que ce luxe lui est nécessaire. Il se dit qu'il souffre et que voilà des gens qui jouissent ; il se demande pourquoi tout n'est pas à lui. Il examine toutes ces choses, non avec sa pauvreté, qui a besoin de travail et par conséquent besoin des riches, mais avec son envie. Ne croyez pas qu'il conclura de là : Eh bien ! cela va me donner des semaines de salaire, et de bonnes journées. Non, il veut, lui aussi, non le travail, non le salaire mais du loisir, du plaisir, des voitures, des chevaux, des laquais, des duchesses. Ce n'est pas du pain qu'il veut, c'est du luxe. Il étend la main en frémissant vers toutes ces réalités resplendissantes qui ne seraient plus que des ombres s'il y touchait. Le jour où la misère de tous saisit la richesse de quelques-uns, la nuit se fait, il n'y a plus rien.

Plus rien pour personne.

Ceci est plein de périls. Quand la foule regarde les riches avec ces yeux-là, ce ne sont pas des pensées qu'il y a dans tous les cerveaux, ce sont des événements.

Ce qui irrite surtout le peuple, c'est le luxe des princes et des jeunes gens ; il est en effet trop évident que les uns n'ont pas eu la peine, et que les autres n'ont pas eu le temps de le gagner. Cela lui semble injuste et l'exaspère ; il ne réfléchit pas que les inégalités de cette vie prouvent l'égalité de l'autre.

Équilibre, équité : voilà les deux aspects de la loi de Dieu. Il nous montre le premier aspect dans le monde de la matière et des corps ; il nous montrera le second dans le monde des âmes.

7 juillet.

Pellapra s'est enfui. Le procès commence demain.

8 juillet.

Première audience du procès Cubières ; ouverte à midi et demi, levée à cinq heures moins un quart, après signature de l'arrêt de prise de corps contre l'évadé Pellapra.

Jeudi 8 juillet (midi et demi).

La cour entre. Foule dans les tribunes. Personne dans les tribunes réservées, excepté le colonel Poizat

commandant du palais. Dans la tribune diplomatique,
deux personnes seulement, lord Normanby, ambassadeur d'Angleterre, et le comte de Lœwenhœlm, ministre de Suède.

On introduit les accusés. Peu de spectateurs dans
l'hémicycle derrière le banc des accusés. Trois tables
revêtues de serge verte ont été dressées vis-à-vis de la
cour ; à chacune de ces tables, il y a une chaise ; des
bancs derrière pour les avocats. Le président Teste
s'assied à la table du milieu, le général Cubières à la
table de droite, Parmentier à la table de gauche. Tous
trois sont en noir.

Parmentier est entré assez longuement après les deux
pairs. Teste, qui est commandeur de la Légion d'honneur, en a la rosette à la boutonnière ; Cubières, qui
est grand officier, le simple ruban. Avant de s'asseoir,
le général cause un moment avec son avocat, puis
feuillette d'un air très occupé le volume des pièces. Il
a son visage ordinaire. Teste est pâle et calme. Il se
frotte les mains comme lorsqu'on est satisfait. Parmentier est gras, chauve, les cheveux gris blanc, la face
rouge, le nez en bec, la bouche faite d'un coup de sabre,
les lèvres minces ; l'air d'un coquin. Il a une cravate
blanche, ainsi que le président Teste. Le général a une
cravate noire.

Les trois accusés ne se regardent pas. Parmentier
baisse les yeux et affecte de jouer avec la chaîne d'or de
sa montre qu'il étale avec une affectation de provincial
sur son gilet noir. Un jeune homme à petites moustaches noires, qu'on dit être son fils, s'assied à sa gauche.

Derrière moi plusieurs députés, le président de
Belleyme, M. Marie, l'avocat républicain, M. Janvier,
l'avocat quasi légitimiste, M. Léon de Malleville, vice-
président de la chambre des députés, causent des accusés.
Ils racontent que Cubières est fils naturel de Cazalès
et de Mme de Bonneuil et ils expliquent comment il se
fait qu'il a épousé sa nièce naturelle.

Interrogé sur ses qualités, Teste se lève et dit :

« — J'ai pensé qu'il n'était pas convenable d'apporter sur ce banc les dignités dont j'avais été revêtu (*mouvement*) ; je les ai déposées hier dans les mains du roi. » (*Mouvement : très bien.*)

On lit l'acte d'accusation. Cubières tient son visage et son front cachés dans sa main gauche et suit la lecture sur le volume distribué. Teste la suit également et annote son exemplaire avec une plume de fer qu'il tient à la main. Il a mis ses besicles. De temps en temps, il prend du tabac dans une grande tabatière de buis et cause avec son avocat, M. Paillet. Parmentier semble très attentif.

Moi, au milieu de cette lecture, où les mots de corruption, de prévarication, de fraude, d'escroquerie reviennent fatalement et sans cesse, je ne puis m'empêcher de songer que M. Cubières appartenait à ce ministère du 1ᵉʳ mars dont Odilon Barrot disait le lendemain du jour de sa formation : « — *C'est jeune, c'est honnête, ça me va.* »

En dépit des usages de la cour, des femmes assistaient au procès. Elles sont rangées au-dessus de nos têtes autour du trou du lustre. On les aperçoit à travers le vitrage.

Jeudi 8 juillet.

Premier jour du procès.

A midi, je suis arrivé. Les pairs étaient dans la galerie des tableaux. J'y suis allé. Tous parlaient de l'évasion de Pellapra. M. le chancelier est entré. Des banquettes avaient été préparées selon l'usage pour les pairs et une table pour le chancelier avec un fauteuil, sous le tableau de *Marius à Carthage*, à quelques pas du tableau des *Enfants d'Édouard*. Une grande draperie bleue, ornée d'un assez vilain galon jaune, coupait la galerie en deux.

Le chancelier a réclamé la parole. On a fait silence.
Il a expliqué à la cour qu'avant d'entrer en séance il
était de son devoir de l'entretenir de Pellapra. Pellapra
s'est évadé. Y a-t-il quelque reproche à faire, soit au
chancelier, soit même à la cour ? Devait-on mettre les
accusés en état d'arrestation ? Non. En thèse générale
et pour tous les accusés, la cour des pairs a toujours
adouci le plus qu'elle a pu les formes de la justice et
n'ordonne d'arrestations que les indispensables. Dans
le cas particulier, pourquoi une arrestation ? Point de
prison attachée même à la culpabilité déclarée. La dégradation civique, nulle privation de la liberté, voilà la
peine encourue. La prévention pourrait-elle être plus
sévère que la condamnation *. En outre, la qualité des
personnes n'était-elle pas à considérer ? Pouvait-on
craindre l'évasion d'un homme comme Pellapra *si
puissamment riche,* a dit le chancelier, que la contumace
va frapper par le séquestre de tous ses biens ? Enfin,
quoi qu'il en soit, l'évasion est consommée, le chancelier s'est concerté avec le procureur général, la cour
statuera. Le chancelier réclame une ordonnance de
prise de corps contre Pellapra. En attendant, il a décerné
un mandat d'amener. Le ministre de l'Intérieur a mis
le télégraphe en mouvement. Le signalement de Pellapra
a été envoyé par toute la France. Le chancelier a lu ce
signalement : « *Soixante-quinze ans, visage allongé, teint
coloré.* » « — Coloré ? point du tout ! a dit le duc de Brancas. Il est livide. »

M. le chancelier a ajouté que, sur son ordre, la police
s'était transportée chez Pellapra, quai Malaquais, 17 ;
que Pellapra était absent, que Mme Pellapra était seule
chez elle et avait répondu aux questions du commis-

---

* « 21 juillet. Je relis, après le procès, ces notes écrites au moment
même et sur place, et je fais cette remarque que le chancelier, qui ne
voyait pas, au commencement de l'affaire, de prison possible pour les
condamnés, a fini par voter la prison pour Teste, à qui on l'a infligée,
et pour Cubières, à qui on l'a épargnée. » (*Note de Victor Hugo.*)

saire délégué que son mari *serait de retour dans deux jours.*

Le greffier, M. Cauchy, sur l'ordre du chancelier, a lu à la cour une lettre de Pellapra à son avocat, Me Gauthier, envoyée par l'avocat à M. le chancelier. Dans cette lettre, Pellapra rappelle ses infirmités, sa vieillesse, les incommodités qui l'empêcheraient de soutenir les longueurs du débat, l'effroi que lui cause une incarcération possible loin des siens, auxquels il est habitué, la fatigue, la souffrance, tant d'émotions depuis six semaines ; il dit à son avocat, qu'il appelle *son cher ami,* que sa conscience ne lui reproche rien, et que, s'il déserte le débat et l'accusation publique, ce n'est pas par peur de la justice, mais par crainte de ses infirmités et de ses maladies.

A cette lettre était joint un certificat d'un médecin, membre de l'Académie de médecine, dont j'ai oublié le nom. Ce certificat constate « une grave maladie chirurgicale » (la fistule) pour laquelle Pellapra serait « en traitement » et aurait déjà subi « plusieurs opérations douloureuses ».

Le chancelier a repris la parole et rappelé à la cour son usage (très contestable) de n'adresser de questions que par l'intermédiaire du président.

Comme nous entrions en séance, Montalembert m'a abordé et m'a dit : « — Voici ce que vient de me conter le général Prével. Il y a trois jours, dimanche, le général traversait les Tuileries donnant le bras à un conseiller d'État de ses amis, M. Amédée Thierry, le frère de l'écrivain. Sous les marronniers, il aperçut un vieillard qui se promenait et qui vint droit à lui. C'était Pellapra. Le général, un peu embarrassé de la rencontre, voulait tourner court ; Pellapra ne lui en laissa pas le temps et l'apostropha d'un bonjour brusque en ajoutant :

— Mon général, voulez-vous gagner dix mille francs ?

— Non, dit le général assez bourrument, pas avec vous.

— Bah ! reprit Pellapra en riant, je vous les donne et

j'en donne autant à Monsieur que je ne connais pas, dit-il en désignant M. Amédée Thierry, si vous pouvez me prouver l'un ou l'autre que j'ai mis cinq sous dans ma poche dans l'affaire qui m'amène jeudi devant la cour des pairs! »

Il s'est évadé le lendemain, pendant la fête du parc des Minimes.

9 juillet.

Les accusés ont été arrêtés hier. Ils entrent. Paraissent abattus. Surtout M. Teste. (Je prends peu de notes en ce moment. Les journaux diront tout ceci avec détail.)

10 juill t.

Voici où j'en suis après les deux premières journées :

J'ai parlé à M. le général Cubières quatre ou cinq fois dans ma vie, à M. le président Teste une fois seulement, et pourtant, dans cette affaire, je m'intéresse à leur sort comme s'ils étaient pour moi des amis de vingt ans, des frères. Pourquoi? Je le dis tout de suite : c'est que je les crois innocents.

Je les crois est trop faible ; en ce moment, je les vois innocents. Cela changera peut-être, car cette affaire remue comme une onde et change d'aspect à chaque instant ; mais à cette heure, après bien des perplexités, après bien des transitions, après bien des passages douloureux, où ma conscience a plus d'une fois frémi et frissonné, dans ma conviction, M. le général Cubières est innocent du fait de l'escroquerie. M. le président Teste est innocent du fait de la corruption.

Qu'est-ce donc que cette affaire? Pour moi, elle se résume en deux mots : courtage et chantage ; courtage prélevé par Pellapra, chantage exercé par Parmentier. Le courtage, entaché de dol et d'escroquerie, a produit

le fait incriminé ; le chantage a produit le scandale.
De là tout le procès.

Je n'ai nul goût pour la culpabilité qui ne m'est pas
invinciblement démontrée. Mon penchant est de croire
à l'innocence. Tant qu'il reste dans les probabilités de
la cause un refuge possible à l'innocence des accusés,
toutes mes hypothèses, je ne dis pas y inclinent, mais
s'y précipitent.

Dimanche 11 juillet (4ᵉ journée).

Il y a suspension aujourd'hui. La première audience
a été employée à la lecture de l'acte d'accusation ; la
seconde et la troisième, avant-hier et hier, à l'interrogatoire des accusés.

Au commencement de l'audience de vendredi ont
été lues des lettres communiquées inopinément par
MM. Léon de Malleville et Marrast et qui semblent jeter
une vive lueur sur ce procès. Les accusés avaient été
arrêtés la veille au soir. Ils sont arrivés à l'audience
pâles, défaits ; Parmentier, pourtant, l'air plus assuré
que les deux autres.

M. Teste a écouté la lecture des nouvelles pièces,
le coude sur sa table et se cachant à demi le visage dans
sa main ; le général Cubières les yeux baissés ; Parmentier avec un embarras visible

L'interrogatoire a commencé par le général.

M. Cubières a une figure pouparde, le regard indécis,
la parole hésitante, les joues colorées ; je le crois innocent de l'escroquerie ; cependant aucun cri du cœur.
Pendant l'interrogatoire, il était debout et frappait la
table avec la pointe d'un couteau de bois, très doucement et comme en cadence, geste de profonde tranquillité. Le procureur général, M. Delangle, avocat
assez médiocre, a été insolent avec lui deux ou trois fois ;
Cubières, soldat de Waterloo, n'a pas trouvé une parole

pour le souffleter. J'en souffrais pour lui. Dans l'opinion
de la cour, il est déjà condamné.

Pendant la suspension de l'audience, Montalembert
me disait : « — Vous avez une mauvaise place, loin de
la tribune, ce qui force les pairs à se retourner quand
vous parlez. Vous devriez vous rapprocher de nous.
Tenez, Cubières avait une place excellente, à gauche,
un peu au-dessus de moi. Il ne reviendra pas, prenez-
la. — C'est égal, je ne la prendrai pas. »

La première partie de l'interrogatoire a paru mal
conduite. Il n'y avait qu'un cri à la buvette. Le chancelier est un vieillard remarquable et rare, mais enfin
il a quatre-vingt-deux ans. A quatre-vingt-deux ans,
on n'affronte ni une femme ni une foule.

Parmentier, interrogé après le général, a parlé avec
aisance et une sorte de faconde vulgaire qui était
quelquefois l'esprit, souvent la logique, toujours
l'adresse, jamais l'éloquence. C'est un homme qui est
naïvement un gueux. Il ne s'en doute pas. C'est une
âme difforme qui est impudique et qui étale ses nudités
comme ferait Vénus. Repoussant spectacle qu'un
crapaud qui se croit beau. On le huait. D'abord il
n'entendait ou ne comprenait pas ; il a cependant
fini par comprendre ; alors la sueur a perlé sur son
visage, par instants, au milieu des marques de dégoût
de l'assemblée ; il essuyait avec anxiété son front
chauve et ruisselant, il regardait autour de lui avec
une sorte de supplication et d'égarement, se sentant
perdu et cherchant à se raccrocher, et cependant
il continuait de parler et d'exposer ses laideurs, et les
murmures couvraient sa parole, et son angoisse croissait. En ce moment-là, ce misérable m'a fait pitié.

M. Teste, interrogé hier, a parlé comme un homme
innocent et m'a fait revenir de loin à son sujet. Il a
été souvent et grandement éloquent. Ce n'était pas un
avocat ; c'était un homme vrai qui souffrait, qui
arrachait ses entrailles et qui les jetait là, sous les yeux

de ses juges, en disant : « — Voyez! » Souvent même
c'était un homme noble. Il m'a ému profondément.
Pendant qu'il parlait, il m'est .apparu cette lueur que
toute l'affaire pouvait s'expliquer par une escroquerie
de Pellapra.

Teste a soixante-sept ans, l'accent méridional, la
bouche grande et expressive, un pli profond de douleur
à la joue droite, le front chauve et intelligent, l'œil
profondément enfoncé et par instants lumineux ;
toute l'habitude du corps affaissée, accablée et pourtant énergique.

Il s'agitait, se démenait, haussait les épaules, souriait
amèrement, prenait du tabac, feuilletait son dossier,
l'annotait rapidement, tenait en échec le procureur
général et le chancelier, protégeait Cubières, qui l'a
perdu, méprisait Parmentier, qui le défend, jetait
des mots, des répliques, des soupirs, des plaintes, des
rugissements. Il était tumultueux et pourtant simple,
bouleversé et pourtant digne. Il était clair, rapide,
persuasif, suppliant, menaçant ; plein d'angoisse sans
aucun trouble, modéré et violent, fier, attendri, admirable.

A un certain moment, il m'a fait mal. C'étaient des
cris de l'âme qui sortaient de sa poitrine. J'ai été tenté
de me lever et de lui dire : « — Vous m'avez convaincu ;
je quitte mon siège et je vais prendre place sur ce banc
à côté de vous ; me voulez-vous pour défenseur ? »
Et puis je me suis arrêté, pensant que, si son innocence
continue de m'apparaître, je lui serai peut-être plus
utile comme juge parmi ses juges.

Pellapra est le nœud du procès. Son évasion semble
désoler sincèrement Teste. On disait hier qu'il venait
d'être repris.

Ce Pellapra a douze millions. Il avait une fort jolie
femme, très coquette sous l'Empire et sous la Restauration. En 1815, elle était la maîtresse de M. le duc de
Berry. Un jour, après un fort doux rendez-vous, comme

elle remettait son châle pour s'en aller, le prince lui
dit : « — Qu'est-ce que c'est que ça? Quel affreux
châle avez-vous là, ma chère? — Bah! lui dit-elle, vous
le trouvez laid, Monseigneur? — Horrible. — Eh bien!
j'y tiens beaucoup. — Et pourquoi? — Parce que c'est
un châle de l'impératrice Joséphine. — Comment le
savez-vous? — Parce que c'est l'empereur qui me l'a
donné. — Bah! reprit M. le duc de Berry. Et comment
cela? — Voici, Monseigneur. J'étais pour l'empereur
ce que je suis pour vous. Un jour, comme je sortais
de sa chambre, ayant très chaud et fort en hâte, l'empereur courut après moi et me dit : — Mais tu as les
épaules nues, tu vas t'enrhumer! — Il regarde autour
de lui, il y avait sur un fauteuil un châle de l'impératrice Joséphine, il me le jeta sur les épaules. C'est
celui-ci, et j'y tiens. »

Le châle en effet était assez laid. Sous l'Empire, le
laid régnait ; on n'aimait pas les châles à grands dessins ;
on n'en voulait qu'à petites bordures. Le mérite d'un
châle était de passer par une bague.

Du reste, M. de Berry était peu magnifique.

« — C'est égal, dit-il, le châle de ton Buonaparte
est fort vilain. »

Mais il n'en donna pas un autre.

Avant l'empereur, Mme Pellapra avait eu Ouvrard,
puis Fouché, puis Murat, enfin Napoléon. C'était comme
une échelle à laquelle elle montait. L'empereur ne la
garda que six semaines. Du reste il fit sur-le-champ
Pellapra receveur général et lui donna ses cinq cent
mille francs de cautionnement. Ceci commença la
fortune de l'homme. Au retour de l'île d'Elbe, Mme Pellapra, encore fort jolie, se trouvait à Lyon quand
l'empereur y entra. L'empereur y resta trois jours
dont il passa les trois nuits avec Mme Pellapra. C'est
elle qui le raconte à l'heure qu'il est.

La foule était plus grande encore ces deux jours-ci.
L'anxiété est inexprimable parmi les spectateurs. Si

Pellapra reparaît, le jour se fera. Je souhaite ardemment
que Teste soit innocent et, innocent, qu'il soit sauvé.

Après l'audience d'hier, je l'ai suivi des yeux comme
il s'en allait. Il a traversé lentement et tristement les
bancs de la pairie, regardant à droite et à gauche ces
fauteuils sur lesquels peut-être il ne s'assoira plus.
Deux huissiers, qui le gardaient, marchaient l'un devant,
l'autre derrière lui.

12 juillet (5ᵉ *journée*).

Nouvelles pièces *. Changent encore la face de
l'affaire ; chargent Teste. Le général Cubières se lève
et ajoute foi à ces pièces. Teste répond avec énergie et
hauteur, mais il faiblit pourtant. Sa bouche se con-
tracte. Il me fait mal. Je commence à trembler qu'il
ne nous ait tous trompés. Parmentier écoute, presque
avec un sourire, les deux mains croisées négligemment
sur ses bras. Teste se rassied et prend force prises de
tabac dans sa grande tabatière de buis, puis s'essuie
la sueur du front avec un foulard rouge. La cour est
profondément émue.

« — Je juge de ce qu'il souffre par ce que je souffre
moi-même », me dit M. de Pontécoulant.

« — Quel supplice ! dit le général Neigre.

— C'est un coup de guillotine qui tombe lentement »,
dit Bertin de Vaux.

L'anxiété est au comble dans la cour et le public.
On ne veut pas perdre un mot. Les pairs crient à tous
ceux qui prennent la parole : « — Plus haut ! plus haut !
on n'entend pas ! » Le chancelier prie la cour de considérer ses quatre-vingts ans.

Il fait une chaleur insupportable.

Cubières a deux avocats, dont Baroche ; Teste deux

---

* Lettre de Mᵐᵉ Pellapra signée *Émilie Pellapra*. Six billets de
Teste, reconnus par lui (il les a pris d'une main tremblante et a dit :
C'est de moi). Extraits de bordereaux de Pellapra paraissant constater
la remise des 93 000 francs à Teste » (*Note de Victor Hugo*).

avocats, Mes Paillet et Dehans. Parmentier, un avocat
nommé Benoît-Champy. En outre, quinze avocats
sont assis derrière eux. Plus le fils de Teste, homme
d'une quarantaine d'années, chauve, député.

L'agent de change Goupil est entendu. Teste se débat.

M. Charles Dupin interroge l'agent de change. Teste
le suit et l'applaudit du sourire. Rien n'est plus douloureux que ce sourire.

Cette fois, on a tenu la chambre du conseil avant
l'audience, dans l'ancienne salle.

Les pairs bourdonnaient comme une ruche. Le chancelier est venu à mon banc et m'a parlé Académie.;
qu'un abbé Bautain se présentait pour succéder à
M. Ballanche ; ce que j'en pensais ; qu'à son avis il
serait convenable qu'un ecclésiastique fût de l'Académie, mais que cet ecclésiastique devrait être ou très
éminent par le talent, ou très éminent par la dignité ;
que cet abbé Bautain ne lui semblait réunir ni l'une,
ni l'autre de ces deux conditions ; qu'on lui avait
parlé, le comte Portalis, bon juge, d'un des deux
cardinaux récemment nommés, le cardinal Giraud,
comme d'un bon écrivain et d'un homme distingué ;
si j'en savais quelque chose, et si je serais opposé à cette
nomination. J'ai répondu très sommairement que
je ne connaissais comme gens de talent ni l'abbé Bautain
ni le cardinal Giraud, et que du reste je trouverais fort
bon qu'il y eût des prêtres distingués ou illustres, non
seulement à l'Académie, mais à la Chambre des pairs.
M. le chancelier a abondé dans mon sens, puis m'a
parlé du procès, de sa fatigue, de sa douleur ; disant
combien une séance de l'Académie était une douce
chose auprès d'une audience de la cour des pairs.

Dans sa déposition, M. Legrand, sous-secrétaire
d'État aux travaux publics, a qualifié Teste : *une
personne qui est assise derrière moi.* Teste a haussé les
épaules.

Après la déposition grave du notaire Roquebert,

le visage de Teste prend l'expression de l'agonie. Il
lse penche vers la table et dit quelques mots à voix
basse.

A la production de la pièce venue du Trésor, Teste
a rougi, s'est essuyé le front avec angoisse et s'est
tourné vers son fils. Ils ont échangé quelques mots.
Puis Teste s'est remis à feuilleter son dossier, et le
fils a laissé tomber sa tête sur ses deux mains.

Depuis une heure, Teste a vieilli de dix ans ; sa tête
branle, sa lèvre inférieure tombe. C'était hier un lion,
aujourd'hui c'est une ganache.

Tout dans cette affaire marche par secousses violentes. Hier, je *voyais* Teste innocent, aujourd'hui je
le vois coupable. Hier, je l'admirais, aujourd'hui je
serais tenté de le mépriser, s'il n'était pas si malheureux.
Mais je n'ai plus que de la pitié.

La séance d'hier 12 juillet est un des plus terribles
spectacles auxquels j'aie assisté dans ma vie. C'est un
écartèlement moral. Ce que nos pères ont vu il y a
quatre-vingts ans, en place de Grève, le jour de l'exécution de Damiens, nous l'avons vu hier, jour de l'exécution du président Teste en cour des pairs. Nous avons
vu tenailler et écarteler une personne morale. D'heure
en heure, d'instant en instant, on lui arrachait quelque
chose : à midi, sa considération de magistrat ; à une
heure, sa renommée de ministre intègre ; à deux heures,
sa conscience d'honnête homme ; une demi-heure plus
tard, le respect des autres ; un quart d'heure après, le
respect de lui-même. A la fin, ce n'était plus qu'un
cadavre. Cela a duré six heures.

Quant à moi, je le disais au duc d'Estissac et au
premier président Legagneur, je doute que je puisse
jamais avoir la force, même Teste convaincu et coupable,
d'ajouter une peine quelconque à ce châtiment inouï,
à cet effroyable supplice infligé par la providence.

13 juillet (6ᵉ journée).

Comme j'arrivais au vestiaire, M. le vicomte Lemercier, qui y était aussi, m'a dit :

« — Savez-vous la nouvelle ?

— Non.

— Teste a voulu se tuer ; il s'est manqué. »

En effet, le fait est vrai. M. Teste s'est tiré hier à
neuf heures du soir deux coups de pistolet, l'un dans
la bouche, l'amorce a raté ; l'autre sur le cœur, la balle
a fait coup de poing, le coup étant tiré de trop près.
Teste a tiré les deux coups à la fois, des deux mains ;
c'est ce qui a fait avorter le suicide.

Le chancelier a fait donner lecture, en chambre du
conseil, des pièces qui constatent l'événement ; elles
ont été relues ensuite en séance publique. Les pistolets
ont été déposés sur le bureau de la cour. Ce sont deux
très petits pistolets, tout neufs, à crosse d'ivoire.

Teste, n'ayant pu parvenir à se tuer, refuse de paraître désormais devant la cour. Il a écrit au chancelier
une lettre où il dit qu'il renonce à sa défense, *les pièces
produites hier ne laissant plus de place à la contradiction.*
Ceci est triste. C'est un avocat qui parle, ce n'est pas
un homme. Un homme eût dit : « Je suis coupable. »

Quand nous sommes entrés en séance, M. Dupin
l'aîné, qui était assis derrière moi au banc des députés,
m'a dit :

« — Devinez quel est le livre que Teste a fait
demander pour se désennuyer ?

— Je ne sais.

— *Monte-Cristo!* « Pas les quatre premiers volumes,
a-t-il dit, je les ai lus. » On n'avait pas *Monte-Cristo*
à la bibliothèque de la Chambre des pairs ; on l'a fait
louer dans un cabinet de lecture qui ne l'avait que par
liasses de feuilletons. Teste passe son temps à lire ces
liasses et est fort calme. »

M. Dupin a ajouté après un silence :

« — Ceci achève de peindre l'homme.

— Êtes-vous sûr de tout cela ? » ai-je dit.

Mon voisin, M. le duc de Brancas, qui est un bon et noble vieillard, m'a dit :

« Ne vous opposez plus à la condamnation. C'est la justice de Dieu qui se fait. »

Au moment, hier soir, où l'on est venu dire au général Cubières que Teste s'était tiré deux coups de pistolet, le général a pleuré amèrement.

Je remarque que c'est aujourd'hui une date fatale, 13 juillet.

La place de Teste est vide à l'audience.

Le greffier La Chauvinière lit les pièces. M. Cubières écoute avec un air de profonde tristesse, puis se couvre les yeux de sa main. Parmentier tient la tête constamment baissée. Les faits d'hier, la tentative de suicide de Teste et sa lettre au chancelier détruisent radicalement tout l'abominable système de Parmentier.

On remarque autour de moi que le valet de chambre de Teste qui était avec lui dans la prison s'appelle Poignard. Il était au service de Teste depuis six ans.

A une heure dix minutes, le procureur général Delangle prend la parole. Il dit à deux reprises, au milieu de l'émotion : *Messieurs les pairs...* puis s'arrête et reprend : *Le procès est fini.* Le procureur général n'a parlé que dix minutes.

Une particularité, c'est que Teste et Delangle se sont toute leur vie côtoyés ; Delangle suivant Teste, et, à la fin, le poursuivant. Teste a été bâtonnier des avocats, Delangle l'a été immédiatement après lui. Teste est nommé président de chambre à la cour de cassation, Delangle entre à la même chambre comme avocat général. Teste est accusé, Delangle est procureur général.

Le mouvement du père et du fils, que je notais hier au moment de la production des pièces du Trésor, m'est maintenant expliqué ; le père disait au fils :

« — Donne-moi les pistolets. » Le fils les a remis, puis il a laissé tomber sa tête dans ses mains.

Il me semble que cette sombre tragédie a dû se passer ainsi.

Pendant que l'avocat de Parmentier parlait, Cubières ôtait et remettait paisiblement une bague qu'il avait à la main gauche.

Dans la suspension d'audience, le colonel Poizat, commandant du palais, a dit à un pair, le baron Feutrier, que Pellapra allait arriver ; qu'on lui avait envoyé, sur sa réclamation, des saufs-conduits.

Lord Normanby n'a pas manqué une seule audience.

On fait de tout, à la buvette, même des calembours, et des calembours d'autant plus tristes qu'ils veulent être gais. Comme je raconte tout, il faut bien que je dise qu'un pair prétendait que toute la destinée du général Despans-Cubières était prophétisée dans les quatre sylla-bes de son nom, et ce pair ajoutait l'explication : *Dais*, sa haute position ; *pan*, le coup qui le frappe ; *cu*, sa honte mise à nu ; *bière*, il est mort.

14 juillet.

A l'ouverture de la séance, le chancelier lit une lettre par laquelle Cubières donne sa démission de pair.

Appel nominal *.

Le prince de la Moskowa demande la parole sur la position de la question. On refuse de l'entendre. Il échange des paroles aigres avec M. le chancelier.

Premier tour. Troplong parle, cherche à faire la part de chacun. Il dit qu'il faut savoir être sévères, même envers le général Cubières, et justes, même envers Parmentier. Il tâche d'établir que la pensée de corruption est venue non de Parmentier, mais de

---

* « Comment les pairs répondent : Montalivet, on l'entend à peine ; Molé, très haut, d'une voix de vieille femme ; Villemain, très bas ; le duc d'Harcourt, d'une voix perçante ; général Fabvier, doucement ; comte d'Argout, aigrement » (*Note de Victor Hugo*).

Cubières. Il parle trop longuement, on l'interrompt,
M. Séguier s'écrie : « — Nous savons tout ce qu'on
nous dit là. » M. Troplong se rassied immédiatement :
« — Parlez! Parlez! » Il se lève et continue.

M. Mesnard établit que la question est complexe
et ne peut être résolue par un simple *oui* ou *non*.

A mon tour, j'ai dit : « — *Oui, sous toutes réserves.* »
Il y a eu rumeur. On a dit : « — Il réserve son vote. »
Le chancelier l'a répété. Je me suis levé et j'ai dit :
« — Je ne réserve pas mon vote. Je dis : *oui*, sous
toutes réserves ; parce que, comme l'a fort bien dit
M. Mesnard, la question n'est pas simple. »

Bourbaud. A dit *non*, ce qui a fait sourire Molé.

Le prince de la Moskowa. Établit que Cubières,
n'ayant eu aucune relation de corruption avec Teste,
n'est pas auteur, ni principal coupable, mais seulement
complice, et demande que la question de complicité
soit posée, regrettant que la cour n'ait pas voulu
l'entendre en temps utile avant l'ouverture de la délibération. Il ajoute : « — J'éprouvais le besoin de donner
cette explication. » M. de Gasperin dit : « Non. Elle ne
vaut rien. » Le prince de la Moskowa conclut : « — *Oui
coupable de complicité.* »

Général Castellane. Avec douleur, déclare Cubières
coupable.

Général Pelet. Doutes, troubles dans la conscience.
ne peut dire *oui*. Dit *non*.

Général Monthyon : « — *Oui, mais, dans mon opinion,
moins coupable que les autres.* »

Vicomte Pernetey : « — *Sous   toutes   réserves,
oui.* »

Montalembert : « — *Oui, avec des circonstances
atténuantes.* »

Baron Duval. Comme M. de Montalembert.

Amiral Jurieu : « — *Non.* »

Villemain. Comme moi.

Comte Desroy : « — *Je dis non.* » Et ajoute quelques

mots. Cubières n'a pas reçu d'argent. En a donné, au contraire.

Cousin. *Oui.* Tiendra compte des circonstances atténuantes dans l'application de la peine.

Dubouchage : « — *Oui, mais bien loin de croire, comme M. Troplong, que le général Cubières est le plus coupable, je suis de l'avis contraire, je le crois le moins coupable.* » (Il dit l'amiral Cubières, ce qui fait une rumeur.)

Le duc de Coigny. Pense comme M. le prince de la Moskowa. Dit *oui* parce qu'il est dans la ferme conviction que l'omnipotence de la Chambre n'appliquera pas toute la peine.

Comte Molé : « — *Oui, sans les circonstances atténuantes. Je serais fâché que cette formule se produisît parmi nous parce qu'elle restreindrait notre prérogative. Arbitrez la peine, vous êtes souverains. Point de circonstances atténuantes. Atténuez la peine. Vous êtes maîtres.* »

Le chancelier. Dit *oui* et appuie l'observation de M. Molé.

Le duc de Coigny veut faire une observation. On ne veut pas l'écouter.

Le baron Duponthiers, le duc de Trévise, le comte de Montesquiou, le prince de la Moskowa avaient réservé leur vote. Disent *oui.*

Premier tour : 186 votants ; 182 *oui* ; 4 *non.*

Le général Pelet revient sur son vote : « — *Oui, avec circonstances atténuantes.* »

Deuxième tour : 186 votants ; 183 *oui* ; 3 *non.*

PARMENTIER. CULPABILITÉ

Premier tour : à l'unanimité, *oui.* On ne réclame pas de second tour.

APPLICATION DES PEINES. TESTE

Premier tour : la dégradation civique à l'unanimité, moins la voix de M. le comte de Montesquiou-Fezensac, qui a dit *non*. Deuxième tour réclamé par M. de Montesquiou. Même résultat.

Premier tour : l'amende ; j'ai dit :

« — Je veux frapper un coupable, je ne veux pas ruiner une famille, c'est-à-dire frapper des innocents. La restitution de la somme reçue me suffit. Point d'amende. »

Au deuxième tour, à six heures du soir, j'ai dit :

« — L'heure avancée m'empêche de développer et de soutenir comme je voudrais l'avis que j'ai ouvert devant la cour. Je le regrette profondément. Ce n'est pas que j'aie et que je puisse avoir le moindre espoir, mais c'est par devoir que je parle. On l'a reconnu, il n'y a que deux systèmes logiques, ou l'amende de la loi, ou pas d'amende du tout. C'est vers le dernier système que j'inclinais, et j'y persiste. Messieurs, l'exemple n'est pas dans l'amende ; l'exemple est dans les choses terribles que vous avez vues ; l'exemple est dans la chose terrible que vous venez de faire. L'amende diminue l'exemple. Elle met une question d'argent à la place d'une question d'honneur. Et puis, maintenant, un dernier mot. Que ceux qui ont voté une amende énorme en songeant à la clémence royale y réfléchissent (*rumeurs, dénégations*). Messieurs, je rappelle à la cour des souvenirs : tout à l'heure, des orateurs écoutés * ont dit que, s'il en était besoin, la clémence royale modérerait les condamnations pécuniaires qui vont peser sur la malheureuse famille Teste. Eh bien! messieurs, prenez garde, rien n'est plus grave, rien ne serait plus impolitique ; il ne faudrait pas qu'on pût dire

* « Séguier, Molé, Montalembert » (*Note de Victor Hugo*).

qu'en matière de corruption la Chambre des pairs a
été sévère et la couronne indulgente. » (*Oui ! Très
bien !*)

L'amende de 94 000 francs est votée.

A six heures et demie, lettre du général Cubières
disant qu'il vient de demander sa retraite. Le malheureux jette à chaque instant quelque chose à la
mer.

15 juillet (midi et demi).

Appel nominal. La Chambre est profondément et
douloureusement agitée. Un groupe m'entoure, composé du premier président Legagneur, de M. Trognon,
des ducs d'Albufera, d'Harcourt et de Valençay ;
les magistrats veulent toute la loi, toute la peine pour
Cubières ; les ducs *sont plus hommes*.

TESTE. LA PRISON

Premier tour :

Troplong. Cinq années.

Renouard. Paroles touchantes, mais cinq ans de
prison.

Flourens. Contre la prison. Parle.

M. le premier président Rousselin. Cinq ans. « *Pour
l'exemple.* »

Mesnard. Cinq ans. « *Parce que le crime a été commis
dans les conditions de la plus haute gravité.* »

Fulchiron. Cinq ans. « *Parce qu'il a volé les corrupteurs.* »

Marquis de Raigecourt. Contre la prison. « *L'article
de la loi n'a rien d'impératif.* » Paroles émues.

J'ai dit :

« — Messieurs, le coupable est déjà bien puni. A
l'heure qu'il est, il a soixante-sept ans ; dans cinq ans,

il aura soixante-douze ans. Je n'ajoute pas un mot.
Point de prison. »

Président Franck-Carré. Deux ans.

Amiral Bergeron. « *Je le tuerais. Point d'emprison-*
nement. »

Romiguières : « *La dégradation civique est énorme*
pour Teste et suffit. Il vient d'être précipité du sommet
de l'échelle sociale. Que voulez-vous de plus ? Pas de
prison. »

Gabriac. Plaide les circonstances aggravantes. Cinq ans.

Montesquiou ; Général Fabvier ; M. de Malleville ;
M. Delessert ; Montalembert ; Villemain ; La Moskowa ;
Boissy ; Viennet. Pas de prison.

Bérenger de la Drôme ; comte Daru ; le duc de
Brancas. Cinq ans.

Persil ; le comte de Ham ; Thénard ; comte de
Montalivet ; marquis de Pange ; comte d'Harcourt.
Trois ans.

Président Laplagne-Barris. Veut toutes les peines
de la loi. Cinq ans.

Comte Pelet de la Lozère. Veut une peine sérieuse
et modérée. Trouve dans le Code pénal des peines
diverses. Cherche à les combiner de façon à être juste.
Trois ans.

Général Pelet. A voté la dégradation et le maximum.
Plus que la peine de mort. N'y veut rien ajouter.
« *Laissez-lui la liberté de s'exiler. Pas de prison.* »

Mérilhou. Contre tout emprisonnement. Parle d'une
voix altérée ; ne sera pas long ; est malade. Discute le
Code contre Laplagne-Barris. L'article 177 ne prononce
que la dégradation civique. La plénitude de la pénalité
est atteinte. « *Aller plus loin, c'est outrepasser la sévé-*
rité de la loi, ce que l'omnipotence de la cour n'a jamais
fait ni voulu faire.

Comte Bresson : « *Soyons sévères, mais ne soyons*
pas excessifs. M. Teste est frappé. N'ajoutons rien à
cette misère. Point de prison. »

Barthe : « *La loi ne demande pas d'emprisonnement, mais elle ne l'exclut pas. La peine est facultative. Crime éclatant, répression éclatante. Trois ans.* »

Baron Neigre. Réserve son vote.

Comte Desroys : « *L'emprisonnement jusqu'à parfait paiement de l'amende.* »

Cousin : « *Les magistrats vont trop loin dans leur culte de la loi. Je veux être, juste ni indulgent ni barbare. Cinq ans ! A ce vieillard !* » — Va produire, dit-il, un argument nouveau, mais décisif. L'amende est tout. Elle est obligatoire. L'emprisonnement est facultatif. Il fallait l'amende. On peut s'en tenir là. « *Cependant M. Teste ne peut pas se promener dans quinze jours au Luxembourg ou aux Tuileries. Trois ans.* »

Baron Atthelin. Songe aux autres accusés ; le maximum ; cinq ans.

Barthélemy. Ne voit rien d'atténuant. Deux ans.

Vicomte Dubouchage : « *C'est le plus coupable. Il a pris de l'argent sans faire une chose injuste. Cela aggrave son crime. C'est lui qui est cause que nous jugeons cette scandaleuse affaire. S'il avait voulu rapporter seulement le tiers de la somme, point de procès. Il est infâme. Trois ans.* » Vicomte Dode : « *La cour doit être d'accord avec elle-même. Elle a atténué l'amende, elle doit atténuer la prison. Trois ans.* »

Duc de Coigny. Voudrait ne pas être cruel ; voudrait pouvoir dire : pas de prison! « *Mais ce serait un grand scandale de voir l'accusé se promener dans les rues de Paris. Un an de prison.* »

Comte Portalis. « *L'application entière de la loi. Ne point user de notre toute-puissance en ce cas.* » Il a voté l'amende. Mais la prison est facultative. M. Barthe a démontré qu'elle ne pouvait point être une agravation pour les délits les moins graves. On est libre d'appliquer cette peine ou de ne point l'appliquer. (Avec des larmes :) « *L'arrêt ne peut contenir une omission. J'en suis déchiré, mais je vote la prison. Trois ans.* »

Comte de Pontécoulant. *Cinq ans.* (M. de Pontécoulant a quatre-vingt-cinq ans.)

Baron de Barante. Désirerait user avec indulgence de la faculté que lui laisse la loi. Mais votera la prison parce qu'on a dit que la prison était bonne pour d'autres délinquants. Veut l'égalité des peines. Regrette qu'on ait parlé de cruauté. Un an de prison.

Duc Decazes. Ne veut exercer aucune influence sur ses collègues. Est dans une position spéciale à cause de ses devoirs comme référendaire. Il voit tous les jours l'accusé. Il serait accessible à la pitié. Mais non. Le crime est trop grand. Raconte ses conversations avec Teste. (Interruptions : « — *Toujours des commérages ! Toujours commère, ce Decazes !* ») Trois ans.

Baron Séguier : « *Teste a menti dans sa défense. Point de grâce. Il a eu du talent dans sa défense. Je m'en défiais quand il était avocat. Il faisait toujours des crochets à droite et à gauche. Qu'a-t-il fait ? Un premier crime. Puis un deuxième : ce suicide. Sénèque s'est tué, mais Socrate sut attendre la mort ; Cicéron a écrit contre la mort volontaire. Teste a offensé celui dont l'image nous manque ici, dans cette salle où siège la première cour de justice du monde. Teste a mis crime sur crime. Je veux qu'il soit en prison. Le maximum ne passera pas. Cependant, je dis les cinq ans.* »

Comte Molé : « *Nous n'avons point de jurisprudence. C'est la première fois qu'un tel cas se présente, et le cas est énorme. La prison est un maximum. Il faut un maximum. Trois ans.* » (A cause de l'âge, sans quoi il voterait toute la peine.)

Duc de Brissac. A cause de l'âge, se borne à trois ans.

M. le Chancelier : « *J'ai le cœur brisé, je le voyais tous les jours, pardonnez-moi quelque faiblesse dans mon vote. Trois ans.* »

Le général Neigre, qui s'était réservé : trois ans.

Pour les cinq ans : 62 ; trois ans : 48 ; deux ans :

6 ; un an : 14. Jusqu'au paiement de l'amende : 1 ;
point d'emprisonnement : 54.

Deuxième tour. (185 ; majorités des 5/8 : 116).
Trois ans : 128 ; cinq ans : 2 ; point de prison : 43 ;
un an : 10 ; deux ans : 2.

Il est trois heures. L'audience est suspendue.

CUBIÈRES. APPLICATION DE LA PEINE

Premier tour. Tous votent la dégradation civique,
excepté deux ou trois. Plusieurs réservent leur vote.

A mon tour, j'ai dit :

« — Je sens la cour fatiguée ; (*plus haut !*) je suis
moi-même en proie à une émotion qui me trouble ;
je me lève cependant, mais je ne dirai que quelques
mots. Messieurs, j'ai étudié comme vous tous, avec
tout ce que je puis avoir d'intelligence et de force
d'attention, toutes les pièces de ce déplorable procès.
J'ai examiné les faits, j'ai confronté les personnages.
J'ai tâché de pénétrer non seulement au fond de la
cause, mais au fond du cœur de ces hommes que vous
jugez en ce moment. Eh bien! pour moi, voici où je
suis arrivé (*profond silence*) : dans ma conviction, le
général Cubières a été entraîné. Entraîné par Pellapra,
escroqué par Parmentier, voilà en deux mots toute sa
position. Dans cette situation, il y a, je le reconnais,
place pour une faiblesse, pour une faiblesse reprochable,
inexcusable, gravement coupable même, mais ce n'est
enfin qu'une faiblesse, et une faiblesse n'est pas une
bassesse, et je ne veux pas punir une faiblesse par
l'infamie (*sensation*).

« Je l'avouerai, et la cour me pardonnera cet aveu,
depuis tant d'heures que cette désastreuse affaire nous
préoccupe, je m'étais figuré autrement l'arrêt que vous
allez rendre dans votre toute-puissance et souveraine
justice. J'aurais voulu laisser dans son isolement

terrible cette grande et douloureuse figure du principal
accusé. Cet homme dont M. Villemain vous parlait
hier si éloquemment, cet homme qui, à force de talent,
a su — miracle que, pour ma part, j'aurais toujours
cru impossible — être grand dans la bassesse et touchant
jusque dans la honte, cet homme-là, j'aurais voulu
le frapper seul de la dégradation civique ; j'aurais
voulu ne rien ajouter à cette peine effrayante. En
pareil cas, ce qui ajoute diminue. J'aurais voulu qu'il
restât libre et que désormais, pour l'exemple de tous,
tombé du rang de pair de France au rang de forçat,
ce malheureux homme portât à jamais sur le front ce
mot, ce stigmate : *déchu !* Pour le faible et infortuné
général Cubières, j'aurais voulu l'interdiction correctionnelle, pour un temps donné, des droits civiques et
civils mentionnés en l'article 401. Et enfin, pour les
hommes d'argent, j'aurais voulu les peines d'argent ;
pour les misérables, les peines humiliantes ; pour
Parmentier, l'amende et la prison. Pour des coupables
si divers, j'eusse voulu des peines diverses, que votre
omnipotence vous permettait d'arbitrer, et cette
proportion gardée entre les fautes et les châtiments me
semblait d'accord avec la conscience ; et j'ajoute,
quoique cela me touche moins, d'accord avec l'opinion.
Vous en avez jugé autrement dans votre sagesse,
quant au principal accusé. Je m'incline devant elle,
mais je vous prie cependant de trouver bon que je
persiste dans mon sentiment.

« J'ajoute, messieurs, que l'équité est ici d'accord
avec la pitié. Je le répète, les fautes ont été diverses,
les châtiments doivent être divers. Mettre sur la même
ligne, frapper de la même peine, envelopper dans je ne
sais quelle égalité de déshonneur tous les accusés, Teste
et Cubières, Cubières et Parmentier, la dupe et le
fripon, la victime et le bourreau, ce serait peut-être une
justice devant le texte rigide de la loi ; aux yeux
de la conscience, qui est au-dessus même de la loi,

ce serait une suprême injustice. (*C'est vrai! Oui!*)

« Dans une assemblée où siègent tant d'hommes considérables qui ont occupé ou qui occupent encore les plus hautes fonctions de l'État ou du gouvernement, je comprends, j'honore, je respecte cette pudeur si noble qui vous porte à exagérer les peines en cette grave conjoncture et à donner, non seulement les plus justes, mais les plus cruelles satisfactions à l'opinion publique indignée. Moi, messieurs, je ne suis point magistrat, je ne suis point militaire, je ne suis point fonctionnaire public, je suis un simple contribuable, je suis un membre quelconque de cette foule d'où sort cette opinion publique que vous consultez, et c'est pour cela, c'est parce que je ne suis que cela, que j'ai peut-être qualité pour vous dire : C'est assez! Arrêtez-vous! Atteignez la limite de la justice, ne la dépassez pas. L'exemple est fait! (*Il a raison! Oui! Très bien!*) Ne détruisez pas cet isolement du condamné Teste qui est le grand aspect, qui est la grande leçon morale du procès. Et puis, je le répète, jusqu'à ce moment, tant qu'il ne s'est agi que de ce malheureux Teste, je vous ai parlé le langage de la pitié ; je vous parle maintenant le langage de l'équité, de la stricte et sévère équité. (*Approbation.*)

« Et j'ajoute : tenez compte, je vous en conjure, tenez compte au général Cubières de soixante années d'honneur ; tenez-lui compte du supplice qu'il a subi, de cette torture de quatre ans dans les mains hideuses de Parmentier, de cette exposition publique sur ce banc pendant quatre jours : tenez-lui compte de cette injuste accusation d'escroquerie, qui a été aussi un supplice ; tenez-lui compte de son hésitation généreuse à perdre Teste en se sauvant ; tenez-lui compte enfin de sa conduite héroïque sur le champ de bataille de Waterloo, où je regrette qu'il ne soit pas resté!

« Je propose formellement d'appliquer à M. Cubières les dispositions de l'article 401, combiné avec l'article

402, c'est-à-dire l'interdiction des droits civils et civiques pendant dix ans. Je vote contre la dégradation civique. »

Comte Jaubert. Dans le même sens que moi.

Hippolyte Passy. Comme moi. « *On ne corrompt pas les ministres, on les trouve tout corrompus.* »

Le président Boullet : « *Je veux punir de la même peine le corrompu et le corrupteur.* »

Comte A. de Saint-Priest ; général Gourgaud ; comte de Bondy ; général Bergeron ; comte de Montesquiou ; vicomte de La Redorte ; Lebrun ; général Pelet. Comme moi.

Romiguières ; marquis de Gabriac ; marquis de Boissy ; Pelet de la Lozère. La dégradation civique.

Prince de la Moskowa. Comme moi. Produit un fait nouveau, la conversation de Cubières avec Pellapra dans l'antichambre de Teste. Dit la tenir d'un magistrat. Pellapra aurait dit à Cubières : « — Vous êtes un enfant de croire que les choses vont toutes seules. Combien donnez-vous à Teste ? »

Viennet. A dit violemment : « — *Depuis une heure, je suis persécuté, à la lettre, par la gloire militaire du général Cubières. Il est coupable. Je fais de vains efforts pour violenter ma conscience. La dégradation civique.* »

Vicomte Sébastiani : « — *Avec douleur, la dégradation civique.* »

Laplagne-Barris. Combat mon opinion. Discute l'article 463. La dégradation civique.

Duc d'Harcourt* : « — *Les plus sévères pour eux-mêmes sont les plus indulgents pour autrui. Je remarque que dans cette assemblée les plus jeunes et les plus purs sont aussi les plus miséricordieux. Il ne manque pas de gens dans ce monde qui font consister la vertu à fouler*

---

* « Le duc d'Harcourt est petit, le nez pointu, gris, l'air spirituel et bon. Il vient à la Chambre en paletot vert-bouteille, pantalon de nankin et chapeau gris. » (*Note de Victor Hugo.*)

aux pieds ceux qui sont déjà par terre. Quant à moi, ce n'est pas ma manière. » Vote comme j'ai voté.

Baron Charles Dupin. Trouve l'interdiction insuffisante, demande la dégradation. (Conversations qui couvrent sa voix. Le chancelier lui-même cause avec MM. Barthe et Portalis. M. Charles Dupin s'interrompt. M. Molé s'écrie : « — Monsieur le chancelier, on n'écoute pas! Tout le monde cause. Faites faire silence! » Le silence se rétablit.)

Il est tard, près de sept heures. Quatre-vingts pairs encore restent, qui n'ont pas opiné.

Le chancelier propose le renvoi à demain. On se récrie : « — Le renvoi au milieu d'un tour d'opinion! » M. Cauchy lit un précédent du procès Quénisset. Tumulte. Le renvoi est ordonné. On se réunira à onze heures.

16 juillet.

Continuation du tour d'opinion sur l'application de la peine au général Cubières.

A onze heures vingt-cinq minutes, l'appel nominal.

Baron Darricule ; Neigre ; Daru ; Colbert ; duc de Richelieu ; comte de Montalivet. Réservent leur vote.

Marquis de Belbeuf. La dégradation civique. « *La loi a été sage lorsqu'elle a assimilé le corrupteur au corrompu.* »

Comte de Montyon. Vote la prison. « *L'arrêt ne doit pas être violent.* »

Vicomte Pernetey. Réserve son vote. Ne peut se résoudre à assimiler Cubières aux autres.

Montalembert. Sera très court ; s'abstiendra de répéter tout ce qui a été dit éloquemment. S'empare de l'aveu de M. Laplagne-Barris qui, en étant sévère, est convenu que la culpabilité de Cubières était moindre que celle de Teste. Il faut faire sentir cette différence dans l'arrêt. Il y a deux infamies, l'infamie morale et l'infamie légale. Otons du moins à Cubières l'infamie légale. Lit l'article 34 et l'article 401. L'identité est presque complète, à l'infamie près. Vote pour l'application de l'article 401.

Cambacérès. S'accuse d'arriver tard, venant de la campagne. Vote l'article 401.

Comte de La Riboisière. Rappelle que, dans le procès Hourdequin et Gisquet, les corrupteurs n'ont comparu que comme témoins. Vote l'article 401, dix ans de privations des droits civiques.

Baron Aymar. A commencé sa vie militaire comme volontaire et, depuis longtemps soldat, a remarqué que les tribunaux spéciaux militaires ont été toujours plus sévères que d'autres. Sera sévère pour Cubières. Vote la dégradation civique.

A mesure que la délibération s'avance, on n'appelle plus Cubières le général, on ne l'appelle plus M. de Cubières, on l'appelle Cubières, puis enfin le condamné Cubières.

M. Barthe. Examine la loi tout en déclarant que la cour est au-dessus d'elle. Veut une répression sévère. Rappelle que la loi impériale condamnait corrupteur et corrompu au carcan. Emploie souvent le mot *vilité*. Conclut à la dégradation civique.

M. Villemain. Sa conviction persiste. On a beau dire, ce qui fait la force de la conscience, c'est que le poids de la logique la plus accablante ne parvient pas à la déraciner de notre cœur. Cubières n'est pas aussi coupable que Teste. Teste, « *le coupable incomparable* », dit-il. Vote contre la dégradation civique et pour l'article 401.

Baron de Fréville. Deux opinions en présence. Éloquence et compassion, éloquence et sévérité. Se prononce pour la dernière. Dégradation civique.

Comte Desroys. Est plein de doutes. Vote contre la dégradation civique.

Cousin. Voudrait se borner à voter silencieusement comme ses éloquents amis, mais a besoin de protester contre l'excès de sévérité. Non, la conscience ne fléchit pas devant la logique. La conscience, à raison, traite la question logique. En parlant de Parmentier, dit que

la logique et la loi conduiront à «*dégrader la dégradation*».
Vote l'article 401.

Marquis Barthélemy : « *La corruption est la peste des
États.* » Vote *provisoirement* la dégradation civique.

Duc de Périgord. La dégradation civique.

Duc de Noailles. Regarde Cubières comme le principal
corrupteur. Prononce la dégradation civique. (J'ai peur
que M. de Noailles ne soit un esprit faux.)

Vicomte Dubouchage : « *Non ! point de dégradation
civique. Qu'est-ce que l'amende et l'emprisonnement lorsqu'il s'agit d'un pair et d'un pair militaire ?* » Vote l'interdiction des droits civils.

Duc de Coigny. Ne peut appliquer la même peine aux
deux coupables. Ne comprend pas qu'on n'établisse pas
de distinction. Vote comme moi.

Comte Portalis. Aurait voulu ne pas motiver son vote.
Y est forcé pourtant. Défend la loi, défend les magistrats.
Dit qu'il n'est pas exact qu'ils aient « *une conscience
légale* » ; qu'ils sont jurés avant d'être juges, et se déci-
dent comme tous sur leurs impressions morales. Plaide
la culpabilité absolue de Cubières. Vote la dégradation
civique. Pleure.

Pontécoulant. La dégradation civique.

Barante. Croyait qu'il n'aurait qu'à juger des accusés ;
voit qu'il a à défendre les lois du pays. Les défendra.
Beaucoup de phrases. Vote la dégradation civique.

Comte d'Argout. Pense que le pouvoir discrétionnaire
doit être réservé aux cas politiques seulement, et non
exercé pour les délits communs. Vote la dégradation
civique.

Duc Decazes. Cède à un devoir impérieux. Cela lui est
bien pénible. Le remplit avec douleur. Vote la dégradation civique.

Baron Séguier : « — *Un des avantages du royaume de
France, c'est que nous avons une loi invariable. On vous dit
que la logique doit influer sur la législation. Hélas ! grand
Dieu ! Mais il y a autant de logiques que d'hommes. Il y a*

*la logique des jansénistes ; il y a la logique des jésuites. Il
y a Port-Royal ; il y a Loyola. Il y a une logique par professeur. Faire varier le Code selon la logique, c'est insupportable. A Dieu ne plaise que pareille doctrine l'emporte.
La vraie logique, c'est que les hommes doivent porter la
peine de leurs sottises.* (On rit.) *Je ne puis qu'appliquer
la loi à tous ces gens-là. Autre point : les circonstances
atténuantes ? Mais c'est fait pour les tribunaux d'en bas,
pour la cour d'assises, pour les jurés. Non pour vous, la
plus haute des justices ! La corruption est un grand crime ;
c'est le premier crime. Le premier crime est la corruption
d'Ève vis-à-vis d'Adam.* (On rit.) *Ce crime-là a précédé
le fratricide. Ce crime-là a été jugé et puni par un juge
qui nous jugera tous. Par celui qui est représenté par un
triangle lumineux. Ce juge a été sévère pour Ève et pour
Adam.* (On rit.) *Soyons sévères pour Cubières. Remarquez
même que le premier juge et le premier législateur a été plus
sévère pour le corrupteur que pour le corrompu. Il a puni
Satan plus qu'Ève, Ève plus qu'Adam.* (On rit.) *Je vote la
dégradation civique.* »

Le duc d'Harcourt vient à mon banc et me dit : « — Le
vieux Séguier n'a plus que deux dadas, l'ancien parlement et son confessionnal. Et puis que pensez-vous de
ceux qui copient Portalis et qui se mettent à pleurer en
condamnant ? Il me semble voir des veaux. » J'ai répondu :
« — Dites des crocodiles. »

Comte Molé. Ne se préoccupe pas de la culpabilité
comparée des deux accusés. Veut l'égalité de la peine,
qui est la peine naturelle. Vote la dégradation civique.
A passé hier toute la soirée à relire toute la correspondance de Cubières avec un désir d'y trouver des circonstances atténuantes. N'en a point trouvé.

Duc de Brissac (petit, bossu, grand nez aquilin). L'accusé était au rang le plus élevé de l'échelle sociale. En
est plus coupable. Un grand exemple doit être donné.
Il doit être donné par ce qu'il y a de plus haut, la Chambre des pairs. Vote la dégradation civique.

M. le chancelier. Voudrait ne pas développer son
opinion. mais croit qu'il doit à la cour de parler, ayant
suivi cette affaire dans tous ses plis et replis. Vote comme son ami M. Portalis. Croit, du reste, les corrupteurs
plus dangereux que les corrompus. Veut atteindre les
hommes d'argent. L'an dernier, à propos de Joseph
Henri, réclamait le respect pour la majesté royale ;
aujourd'hui, réclame le respect pour la majesté de la loi.

Les pairs qui ont réservé leur vote sont appelés.

La dégradation civique est prononcée par 130 voix
contre 48. Avant de susprendre la séance, M. le baron
Feutrier se plaint que le secret n'est pas gardé. M. le
chancelier fait de nouveau à ce sujet les plus pressantes
instances à MM. les pairs.

Au deuxième tour, sur l'application de la peine, j'ai
dit sans me lever : « — Je dis non quant à la dégradation
civique. Je crois l'omnipotence de la cour parfaitement
applicable à cette affaire ; la cour le croit comme moi ;
elle l'a prouvé en réduisant de moitié, malgré le texte
précis et impératif de l'article 177, l'amende infligée au
principal accusé. Mais, dans le cas présent, je n'ai point
recours à notre omnipotence. Il n'en est pas besoin.
Aujourd'hui comme hier, je me borne à user des facultés
que la loi confère aux juges ordinaires, et je persiste à
demander l'application des articles 463, 401 et 49 du
Code pénal. »

Séance reprise à quatre heures moins un quart.

Premier tour ; amende de 10 000 fr. : 61 voix ;
25 000 fr. : 46 ; point d'amende : 21 ; 40 000 fr. : 18 ;
50 000 fr. : 5 ; 55 000 fr. : 4 ; 94 000 fr. : 2 ; 100 000 fr. : 1 ;
188 000 fr. : 1 ; 200 fr. : 4.

Deuxième tour : 10 000 fr. : 83 ; 25 000 fr. : 68 ; point :
25 ; 20 000 fr. : 1 ; 200 fr. : 25.

Troisième tour : 10 000 fr. : 144 (j'ai voté avec ceux-ci
pour aider à former une majorité contre les plus sévères) ;
25 000 fr. : 31 ; 40 000 fr. : 1 ; pas d'amende : 7.

La cour prononce 10 000 francs.

16 juillet. 4 heures après midi.

Une réflexion me préoccupe pendant toute la durée de
cette délibération, réflexion que je ne dirai pas à la cour.
C'est que si c'était un X quelconque qui fût accusé du
fait de corruption devant la cour et convaincu, et que
M. Teste, dans l'état où était sa conscience, siégeât comme pair parmi les juges, il voterait pour la peine la plus
sévère.

17 juillet.

PARMENTIER

Suite de la délibération intérieure. Appel nominal à
midi.

M. le chancelier fait lire deux lettres de Parmentier,
en date d'hier et de ce matin. Dans la première, Parmentier supplie la cour de lui tenir compte de son douloureux
étonnement lorsqu'il a vu M. Teste évidemment coupable, étonnement qui prouve son innocence à lui, Parmentier ; dans la seconde, il supplie la cour de considérer
que tout au plus avait-il voulu corrompre pour une
concession de 14 kilomètres, et que, la concession n'ayant
pas été obtenue, le crime n'a pas été commis ; que du
reste rien ne prouve que les 94 000 francs donnés par
Pellapra aient été donnés pour Gouhenans, que Teste
et Pellapra avaient nécessairement bien d'autres affaires
et qu'enfin il est, avec un profond respect, etc.

Ces lettres lues, on a commencé le tour d'opinion.

Premier tour. MM. de Malleville et Renouard ont
parlé, l'un contre, l'autre pour la dégradation civique.

A mon tour je me suis levé et j'ai dit : « — J'aurais
voulu, la cour le sait, pour que l'exemple fût plus grand,
laisser le président Teste dans son isolement infamant,
seul sous le poids de la dégradation civique. La cour ne
nous en a pas cru ; elle a jugé à propos de lui associer le

général Cubières. Je ne peux faire autrement que de lui associer aujourd'hui Parmentier. Je vote la dégradation civique, en regrettant profondément d'être obligé, après que cette grande peine sociale et politique a été appliquée à deux anciens ministres, à deux pairs de France, pour qui elle est tout, de l'appliquer à ce misérable pour qui elle n'est rien. »

Cousin, le général Pelet et le comte d'Alton-Shée ont dit : « — Pas de dégradation civique. » Cousin avait dit hier : « — Ce serait dégrader la dégradation. »

Le deuxième tour, ni le troisième par conséquent n'ont pas été réclamés. On passe à la question de l'amende.

Premier tour. Sur l'amende. :

M. Molé a dit : « — *Quelle que soit mon horreur pour l'homme, je ne crois pas pouvoir dépasser la peine infligée au général Cubières, et je me réunis à l'opinion la plus douce.* »

J'ai réservé mon vote. Les uns proposent 10 000 fr., les autres 65 000 fr. dans les deux cas, pour qu'il soit traité comme Cubières.

Au réappel, j'ai dit que je voyais avec bonheur, après avoir longtemps hésité, après avoir tout écouté en moi et hors de moi, que je pouvais voter pour la peine la plus sévère. J'ai voté 65 000 francs.

Deuxième tour : pour 2 000 000 fr. : 1 voix ; pour 65 000 fr. : 48 ; pour 10 000 fr. : 139.

La cour condamne Parmentier à 10 000 fr. d'amende.

Sur la prison.

Premier tour. Pas de prison : 154 voix ; six mois : 2 ; un an : 5 ; trois ans : 15.

J'ai voté trois ans de prison.

Deuxième tour.

On s'oppose au second tour. Vives rumeurs. Tumulte. M. le président Laplagne-Barris déclare ce second tour « *contraire à l'intérêt du condamné* » (tumulte). M. de Pontécoulant fait remarquer avec quelle sobriété il a opiné jusqu'à ce moment. Combat M. LaplagneBarris et dit,

en invoquant les traditions, qu'on a toujours distingué
entre le vote et le tour d'opinion, et qu'il n'y a de vote
qu'après deux tours d'opinion ; que les opinions se
prenant par les dates les plus récentes d'admission, les
jeunes parlant avant les vieux, on a toujours jugé deux
tours nécessaires afin de laisser aux nouveaux pairs la
faculté de tenir compte de l'avis des anciens, et d'y
revenir s'ils le jugent bon. Il demande les deux tours.
Le deuxième tour est décidé.

Pas de prison : 153 voix ; six mois : 1 ; un an : 3 ;
trois ans : 24. Pas de prison prononcée.

A. de Saint-Priest me disait : « — Il faut des entrailles ;
mais Montesquiou a des entrailles jusqu'au dévoiement. »

Il paraît que la condamnation de Cubières à la dégradation civique qui vient d'être prononcée a déjà trans-
piré et est arrivée jusqu'à la prison. Tout à l'heure, on
entendait de la rue les cris affreux de Mme Cubières et de
Mme de Sampayo, sa sœur, qui étaient avec le général
au moment où la nouvelle lui a été donnée.

Comme nous sortions, et que nous étions au vestiaire,
Anatole de Montesquiou, qui a constamment voté dans
le sens *le plus humain*, m'a fait remarquer, dans le
deuxième compartiment du vestiaire, près de celui où
je m'habille, un vieil habit de pair suspendu à côté de
l'habit du ministre de l'Instruction publique. Cet habit
était usé aux coudes, les boutons dédorés, les broderies
fanées ; un vieux ruban de la Légion d'honneur était à
la boutonnière, plus jaune que rouge et à demi dénoué.
Au-dessus de cet habit était inscrit, selon l'usage, le nom
de celui auquel il appartenait : M. Teste.

Les pairs magistrats étaient consternés que Cubières
n'eût pas de prison. « Voilà un arrêt bien bizarre ! disaient-
ils, la dégradation et la liberté ! Et puis que faire maintenant de Parmentier ? » Je leur ai dit : « — Vous avez
trop tendu la corde, elle a cassé. Vous avez pesé sur la
cour pour obtenir la dégradation civique ; la pitié a

réagi et vous a refusé la prison. C'est bien fait. »

Dans ces délibérations [[...]¹, quelques pairs venaient de temps en temps s'asseoir vis-à-vis la cour sur les tabourets des huissiers et jusque sur le banc des accusés resté vide devant nous. M. Molé, entre autres, faisait des *aparte* soit avec M. de Barante, soit avec M. Pelet de la Lozère.

Je siégeais à ma place ordinaire, au milieu d'un groupe composé du duc de Brancas, du général Neigre, des marquis de Portes et de Rochambeau, au sommet du centre.

La chaleur étant énorme, à chaque instant le chancelier était obligé de rappeler les pairs qui s'en allaient à la buvette ou dans les couloirs.

Mon opinion est que le public trouvera l'arrêt de la cour des pairs juste pour Teste, dur pour Cubières, doux pour Parmentier.

A quatre heures et demie, les portes ont été ouvertes au public. Une foule immense attendait depuis le matin. En un instant, les tribunes ont été tumultueusement remplies. C'était comme un flot.

Puis un profond silence quand l'appel nominal a commencé.

Les pairs répondaient en général d'une vois éteinte et fatiguée.

Puis le chancelier s'est couvert de son mortier de velours noir doublé d'hermine et a lu l'arrêt. Le procureur général était à son poste. Le chancelier a lu l'arrêt d'un accent ferme, bien remarquable dans un vieillard de quatre-vingts ans.

Quoi qu'en aient dit quelques journaux, il n'a pas versé de « larmes silencieuses ».

L'arrêt va être lu immédiatement par le greffier en chef, Cauchy, aux condamnés.

Il y aura, demain 18, juste un mois que Teste fut mis en prévention par les pairs instructeurs, et qu'il leur dit : « Je vous remercie de me placer dans cette position qui me rend le droit précieux de défense. »

Comme nous descendions le grand escalier, Cousin m'a dit :

« — Hugo, quel beau soleil ! Ceci rappelle un chapitre de votre *Dernier jour d'un condamné*.

— Hélas ! ai-je répondu, la bonne nature conserve son calme, quoi que nous fassions ; l'infini ne peut pas être troublé par le fini. »

20 juillet.

Une particularité, c'est que c'est M. Teste qui a fait construire, étant ministre des Travaux publics, cette prison du Luxembourg ; il a été le premier ministre qu'on y ait enfermé. Cela a fait songer au gibet de Montfaucon et à Enguerrand de Marigny.

M. Teste occupe dans cette prison une chambre séparée seulement par une cloison de la chambre du général Cubières. La cloison est si mince que, comme M. Teste parle haut, Mme Cubières, dès le premier jour, fut obligée de frapper à la cloison pour avertir M. Teste qu'elle entendait tout ce qu'il disait. Aussi le coup de pistolet fit-il tressaillir le général Cubières comme s'il avait été tiré dans sa chambre même.

La séance du 12 avait été tellement décisive qu'on pressentait quelque acte de désespoir possible. Pendant l'audience même, M. le duc Decazes avait fait mettre des barreaux aux fenêtres des prisonniers. Ils trouvèrent ces barreaux en rentrant et ne s'en étonnèrent pas. On leur retira également leurs rasoirs et leurs canifs, et ils durent dîner sans couteaux.

Des agents devaient ne plus les quitter un instant et passer la nuit près d'eux. Cependant on crut pouvoir laisser M. Teste seul avec son fils et ses avocats. Il dîna avec eux, presque silencieusement ; chose remarquable, car il parlait volontiers et beaucoup. Le peu qu'il dit, il causa de choses étrangères à l'affaire.

A neuf heures, le fils et les avocats se retirèrent.

L'agent qui devait surveiller M. Teste reçut l'ordre de monter immédiatement ; ce fut pendant les quelques minutes qui s'écoulèrent entre le départ de son fils et l'entrée de l'agent que M. Teste exécuta sa tentative de suicide.

Beaucoup de personnes ont douté que cette tentative fût sérieuse. A la Chambre, on en parlait ainsi. M. Delessert, le préfet de police, que j'ai questionné à ce sujet, m'a dit qu'il ne pouvait y avoir de doute ; que M. Teste *avait bel et bien voulu se tuer.* Seulement il ne croit qu'à un coup de pistolet.

Après sa condamnation, M. le général Cubières a reçu beaucoup de visites ; l'arrêt de la cour a manqué le but par trop de sévérité. Les visiteurs du général passaient, pour arriver jusqu'à sa cellule, devant la cellule de Parmentier, fermée seulement d'une porte vitrée avec un rideau blanc, au travers duquel on l'apercevait. Tous en passant accablaient Parmentier de paroles de mépris, ce qui a obligé cet homme à se cacher dans un coin où on ne le voyait plus.

On désigne pour remplacer M. Teste comme président de chambre à la cour de cassation M. Vincent Saint-Laurent, qui a parlé presque violemment contre Teste à la cour des pairs. Si M. Vincent Saint-Laurent doit remplacer M. Teste, je regrette pour lui qu'il n'ait pas au moins trouvé moyen de s'abstenir dans le procès.

On répète un mot de M. Teste auquel je veux ne pas croire, mais qui sent l'avocat et qui par conséquent est malheureusement vraisemblable. Il aurait dit : « — *Eh bien ! ça pouvait se gagner !* »

20 juillet.

J'ai refait le dessin du *Rhin* [1].

Il y a juste aujourd'hui un an que j'ai commencé ce journal.

21 juillet.

On avait affiché *Marion de Lorme*. Une indisposition de Guyon [1] a fait faire relâche *.

22 juillet.

Le nom de Teste est déjà enlevé de sa place à la Chambre des pairs. C'est le général Achard qui occupe maintenant son fauteuil.

Hier, mardi 21 juillet, comme j'allais de l'Académie à la Chambre des pairs, vers quatre heures, j'ai rencontré près de la porte de sortie de l'Institut, dans la partie la plus déserte de la rue Mazarine, Parmentier qui sortait de prison.

Il se dirigeait vers le quai. Son fils l'accompagnait.

Parmentier, vêtu de noir, portait son chapeau à la main, derrière le dos ; de l'autre bras, il s'appuyait sur son fils. Le fils était triste. Parmentier paraissait profondément accablé. Il avait l'air épuisé d'un homme qui vient de faire une longue marche. Cette tête chauve semblait plier sous la honte. Ils allaient lentement.

On disait aujourd'hui à la Chambre que Mme Cubières a donné une soirée le surlendemain de la condamnation. Il paraît simplement qu'elle s'est bornée à ne pas fermer sa porte.

Elle vient d'écrire aux journaux une lettre, peu utile à son mari, où il y a pourtant ceci qui est beau :

« *On lui a ôté sa pairie, son grade, tout, jusqu'à sa dignité de citoyen... Il conserve ses cicatrices.* »

---

* En marge, Hugo a ajouté ceci : « Ce n'était pas une indisposition. L'Ambigu étant fermé pour réparations, la troupe est allée jouer à Rouen. Mme Guyon en est. Guyon, qui est jaloux de sa femme, a jugé à propos de courir après elle. Il est allé à Rouen, le jour où *Marion* était affichée, et n'est revenu qu'à dix heures du soir. La Comédie a condamné Guyon à une amende de 500 francs. »

[*Sans date.*]

Le bruit se confirme que Teste a demandé *Monte-Christo* pour lire dans sa prison ; « pas les quatre premiers volumes, a-t-il dit, je les ai lus ». On n'avait pas *Monte-Christo* à la bibliothèque de la Chambre des Pairs. On l'a fait louer dans un cabinet de lecture qui ne l'avait que par liasses de feuilletons.

Teste passe son temps à lire ces liasses et est fort calme.

[*Sans date.*]

M. le chancelier avait fait offrir à M. Cubières de sortir de prison par une des grilles du Luxembourg particulières au palais du chancelier. Un fiacre y eût attendu M. Cubières, et il y fût monté sans qu'aucun passant le pût voir. M. Cubières a refusé.

Une calèche découverte, attelée de deux chevaux, est venue stationner à la grille de la rue de Vaugirard au milieu de la foule. M. Cubières y est monté, accompagné de sa femme et de Mme de Sampayo, et c'est ainsi qu'il est sorti de prison.

Depuis ce jour-là, il reçoit tous les soirs plus de cent personnes. Il y a toujours une quarantaine de voitures à sa porte.

24 juillet.

La petite-fille de Mme d'Houdetot se mourait de la poitrine. Elle avait vingt ans. Un soir qu'elle était triste, on lui dit :

« — Qu'avez-vous ?

— Je me regrette », dit-elle.

25 juillet.

M. de Cubières a quitté Paris précipitamment lundi dernier. On lui avait fait craindre que la cour des pairs ne le

citât dans le procès Pellapra. L'idée de comparaître
et d'être forcé de déposer sans prêter serment l'a épouvanté. Il s'est enfui. Il est en ce moment dans une terre
en Normandie, près de Fécamp. Sa femme est partie
mercredi pour l'y aller rejoindre. Du reste, on n'a cité
ni lui ni Teste.

J'ai vu aujourd'hui Mme Regnault de Saint-Jean
d'Angely, qui est accablée de douleur. Elle m'a fort
questionné sur le vote de M. de Pontécoulant, son
ami de quarante ans. Elle appuyait sur le mot *ami*.
M. H. Passy aurait dit à Mme de Sampayo que M. de
Pontécoulant avait voté la dégradation civique.
Mme Regnault n'en voulait rien croire, M. de Pontécoulant lui ayant promis de voter, et même de chercher
des voix, pour *la peine la moins sévère.* Je n'ai voulu
ni mentir, ni révéler. J'ai dit que je ne me rappelais
rien.

29 juillet.

Après un an, je reconnais et je constate que le plan
que je me traçais est presque impossible à réaliser. Je
le regrette, car cela eût pu être neuf, intéressant,
curieux. Mais le naturel et la vie manqueraient à un
pareil livre. Comment écrire froidement, chaque jour,
ce qu'on a appris ou cru apprendre ? Cela, à travers
les émotions, les passions, les affaires, les ennuis, les
catastrophes, les événements, la vie ? D'ailleurs, être
ému, c'est apprendre. Il est impossible, quand on
écrit tous les jours, de faire autre chose que de noter,
chemin faisant, ce qui vient de vous toucher. C'est ce
que j'ai fini par faire, presque sans m'en douter, en
tâchant pourtant que ce livre de notes fût aussi im-
personnel que possible.

J'écris tout ceci en songeant à ma fille, que j'ai
perdue, il y a bientôt quatre ans, et je tourne mon
cœur et mon âme vers la Providence.

31 juillet.

Villeneuve-Saint-Georges.

Juillet 1847.

Ce *long ministère* du 29 octobre 1840 a eu un étrange destin. Neuf hommes le composaient, et sur ces neuf hommes, trois ont été frappés de mort (Humann, Duperré, Martin du Nord), un de folie (Villemain), un d'infamie (Teste).

1er août.

L'autre jour, au milieu d'une discussion à propos des femmes qui écrivent, Lannes de Montebello s'est écrié : « — J'ai horreur du bas-bleu. — Pourquoi bleu ? » ai-je dit.

2 août.

Le conventionnel Sergent-Marceau, qui avait été secrétaire de Robespierre, est mort à Nice le 25 juillet, âgé de quatre-vingt-dix-sept ans. Il avait voté la mort de Louis XVI. Il disait que *si cela était à refaire, il le ferait encore.*

3 août.

J'ai dit à la Chambre quelques mots sur le théâtre en réplique à des niaiseries de M. Fulchiron [1].

Il y avait un vieil étudiant de quinzième année, appelé Lequeux [2]. Ce pauvre diable avait du cœur et de l'esprit. Il eût pu avoir de l'avenir ; il le noya dans le vin. Il meurt à trente-cinq ans.

Quelque temps avant sa mort, il donnait, dans le café où il passait ses journées, des conseils aux jeunes gens, de bons conseils de travail et de persévérance. Il ajoutait tristement : « — Je suis un cadran d'horloge

sur la façade d'une maison ; il montre l'heure à tout le
monde, excepté à celui qui est dans la maison. »

4 août.

La vieille guillotine que Versailles avait depuis 93 a
fini par s'user. On l'a remplacée par une neuve, un peu
moins haute. La première exécution avec cette guillotine neuve a eu lieu avant-hier. C'était un assassin
nommé Thomas, qui a poussé des cris effrayants.

L'échafaud qu'on dressait autrefois place Hoche
avait été transporté à la grille de la rue du Chantier.
Versailles en est donc à sa seconde guillotine. Espérons
qu'il n'usera pas la troisième.

5 août.

Lorsque le pouvoir est attaqué et dévoré par des
Parmentier et des Warnery [1], mauvais signe.

Quand les chacals viennent mordre le lion, c'est
qu'il est mort.

6 août.

Il y a en ce moment sur les murs de Paris une affiche
ainsi conçue :

Office général
dirigé par
Alexandre-Pierre et Cie
Recherche
les Personnes perdues
disparues et!...
Et fournit dans les 24 h. des renseignements
sur la solvabilité, la moralité, la vie privée
de Telles personnes que ce soient!
27, rue des Noyers . 27 . Paris.

Hier, on a joué à la Gaîté une pièce de Paul Foucher [1]
et de Bouchardy, intitulée *Léa*. La représentation avait
une physionomie singulière à cause de la quantité de
filles célèbres qui y assistaient. La grosse et gaie
Léontine [2] était dans une avant-scène du rez-de-chaussée
avec sa sœur, encore plus grosse qu'elle, marchande
de tabac sur le boulevard. Léontine avait un éventail
éclatant, éclipsé pourtant par celui de Mlle Liévenne [3],
qui était dans l'avant-scène d'en face. Éléonore,
des *Folies-Dramatiques*, une belle et charmante fille,
était au balcon avec une vieille femme qui avait l'air
d'une figure de Goya. L'avant-scène des premières,
à gauche de l'acteur, ne contenait que des hommes.
En revanche, celle de face ne contenait presque que des
femmes. Je dis presque, car Mlle Ozy était avec Théophile
Gautier et le jeune comte de Castellane, élève de l'abbé
Dupanloup, qui s'est engagé comme soldat en Afrique
et est aujourd'hui aide de camp de Lamoricière, avec
la croix. Dans cette même avant-scène, il y avait
Mlle Adèle Dore, fameuse par ses goûts particuliers,
Mlle Juliette, du *Vaudeville*, qui ressemble à la Minerve
gravée sur les choses de l'Institut, Mlle Judith [4] et
Mlle Sarah Félix, sœur de Mlle Rachel. Mlles Juliette
et Judith avaient l'air de deux sœurs. Elles étaient
toutes deux en robes montantes de toile écrue.

En entrant dans la loge, Sarah a dit : « — *Je viens
de becquiller joliment. — Tiens*, a dit Judith, *la Sara-
bande !* »

Toute la conversation de ces dames était sur ce ton.

J'enregistre volontiers tous les faits caractéristiques.
On joue en ce moment aux *Folies-Dramatiques* une
pièce à femmes, intitulée *Fifres et tambours* [5]. Il y a

une cinquantaine de femmes ou filles engagées exprès
pour la pièce et nommées sur l'affiche. Voici quelques-uns
de ces noms : Mlle Cocomiochard, Mlle Mangemonprêt,
Mlle Frise-Baguette, puis Mlles Bellepointe, Corbillon,
Sansregret, Vadeboncœur, Brûletoujours, Brûlétape,
Bringualure.

9 août.

Le roi a un architecte à Versailles appelé Neveu.
L'autre jour cet architecte résistait à des plans du roi
et élevait objection sur objection. — *Oh !* s'écria le
Roi, *que vous êtes bien nommé monsieur Neveu !*

10 août.

Il y a aujourd'hui cinquante-cinq ans, la pierre
angulaire tombait.

11 août.

Vendredi dernier, je sortais de la Chambre assez
tard ; j'avais écrit plusieurs lettres dans le salon de
lecture. Au vestiaire, je rencontre le général Neigre.
Le général Neigre est un très bon homme, mon voisin
à la Chambre, assis à côté du marquis de Rochambeau
et en avant du duc de Brancas.

« — Tiens, général, lui dis-je ,vous êtes comme moi
retardataire. »

Il me répond en souriant :

« — Ma foi, toute ma maison est à la campagne,
famille, gens et tout. Je suis seul à Paris. Cela m'ennuie.
Je fais durer le temps le moins que je peux. Je sors
tard de la Chambre, je lis les journaux, je vais dîner
aux *Frères Provençaux*, et puis, à neuf heures, je m'en
retourne à mon Arsenal me coucher.

— Viendrez-vous à la Chambre demain ? lui dis-je.

— Oui, et vous ?

— Moi, non.

— C'est tout simple, cela vous ennuie et cela m'amuse. Vous n'êtes pas seul ; mais, puisque vous ne viendrez pas demain, comme c'est la dernière séance de la session, je vous dis adieu.

— Adieu, général. »

Nous nous sommes donné la main. Deux jours après, le dimanche soir, le général Neigre mourait d'une attaque d'apoplexie à Villiers-sur-Marne.

Dans l'après-midi du dimanche, il avait dit à une vieille femme qui le servait à son hôtel de l'Arsenal, en l'absence de sa maison :

« — Bonne femme, je serai demain matin à Paris. Vous tiendrez mon déjeuner prêt pour onze heures précises.

— Oui, monsieur », dit la vieille.

Le général ajouta en riant :

« — A moins que je ne sois mort. »

Le lendemain, il était mort en effet.

Il était baron de l'Empire et directeur des Poudres. A la Chambre, il interrompait avec originalité, mais il ne parlait jamais. Ses interruptions n'allaient jamais jusqu'aux sténographes. Il haussait volontiers les épaules quand de certains généraux parlaient de leurs campagnes. Il n'aimait pas M. de Schauenbourg, dont il avait connu le père. La dernière fois que le baron de Schauenbourg parla, ce fut à propos de l'armée et il se déclara très rigide sur la discipline, tradition *qu'il tenait de son père*, disait-il. « — *Oui*, grommela le général Neigre, *je l'ai connu, ton père. J'aurais bien voulu voir la botte au cul qu'il t'aurait donnée si tu t'étais présenté à lui avec cette barbe-là !* »

M. de Schauenbourg est tondu très ras et porte une barbe jeune-France. Cette barbe est blanche, ce qui fait que cela est moins jeune.

Le général Neigre était un gros homme carré et bienveillant. Il était grand-croix de la Légion d'honneur. Il votait très sévèrement dans les procès.

12 août.

Toto a eu un deuxième prix de vers latins au Concours [1].

Je n'ai jamais eu beaucoup de goût pour M. de Rambuteau. Raison de plus pour noter un fait qui l'honore. Vers la fin de 1814, M. de Rambuteau était préfet de Lyon. M. le comte d'Artois y vint. M. de Rambuteau reçut le prince et fit les honneurs de la ville. Tout en montrant à *Monsieur* les beautés de Lyon, les souvenirs de l'empire revenaient. « — Monseigneur, disait M. de Rambuteau, c'est l'empereur qui a fondé cet hôpital. Cette église tombait en ruine, l'empereur l'a rebâtie. Il y a ici une pyramide, parce que l'empereur a logé sur cette place », et toujours l'empereur. Le duc de Fitz-James, impatienté, pousse le coude de Rambuteau et lui dit bas : « — Ne prononcez donc pas ce mot devant *Monsieur*. — Monsieur le duc, dit M. de Rambuteau, il n'y a jamais eu de laquais dans ma famille. Je n'ai pas pu être le valet de chambre de M. Buonaparte. » Le prince entendit. « — Édouard, dit-il au duc de Fitz-James, M. de Rambuteau a räison. »

M. de Rambuteau avait été chambellan de l'empereur.

Du reste, ce même Rambuteau, en me parlant des *bons de pain* de cet hiver, me disait avec une réelle admiration de lui-même : « — *J'ai* nourri 450 000 personnes cet hiver. »

13 août.

Le prétendu dictionnaire historique de la langue que fait en ce moment l'Académie est le chef-d'œuvre de la puérilité sénile.

16 août.

Ali [2].

17 août.

Un homme de la campagne qui plaidait en province a dit au tribunal : « — M. le Président, n'ayant à dire que la vérité, je n'ai pas pris d'avocat. »

17 août.

Le dernier discours de Feargus O'Connor, chef des chartistes anglais, avait pour texte : « Plus de cochons et moins de prêtres. » (*More pigs and less parsons.*)
C'est l'aube d'un Marat.

18 août.

On m'a forcé d'écrire sur un album. « — Rien qu'un seul vers ! » me disait-on. J'ai pris une plume et j'ai mis :

Rien qu'un vers ! C'est tout votre vœu.
Vous le voulez, je vais l'écrire :
— Qui donne aux pauvres prête à Dieu.
Et j'ajoute, car c'est trop peu :
— Qui donne aux albums prête à rire.

18 août. 4 heures de l'après-midi.

J'apprends à l'instant que Mme la duchesse de Praslin a été assassinée cette nuit dans son hôtel, faubourg Saint-Honoré, 55 [1]. Il y a des circonstances singulières que je compte écrire *.

20 août.

La cour des pairs est convoquée pour demain afin de mettre en prévention M. de Praslin.

* Hugo a ajouté cette indication : « *23 août. Je n'ai pas encore eu le temps.* »

21 août. Samedi (écrit en séance).

A deux heures sept minutes, la séance publique est
ouverte. Le garde des sceaux Hébert monte à la tribune
et donne lecture de l'ordonnance qui constitue la cour
des pairs.

Il y a des femmes dans les tribunes. Un homme gras,
chauve et blanc, rouge de visage, ressemblant singulièrement à Parmentier, est dans la tribune de l'ouest
et attire un moment l'attention des pairs.

Le chancelier fait évacuer les tribunes ; on introduit
le procureur général Delangle et l'avocat général
Bresson, en robes rouges. Le chancelier remarque que
les tribunes ne sont pas complètement évacuées, celle
des journalistes entre autres ; il se fâche et donne des
ordres aux huissiers. Les tribunes s'évacuent avec
quelque peine.

M. de Praslin a été arrêté hier et transféré à la geôle
de la Chambre sur mandat du chancelier. M. de Boissy
proteste. MM. de Pontécoulant, Cousin et Portalis
soutiennent, ainsi que le chancelier, la légalité du fait ;
mais il n'en demeure pas moins inconstitutionnel
et fâcheux comme précédent, pouvant remonter
d'ailleurs même jusqu'à la royauté. Les inviolabilités
se tiennent.

M. le chancelier, pour remercier MM. de Pontécoulant
et Cousin de l'appui qu'ils lui ont prêté, les propose à
la Chambre pour faire partie de la commission d'instruction.

M. de Praslin a été écroué ce matin au point du jour.
Il est dans la chambre où a été M. Teste.

C'est M. de Praslin qui, le 17 juillet, me passa la
plume pour signer l'arrêt de MM. Teste et Cubières.
Un mois après, jour pour jour, le 17 août, il signait
son propre arrêt avec un poignard.

Le duc de Praslin est un homme de taille médiocre et
de mine médiocre. Il a l'air très doux, mais faux. Il a

une vilaine bouche et un affreux sourire contraint. C'est un blond blafard, pâle, blême, l'air anglais. Il n'est ni gras ni maigre, ni beau ni laid. Il n'y a pas de race dans ses mains, qui sont grosses et laides. Il a toujours l'air d'être prêt à dire quelque chose qu'il ne dit pas.

Je ne lui ai parlé que trois ou quatre fois dans ma vie. La dernière fois, nous avons monté le grand escalier ensemble ; je l'ai prévenu que j'interpellerais le ministre de la Guerre si l'on ne graciait pas Dubois de Gennes, dont le frère avait été secrétaire du duc ; il me dit qu'il m'appuierait.

Il s'était assez mal conduit avec ce Dubois de Gennes. Il l'avait congédié assez légèrement. Le duc se chargeait de ses suppliques, disant qu'il les remettrait au roi en mains propres, et il les jetait à la poste.

M. de Praslin ne parlait pas à la Chambre. Il votait sévèrement dans les procès. Il a opiné très durement dans l'affaire Teste.

En 1830, je le voyais quelquefois chez le marquis de Marmier, depuis duc. Il n'était encore que marquis de Praslin ; son père vivait. J'avais remarqué la marquise, belle grasse personne, contrastant avec le marquis, alors très maigre.

La pauvre duchesse était, à la lettre, déchiquetée, tailladée par le couteau, assommée par la crosse du pistolet. Allard, le successeur de Vidocq à la police de sûreté, a dit : « — C'est mal fait ; les assassins dont c'est l'état travaillent mieux ; c'est un homme du monde qui a fait ça. » Les premiers soupçons se sont éveillés ainsi.

Après la séance, je suis allé au cabinet de lecture. Nous avons discuté à nouveau, les ducs de Noailles et de Brissac, le comte de Pontois, le premier président Séguier et moi sur la légalité de l'arrestation de M. de Praslin avant l'arrêt de compétence de la cour. Tous, excepté M. de Séguier, ont été de mon avis.

J'ai dit au duc de Noailles : « — Les raisons données

par le chancelier et les autres pour pallier cette violation
de la Charte sont tout simplement des raisons révolutionnaires, la nécessité, la raison d'État, etc. Avec
ces raisons-là, l'inviolabilité royale disparaît. Si le roi
commettait un crime matériel comme vient de faire
M. de Praslin, savez-vous ce qu'on ferait ?

— On l'arrêterait, m'a dit vivement le duc de Noailles.

— Et ensuite ?

— On le jugerait.

— Et puis ?

— On le guillotinerait, donc ! » s'est écrié le vieux
duc de Brissac.

Le comte de Noé m'a abordé au vestiaire en me disant :
« — Comprenez-vous ? il a fait du feu pour brûler sa
robe de chambre ! »

Je lui ai dit : « — Il avait quelque chose à brûler, ce
n'était pas sa robe de chambre, c'était sa cervelle. »

Une soixantaine de pairs environ assistaient à cette
séance.

L'autre mois, l'armée a reçu son coup dans le général
Cubières, la magistrature dans le président Teste ;
maintenant, l'ancienne noblesse reçoit le sien dans le
duc de Praslin.

Il faut pourtant que cela s'arrête.

Dimanche 22.

A l'heure qu'il est, on voit encore à la fenêtre de
Mlle de Luzzy, chez Mme Lemaire, rue du Harlay, dans
la cour, le melon, le bouquet et le panier de fruits que
le duc avait apportés de la campagne à Mlle de Luzzy,
le soir même qui a précédé l'assassinat.

Le duc est gravement malade. On le dit empoisonné.
Tout à l'heure, j'entendais une boutiquière qui disait :
« — Mon Dieu, pourvu qu'on ne me le tue pas ! Cela
m'amuse tant de lire tout ça tous les matins dans le
journal ! »

Dans son allocution à la cour en séance secrète, le chancelier a dit que « le devoir à remplir par la cour n'avait jamais été plus triste pour MM. les pairs ni plus pénible pour lui ». Il avait la voix véritablement altérée en prononçant ces paroles. Avant la séance, il était venu au cabinet de lecture, je lui avais dit bonjour et donné la main. Le vieux chancelier était accablé.

Le chancelier nous a dit en outre : « — Des bruits de suicide ou d'évasion ont couru. Messieurs les pairs peuvent être tranquilles. Aucune précaution ne sera épargnée pour que l'inculpé, s'il est reconnu coupable, ne puisse se soustraire d'une façon quelconque au châtiment public et légal qu'il aurait encouru et mérité. »

On dit que le procureur général Delange récite déjà aux intimes son morceau d'effet, la description de la chambre après l'attentat ; ici les meubles somptueux, les franges d'or, les tentures de soie, etc., là, une mare de sang ; ici, la fenêtre ouverte, le jour levant, les arbres, les jardins à perte de vue, le chant des oiseaux, les rayons de soleil, etc. ; là, le cadavre de la duchesse assassinée. Contraste. Le Delangle est d'avance émerveillé de la chose et s'éblouit de lui-même.

Le 17, Mlle de Luzzy avait dîné chez Mme Lemaire, à la table des sous-maîtresses. Elle était pâle et paraissait souffrante. « — Qu'avez-vous ? » lui dit une de ses compagnes, Mlle Julie Rivière. Mlle de Luzzy répondit qu'elle ne se portait pas bien, qu'elle s'était trouvée mal dans la journée, rue Saint-Jacques, que cependant le médecin n'avait pas jugé à propos de la saigner.

Le docteur Louis est le médecin de toute la famille de Praslin. On l'a appelé près du duc. Le préfet de police a fait promettre à M. Louis qu'il ne parlerait absolument au duc que de sa santé. La précaution était du reste absolument inutile. C'est à peine si le duc a répondu par des signes de tête aux questions du médecin. Il était dans un état de torpeur étrange. M. Louis a

reconnu qu'il avait voulu s'empoisonner en avalant
un narcotique.

Du reste, M. Louis ne le trouvait pas transportable
le 20. Il pensait que le chancelier l'avait fait traîner au
Luxembourg nonobstant son avis, espérant que le duc
mourrait en route. Je ne le pense pas.

Le peuple est exaspéré contre le duc ; la famille est
plus exaspérée encore que le peuple. Si on le donnait
à juger à sa famille, il serait plus sévèrement condamné
que par la cour des pairs et plus cruellement supplicié
que par le peuple.

22 août.

Le traitement de la Convention du 21 Sept^bre 1792 au
28 octobre 1795 a coûté à la France 20 523 248 francs.
Chaque membre a touché 49 752 francs. La Convention
avait 479 membres.

23 août.

« Le cercueil de Mme de Praslin va être *expédié* en
Corse. » (Tous les journaux.)

24 août.

Je pense à ce pauvre Joseph Henri qu'on a envoyé
pour deux pistolets vides aux galères perpétuelles.
C'était un crétin combiné avec un penseur. Il y a juste
un an nous le jugions. Je me rappelle qu'il disait avec
une naïveté risible et triste : « — Je serais désolé de
passer pour un monstre. »

Le duc de Praslin est mort aujourd'hui à 5 heures
après midi au Luxembourg.

Marquis a été exécuté à Versailles ce matin. Sous le
couteau de la guillotine, il a crié trois fois à voix haute :
« — *Jésus Maria ! Jésus Maria ! Jésus Maria !* »

25 *août.*

Il y a près de ma maison, place Royale, un cabaret avec cette enseigne digne du vieux Paris :
Au chien qui parle et au lapin blanc.
Voilà ce qu'on trouve encore à Paris et qu'on ne trouverait plus à Londres. Cette bonne vieille naïveté s'en va.

26 *août.*

Daniel de Foe fut mis au pilori comme libelliste le 30 juin 1703.

27 *août.*

Jeudi, en sortant de l'Académie avec Cousin et le comte de Sainte-Aulaire, Cousin me disait :
« — Vous verrez cette Mlle de Luzzy, c'est une femme rare. Ses lettres sont des chefs-d'œuvre d'esprit et d'excellent langage. Son interrogatoire est admirable ; encore vous ne le lirez que traduit par Cauchy ; si vous l'aviez entendue, vous seriez émerveillé. On n'a pas plus de grâce, plus de tact, plus de raison. Si elle veut bien écrire quelque jour pour nous, nous lui donnerons, pardieu, le prix Montyon. Dominatrice, du reste, et impérieuse ; c'est une femme méchante et charmante. »
J'ai dit à Cousin : « Ah ! çà, est-ce que vous en êtes amoureux ? »
Il m'a répondu : « — Hée ! »
« — Que pensez-vous de l'affaire ? m'a demandé M. de Sainte-Aulaire.
— Qu'il faut qu'il y ait un motif. Autrement le duc est fou. La cause est dans la duchesse, ou dans la maîtresse, mais elle est quelque part ; sans quoi le fait est impossible. Il y a, au fond d'un pareil crime, ou une grande raison ou une grande folie. »
C'est mon opinion, en effet. Quant à la férocité du

duc, elle s'explique par sa stupidité. C'était une bête ;
ajoutez féroce.

Le peuple a déjà fait le mot *prasliner*. Prasliner sa
femme.

Comme on vient d'exécuter l'assassin Marquis à
Versailles (le jour même de la mort du duc), j'entendais
dans un groupe près du Luxembourg un homme du
peuple dire : « — L'an dernier, c'était Lecomte, et puis
voilà Marquis ; maintenant, c'est le duc. »

Les pairs instructeurs ont visité avant-hier l'hôtel
Praslin. La chambre à coucher est encore comme elle
était le matin du crime. Le sang, de rouge, est devenu
noir. Voilà la seule différence.

Cette chambre fait horreur. On y voit toute palpi-
tante et comme vivante la lutte et la résistance de la
duchesse. Partout des mains sanglantes allant d'un
mur à l'autre, d'une porte à l'autre, d'une sonnette
à l'autre. La malheureuse femme, comme les bêtes
fauves prises au piège, a fait le tour de sa chambre en
hurlant et en cherchant une issue sous les coups de
couteau de l'assassin.

Le docteur Louis me disait :

« — Le lendemain du crime, à dix heures et demie du
matin, j'étais appelé et j'arrivais chez M. de Praslin. Je
ne savais rien. Jugez de mon saisissement. Je trouve le
duc couché. Il était déjà gardé à vue. Huit personnes, qui
se relevaient d'heure en heure, ne le quittaient pas des
yeux. Quatre agents de police étaient assis sur des fauteuils dans des coins. J'ai observé son état qui était
horrible ; les symptômes parlaient ; c'était le choléra
ou le poison. On m'accuse de ne pas avoir dit tout de
suite : *Il s'est empoisonné.* C'était le dénoncer, c'était
le perdre. Un empoisonnement est un aveu tacite. « Vous
deviez le déclarer », m'a dit le chancelier. J'ai répondu :
« Monsieur le chancelier, quand déclarer est dénoncer,
un médecin ne déclare pas. »

— Du reste, ajoutait M. Louis, le duc était très doux ;

il adorait ses enfants et passait sa vie à en avoir un sur les
genoux et quelquefois en même temps un autre sur le
dos. La duchesse était belle et intelligente ; elle était
devenue énorme. Le duc a souffert affreusement, mais
avec le plus grand courage. Pas un mot, pas une plainte
au milieu des tortures de l'arsenic. »

Il paraît que M. de Praslin était admirablement bien
fait. Quand on l'a déposé sur la table de l'autopsie, les
médecins ont été frappés. L'un d'eux s'est écrié :
« — Quel beau cadavre! » « — C'était un magnifique
athlète », me disait le docteur Louis.

Le cercueil dans lequel on l'a inhumé porte une plaque
de plomb sur laquelle est le n° 1054. Un numéro après
sa mort, comme les forçats pendant leur vie, voilà toute
l'épitaphe du duc de Choiseul-Praslin.

27 août.

Le corps de Mme de Praslin était tombé nu et sanglant
sur une causeuse. Quand on l'a relevé, on a trouvé dessous une bourse pleine d'argent et un volume d'un livre
intitulé : *Les gens comme il faut.*

28 août.

Je commence à être inquiet de Toto. Il se plaint depuis
lundi. Il a eu aujourd'hui des saignements de nez. J'ai
peur de la fièvre typhoïde. Je fais un triste rapprochement : Charles tombé malade d'une fièvre l'an passé, le
21 août ; Toto, cette année, le 23. Pourtant je ne me
plaindrai pas si le dénouement est le même. Cette nuit,
j'ai prié ma Didine et le Bon Dieu.

28 août.

Si l'ombre continue de se faire autour de moi, je sortirai de la vie moins triste que je ne l'aurais cru. J'ai
beaucoup joui de ce que la vie a de bon et surtout de ce

qu'elle a de doux... Le jour où personne ne m'aimera
plus, ô mon Dieu, j'espère bien que je mourrai.

29 août.

J'ai repris mon travail [1]. Penser, c'est prier.

« Les Autrichiens ont occupé Ferrare. Ils sont si effrayés
de leur audace et redoutent tellement la population
qu'un soldat qui va chez l'épicier acheter une chandelle
se fait escorter de deux fusiliers. » (*Tous les journaux.*)

30 août.

Séance dans laquelle la cour s'est dessaisie.

A une heure un quart, j'entre dans la salle ; il n'y a
encore que peu de pairs. M. Villemain, M. Cousin,
M. Thénard, quelques généraux, entre autres le général
Fabvier, quelques premiers présidents, entre autres
M. Barthe ; il y a aussi M. le comte de Bondy, qui a une
ressemblance physique singulière, en beaucoup mieux,
avec le duc de Praslin.

Je cause avec le général Fabvier, puis longuement
avec M. Barthe, de tout, et de la Chambre des pairs en
particulier. Il faut la relever, lui rendre le peuple sympathique en la rendant sympathique au peuple.

Nous parlons du suicide d'Alfred de Montesquiou. Au
vestiaire, c'était la conversation de tous ; et aussi cet
autre incident triste : le prince d'Eckmühl a été arrêté
dans la rue, la nuit passée, comme vagabond, et mis
dans une prison de fous, après avoir donné des coups de
couteau à sa maîtresse.

A deux heures deux minutes, le chancelier s'est levé ;
il avait à sa droite le duc Decazes et, à sa gauche, M. de
Pontécoulant. Il a parlé vingt minutes environ.

On introduit le procureur général.

Il y a une soixantaine de pairs environ. Le duc de

Brancas et le marquis de Portes sont à côté de moi.

M. Delangle a déposé son réquisitoire tendant à ce que la cour se déclare dessaisie par la mort du duc.

Le procureur général sorti, le chancelier dit : « — Quelqu'un demande-t-il la parole ? »

M. de Boissy se lève. Il approuve une partie de ce qu'a dit le chancelier. Le poison a été pris avant que la cour des pairs eût été saisie ; par conséquent, aucune responsabilité pour la cour. L'opinion générale accuse les pairs chargés de l'instruction d'avoir favorisé l'empoisonnement. (Réclamations.)

Comte de Lanjuinais. — Opinion mal fondée!

Boissy. — Mais universelle. (Non! non!) J'insiste pour qu'il soit établi qu'aucune responsabilité de l'empoisonnement ne revient à M. le chancelier, ni aux pairs instructeurs, ni à la cour.

M. le Chancelier. — Le doute ne peut exister dans l'esprit de personne. Le procès-verbal d'autopsie éclaircit complètement la question.

M. Cousin se joint au chancelier et, tout en partageant la sollicitude de M. de Boissy, croit qu'elle n'est point fondée.

M. de Boissy insiste. Il croit à une *aide coupable*. Mais il n'accuse personne dans les officiers de la cour.

M. Barthe se lève et cède la parole à M. le duc Decazes, qui raconte une entrevue avec M. de Praslin le mardi de sa mort, à dix heures du matin.

Voici cette entrevue :

« — Vous souffrez beaucoup, mon cher ami? aurait dit M. Decazes.

— Oui.

— C'est votre faute. Pourquoi vous être empoisonné ? »

Silence.

« — Vous avez pris du laudanum ?

— Non.

— Alors vous avez pris de l'arsenic ? »

Le malade lève la tête et dit : « Oui.

— Qui vous a procuré cet arsenic ?

— Personne.

— Comment cela ? Vous l'avez acheté vous-même chez un pharmacien ?

— Je l'ai apporté de Praslin. »

Silence. Le duc Decazes reprend :

« — Ce serait le moment pour vous, pour votre nom, pour votre famille, pour votre mémoire, pour vos enfants, de parler. S'empoisonner, c'est avouer. Il ne tombe pas sous le sens qu'un innocent, au moment où ses neuf enfants sont privés de leur mère, songe à les priver aussi de leur père. Vous êtes donc coupable ?

Silence.

« — Au moins déplorez-vous votre crime ? Je vous en conjure, dites si vous le déplorez. »

L'accusé lève les yeux et, les mains au ciel, et dit avec une expression d'angoisse : « — Si je le déplore !

— Alors, avouez ! Est-ce que vous ne voulez pas voir le chancelier ? »

L'accusé a fait un effort et a dit : « — Je suis prêt.

— Eh bien ! a repris le duc, je vais le faire prévenir.

— Non, a répondu le malade après un silence, je suis trop faible aujourd'hui. Demain. Dites-lui de venir demain. »

Le soir, à quatre heures et demie, il était mort.

Ceci n'a pu être mis dans les actes, étant une conversation privée que M. Decazes ne répète que parce que la cour est en quelque sorte en famille.

M. Decazes ajoute ce détail : quand on a transféré le duc au Luxembourg, il était vêtu d'un pantalon et d'une robe de chambre. Pendant le trajet, il n'a pas vomi. Il s'est plaint seulement d'une soif insupportable. En arrivant, à cinq heures du matin, on l'a déshabillé et couché sur-le-champ. On ne lui a remis la robe de chambre et le pantalon que le lendemain, quand on l'a

transporté dans la pièce voisine, pour l'interrogatoire
de M. le chancelier. Après cet interrogatoire, on lui a
ôté de nouveau cette robe et ce pantalon et on l'a recou-
ché. Il ne s'est pas relevé depuis. Il est donc impossible
que, même eût-il eu quelque poison dans ses poches, il
ait pu s'en servir. Il est vrai qu'on ne l'a pas fouillé ; mais
cela était bien inutile. On ne perdait pas de vue un de
ses mouvements.

M. Barthe appelle l'attention sur le fait que l'empoisonnement a eu lieu le mercredi 19 et n'a pas été renou-
velé.

M. de Boissy voudrait une punition pour ceux qui
ont mal surveillé le duc. Il s'est empoisonné le mercredi à dix heures du soir.

M. le chancelier dit que M. de Boissy se trompe :
c'est à quatre heures après midi. Ce sont, du reste, des
faits qui arrivent fréquemment dans la justice ordinaire
et dans les prisons les mieux gardées.

On vote l'arrêt qui dessaisit la cour par mains le-
vées, à l'unanimité.

Le duc de Massa, après le vote, demande qu'on mette
son épouse dans l'arrêt. Il y a une duchesse de Praslin
mère. On fait droit à l'observation.

On fait rentrer le procureur général et on lui lit l'arrêt. La séance est levée à trois heures moins cinq minutes.

Beaucoup de pairs restent à causer dans la salle.
M. Cousin dit à M. de Boissy : « — Vous avez eu raison
de questionner. C'était excellent. »

Y a-t-il eu préméditation ?

Préméditation ? Oui et non. Entendons-nous sur ce
point.

Il y a la préméditation légale, la préméditation défi-
nie par le Code, qui consiste à vouloir un crime, à le
préparer, à le combiner, à l'échafauder, à l'arranger
comme une œuvre de patience, comme un ouvrage d'art.

Et puis il y a la préméditation involontaire.

Un homme tue un matin sa femme. Il la tue dans des conditions étranges, inouïes, impossibles, insensées, hideusement folles et bêtes. Nous en avons eu récemment un exemple effrayant. (Le duc de Praslin.)

Voici comment les choses ont pu se passer.

On s'épouse, sans se connaître. Les familles s'épousent, les terres s'épousent, les coffres-forts s'épousent, les noms s'épousent. Le jeune homme et la jeune fille ne se sont pas appareillés. Cependant on les marie. Les voilà mariés. Un beau jour la discordance éclate. Ces deux natures sont mal accouplées. Tout contact leur est choc. Les baisers s'achèvent en morsures. Le mari fait obstacle à la femme, la femme fait obstacle au mari. Ironies, amertumes, colères, querelles. On se déteste.

L'homme, qui du reste n'est pas bon, devient rêveur. Un jour que son esprit est sombre cette réflexion y éclôt : En voilà donc pour toute ma vie! quel boulet à traîner!

A quelque temps de là, il arrive qu'il lit dans un journal cette nouvelle : Mᵐᵉ la duchesse une telle est morte. — Pardieu, dit-il, c'était une bonne femme, celle-là, et qui rendait son mari bien heureux! Quel dommage qu'elle soit morte plutôt qu'une autre! Les femmes bonnes s'en vont, les mauvaises restent.

On fait quelque partie de campagne, un accident survient, une voiture verse, la femme n'a aucun mal. « — Je n'aurai pas le bonheur qu'elle se rompe le cou », pense le mari.

La femme tombe malade. Le mari devient lugubrement joyeux. Il examine les chances du mal et se dit avec l'affreux cynisme du monologue : « — Si elle pouvait crever! »

Elle guérit.

Cependant, comme il faut qu'on ait une femme, n'ayant plus la sienne, il en prend une autre. Il est riche, jeune, etc., les occasions ne lui manquent pas, ni les femmes non plus. L'épouse s'en aperçoit. Nouvelles aigreurs. Scènes et scandales. Les domestiques comprennent et jasent. Chose plus triste, les enfants commencent à deviner et se taisent tristement devant leur père et leur mère.

On ne se déteste plus maintenant, ce qui est pire et plus noir, on se hait.

Une nuit, après quelque violente altercation, le mari songe :

« — Je donnerais bien cent mille francs à celui qui m'en délivrerait ! »

La vie continue son train, car la vie, comme les saisons, s'écoule, chargée de mille riens, à travers tout. On a d'horribles soucis au cœur, on entrevoit des abominations dans son âme, on frémit par moments devant les choses possibles dont on est capable, et cela n'empêche pas qu'on lise le journal, qu'on fasse des parties de chasse, qu'on dépense à peu près gaiement deux cent mille livres de rente, qu'on rie et qu'on fume son cigare, et qu'on aille à la cour si on est de la cour, ou à la Chambre si on est de la Chambre.

Un jour enfin un vent mauvais souffle dans ce ménage plein de tempêtes. Une circonstance fatale survient, de graves intérêts de nom ou de famille, ou de cœur, une fortune à préserver, une maîtresse à conserver. La femme, la mère, celle qui a tous les droits, s'exaspère d'une prétention quelconque du mari et se met à le mordre furieusement, sans retenue et sans pitié, au plus sensible de la passion. Le mari s'en va morne et se dit : « — Qu'elle y prenne garde ! je lui tordrais le cou comme à un moineau. »

De le dire à le faire, il n'y a plus qu'un pas.

Ainsi l'esprit d'un homme se trouve monté ou descendu de rêverie en rêverie, comme par les marches d'un escalier, au niveau d'une pensée affreuse.

Par degrés, comme on dit.

Sa raison en vient à marcher et à se mouvoir presque à l'aise dans cette pensée où elle n'aurait pu tomber d'un coup sans se briser.

Le dénouement sera brusque, violent, imprévu, effroyable, imprudent, fou, et aura tous les caractères de l'improvisation. La moindre querelle suffit maintenant pour l'amener. C'est la goutte d'eau qui fait déborder le vase, lequel se trouvait plein. Plein? de quoi? d'une sorte de préméditation insensible qui, pendant des années peut-être, avait filtré goutte à goutte, rancune à rancune, dans cette âme, et dont l'assassin, mûrissant à son insu, ne se rendait pas compte à lui-même. Le meurtre pénétrait peu à peu le meurtrier et l'emplissait sans qu'il s'en doutât. Il y a dans ces destinées fatales un jour où la colère se fait haine et un autre jour où la haine se fait crime.

Analysez ce crime : vous le trouverez composé de ces deux éléments qui s'excluent en apparence et se combinent en réalité : improvisation et préméditation.

31 août.

Un ouvrier cordonnier apporte à son maître un ouvrage fait dont le prix convenu était trois francs. Le maître trouve la besogne mal faite et ne veut la payer que cinquante sous. Refus de l'ouvrier. Querelle. Le maître jette l'ouvrier à la porte. L'ouvrier revient avec ses camarades et casse à coups de pierre les carreaux du cordonnier. La foule survient. Émeute. On met la Garde nationale, la ligue et la police sur pied. Tout Paris est sens dessus dessous.

Je n'aime pas ces symptômes. Quand on a un vice dans le sang, le moindre bouton détermine une maladie, et une écorchure peut entraîner une amputation.

[*Sans date.*]

Mlle Deluzy, et non de Luzzy, est toujours à la Conciergerie. Elle se promène tous les jours à deux heures
dans la cour. Elle porte tantôt une robe de nankin,
tantôt une robe de soie à larges raies. Elle sait que beaucoup de regards sont fixés sur elle de toutes les fenêtres.
Les gens qui l'ont vue disent qu'elle *prend des poses.*
Elle fait la distraction de M. Teste, dont la fenêtre donne
sur cette cour. Du reste, elle a envoyé chercher chez
Mme Lemaire deux cents francs et du linge. Elle était
encore au secret le 31.

Granier de Cassagnac, qui l'a vue, m'en faisait ce portrait : « — Elle a le front trop bas, le nez trop retroussé,
les cheveux trop blonds. Cependant, somme toute,
elle est jolie. Elle regarde fixement tous ceux qui passent, cherchant à observer et peut-être aussi à fasci-
ner. »

C'est une de ces femmes auxquelles il manque du
cœur pour avoir de l'esprit. Elle est capable de sottises,
non par passion, mais par égoïsme.

4 septembre.

Douloureux anniversaire. Le malheur y revient à
jour fixe. L'an dernier, Charles était malade. Cette année, c'est Toto.

On a exhumé ce matin la pauvre Claire, au cimetière
de Saint-Mandé [1].

5 septembre.

L'émeute pour les dix sous dure encore. Elle s'aggrave
même. C'était hier le cinquième jour.

L'émeute est née rue Saint-Honoré. Cela commençait
hier à engorger la rue Rambuteau.

6 septembre.

Boileau écrit à Brossette à propos de je ne sais quel cuistre qui l'avait critiqué : « Le misérable m'attribue une satire où il me fait rimer *dernier* avec *épargner.* »

6 septembre 1847.

Cette nuit, j'ai rêvé ceci : on avait parlé d'émeutes toute la soirée à cause des troubles de la rue Saint-Honoré.

Je rêvais donc. J'entrai dans un passage obscur. Des hommes passèrent auprès de moi et me coudoyèrent dans l'ombre. Je sortis du passage. J'étais dans une grande place carrée, plus longue que large, entourée d'une espèce de vaste muraille ou de haut édifice qui ressemblait à une muraille et qui la fermait des quatre côtés. Il n'y avait ni porte ni fenêtres, à cette muraille ; à peine çà et là quelques trous. A de certains endroits, le mur paraissait criblé ; dans d'autres, il pendait, à demi entrouvert, comme après un tremblement de terre. Cela avait l'aspect nu, croulant et désolé des places des villes d'Orient.

Pas un seul passant. Il faisait petit jour. La pierre était grisâtre, le ciel aussi. J'entrevoyais à l'extrémité de la place quatre choses obscures qui ressemblaient à des canons braqués.

Une nuée d'hommes et d'enfants déguenillés passa près de moi en courant avec des gestes de terreur.

« — Sauvons-nous ! criait l'un d'eux, voici la mitraille.

— Où sommes-nous donc ? demandai-je. Qu'est-ce que c'est que cet endroit-ci ?

— Vous n'êtes donc pas de Paris ? reprit l'homme. C'est le Palais-Royal. »

Je regardai alors et je reconnus en effet, dans cette affreuse place dévastée et en ruine, une espèce de spectre du Palais-Royal.

Les hommes s'étaient enfuis comme une nuée. Je ne savais où ils avaient passé.

Je voulais fuir aussi. Je ne pouvais. Je voyais dans le crépuscule aller et venir une lumière autour des canons.

La place était déserte. On entendait crier : « Sauvez-vous! On va tirer! » Mais on ne voyait pas ceux qui criaient.

Une femme passa près de moi. Elle était en haillons et portait un enfant sur son dos. Elle ne courait pas. Elle marchait lentement. Elle était jeune, pâle, froide, terrible. En passant près de moi, elle me dit : « — C'est bien malheureux! le pain est à trente-quatre sous, et encore les boulangers trompent sur le poids! »

Je vis la lumière faire un éclair au bout de la place et j'entendis le canon. Je m'éveillai.

On venait de fermer la porte cochère avec bruit.

7 septembre.

L'émeute pour les dix sous est finie. Elle a duré sept jours.

9 septembre.

Le melon et le bouquet du duc de Praslin se voient encore chez Mme Lemaire à la fenêtre de Mlle Deluzy [1].

10 septembre.

On disait à une lorette que son monsieur avait quittée et qui était triste : — Vous regrettez donc bien M. S.? Elle répondit : — Ah! que voulez-vous? il était si bête! c'était la crème des hommes.

12 septembre.

V. F. [2] nommé conseiller à Paris.

14 septembre.

Un médecin du IVe siècle nommé, je crois, *Nemesius,* appelle le poumon *une chair écumeuse.*

Toto s'est levé aujourd'hui et est allé au salon.

17 septembre.

Vosgien ne s'appelait pas Vosgien, mais l'abbé Ladvocat. Il était des Vosges [1].

18 septembre.

Voici quels sont, en cet an 1847, les plaisirs des baigneurs riches, nobles, élégants, intelligents, spirituels, généreux et distingués de Spa :

1° Emplir un baquet d'eau, y jeter une pièce de vingt sous, appeler un enfant pauvre et lui dire : Je te donne cette pièce si tu la prends avec les dents. L'enfant plonge sa tête dans l'eau, étouffe, étrangle, sort tout mouillé et tout grelottant avec la pièce d'argent dans sa bouche. Et l'on rit. C'est charmant.

2° Prendre un porc, lui graisser la queue et parier à qui la tiendra le plus longtemps dans ses mains, le porc tirant de son côté, le gentilhomme du sien. Dix louis, vingt louis, cent louis.

On passe des journées à ces choses.

Cependant l'ancienne Europe s'écroule, les jacqueries germent dans les fentes et les lézardes du vieil ordre social ; demain est sombre et les riches sont en question dans ce siècle comme les nobles au siècle dernier.

19 septembre.

Mlle Ozy distingue les hommes en « *hommes qui couchent bien* » et « *hommes qui couchent mal* ».

23 septembre.

Toute ma famille est partie aujourd'hui pour Villequier. Je me suis mis au balcon et j'ai regardé le fiacre tourner le coin de la place. Ce fiacre portait le numéro 1278. Ce n'est qu'une séparation de peu de jours et pourtant je me sens invinciblement triste.

23 septembre. Minuit.

Frédéric Soulié est mort ce matin [1].

25 septembre.

J'ai fait cette nuit un rêve étrange sur mon collègue le premier président comte C*** [2]. Je ne puis m'ôter de l'esprit cette scène effrayante, les pairs consternés, le chancelier furieux qui parlait anglais, la pâleur du premier président, la rapidité fantastique avec laquelle le gros homme s'enfuit de la salle, qui était carrée et n'était pas la Chambre, et cette lettre que j'ai vue et lue, qui avait trois pages avec ceci : [....] [3] répété deux fois au bas de la troisième. Je vois encore toutes ces choses distinctement et cela m'empêche presque de voir les fleurs dans le jardin plein de soleil en ce moment à midi.

26 septembre.

Voici en quels termes le *Bulletin officiel des arrivages de Marseille* annonce l'arrivée des restes de l'ancien roi de Hollande, frère de Napoléon : « *Bastia*, le 10 courant. Le vapeur *Le Bonaparte*, de 152 tonneaux, capitaine Bugliani, avec 30 tonneaux haricots pour divers et 29 passagers ; il y a encore deux cercueils renfermant les dépouilles mortelles de Louis Bonaparte et de son fils. »

27 septembre.

Enterrement de Frédéric Soulié. J'ai prononcé quelques paroles [1]. En revenant, M. de F. [2] m'a conté le dernier mot de Soulié, le vrai dernier mot, que les journaux ne pourront pas publier. Soulié, épuisé par quatre-vingts jours de maladie, n'avait plus la force de lutter contre le relâchement des entrailles. Comme il agonisait, sentant son lit souillé, il s'est dressé et s'est écrié avec une énergie qui était sa nature même : « — Otez-moi de là ! Changez-moi de lit ! Je ne veux pas mourir dans la merde ! »

Mme Bér. a dit un mot touchant, sa position connue étant acceptée. Le soir de la mort de Soulié, quelqu'un se laissa aller à parler devant elle de Mme Boss [3]. — Mme Bér. dit : « Elle est bienheureuse depuis ce matin. »

30 septembre.

Parti par Le Havre à midi par la locomotive *Les Andelys*.

1er octobre.

Mantes.

2 octobre.

Les Andelys. Parti pour Villequier à sept heures par le chemin de fer.

3 octobre.

Caudebec. Villequier.

4 octobre.

Caudebec. Villequier.

5 octobre.

Évreux.

6 octobre.

Vernon.

7 octobre.

Paris.

8 octobre.

L'éclipse de soleil a lieu demain.

9 octobre.

Ma femme est tombée malade aujourd'hui de la maladie de Toto. Fièvre typhoïde. Dieu nous ait en pitié!

18 octobre.

Aujourd'hui lundi, ma femme est hors de danger. Dieu soit loué.

20 octobre.

J'ai repris *Jean Tréjean.*

21 octobre.

La première nuit de la maladie de ma femme, je la veillais. Je m'étais étendu sur un fauteuil près de son lit, les yeux fermés. Depuis un certain temps, je l'entendais s'agiter et je sentais qu'elle ne dormait pas. Tout à coup, elle pousse un cri terrible, j'ouvre les yeux et je la vois sur son séant. Je me lève. « — Ah! dit-elle, vous vous levez! C'est bon! Je rêvais que j'étais morte et que j'étais en enfer. Et voici quel était mon enfer : je vous voyais toujours et vous ne remuiez jamais. »

Cet enfer m'est resté dans l'esprit et m'a paru effrayant.

22 octobre.

Départ de la religieuse. Elle est restée douze jours pleins. Elle s'appelait sœur Saint-Germain. C'était une digne créature.

23 octobre.

Mlle George est venue me voir aujourd'hui. Elle était triste et en grande toilette, avec une robe bleue à raies blanches.

Elle m'a dit : « — Je suis lasse! Croiriez-vous que ce Cavé [1] me reçoit du haut de sa grandeur? Ce misérable! Enfin, vous savez ce que je l'ai vu! mais c'est insolent. Chose toute simple : c'est médiocre. Je demandais la survivance de Mars. Ils m'ont donné une pension de deux mille francs, qu'ils ne paient pas. Une bouchée de pain, et encore je ne la mange pas. On voulait m'engager à l'Historique (au Théâtre-Historique), j'ai refusé. Qu'irais-je faire là parmi ces ombres chinoises? Une grosse femme comme moi! Et puis où sont les auteurs? où sont les pièces? où sont les rôles? Quant à la province, j'ai essayé l'an passé, mais c'est impossible sans Harel. Je ne sais pas diriger des comédiens. Que voulez-vous que je me démêle avec ces malfaiteurs? Je devais finir le 24, je les ai payés le 20, et je me suis enfuie. Je suis revenue à Paris voir la tombe de ce pauvre Harel. C'est affreux, une tombe! ce nom, qui est là, sur cette pierre, c'est horrible. Pourtant je n'ai pas pleuré. J'ai été sèche et froide. Quelle chose que la vie! penser que cet homme si spirituel est mort idiot! Il passait des journées à faire comme cela avec ses doigts. Il n'y avait plus rien. Idiot! Idiot, oui, idiot, monsieur! Eh bien! c'est fini. J'aurai Rachel à mon bénéfice; je jouerai avec elle cette galette d'*Iphigénie*. Nous ferons de l'argent. Cela m'est égal. Et puis

elle ne voudrait pas jouer *Rodogune !* Je jouerai aussi, si
vous le permettez, un acte de *Lucrèce Borgia.* Voyez-vous
je suis pour Rachel ; elle est fine, celle-là. Comme elle
vous mate tous ces drôles de comédiens français ! Elle
renouvelle ses engagements, se fait assurer des feux, des
congés, des montagnes d'or ; puis, quand c'est signé, elle
dit : — Ah ! à propos, j'ai oublié de vous dire que j'étais
grosse de quatre mois et demi, je vais être cinq mois sans
pouvoir jouer ! Elle fait bien. Si j'avais eu ces façons, je
ne serais pas à crever comme un chien sur la paille. Du reste
l'enfant n'est pas d'Arthur Bertrand [1], mais d'un petit
comédien, Chais, ou Chaix, avec lequel Rachel a joué en
province. Voyez-vous, les tragédiennes sont des comé-
diennes, après tout. Cette pauvre Dorval, savez-vous ce
qu'elle devient ? En voilà une à plaindre ! Elle joue je ne
sais où, à Toulouse, à Carpentras, dans des granges, pour
gagner sa vie ! Elle est réduite comme moi à montrer sa
tête chauve et à traîner sa pauvre vieille carcasse sur
des planches mal rabotées, devant quatre chandelles de
suif, parmi des cabotins qui ont été aux galères ! ou qui
devraient y être ! Ah ! monsieur Hugo, tout cela vous est
égal, à vous qui vous portez bien, mais nous sommes de
pauvres misérables créatures ! »

25 octobre.

Il y a eu cette nuit une magnifique aurore boréale. Je
l'ai observée jusqu'à deux heures du matin. Tout un
côté du ciel au nord était d'un rouge sombre. On eût dit
la fumée d'un immense incendie, mais une fumée immobile dans laquelle on apercevait mille étincelles immobiles également. C'étaient les étoiles.

26 octobre.

Les premiers évêques portaient tous le titre de pape.
Au ve siècle, l'évêque Sidoine Apollinaire écrit à l'évêque
Julien : *domine papa.*

28 octobre.

Je ne dîne plus qu'à neuf heures, afin d'allonger ma journée de travail. Je ferai ainsi, au moins pendant deux mois, pour avancer *Jean Tréjean*.

30 octobre.

On joue *Hernani*, en ce moment, à Rome. Au quatrième acte, Charles Quint pardonne à tous, puis s'avance vers la rampe et crie : « — Vive Pie IX! » On applaudit avec fureur.

31 octobre.

Littérature Empis, goût Ampère, style empire ; voilà l'Académie.

Une femme avait pour toute fortune une belle pièce de cinq francs toute neuve. Elle se dit : il faut que j'achète une tirelire pour la mettre. Elle acheta une tirelire qui lui coûta cinq francs. Quand elle eut la tirelire, elle s'aperçut qu'elle n'avait plus sa pièce.

Ceci est l'histoire de beaucoup de gens.

2 novembre.

Parmentier vient de mourir à Lure.

3 novembre.

Auguste Vacquerie et Paul Meurice se sont partagé le feuilleton de *L'Époque*, comme Hippolyte Lucas et Charles de Matharel se partagent le feuilleton du *Siècle*. Il paraît que Lucas affecte de confondre Vacquerie et Meurice et de ne pas les distinguer l'un de l'autre.

L'autre jour, il a abordé Paul Meurice et lui a dit : « — *Bonjour, Vacquerie, comment se porte Meurice ?* » Le lendemain, Vacquerie a rencontré Lucas, est allé à lui et lui a dit : « — *Bonjour, Matharel, comment va cette brute de Lucas ?* »

4 novembre.

Aujourd'hui s'est faite l'installation de l'École normale, rue d'Ulm. M. Dubois [1] m'avait prié d'y assister. Comme j'en sortais, je vois venir à moi, dans le couloir qui mène à l'escalier, un homme que je ne reconnais pas d'abord, face rouge, ronde, œil fin et vif, longs cheveux grisonnants, soixante ans passés, bouche bonne et souriante, vieille redingote brune mal boutonnée ; grand chapeau de quaker à bords larges ; à l'embonpoint près, quelque ressemblance avec mon frère Abel ; c'était Béranger.

« Eh ! bonjour, Hugo !

— Eh ! bonjour, Béranger ! »

Il me prend le bras. Nous allons.

« Je vais vous conduire un bout de chemin, me dit-il ; avez-vous une voiture ?

— Mes jambes.

— Eh bien ! moi de même. »

Nous prenons par l'Estrapade. Rue Saint-Jacques, deux hommes vêtus de noir nous accostent.

« Diable ! me dit Béranger, voilà deux cuistres : M. Labrouste [2], barbiste, et M. Regnault, de l'Académie des sciences [3]. Les connaissez-vous ?

— Non.

— Heureux homme ! Hugo, vous avez toujours été heureux ! »

Les deux « cuistres » nous quittent après des bonjours. Nous montons par la rue Saint-Hyacinthe.

Béranger reprend :

« Vous avez donc été forcé, le mois passé, de faire l'éloge d'un grand homme du quart d'heure, mort entre son confesseur, sa maîtresse et son cocu ?

— Ah çà ! dis-je, vous mériteriez de ne pas être puritain. Ne parlez pas ainsi de Soulié, qui était un talent sérieux et un cœur san fiel.

— Au fait, répond Béranger, je disais une bêtise pour

faire de l'esprit. Je ne suis pas puritain. Je hais cette
engeance. Qui dit puritain dit méchant.

— Et surtout sot. La vraie vertu, la vraie morale et la
vraie grandeur sont intelligentes et indulgentes. »

Cependant nous passons la place Saint-Michel et nous
entrons, toujours bras dessus, bras dessous, rue Monsieur-
le-Prince.

« Vous avez bien fait, me dit Béranger, de vous en
tenir à la popularité qu'on domine. Moi, j'ai beaucoup
de peine à me soustraire à la popularité qui vous monte
dessus. Quel esclave qu'un homme qui a le malheur d'être
populaire de cette popularité-là ! Tenez, leurs banquets
réformistes, cela m'assomme, et j'ai toutes les peines du
monde à n'y pas aller. Je donne des excuses : je suis vieux,
j'ai un mauvais estomac, je ne dîne plus, je ne me déplace
pas, etc. — Bah ! vous vous devez ! Il est impossible que...
Il faut qu'un homme comme vous donne ce gage ! — Et
cent autres *et caetera*. Je suis outré, quoi ! Et cependant
il faut faire bonne mine et sourire. Ah çà ! mais c'est tout
simplement le métier d'ancien bouffon de cour ! Amuseur
de prince, amuseur de peuple, même chose. Quelle différence y a-t-il entre le poète suivant la cour et le poète
suivant la foule ? Marot au xvıᵉ siècle, Béranger au
xıxᵉ, mais, mon cher, ce serait le même homme ! Je n'y
consens pas. Je m'y prête le moins que je peux. Ils se
trompent sur mon compte. Je suis homme d'opinion et
non homme de parti. Oh ! je la hais, leur popularité ! J'ai
bien peur que notre pauvre Lamartine ne donne dans
cette popularité-là. Je le plains. Il verra ce que c'est.
Hugo, j'ai du bon sens, je vous le dis, tenez-vous-en à la
popularité que vous avez ; c'est la vraie, c'est la bonne.
Tenez, je me cite encore. En 1829, quand j'étais à la
Force pour mes chansons, comme j'étais populaire, il
n'était pas de bonnetier ou de gargotier, ou de lecteur du
Constitutionnel, qui ne se crût le droit de venir me conso-
ler dans mon cachot. — Allons voir Béranger ! — Tiens !
si j'allais voir Béranger ! On venait. Et moi qui étais en

train de rêvasser à nos bêtises de poètes et de chercher
un refrain ou une rime entre les barreaux de ma fenêtre,
au lieu de trouver ma rime, il me fallait recevoir mon
bonnetier. Pauvre diable populaire, je n'étais pas libre
dans ma prison! Oh! si c'était à recommencer! Comme
ils m'ont ennuyé! »

Tout en devisant, nous avions pris la rue Mazarine
et nous étions à la porte de l'Institut, où j'allais. C'était
jour d'Académie.

« Entrez-vous ? lui ai-je dit.

— Oh non! »

Et il s'est enfui.

5 novembre.

Il y a quatre ans, M. le duc d'Aumale était caserné
à Courbevoie avec le 17e, dont il était alors colonel. Le
matin, l'été, après les manœuvres qui se faisaient à
Neuilly, il s'en revenait assez volontiers seul et les mains
derrière le dos, le long du bord de l'eau. Il rencontrait
presque tous les jours une jolie fille appelée Adèle Protat,
qui allait tous les matins à la messe de Courbevoie à
Neuilly et s'en retournait à la même heure que M. d'Aumale. La jeune fille remarquait le jeune officier, igno-
rant qu'il était prince et ne connaissant même pas
assez les épaulettes pour voir qu'il était colonel. On
finit par s'aborder et par causer. Le soleil, les fleurs, les
belles matinées aidant, quelque chose grandit qui ressemblait à l'amour. Adèle Protat croyait avoir affaire
tout au plus à un capitaine. Il lui disait : « — Venez me
voir à Courbevoie. » Elle refusait. Faiblement.

Un soir, elle passa en bateau près de Neuilly. Deux
jeunes gens se baignaient. Elle reconnut son officier.
« — Voilà le duc d'Aumale », dit le batelier. « — Bah! »
dit-elle, et elle pâlit.

Le lendemain, elle ne l'aimait plus. Elle l'avait vu
nu, et elle le savait prince.

8 novembre.

Il y a eu une violente querelle au conseil royal de l'Université à propos d'un Alexandre Thomas [1], professeur en révolte contre Salvandy. M. Augustin Giraud a fait un rapport avec conclusion pour le ministre contre le professeur.

« — *Plat rapport*, a dit Cousin assez haut pour que Giraud entendît. *Œuvre de domesticité ; il n'y a rien au-dessous du valet.*

— *Si, monsieur*, a répliqué Giraud en regardant Cousin fixement, *il y a le goujat.* »

9 novembre.

Beaucoup de choses m'attristent [2].

10 novembre.

La sapèque japonaise est une monnaie de fer mêlé de cuivre. En Chine on donne mille sapèques du Japon pour une demi-piastre. La sapèque vaut le quart d'un centime.

11 novembre.

Hier, M. le chancelier Pasquier arrive chez Mme de Boignes et la trouve bouleversée, tenant une lettre à la main.

« Qu'avez-vous, madame ?

— Mon Dieu ! cette lettre que je reçois ! lisez. »

Le chancelier prend la lettre, elle était signée *Mortier* et disait en substance : « Madame, quand vous lirez cette lettre, mes deux enfants et moi nous ne serons plus en vie. »

C'était M. le comte Mortier [3], pair de France et ancien ambassadeur je ne sais plus où, qui écrivait. M. Pasquier s'émut très fort. M. Mortier était connu pour un hypocondriaque parfait. Il y a quatre ans, à Bruges,

il poursuivait sa femme, un rasoir à la main, voulant
la tuer. Il y a un mois, il avait fait la même tentative ; ce
qui avait amené une séparation, dans laquelle M. Mortier avait gardé ses enfants, un petit garçon de sept
ans et une petite fille de cinq. Hypocondrie née, à ce
qu'il paraît, de la jalousie et dégénérant aisément en
fureur.

Le chancelier demande sa voiture et ne s'assied pas.

« — Où demeure M. Mortier ?

— Rue Neuve-Saint-Augustin, hôtel Chatham », dit
Mme de Boignes.

M. Pasquier arrive à l'hôtel Chatham. Il trouve l'escalier encombré, un commissaire de police, appelle un
serrurier avec sa trousse, la porte barricadée. L'éveil
avait été donné. On avait sommé M. Mortier d'ouvrir,
il refusait. On allait enfoncer la porte.

« Je vous le défends, dit le chancelier. Vous l'exaspé-
reriez, et, si le malheur n'est pas encore fait, il le ferait. »

Du reste, depuis quelque temps, M. Mortier ne répondait plus. Il n'y avait derrière cette porte fermée qu'un
silence profond ; silence effrayant, car il semblait que,
si les enfants étaient encore vivants, ils devaient crier.

« On eût dit, me disait le chancelier en me contant
cela aujourd'hui, que c'était la porte d'une tombe. »

Cependant le chancelier se nomme :

« Monsieur le comte Mortier, c'est moi, M. Pasquier, le
chancelier, votre collègue. Vous reconnaissez ma voix,
n'est-ce pas ? »

Ici une voix répond : « Oui. »

C'était la voix de M. Mortier.

Les assistants respirent.

« Eh bien! reprend M. Pasquier, vous me connaissez, ouvrez-moi.

— Non », répond la même voix.

Insistance de M. Pasquier.

« Non », répète la voix, puis elle se tait obstinément.
Le silence recommence.

Ceci à plusieurs reprises. Il répondait, le dialogue reprenait, il refusait d'ouvrir, puis se taisait. On tremblait que, dans ces moments de silence, il ne fît cette affreuse chose.

Cependant le préfet de police était arrivé.

« C'est moi, votre collègue, Delessert, — et votre ancien camarade. » — (Ils ont été camarades de collège, je crois.)

On parlemente ainsi pendant plus d'une heure. Enfin il consent à entrouvrir la porte, pourvu qu'on lui donne parole de ne point entrer. Parole lui est donnée. Il entrouvre la porte ; on entre.

Il était dans l'antichambre, un rasoir ouvert à la main ; derrière lui, la porte de communication de ses appartements fermée et la clef ôtée. Il paraissait en frénésie.

« Si quelqu'un approche, dit-il, c'en est fait de lui et de moi, je veux rester seul avec Delessert et causer avec lui ; j'y consens.

« — Cela ne vous regarde pas. »

Conversation chanceuse avec un furieux armé d'un rasoir. M. Delessert, qui s'est bravement comporté, a fait retirer tout le monde, est resté seul avec M. Mortier et, après une résistance de vingt minutes, l'a déterminé à quitter son rasoir.

Une fois désarmé, on l'a saisi.

Mais les enfants étaient-ils morts ou vivants ? On tremblait d'y songer. Aux questions, il avait toujours répondu.

On enfonce la porte de communication et que trouve-t-on tout au fond de l'appartement ? Les deux enfants blottis sous des meubles.

Voici ce qui s'était passé :

Le matin, M. Mortier avait dit à ses enfants : « — Je suis bien malheureux, vous m'aimez bien et je vous aime bien, je vais mourir. Voulez-vous mourir avec moi ? »

Le petit garçon dit résolument :

« Non, papa. »

Quant à la petite fille, elle hésitait. Pour la décider, le père lui passe le dos du rasoir doucement sur le cou et lui dit :

« Tiens, chère enfant, cela ne te fera pas plus de mal que cela.

— Eh bien! papa, dit l'enfant, je veux bien mourir. »

Le père sort, probablement pour aller chercher un second rasoir. Dès qu'il est sorti, le petit garçon se jette sur la clef, la prend, tire la porte et la ferme en dedans à double tour.

Puis il emmène sa sœur au fond de l'appartement et se fourre avec elle sous des meubles.

Les médecins ont déclaré que M. le comte Mortier était fou mélancolique et furieux. On l'a conduit à une maison de santé.

Le rasoir était du reste sa manie. Quand on l'a eu saisi, on l'a fouillé ; outre celui qu'il avait à la main, on lui en a trouvé un dans chaque poche.

Le même jour arrivait à Paris la nouvelle que notre collègue le comte Bresson s'était coupé la gorge à Naples, où il était nouvellement ambassadeur. C'est une tristesse pour nous tous, et une stupeur.

Au simple point de vue humain, le comte Bresson avait tout ; il était pair de France, ambassadeur, grand-croix. Son fils, dernièrement, venait d'être fait duc en Espagne. Comme ambassadeur, il avait deux cent mille francs de traitement. C'était un homme grave, bon, doux, intelligent, sensé, très raisonnable en tout, de haute taille, avec de larges épaules, une bonne face carrée, et à cinquante-cinq ans l'air d'en avoir quarante ; il avait la fortune, la grandeur, la dignité, l'intelligence, la santé, le bonheur dans la vie et aux affaires. Il se tue.

Nourrit [1] aussi est allé se tuer à Naples.

Est-ce le climat ? est-ce cet admirable ciel ?

Le spleen naît aussi bien du ciel bleu que du ciel sombre. Mieux peut-être.

Comme la vie de l'homme, même la plus prospère, est toujours au fond plus triste que gaie, le ciel sombre nous est harmonieux. Le ciel éclatant et joyeux nous est ironique. La nature triste nous ressemble et nous console ; la nature rayonnante, magnifique, impassible, sereine, splendide, éblouissante, jeune tandis que nous vieillissons, souriante pendant que nous soupirons, superbe, inaccessible, éternelle, satisfaite, calme dans sa joie, a quelque chose d'accablant.

A force de regarder le ciel impitoyable, indifférent et sublime, on prend un rasoir et l'on en finit.

16 novembre.

Je me suis foulé hier le pouce droit. Interruption de *Jean Tréjean.*

28 novembre.

M. Pasquier est venu me voir et m'a dit des choses que j'écrirai.

29 novembre.

Repris *Jean Tréjean.* Je ne dors plus qu'à une heure du matin.

30 novembre.

On a retranché un quartier aux pauvres pensionnaires gens de lettres du ministère de l'Instruction publique. Cette pénurie de la fin de l'année tient à la profusion du commencement. M. de Salvandy, généreux, mais imprévoyant, promet, entreprend, prodigue, pourfend les abus, multiplie les largesses, sème les espé-

rances et reste court. Il commence comme un chevalier et finit comme un gascon [1].

Voici la dernière histoire venue d'Afrique : — Un
juif voyageait sur une mule avec son ami et son argent.
En traversant un torrent grossi par les pluies, la mule,
le juif, l'ami et l'argent, s'en vont à vau-l'eau. Le juif
qui savait nager, hésite un moment entre son argent et
son ami, puis il se décide, sauve l'homme et laisse couler au fond de l'eau le sac d'or. En arrivant à Oran, il
s'est empoisonné de désespoir.

30 novembre.

M. Guizot me disait hier : « — Il y a dix ou douze
ans, M. Thiers me dit un jour en manière de reproche :
— Vous méprisez la popularité. Je lui ai répondu :
— Non, je méprise l'impopularité. »

1er décembre.

Alexis de Saint-Priest m'a fait aujourd'hui une visite
académique. Il avait vu ce matin M. de Chateaubriand,
c'est-à-dire un spectre. M. de Chateaubriand est complètement paralysé, il ne marche plus, il ne remue plus,
il ne parle plus. Sa tête seule vit. Il était très rouge,
avec l'œil triste et éteint. Il s'est soulevé et a prononcé
quelques sons inarticulés où M. de Saint-Priest n'a pu
saisir que cette phrase dite en une grande minute :
« — L'Académie, Monsieur, ne vous sera pas difficile,
j'espère. »
M. de Saint-Priest n'est resté qu'un quart d'heure, le
cœur serré.

2 décembre.

Varin [2] m'a apporté cette note qui touche un de mes
ascendants :

1540. Juin.

Lettre de naturalité accordée à Hugues Hugo, argentier du duc de Guise, natif de Rouvray-sur-Meuse, pour s'établir à Chaumont-en-Bassigny.

3 décembre.

Voici [1] d'anciennes lettres d'Auguste de Rohan [2] qui me sont tombées aujourd'hui sous la main. Il me les écrivait en 1821.

5 décembre.

Les journaux anglais racontent qu'il est arrivé du continent à Hull plusieurs millions de boisseaux d'ossements humains. Ces ossements, mêlés d'ossements de chevaux, ont été ramassés sur les champs de bataille d'Austerlitz, de Leipzig, d'Iéna, de Friedland, d'Eylau, de Waterloo.

On les a transportés dans le Yorkshire, où on les a broyés et mis en poudre et de là envoyés à Doncaster, où on les emploie comme engrais.

Ainsi, dernier résidu des victoires de l'Empereur : engraisser les vaches anglaises.

6 décembre.

M. de Salvandy me disait aujourd'hui : « — Que Cousin m'attaque devant la Chambre des Pairs! Je le déshabillerai, je le mettrai à nu et je montrerai à la Chambre l'homme de Platon, le coq sans plumes, et l'on verra que c'est fort laid. » Il était outré et m'a répété plusieurs fois : « — Quand je pense que *Le National* m'a appelé *ce faquin, qui est le plus méchant écrivassier de France!* Que dites-vous de ces aménités ? Faquin! Et ce sont des gens de l'Université, des professeurs, qui écrivent cela! Que feriez-vous à ma place ? »

« — Je répondrais : mieux vaut être faquin que cuistre. »

8 décembre.

Cicéron appelle Thucydide : *rerum gestarum prononciator sincarus et grandis.*

9 décembre.

Le pape Pie IX a un proche parent nommé Scaramouche (M. Scaramucci, avocat, nommé récemment membre de la municipalité romaine).

10 décembre.

M. Barthélemy [1] est venu me voir ce matin et m'a lu des vers qu'il m'adresse sur la poésie et qui paraîtront dimanche dans *Le Siècle.* Son point de vue est à la fois injuste et étroit. Je ne le lui ai pas dissimulé. Il m'appelle « *novateur dans le vers et non dans la pensée* ». Toute cette épître, je le lui ai dit, rappelle, pour le fond mesquin des idées, l'épître de Boileau à Molière :

Enseigne-moi, Molière, où tu trouves la rime...

Il y a du reste de fort bons vers dans l'épître de M. Barthélemy. Il m'a dit : « — Je ne la publierai pas, si elle vous déplaît. » Je lui ai répondu : « Publiez! Je crois que vous avez aujourd'hui et que j'ai demain. Le public vous donnera raison et la postérité vous donnera tort. Moi, je vis penché en avant. »

11 décembre.

Cousin m'a dit hier : « — Supposons qu'il fût possible que Salvandy donnât çà et là cent francs ou cinquante francs à des écrivains dogues pour nous mordre les talons, à nous autres ; je ne dis pas que je ne le croie pas... » Et il a continué son speech.

12 décembre.

J'ai écrit à la reine, il y a une quinzaine de jours. Elle ne me répond pas. Les princes de nos jours ont encore de ces allures. Pauvres gens qui ne savent pas même où est la force! Ce sont des petits dont il faut avoir pitié.

14 décembre.

Voici pourquoi j'écrivais à la reine : un nommé Pescheux-Vendôme [1], qui fait d'assez beaux vers, pauvre poëte sans pain, erre depuis vingt jours dans les rues de Paris avec sa jeune femme de vingt et un ans, chassé de la maison où il ne payait pas son terme, sans asile, couchant tous deux la nuit sous les portes ou les arches des ponts. Nous sommes au mois de décembre. Je lui ai donné ce que j'ai pu, puis j'ai envoyé la lettre du pauvre homme à la reine en y ajoutant quelques mots.

16 décembre.

M. Leuret [2], le médecin des fous, est en train de devenir fou. La contagion de la folie a ceci de remarquable que, ne se communiquant pas par le toucher, comme la peste, la rage, la vérole, etc., ne se communiquant pas par l'air respirable, comme le typhus, le choléra, la fièvre jaune, etc., la maladie se communique évidemment par l'imagination, troisième agent morbide, troisième véhicule de contagion auquel les médecins n'avaient pas pensé.

Plus on ira, plus on reconnaîtra que les maladies peuvent naître, empirer, guérir par l'imagination. Beaucoup de remèdes, beaucoup de systèmes médicaux sont efficaces par cela seul que le malade y croit. En médecine comme en autre chose, la foi sauve. Ceci n'est qu'une vue jetée de côté sur une immense question. J'y reviendrai.

19 décembre.

On a crié quand j'ai dit dans *Notre-Dame de Paris* que
la chimie de nos jours ne fait guère que retrouver l'al-
chimie, si niée et si raillée depuis deux siècles, de même
que le magnétisme explique et constate les prophètes,
les sibylles, les visionnaires et les martyrs. Chaque
jour le prouve. Ainsi l'éther et le chloroforme, ces miracles d'aujourd'hui, sont, pour qui a lu, de vieux miracles. Il y a, à la bibliothèque communale de Cambrai,
deux exemplaires d'un livre intitulé : *Proprietates rerum
Domini Bartholomei anglici*. L'un de ces exemplaires,
édition de 1482, vient de l'abbaye de Saint-Aubert ; l'autre, édition de 1488, vient de l'abbaye du Saint-Sépulcre.
On y lit au livre XVII, chapitre civ, les quatre lignes
que voici : « *Mandragorae, cortae vino mixtus, porrigitur ad bibendum, his quorum corpus, et, secundum, ut
dolorem non sentiant, soporati* *. « L'écorce de mandra-
gore, mêlée au vin, est présentée à boire à ceux dont le
corps (doit subir quelque opération douloureuse) et,
sur-le-champ, ils sont endormis de manière à ne point
sentir la douleur. »

Je disais l'autre jour à un savant que cela ébouriff-
fait : « — Savez-vous ? depuis quelque temps, à son
insu, l'Académie des sciences, dans ses séances du
samedi, ne fait autre chose que réhabiliter la magie. »

20 décembre.

Le marquis de Boissy vient d'épouser la comtesse
Guiccioli [2].

21 décembre.

Cette malheureuse Hélène Gaussin a été recondam-
née pour vol, le 30 juin dernier, à un an de prison. Son

---

* Hugo a noté dans la marge : « *Vérifier le texte, qui me paraît
tronqué et incorrect* [1]. »

mari vient d'être condamné à cinq ans de réclusion pour tentative d'assassinat. Je me rappelle qu'il y a quatre ans environ la marquise de X... me recommandait Hélène Gaussin, la disant fort vertueuse et même dévote. A quelques jours de là, Hélène Gaussin vint me voir. Je la reçus dans mon cabinet. C'était le soir, à la lampe, et l'hiver. Elle me dit, passablement, un acte de *Marie Tudor*. Elle avait une robe de velours noir. Elle était belle, mais fort maigre ; des yeux admirables et qui, du reste, ne me parurent pas le moins du monde dévots.

22 décembre.

Lagrenée m'a parlé, chez le chancelier, de l'Académie pour le cardinal Giraud [1], archevêque de Cambrai, me demandant si j'agréerais sa visite. Je lui ai dit : « — Engagez-le à attendre et à bien sonder le terrain. Quant à moi, voici ma profession de foi sur ce point : je préférerai toujours un cardinal à un lettré médiocre, mais je préférerai toujours un homme de talent à un cardinal. »

Le cardinal a parlé au chancelier, qui lui a dit : « — Diable! Vous allez vous cogner à Vatout! Écrivez au roi. » Le cardinal a écrit au roi, qui a répondu de sa main la ligne que voici : « *Pas encore. Plus tard. Nous verrons.* »

Pardon, sire. Vous verrez, mais c'est à nous de dire : *nous verrons* [2].

23 décembre.

Toujours pas de réponse de la reine.

24 décembre.

Marie-Louise est morte à Parme.

25 décembre.

Voici un beau passage de saint Cyprien adressé à
ceux qui sont persécutés : — *neque enim nobis ignominia
est pati a fratribus quod passus est Christus, neque illis
gloria est facere quod fecerit Judas* [1].

26 décembre.

M. Teste est toujours à la Conciergerie. Il y reçoit
beaucoup de visites. Ses amis ne l'ont point abandonné.
Sa femme, vieille et malade, vient tous les jours à huit
heures du matin et ne s'en va qu'à sept heures du soir.
Sa cellule, qui donne sur la cour des femmes, se trouve
être précisément au-dessous de la chambre qu'il présidait à la Cour de cassation, de sorte qu'à chaque
instant il entend le bruit de la sonnette du président,
cette sonnette qu'il avait seul le droit d'agiter il n'y a pas
un an. En face de sa fenêtre est la fenêtre du cabinet
du bâtonnier de l'ordre des avocats. Ce cabinet aussi
a été le sien.

On voulait faire transférer M. Teste dans une maison
de santé ; les médecins avaient donné un certificat de
maladie, quoiqu'il ne fût pas malade. On a échoué.
M. Teste a donné des conseils affectueux à l'avocat
de Rosemond de Beauvallon [2] pour ses moyens de pour-
voir en cassation. Il y a un an, le même Teste eût été
impitoyable à Beauvallon.

27 décembre.

Voici en quels termes l'abbé Guillon (Marie-Nicolas-
Sylvestre), ancien évêque de Maroc, mentionne dans
une note sur le recto d'une lettre, son emprisonnement
au Temple sous le consulat :

« Détention au Temple, en 1802, depuis le samedi,
veille du dimanche de la passion, jusqu'au jeudi soir
de la troisième semaine d'après Pâques. »

L'abbé Guillon [1] est mort à plus de quatre-vingts ans. Il avait eu pour condisciples au collège Louis-le-Grand le cardinal de Cheverus [2] et Robespierre.

28 décembre.

Ajourd'hui ouverture des Chambres. Je ne suis point allé à la séance royale.

La nuance entre la magistrature assise et la magistrature debout s'est conservée presque comme au temps des parlements. Hier, la Cour de cassation a installé un nouveau conseiller, M. de Boissieux et un nouvel avocat général, M. Glandeaz. Le Premier président (mon voisin le comte Portalis) a dit au conseiller : « La cour vous donne acte de votre serment et vous invite à prendre place parmi ses membres. » Puis il a dit à l'avocat général : « Acte de votre serment. Veuillez prendre place au parquet. »

Un officier de la 7e légion, au passage du roi, a crié : « *Vive la réforme !* » Il a été immédiatement arrêté et mené au corps de garde avec son hausse-col.
Une femme du peuple, témoin de la façon vive dont l'arrestation s'est faite, a dit : « — *Diable !* »

29 décembre.

Affaire Outrebon. Autre affaire Lehon [3].

31 décembre.

Une phrase du discours de réception de M. Empis ébahit particulièrement M. de Rémusat. C'est celle-ci ou à peu près : « — M. de Jouy surpassait en gaieté tous les orateurs de l'opposition. »

On a voulu me faire directeur de l'Académie. J'ai
refusé. On a nommé Scribe. J'ai dit : « — Tant que
l'Académie tiendra un de ses membres en pénitence
(M. de Vigny), je tiendrai compagnie à ce membre. »
On ne veut nommer M. de Vigny ni directeur ni chancelier, à cause de son démêlé avec M. Molé.

Cette sombre année, qui a commencé par un vendredi,
finit par un vendredi.

Cette nuit, j'ai rêvé que Mˡˡᵉ Fargueil [1] était morte, en
trois jours, d'une maladie de poitrine. Dans mon rêve,
c'était Sainte-Beuve qui venait me le dire.

A mon réveil, ce n'est pas la mort de Mˡˡᵉ Fargueil
que j'ai apprise. C'est la mort de Madame Adélaïde [2].
Au lieu d'une jeune et jolie femme, une vieille ; au lieu
d'une comédienne, une princesse.

A trois heures, la Chambre des pairs est allée chez le
roi apporter ses condoléances. Nous étions fort nombreux. Le chancelier y était en simarre, avec l'antique
tricorne des chanceliers, orné d'un énorme gland d'or. Il
y avait Lagrenée, Mornay, Villemain, Barante, les généraux Sébastiani, Lagrange, etc., et le duc de Broglie et
M. de Mackau, nommé d'avant-hier amiral de France.

Le roi a reçu la Chambre des pairs dans la salle du
trône ; il était tout en noir, sans décorations, et pleurait.
M. le duc de Nemours, M. de Joinville et M. de Montpensier étaient en noir, sans plaque ni cordon, comme
le roi ; la reine, Madame la duchesse d'Orléans, Mes-
dames de Joinville et de Montpensier en grand deuil.
Il n'y avait qu'un seul ministre, le général Trézel.

Le roi s'est approché de moi et m'a dit : « Je remercie
M. Victor Hugo ; il vient toujours à nous dans les occasions tristes. » Et les larmes lui ont coupé la parole.

C'est un coup pour le roi que cette perte. Sa sœur
était pour lui *un ami.* C'était une femme intelligente
et de bon conseil, qui abondait dans le sens du roi, sans
jamais verser. Madame Adélaïde avait quelque chose

de viril et de cordial, avec beaucoup de finesse. Elle
avait de la conversation ; je me rappelle un soir où elle
me parla longuement, et juste, du *Rancé* de M. de Chateaubriand, qui venait de paraître

Ma chère petite Didine était un jour allée la voir avec
sa mère ; Madame Adélaïde lui donna une poupée. Ma
fille, qui avait alors sept ans, revint enthousiasmée.
Quelques jours après, elle entendait dans le salon de
grandes discussions sur les philippistes et les carlistes.
Tout en jouant avec sa poupée, elle dit à demi-voix :

« — Moi, je suis adélaïdiste. »

Cela fait que j'ai été adélaïdiste aussi. La mort de
cette brave vieille princesse m'a fait une vive peine.

Voici ce qui s'est retrouvé de mon rêve : elle est morte
en trois jours, d'une fluxion de poitrine qui est venue
compliquer une grippe. Elle était mardi à la séance
royale. Qui lui eût dit qu'elle ne verrait pas 1848 ?

Depuis quelque temps, elle était sujette à s'endormir
le soir sur son fauteuil ; mauvais signe. M. Louis [1] a
caractérisé la maladie qui l'a emportée : *une pneumonie
intercurrente.*

Presque tous les matins, le roi avait une longue
causerie, la plupart du temps politique, avec Mme Adélaïde. Il la consultait sur tout et ne faisait rien de très
grave contre son avis. Il regarde la reine comme son
« ange gardien » ; on pourrait dire que Mme Adélaïde
était son « esprit gardien ». Quel vide pour un vieillard !
Vide dans le cœur, dans la maison, dans les habitudes.
Je souffrais de le voir pleurer. On sentait que c'étaient
là de vrais sanglots venant du fond même de l'homme.
Sa sœur ne l'avait jamais quitté. Elle avait partagé son
exil, elle partageait un peu son trône. Elle vivait dévouée
à son frère, absorbée en lui, ayant pour égoïsme le *moi*
de Louis-Philippe.

Elle a fait M. de Joinville son héritier, Odilon Barrot
et Dupin ses exécuteurs testamentaires.

Les pairs sont sortis des Tuileries consternés de toute

cette douleur et inquiets du choc qu'en recevra le roi.

Ce soir, relâche à tous les théâtres.

Ainsi a fini l'année 1847.

FAITS CONTEMPORAINS

Louis-Philippe faisait venir ses ministres à toute heure de jour et de nuit, dans quelque négligé qu'il se trouvât. « — *Quand on a l'honneur de servir le roi*, disait M. Dumon, *on le voit dans tous les négligés possibles.* » Un matin, le roi manda M. Dumon. Le ministre entra dans la chambre à coucher. Le roi était en chemise. M. Dumon fut quelque peu interdit et embarrassé du costume. Sa Majesté causa affaires naturellement, simplement, longuement, sans mettre ses culottes, c'était l'été. M. Dumon put remarquer que le roi avait la peau blanche comme une femme. Tout à coup le roi se jette sur une vieille redingote qu'il avait là et l'endosse en disant : « — *A propos, j'ai fait demander Madame Adélaïde ; elle va venir, il faut que je sois décent.* » Madame Adélaïde vint et causa avec le roi sans paraître scandalisée ni surprise. Toute la décence se borna à une redingote.

Quand M. Dumon me conta cette histoire, je ne pus m'empêcher de lui dire : « — Voilà tout ce qui reste au roi des opinions de sa jeunesse. Il est sans-culotte dans l'intimité. »

Louis-Philippe disait volontiers : « *Il n'y a pas des choses faciles et des choses difficiles ; il y a des choses possibles et des choses impossibles.* »

FAITS CONTEMPORAINS

Le roi Louis-Philippe me dit un jour :

« — Je n'ai jamais été amoureux qu'une fois dans ma vie.

« — Et de qui, sire ?
— De Mme de Genlis.
— Bah ! mais elle était votre précepteur. »
Le roi se mit à rire et reprit :
« — Comme vous dites. Et un rude précepteur, je
vous jure. Elle nous avait élevés avec férocité, ma sœur
et moi. Levés à six heures du matin, hiver comme été,
nourris de lait, de viandes rôties et de pain ; jamais
une friandise, jamais une sucrerie ; force travail, peu
de plaisirs. C'est elle qui m'a habitué à coucher sur des
planches. Elle m'a fait apprendre une foule de choses
manuelles ; je sais, grâce à elle, un peu faire tous les
métiers, y compris le métier de frater. Je saigne mon
homme comme Figaro. Je suis menuisier, palefrenier,
maçon, forgeron. Elle était systématique et sévère. Tout
petit, j'en avais peur ; j'étais un garçon faible, pares-
seux et poltron ; j'avais peur des souris. Elle fit de moi
un homme assez hardi et qui a du cœur. En grandissant,
je m'aperçus qu'elle était fort jolie. Je ne savais pas ce
que j'avais près d'elle. J'étais amoureux, mais je ne m'en
doutais pas. Elle, qui s'y connaissait, comprit et devina
tout de suite. Elle me traita fort mal. C'était le temps
où elle couchait avec Mirabeau. Elle me disait à chaque
instant : « — Mais, monsieur de Chartres, grand dadais
que vous êtes, qu'avez-vous donc à vous fourrer toujours dans mes jupons ! » Elle avait trente-six ans, j'en
avais dix-sept.
Le roi, qui vit que cela m'intéressait, continua :
« — On a beaucoup parlé de Mme de Genlis ; on l'a
peu connue. On lui a attribué des enfants qu'elle n'avait
point faits, Paméla, Casimir. Voici : elle aimait ce qui
était beau et joli, elle avait le goût des gracieux visages
autour d'elle. Paméla était une orpheline qu'elle recueil-
lit à cause de sa beauté ; Casimir était le fils de son
portier. Elle trouvait cet enfant charmant ; le père
battait le fils : « — Donnez-le-moi », dit-elle un jour. Le
portier consentit, et cela lui fit Casimir. En peu de

temps, Casimir devint le maître de la maison. Elle était vieille alors. Paméla est de sa jeunesse, de notre temps à nous. Mme de Genlis adorait Paméla. Quand il fallut émigrer, Mme de Genlis partit pour Londres avec ma sœur et une somme de cent louis. Elle emmena Paméla. A Londres, ces dames étaient misérables et vivaient chichement en hôtel garni. C'était l'hiver. Vraiment, monsieur Hugo, on ne dînait pas tous les jours. Les bons morceaux étaient pour Paméla. Ma pauvre sœur soupirait et était le souffre-douleur, la Cendrillon. C'est comme je vous le dis. Ma sœur et Paméla, pour économiser les malheureux cent louis, couchaient dans la même chambre. Il y avait deux lits, mais rien qu'une couverture de laine. Ma sœur l'eut d'abord. Mais un soir Mme de Genlis lui dit : « Vous êtes robuste et de bonne « santé ; Paméla a bien froid, j'ai mis la couverture à son lit. » Ma sœur fut outrée, mais n'osa s'insurger ; elle se contenta de grelotter toutes les nuits. Du reste, ma sœur et moi nous adorions Mme de Genlis. »

Mme de Genlis mourut trois mois après la révolution de Juillet. Elle eut juste le temps de voir son élève roi.

Louis-Philippe était vraiment bien un peu son ouvrage. Elle avait fait cette éducation comme un homme et non comme une femme. Elle n'avait absolument pas voulu compléter son œuvre par la suprême éducation de l'amour. Chose bizarre dans une femme si peu scrupuleuse, qu'elle ait ébauché le cœur et qu'elle ait dédaigné de l'achever !

Quand elle vit le duc d'Orléans roi, elle se borna à dire : « — J'en suis bien aise. »

Ses dernières années furent pauvres et presque misérables. Il est vrai qu'elle n'avait aucun ordre et semait l'argent sur les pavés. Le roi la venait voir souvent ; il la visita jusqu'aux derniers jours de sa vie. Sa sœur, Madame Adélaïde, et lui ne cessèrent de témoigner à Mme de Genlis toute sorte de respect et de déférence.

Mme de Genlis se plaignait seulement un peu de ce
qu'elle appelait *la ladrerie* du roi. Elle disait :

« — Il était prince, j'en ai fait un homme ; il était
lourd, j'en ai fait un homme habile ; il était ennuyeux,
j'en ai fait un homme amusant ; il était poltron, j'en
ai fait un homme brave ; il était ladre, je n'ai pu en
faire un homme généreux. Libéral, tant qu'on voudra ;
généreux, non. »

FAITS CONTEMPORAINS

La voiture de cérémonie de Louis-Philippe était une
grosse berline bleue traînée par huit chevaux ; l'intérieur
était de damas jaune d'or ; il y avait sur les portières
le chiffre couronné du roi et sur les panneaux des couronnes royales. Huit petites couronnes d'argent appli-
quées à fleur de l'impériale faisaient le tour de la voiture.
Il y avait un immence cocher sur le siège, et trois laquais
derrière, tous en bas de soie, avec la livrée tricolore
des d'Orléans. Le roi montait le premier et s'asseyait
dans le coin à droite. Après lui, M. le duc de Nemours,
qui s'asseyait près du roi ; les trois autres princes
montaient ensuite et s'asseyaient, M. de Joinville en
face du roi, M. de Montpensier en face de M. de Nemours,
M. d'Aumale au milieu.

Le jour des séances royales, les grandes députations
des deux Chambres, douze pairs et vingt-cinq députés
tirés au sort allaient attendre le roi sur le grand escalier du palais Bourbon. Comme c'était presque toujours
l'hiver, il faisait un froid violent sur cet escalier ; un
vent de bise faisait frissonner tous ces vieillards, et il y
a de vieux généraux de l'Empire qui n'étaient pas
morts d'avoir été à Austerlitz, à Friedland, au cimetière
d'Eylau, à la grande redoute de la Moskowa, à la fusillade des carrés écossais de Waterloo, et qui sont morts
d'avoir été là.

Les pairs étaient à droite, les députés à gauche, debout, laissant libre le milieu de l'escalier. L'escalier était cloisonné de tentures de coutil blanc rayé de bleu, qui garantissaient fort mal du vent. Où sont les bonnes et magnifiques tapisseries de Louis XIV? Cela était royal ; on y a renoncé. Le coutil est bourgeois et plaît mieux aux députés. Il les charme et les gèle.

La reine arrivait la première avec les princesses, sans Mme la duchesse d'Orléans qui venait à part avec M. le comte de Paris. Ces dames montaient l'escalier rapidement, saluant à droite et à gauche, sans parler, mais gracieusement, suivies d'une nuée d'aides de camp et de ces vieilles farouches enturbannées que M. de Joinville appelait *les Turcs de la reine* : Mmes de Dolomieu, de Chanaleilles, etc.

A la séance royale de 1847, la reine donnait le bras à Mme la duchesse de Montpensier. La princesse était emmitouflée à cause du froid. Je n'ai vu qu'un gros nez rouge. Les trois autres princesses marchaient derrière et causaient en riant toutes trois. M. Anatole de Montesquiou venait ensuite en uniforme de maréchal de campfort usé.

Le roi arrivait quelque cinq minutes après la reine ; il montait plus rapidement encore qu'elle, suivi des princes courant comme des écoliers, et saluait les pairs à droite et les députés à gauche. Il s'arrêtait un moment dans la salle du trône et échangeait quelques bonjours avec les membres des deux députations. Puis il entrait dans la grande salle.

Le discours du trône était écrit sur parchemin recto et verso, et tenait en général quatre pages. Le roi le lisait d'une voix ferme et de bonne compagnie.

Le maréchal Soult était à cette séance, tout resplendissant de plaques, de cordons et de broderies, et se plaignant de ses rhumatismes. M. le chancelier Pasquier n'y vint pas, s'excusant sur le froid et sur ses quatre-vingts ans. Il était venu l'année d'auparavant. Ce fut la dernière fois.

En 1847, j'étais de la grande députation.

Pendant que je me promenais dans le salon d'attente, causant avec M. Villemain, de Cracovie, des traités de Vienne et de la frontière du Rhin, j'entendais bourdonner les groupes autour de moi, et des lambeaux de toutes les conversations m'arrivaient.

M. le général comte de Lagrange. — Ah! voici le maréchal (Soult).

Le baron Pèdre Lacaze. — Il se fait vieux.

Le vicomte Cavaignac. — Soixante-dix-neuf ans.

Le marquis de Raigecourt. — Quel est le doyen de la Chambre des pairs en ce moment?

Le duc de Trévise. — N'est-ce pas M. de Pontécoulant?

Le marquis de Laplace. — Non, c'est le président Boyer. Il a quatre-vingt-douze ans.

Le président Barthe. — Passés.

Le baron d'Oberlin. — Il ne vient plus à la Chambre.

M. Viennet. — On dit que M. Rossi revient de Rome.

Le duc de Fezensac. — Ma foi! je le plains de quitter Rome. C'est la plus belle et la plus aimable ville du monde. J'espère bien y finir mes jours.

Le comte de Montalembert. — Et Naples!

Le baron Thénard.— Je préfère Naples.

M. Fulchiron. — Oui, parlez-moi de Naples. Eh, mon Dieu! j'y étais quand ce pauvre Nourrit s'est tué. Je logeais dans une maison voisine de la sienne.

Le baron Charles Dupin. — Il s'est tué volontairement? Ce n'est pas un accident?

M. Fulchiron. — Oh! c'est bien un suicide. On l'avait sifflé la veille. Il n'a pu supporter cela. C'était dans un opéra fait exprès pour lui et intitulé *Polyeucte*. Il s'est jeté de soixante pieds de haut. Son chant ne plaisait pas à ce public-là. Nourrit était trop accoutumé à chanter Gluck et Mozart. Les Napolitains disaient de lui : *Vecchio canto*.

Le baron Dupin. — Pauvre Nourrit! Que n'a-t-il

attendu! Duprez n'a plus de voix. Il y a onze ans, Duprez a démoli Nourrit ; aujourd'hui Nourrit démolirait Duprez.

Le marquis de Boissy. — Quel froid sur cet escalier!

Le comte Philippe de Ségur.— Il faisait encore plus froid l'autre jour à l'Académie. Ce pauvre Dupaty est un bon homme, mais il a fait un méchant discours.

Le baron Feutrier.— Je cherche une bouche de chaleur. Quel affreux courant d'air! C'est à se sauver!

Le baron Charles Dupin.— — M. Français de Nantes avait imaginé cet expédient pour se débarrasser des solliciteurs et abréger les instances. Il donnait volontiers ses audiences entre deux portes.

M. Thiers avait alors une vraie cour de députés. En sortant de cette séance, il marchait devant moi. Un gigantesque député, que je ne voyais que de dos, se dérangea en disant : « — *Place aux hommes historiques !* » Et l'homme grand laissa passer le petit.

Historique ? Soit. De quelle façon ?

FAITS CONTEMPORAINS

M. le duc d'Orléans me contait, il y a quelques années, qu'à l'époque qui suivit immédiatement la révolution de Juillet, le roi lui fit prendre séance dans son conseil. Le jeune prince assistait aux délibérations des ministres. Un jour, M. Mérilhou, qui était garde des sceaux, s'endormit pendant que le roi parlait. « — De Chartres, dit le roi à son fils, réveille M. le garde des sceaux. » Le duc d'Orléans obéit ; il était assis à côté de M. Mérilhou, il le pousse doucement du coude ; le ministre dormait profondément ; le prince recommence ; le ministre dormait toujours. Enfin, le prince pose sa main sur le genou de M. Mérilhou, qui s'éveille en sursaut et dit : « — *Finis donc, Sophie ! tu me chatouilles toujours !* »

Voici de quelle façon le mot *sujet* a disparu du préambule des lois et ordonnances.

M. Dupont de l'Eure, en 1830, était garde des sceaux. Le 7 août, le jour même où le duc d'Orléans prêta serment comme roi, M. Dupont de l'Eure lui porta une loi à promulguer. Le préambule disait : « *Mandons et ordonnons à tous nos sujets*, etc. » Le commis chargé de copier la loi, jeune homme fort exalté, s'effaroucha du mot *sujets* et ne copia point.

Le garde des sceaux arrive. Le jeune homme était employé dans son cabinet. « — Eh bien, dit le ministre, la copie est-elle faite ? que je la porte à la signature du roi. — Non, monsieur le Ministre », répond le commis.

Explication. M. Dupont de l'Eure écoute, puis pince l'oreille du jeune homme et lui dit, moitié souriant, moitié fâché :

« — Allons donc, monsieur le républicain, voulez-vous bien copier cela tout de suite ! »

Le commis baissa la tête comme un commis qu'il était et copia.

Cependant M. Dupont de l'Eure conte la chose au roi en riant. Le roi n'en rit pas. Tout faisait difficulté alors. M. Dupin aîné, ministre sans portefeuille, avait entrée au conseil ; il éluda le mot et tourna l'obstacle ; il proposa cette rédaction qui fut adoptée et qui a été toujours admise depuis : « *Mandons et ordonnons à tous.* »

Le soir du jour où les pairs instructeurs se déterminèrent à mettre M. Teste en prévention, le hasard voulut que le chancelier dût se rendre à Neuilly avec le bureau de la chambre pour porter au roi une loi votée.

Le chancelier et les pairs du bureau (parmi lesquels

était le comte Daru) trouvèrent le roi furieux. Il savait
la mise en prévention de M. Teste. Du plus loin qu'il les
aperçut, il marcha vivement à eux :

« — Comment, monsieur le Chancelier, s'écria-t-il,
vous n'aviez pas assez d'un de mes anciens ministres!
Il vous en a fallu un second! Vous prenez Teste à présent! Ainsi, j'ai passé dix-sept ans à relever le pouvoir
en France ; en un jour, en une heure, vous le faites retom-
ber! Vous détruisez l'ouvrage de tout mon règne! Vous
avilissez l'autorité, la puissance, le gouvernement! Et
vous faites cela, vous, Chambre des pairs! » Etc.

La bourrasque fut violente. Le chancelier fut très
ferme. Il tint résolument tête au roi. Il dit que sans doute
il fallait consulter la politique, mais qu'il fallait aussi
écouter la justice ; que la Chambre des pairs avait, elle
aussi, son indépendance comme pouvoir législatif et sa
souveraineté comme pouvoir judiciaire ; que cette indépendance et cette souveraineté devaient être respectées
et au besoin se feraient respecter ; que d'ailleurs, dans
l'état où était l'opinion, il eût été fort grave de lui refuser
satisfaction, que ce serait mal servir l'État, mal servir le
pays, mal servir le roi, que de ne pas faire ce que l'opinion
demande et ce que la justice exige ; qu'il y avait des
moments où il était plus prudent d'avancer que de reculer et qu'enfin ce qui était fait était fait.

« — Et bien fait, ajouta Daru.

— Nous verrons », dit le roi.

Et, de furieux, il devint soucieux.

La députation de la Chambre se retira quelques instants après. Le roi ne fit pas mine de la retenir.

FAITS CONTEMPORAINS

Le comte de Paris est d'un caractère grave et doux ;
il apprend bien. Il a de la tendresse naturelle ; il est doux
à ceux qui souffrent.

Son jeune cousin de Wurtemberg, qui a deux mois de
plus que lui, en est jaloux, comme sa mère, la princesse
Marie, était jalouse de la mère du comte de Paris. Du
vivant de M. le duc d'Orléans, le petit Wurtemberg a été
longtemps l'objet des préférences de la reine, et, dans la
petite cour des corridors et des chambres à coucher, on
flattait la reine par des comparaisons de l'un à l'autre,
toujours favorables à Wurtemberg. Aujourd'hui, cette
inégalité a cessé. La reine, par un sentiment touchant,
inclinait vers le petit Wurtemberg parce qu'il n'avait
plus sa mère ; maintenant, il n'y a plus de raison pour
qu'elle ne se retourne pas vers le comte de Paris, puisqu'il
n'a plus son père.

Le petit Michel Ney joue tous les dimanches avec les
deux princes. Il a onze ans, il est fils du duc d'Elchingen.
L'autre jour, il disait à sa mère : « — Wurtemberg est un
ambitieux. Quand nous jouons, il veut toujours être le
chef. D'abord, il veut toujours qu'on l'appelle Monseigneur. Cela m'est égal de lui dire Monseigneur, mais je ne
veux pas qu'il soit le chef. L'autre jour, j'avais inventé
un jeu et je lui ai dit : « Non, Monseigneur, vous ne
« serez pas le chef ! c'est moi qui serai le chef, parce que
« j'ai inventé le jeu. Ainsi ! Et Chabannes sera mon
« lieutenant. Vous et M. le comte de Paris, vous serez les
« soldats. » Paris a bien voulu, mais Wurtemberg s'en est
allé. C'est un ambitieux. »

De ces jeunes mères du château, Mme la duchesse
d'Orléans mise à part, Mme de Joinville est la seule qui
ne gâte pas ses enfants. Aux Tuileries, on appelle sa
petite fille *Chiquette*, tout le monde, le roi lui-même. Le
prince de Joinville appelle sa femme *Chicarde* depuis le
bal des pierrots ; de là, Chiquette. A ce bal des pierrots,
le roi disait : « — Comme Chicarde s'amuse ! » Le prince
de Joinville dansait toutes les danses risquées. Mme de
Montpensier et Mme Liadières étaient les seules qui
fussent décolletées. « — Ce n'est pas de bon goût, disait
la reine. — Mais c'est joli », disait le roi.

Aux Tuileries, le prince de Joinville passe son temps à faire cent folies ; un jour, il ouvre les robinets de toutes les fontaines et inonde les appartements ; un autre jour, il coupe tous les cordons de sonnettes. Signe d'ennui.

Ce qui ennuie le plus ces pauvres princes, c'est de recevoir et de parler aux gens en cérémonie. Cette obligation revient à peu près tous les jours. Ils appellent cela — car il y a un argot des princes — *faire la fonction*. Le duc de Montpensier est le seul qui la fasse toujours avec grâce. Un jour, Mme la duchesse d'Orléans lui demandait pourquoi, il répondit : « — Ça m'amuse. »

Il a vingt ans ; il commence.

FAITS CONTEMPORAINS

La surdité de M. le prince de Joinville augmente. Tantôt il s'en attriste, tantôt il s'en égaie. Un jour, il me disait : « — Parlez plus haut, je suis sourd comme un pot. » Une autre fois, il se pencha vers moi, et me dit en riant : « — J'abaisse le pavillon de l'oreille. — C'est le seul que Votre Altesse abaissera jamais », lui ai-je répondu.

M. de Joinville est d'un naturel un peu fantasque, tantôt joyeux jusqu'à la folie, tantôt sombre jusqu'à l'hypocondrie. Il garde des silences de trois jours, ou on l'entend rire aux éclats dans les mansardes des Tuileries. En voyage, il se lève à quatre heures du matin, réveille tout le monde et fait sa besogne de marin en conscience. Il semble qu'il veuille gagner ses épaulettes *après*.

Il aime la France et ressent tout ce qui la touche. Cela explique ses accès d'humeur noire. Comme il ne peut parler à sa guise, il se concentre et s'aigrit. Il a parlé cependant plus d'une fois, et bravement. On ne l'a pas écouté, ou on ne l'a pas entendu. Il me disait un jour : « — Qu'est-ce qu'ils disent donc de moi ? Ce sont eux qui sont sourds ! »

Il n'a pas, comme le feu duc d'Orléans, la coquetterie princière, qui est une grâce si victorieuse, et le désir d'être agréable. Il cherche peu à plaire aux individus. Il aime la nation, le pays, son état, la mer. Il a des manières franches, le goût des plaisirs bruyants, une belle taille, une belle figure, quelques faits d'armes qu'on a exagérés, de l'esprit, du cœur ; il est populaire.

M. de Nemours est tout le contraire. On dit à la cour : « — M. le duc de Nemours a du guignon. »

M. de Montpensier a le bon esprit d'aimer, d'estimer et d'honorer profondément M\ue la duchesse d'Orléans.

L'autre jour, il y eut bal masqué et costumé aux Tuileries, mais seulement dans la famille et le cercle intime, entre princesses et dames d'honneur. M. de Joinville y vint tout déguenillé, en costume Chicard complet. Il y fut d'une gaieté violente et fit mille danses inouïes. Ces cabrioles, prohibées ailleurs, faisaient rêver la reine. « Mais où donc a-t-il appris tout cela ? » disait-elle. Puis elle ajoutait : « — Les vilaines danses ! fi ! » Puis elle reprenait tout bas : « — Comme il a de la grâce ! »

M\ue de Joinville était en débardeur et affectait des allures de titi. Elle était charmante et fort délurée. « — Je l'élève », disait le prince de Joinville. Elle va volontiers à ce que la cour exècre le plus, *aux spectacles des boulevards !*

Elle a, l'autre jour, fort scandalisé M\ue de Hall, femme d'un amiral, protestante fort puritaine, en lui demandant : « — Madame, avez-vous vu *La Closerie des Genêts ?* »

FAITS CONTEMPORAINS

M. le prince de Joinville avait imaginé une *scie* qui exaspérait la reine. C'était un vieil orgue de Barbarie qu'il s'était procuré. Il arrivait chez la reine jouant de cet orgue en chantant des chansons enrouées. Le tout était hideux. La reine commençait par rire. Puis cela durait un quart d'heure, une demi-heure. « — Joinville, finis ! » La chose continuait : « — Joinville, va-t'en ! » Le prince, chassé par une porte, rentrait par l'autre avec son orgue, ses chansons et son enrouement. La reine finissait par s'enfuir chez le roi.

Mme la duchesse d'Aumale parlait malaisément français ; mais, dès qu'elle se mettait à parler italien, l'italien de Naples, elle tressaillait comme le poisson qui retombe dans l'eau, et se mettait à gesticuler avec toute la verve napolitaine. « — Mets donc tes mains dans tes poches, lui criait M. le duc d'Aumale. Je te ferai attacher. Pourquoi gesticules-tu comme cela ? — Je ne m'en aperçois pas », disait la princesse. Le prince me dit un jour : « — Cela est vrai, elle a raison. Elle ne s'en aperçoit pas. Tenez, vous ne le croiriez pas, ma mère, si grave, si froide, si réservée tant qu'elle parle français, si par hasard elle se met à parler napolitain, se met à gesticuler comme Polichinelle ! »

FAITS CONTEMPORAINS

M. le duc de Montpensier salue gracieusement et gaiement tous les passants ; M. le duc d'Aumale, le moins qu'il peut ; on dit à Neuilly qu'il a peur de déranger sa coiffure ; il soulève seulement le bord de son chapeau ; M. le duc de Nemours n'y met ni autant d'empressement que M. de Montpensier ni autant de répugnance que M. d'Aumale. Du reste, les femmes disent qu'en les saluant il les regarde « d'une manière gênante ».

Le Palais-Royal a servi aux fredaines et aux mystères des princes avant leur mariage. Il y a une petite porte avec une portière expressément préposée à cela. Une ancienne femme de chambre de ma femme, appelée Mélanie Rolland, a servi chez cette personne, qui est une espèce de Madame.

M. de Montpensier, jusqu'à son mariage, a eu pour
maîtresse Mme Beausire, de l'Opéra. C'est une jolie
femme, et mariée. Le mari avait vent de l'aventure. Il
épiait sa femme. Un jour, Mme Beausire arriva au Palais-
Royal toute tremblante. Elle se précipita dans l'escalier.
Un homme montait derrière elle et si près qu'il pouvait
entendre le frôlement de sa robe du soir. C'était le mari,
espèce de bourru qui ne vivait pas avec elle et qu'elle ne
voyait jamais. « — Sauvez-moi ! » dit Mme Beausire, à la
portière, et elle monta à l'étage supérieur. Le mari se
présenta. « — Où allez-vous, monsieur ? dit la portière.
— Je veux savoir, dit le mari avec assurance, où va la
dame qui vient de monter. — Je ne sais ce que vous
voulez dire. — Je le sais, moi, et je veux voir cette femme.
— Je vais appeler le factionnaire et vous faire mettre
au violon. — Je vais appeler le commissaire de police et
faire arrêter ma femme. »

La querelle s'échauffait. Le prince avait grand-peur et
entendait dans l'escalier la respiration de M. Beausire.
A ce moment, Mélanie, qui était dans une soupente, eut
une idée. Elle passa sa tête par une lucarne et dit à la
portière : « — Mais, madame, je vous en prie, renvoyez
cet homme que je ne connais pas et qui m'a suivie
jusqu'ici ! »

Le mari, pétrifié à ce son de voix, regarda, crut s'être
trompé et s'en alla ravi, en faisant mille excuses.

Mélanie s'est mariée à un soldat auquel M. de Montpensier fit avoir un congé. Elle s'appelle à présent Mme
Marty et fait le métier de corsetière.

Au reste, M. de Montpensier était fort amoureux de
Mme Beausire. Au mois d'octobre dernier, la veille de son
départ pour Madrid, où il allait épouser l'infante, il passa
la nuit avec Mme Beausire dans sa petite chambre du
Palais-Royal. Tous deux pleuraient en se séparant.
Depuis, il ne l'a plus revue. Mme Beausire a fait beaucoup
d'efforts pour se rapprocher de lui ; elle est venue prier
Mélanie de lui porter des lettres. Mélanie s'en est chargée,

est allée aux Tuileries et a remis les lettres. Mais, une fois, le valet de chambre du prince lui a dit de ne plus revenir et de dire à Mme Beausire qu'on l'avait consignée. à la porte des Tuileries.

Pauvre femme, pauvres filles, jouets des caprices de jeunesse des princes! Bien malheureuses si elles n'aiment pas, plus malheureuses si elles aiment.

FAITS CONTEMPORAINS

La Chambre des pairs était fort préoccupée l'autre jour. Les bruits de guerre circulaient. M. Decazes disait dans mon bureau : « — Je suis heureux, dans ma tristesse, de décharger librement mon cœur devant douze de mes collègues. Nous ne sommes pas en état de faire la guerre. Il faudrait insister près du roi pour l'amener à vouloir que la France ait une flotte, que la France ait une armée et que l'armée ait une réserve. Il faudrait en revenir au système du maréchal Saint-Cyr. Le service était de douze ans, six ans sous les drapeaux, six ans dans la réserve. Lisez le rapport que fit le maréchal à la Chambre des pairs à cette occasion. Ce fameux discours qui le fit surnommer l'*orateur-ministre*. Soit dit en passant, j'avais commandé ce discours à M. Guizot, qui le fit en une nuit. Ne croyez pas aux gardes nationales mobiles. Ce serait un million d'hommes, dit-on. Un million d'hommes sur le papier. Un million d'hommes qui n'aurait pas de jambes et qui ne marcherait pas. (J'interromps : « — Si! ils auraient des jambes! j'en ai peur, du moins. ») Il se tourne vers moi : En 1840, le duc d'Orléans me disait : — Duc Decazes, nous sommes à la guerre. Je commanderai un corps d'armée. Je voudrais avoir de la garde nationale avec moi. Pensez-vous qu'il m'en vienne ? Je lui ai dit : — Quand Votre Altesse en aurait dix mille! — Ce serait un beau succès, me dit-il. — Eh bien! qu'est-ce que dix mille hommes ?

« En effet, nous aurions contre nous l'Angleterre, les trois puissances du Nord, toute l'Europe, l'univers! et pas de flotte! pas d'armée! Quatre-vingt mille hommes en Algérie. Le blocus devant Alger, la colonie coupée, la famine dans les camps, dans les villes, dans les ports ; les Bédouins d'un côté, les Anglais de l'autre, Abd-el-Kader ici, l'amiral Napier là ; pas de pain ; pas de courage qui tienne contre la faim ; il faudrait se rendre, et voilà nos quatre-vingt mille hommes sur les pontons de l'Angleterre! »

J'écoutais cette douleur vraie ou feinte avec quelque surprise et je me disais que le roi Louis-Philippe avait traité la France comme on traite les enfants tapageurs à qui on ôte les couteaux.

Faire ce tour à un enfant, passe ; mais à un peuple!

Le marquis d'Harcourt, secrétaire du bureau, était plus rassurant, par d'autres raisons. Il ne croyait pas à une rupture. Il arrivait de Londres. La reine y était venue de Windsor. Elle n'avait pas, contre son habitude, invité M. de Sainte-Aulaire, notre ambassadeur, à l'y venir trouver. Mais, à son arrivée à Londres, elle l'avait fait demander ; M. de Sainte-Aulaire était accouru à Saint-James, et la reine lui avait fort gracieusement et du même ton que toujours, parlé du roi, demandant des nouvelles de la reine et des princes. Puis elle l'avait invité à dîner.

Je songeais qu'il vaudrait mieux être rassuré par cinquante vaisseaux de ligne à flot et par six cent mille baïonnettes sur pied que par une invitation à dîner de Sa Majesté la reine d'Angleterre.

FAITS CONTEMPORAINS

M. Guizot avait besoin de beaucoup de sommeil. Il se couchait à dix heures du soir et se levait à huit heures du matin, l'été, à six. Quand il faisait partie du ministère

du 29 octobre 1840 comme ministre des Affaires étrangères, il occupait précisément l'appartement qu'avait
occupé vingt ans auparavant M. de Chateaubriand pendant le ministère de 1823. Il se rasait le matin dans le
petit cabinet qui donne sur le boulevard, et il recevait
là ses intimes et ses dévoués tout en faisant sa toilette,
comme dans ma jeunesse j'avais vu faire à M. de Chateaubriand, à la même heure, dans cette même
chambre.

M. Guizot était essentiellement bon et occupé du
souci de ne faire de chagrin ni de mal à aucun cœur. Si
occupé qu'il fût, même au milieu des plus grandes affaires et des plus violents orages, il écrivait, chaque jour,
au moins un billet à la princesse de L..., il en recevait au
moins deux et donnait audience au moins trois ou
quatre fois au valet de chambre de la princesse. La
princesse de L... n'était plus jeune et n'avait jamais
été belle. Mais une des particularités de M. Guizot, c'est
qu'il avait toujours aimé les vieilles femmes. Tous les
jours, à une heure, il faisait une visite à la princesse qui
demeurait rue Saint-Florentin, et une autre après son
dîner.

Du reste, c'était un homme faible et indécis dans le
conseil, irrésolu dans le cabinet, vacillant dans le parti
à prendre, que la tribune emplissait de décision, de
hardiesse, de fermeté et de grandeur. Dès que son pied
touchait la tribune, sa tête touchait le ciel.

Mme la maréchal duchesse d'Isly est fort économe.
Elle est restée Mme Bugeaud. Son mari, à Orge, a un
palais, des voitures aux frais de l'État, des chevaux, des
laquais, le bois, l'huile à brûler, le linge, l'argenterie, la
vaisselle, le mobilier, sa ration quotidienne de maréchal
de France en vin, viande, pain, thé, café, chocolat,
riz, etc., plus 100 000 francs de traitement.

Cela n'empêche pas Mme la Maréchale de regarder
aux liards. Son grand salon, qui est moresque, a un plafond vert et rouge et est assez difficile à éclairer. Elle

y reçoit le dimanche. Il y a au centre du plafond un grand lustre à bougies qu'on n'allume jamais.

Un dimanche soir, le maréchal ayant grande réception, Mme la Maréchale montre à mon frère Abel le grand lustre parfaitement éteint et lui dit : « — Comme c'est désagréable ! Ces lustres à bougies n'éclairent vraiment pas du tout ! — Surtout, madame, dit mon frère, quand ils ne sont pas allumés. »

FAITS CONTEMPORAINS

En 1847, M. de Chateaubriand avait soixante-dix-huit ans, selon son compte ; il eût eu quatre-vingts suivant le compte de son vieil ami, M. Bertin l'aîné, mais il avait cette faiblesse, disait M. Bertin, de vouloir être né non en 1767, mais en 1769, parce que c'était l'année de Napoléon.

Vers les derniers temps de sa vie, M. de Chateaubriand était presque en enfance. Il n'avait, me disait M. Pilorge, son ancien secrétaire, que deux ou trois heures à peu près lucides par jour.

A la mort de sa femme, il alla au service funèbre et revint chez lui en riant aux éclats. « — Preuve d'affaiblissement du cerveau, disait Pilorge. — Preuve de raison ! reprenait Édouard Bertin ; sa femme était très méchante, il était enchanté. »

Mme de Chateaubriand était fort bonne, ce qui ne l'empêchait pas d'être fort méchante. Elle avait la bonté officielle, ce qui ne fait aucun tort à la méchanceté domestique. Elle avait fondé un hospice, l'infirmerie Marie-Thérèse ; elle visitait les pauvres, surveillait les crèches, présidait les bureaux de charité, secourait les malades, donnait et priait ; et en même temps elle rudoyait son mari, ses parents, ses amis, ses gens, était aigre, dure, prude, médisante, amère. Le bon Dieu pèsera tout cela là-haut.

Elle était fort laide, avait la bouche énorme, les yeux petits, l'air chétif, et faisait la grande dame, quoiqu'elle fût plutôt la femme d'un grand homme que la femme d'un grand seigneur. Elle, de sa naissance, n'était autre chose que la fille d'un armateur de Saint-Malo. M. de Chateaubriand la craignait, la détestait, la ménageait et la cajolait.

Elle profitait de ceci pour être insupportable aux pâles humains. Je n'ai jamais vu abord plus revêche et accueil plus formidable. J'étais adolescent quand j'allais chez M. de Chateaubriand. Elle me recevait fort mal, c'est-à-dire ne me recevait pas du tout. J'entrais, je saluais, Mme de Chateaubriand ne me voyait pas, j'étais terrifié. Ces terreurs faisaient de mes visites à M. de Chateaubriand de vrais cauchemars auxquels je songeais quinze jours et quinze nuits d'avance. Mme de Chateaubriand haïssait quiconque venait chez son mari autrement que par les portes qu'elle ouvrait. Elle ne m'avait point présenté, donc elle me haïssait. Je lui étais parfaitement odieux, et elle me le montrait. M. de Chateaubriand se dédommageait de ces sujétions. C'est dommage qu'il ait eu, comme beaucoup d'autres contemporains, le goût des vieilles femmes.

Une seule fois dans ma vie, et dans la sienne, Mme de Chateaubriand me reçut bien.

Un jour j'entrais, pauvre petit diable, comme à l'ordinaire fort malheureux, avec ma mine de lycéen épouvanté, et je roulais mon chapeau dans mes mains. M. de Chateaubriand demeurait encore alors rue Saint-Dominique-Saint-Germain, nº 27. J'avais peur de tout chez lui, même de son domestique qui m'ouvrait la porte. J'entrai donc. Mme de Chateaubriand était dans le salon qui précédait le cabinet de son mari. C'était le matin et c'était l'été. Il y avait un rayon de soleil sur le parquet et, ce qui m'éblouit et m'émerveilla, bien plus que le rayon de soleil, un sourire sur le visage de Mme de Chateaubriand !

« — C'est vous, monsieur Victor Hugo ? » me dit-elle. Je me crus en plein rêve des *Mille et une Nuits* ; Mme de Chateaubriand souriant! Mme de Chateaubriand sachant mon nom! prononçant mon nom! C'était la première fois qu'elle daignait paraître s'apercevoir que j'existais. Je saluai jusqu'à terre. Elle reprit : « — Je suis charmée de vous voir. » Je n'en croyais pas mes oreilles. Elle continua : « — Je vous attendais ; il y avait longtemps que vous n'étiez venu. » Pour le coup, je pensai sérieusement qu'il devait y avoir quelque chose de dérangé soit en moi, soit en elle. Cependant elle me montrait du doigt une pile quelconque assez haute qu'elle avait sur une petite table, puis elle ajouta : « — Je vous ai réservé ceci, j'ai pensé que cela vous ferait plaisir ; vous savez ce que c'est ? »

C'était un chocolat religieux qu'elle protégeait, et dont la vente était destinée à de bonnes œuvres. Je pris et je payai. C'était l'époque où je vivais quinze mois avec huit cents francs. Le chocolat catholique et le sourire de Mme de Chateaubriand me coûtèrent quinze francs, c'est-à-dire vingt jours de nourriture. Quinze francs, c'était pour moi alors comme quinze cents francs aujourd'hui.

C'est le sourire de femme le plus cher qui m'ait jamais été vendu.

FAITS CONTEMPORAINS

Arago était un grand astronome. Chose inouïe, il regardait sans cesse le ciel et il ne croyait pas en Dieu. Ce malheur arrive parfois aux astronomes. Lalande était comme Arago. Ils étudient les étoiles et les soleils cependant. A quoi bon s'ils n'en tirent pas la vraie clarté ? Ces splendeurs de la création ne sont pas faites seulement pour l'œil de la chair. Ce sont des astres dans le ciel, ce sont des flambeaux dans l'esprit.

M. Arago avait une anecdote favorite. Quand Laplace eut publié sa *Mécanique céleste*, disait-il, l'empereur le fit venir. L'empereur était furieux. « — Comment, s'écria-t-il en apercevant Laplace, vous faites tout le système du monde, vous donnez les lois de toute la création et, dans tout votre livre, vous ne parlez pas une seule fois de l'existence de Dieu! — Sire, répondit Laplace, je n'avais pas besoin de cette hypothèse. »

Arago, du reste, avait une joie d'enfant quand il avait résolu un grand problème. Il parvint à résoudre la question de savoir si la lumière est un corps ou une onde au moyen d'une roue que Bréguet exécuta et qui faisait trois mille tours par seconde. Un ressort était le moteur. Le frottement était si peu sensible que cette roue pouvait être faite en chocolat sans se briser. Sa démonstration présentée à l'Académie des Sciences, Arago quitte l'Académie, rentre chez lui, aperçoit sa femme, lui prend son chapeau sur la tête et le foule aux pieds : « — Tiens! voilà ton chapeau! » arrive à sa fille, lui arrache son châle et le déchire en deux : « — Tiens! voilà ton châle! » Les femmes de s'effarer. « — Qu'a-t-il? — Pardieu, dit Arago, je viens de résoudre le problème de la lumière et je puis bien vous acheter un châle et un chapeau! »

Ce fut sous le Directoire que fut faite la grande lunette de l'Observatoire. Ibrahim-Pacha et le bey de Tunis vinrent, lorsqu'ils passèrent à Paris, visiter l'Observatoire. Ils regardèrent la lune par cette lunette ; ils virent que ce n'était pas une lampe, comme dit le Koran, mais un monde. Ibrahim fut stupéfait ; le bey de Tunis fut consterné.

FAITS CONTEMPORAINS

A l'époque où parut la *Lucrèce* de M. Ponsard, j'eus avec M. Viennet, en pleine Académie, le dialogue que voici :

M. Viennet. — Avez-vous vu la *Lucrèce* qu'on joue à l'Odéon ?

Moi. — Non.

M. Viennet. — C'est très bien.

Moi. — Vraiment, c'est bien ?

M. Viennet. — C'est plus que bien, c'est beau.

Moi. — Vraiment, c'est beau ?

M. Viennet. — C'est plus que beau, c'est magnifique.

Moi. — Vraiment, là, magnifique ?

M. Viennet. — Oh! magnifique!

Moi. — Voyons, cela vaut-il *Zaïre ?*

M. Viennet. — Oh! non! Oh! comme vous y allez! Diable! *Zaïre !* Non, cela ne vaut pas *Zaïre.*

Moi. — C'est que c'est bien mauvais, *Zaïre !*

A cette même époque, M. Cousin, lorsqu'il fut question de couronner cette *Lucrèce* de M. Ponsard, se tourna vers moi, à l'Académie, et parut presque m'adresser cette phrase : « — M. Ponsard a trouvé moyen de fouiller le sol tragique entre Racine et Corneille. » « — C'est cela, ai-je répondu. Il me fait l'effet d'un lapin qui gratte entre deux pavés. »

FAITS CONTEMPORAINS

Ceci remonte à 1840. Mlle Atala Beauchêne [1] avait quitté Frédérick Lemaître, le grand et merveilleux comédien. Frédérick l'adorait. Il fut inconsolable.

La mère de Mlle Atala avait fort conseillé sa fille en cette occasion. Frédérick était un peu brutal, quoique très amoureux. Quoique ou parce que. Et puis, un Russe fort riche se présentait. Bref, Mlle Atala persista dans sa résolution et ne voulut plus voir Frédérick, quoi qu'il pût dire et faire.

Frédérick fit d'effroyables menaces, surtout contre la mère.

Un matin, on sonne à tour de bras chez la mère. Elle
ouvre et recule effrayée. C'était Frédérick. Il entre,
s'assied sur la première chaise venue et dit à la vieille
femme : « — N'ayez pas peur, je ne viens pas vous
f... ma botte au cul ; je viens pleurer. »

FAITS CONTEMPORAINS

Frédérick Lemaître est bourru, morose et bon. Il
vit seul avec ses enfants et sa maîtresse, qui est en ce
moment Mlle Clarisse. Du temps que c'était Mlle Atala
Beauchêne, la femme de Frédérick était mêlée à ce
ménage et y vivait.

Frédérick aime la table. Il n'invite jamais personne
à dîner que Porcher, le claqueur, par occasion. Frédérick et Porcher se tutoient. Porcher a du bon sens, de
bonnes manières et beaucoup d'argent, qu'il prête ga-
lamment aux auteurs dont le terme va échoir. Porcher
est l'homme dont Harel disait : « — Il aime, protège et
méprise les gens de lettres. »

Frédérick n'a jamais moins de quinze ou vingt plats
à sa table. Quand la servante les apporte, il les regarde
et les juge sans les goûter. Souvent il dit : « — C'est
mauvais. — En avez-vous mangé ? — Non, Dieu m'en
garde ! — Mais goûtez-y. — C'est détestable. — Mais je
vais y goûter, dit Clarisse. — C'est exécrable. Je vous le
défends. — Mais laissez-moi essayer. — Qu'on emporte
ce plat ! c'est une ordure. » Et il fait venir sa cuisinière
et lui lave la tête.

Il est extrêmement craint de tous dans sa maison.
Ses domestiques vivent dans la terreur. Ses enfants
tremblent. A table, s'il ne parle pas, personne ne dit
mot. Qui oserait rompre le silence quand il se tait ? On
dirait un dîner de muets ou un souper de trappistes, à la
chère près. Il mange volontiers le poisson à la fin.
S'il a un turbot, il se le fait servir après les crèmes. Il

boit en dînant une bouteille et demie de vin de Bordeaux. Puis, après dîner, il allume son cigare et, tout en
le fumant, il boit deux autres bouteilles de vin.

C'est, du reste, un comédien de génie et fort bonhomme. Il pleure aisément et pour un mot, dur ou doux,
qu'on lui dit fâché.

Il a eu une fois une attaque de goutte. Porcher qui
a la goutte s'en est tiré par l'hydrothérapie. « — Comment as-tu fait ? lui a dit un jour Frédérick. — Je me
suis mis à ne boire que de l'eau. — J'aime mieux
avoir la goutte », dit Frédérick.

1847.

Mme Rivière disait l'autre jour : « — Quand je suis
chez ma grand-mère Baillot, je vois Mme Liadière avec
Pierrelot, Mme de Loyne avec d'Haubersart, Félicie
(Mme de Béhague) avec Honoré (le comte de Sully), la
duchesse (d'Otrante) avec le baron (Pérignon), Mme de
Sampayo avec Mignet, et je suis toute honteuse et toute
bête. Il n'y a que moi qui sois avec mon mari. »

FAITS CONTEMPORAINS

O'Connell, en 1847, commençait à se casser. Ses
soixante-treize ans lui pesaient, malgré sa haute stature et ses larges épaules.

Cet homme, d'une éloquence si violente et si âpre
était, dans un salon, obséquieux, complimenteur, modeste jusqu'à être humble, doux jusqu'à être douce-
reux. Lord Normanby me disait : *O'Connell est ma-
niéré.*

O'Connell avait dans le comté de Kerry un ancien
château patrimonial où il chassait deux mois de l'année, recevant les visiteurs et les traitant en vieux lord

campagnard, exerçant, me disait encore le marquis de
Normanby, une *hospitalité sauvage*.

Son éloquence, faite pour la foule et pour l'Irlande,
avait peu d'action sur les communes d'Angleterre. Cependant il eut dans sa vie deux ou trois grands succès au
parlement. Mais le tréteau lui allait mieux que la tribune.

FAITS CONTEMPORAINS

Les deux premiers Français qui mirent le pied dans
Alger, en 1830, ont été Éblé, autrefois mon camarade à
Louis-le-Grand en mathématiques spéciales, et Daru,
aujourd'hui mon collègue à la Chambre des pairs. Voici
comment :

Éblé (fils du général) était premier lieutenant et Daru
second lieutenant de la batterie qui ouvrit le feu contre
la place. Il est d'usage que, lorsqu'une armée entre dans
une ville prise d'assaut, la batterie qui a ouvert la brèche
et tiré le premier coup de canon passe en tête et marche
avant tout le monde. C'est ainsi qu'Éblé et Daru
entrèrent les premiers dans Alger.

Il y avait encore sur la porte par où ils passèrent des
têtes de Français fraîchement coupées, reconnaissables
à leurs favoris blonds ou roux et à leurs cheveux longs.
Les Turcs et les Arabes sont tondus. Le sang de ces têtes
ruisselait le long du mur. Les assiégés n'avaient pas eu le
temps ou n'avaient pas pris la peine de les enlever.
Dernière bravade, peut-être.

Les troupes allèrent se ranger sur la place devant la
Casbah. Éblé et Daru y arrivèrent les premiers.
Comme ils trouvaient le temps long, ils obtinrent de leur
capitaine, vieux troupier et bonhomme, la permission
d'entrer dans la Casbah en attendant. « — Je n'y vois pas
d'inconvénient », dit le vieux soldat, lequel sortait des
armées d'un homme qui n'avait *pas vu d'inconvénient* à
entrer dans Potsdam, dans Schœnbrunn, dans l'Escurial

et dans le Kremlin. Éblé et Daru profitèrent bien vite
de la permission.

La Casbah était déserte. Il n'y avait pas deux heures
que les dernières femmes du dey l'avaient quittée. C'était
un déménagement qui ressemblait à un pillage. Les
meubles, les divans, les boîtes, les écrins ouverts et
vides étaient jetés pêle-mêle au milieu des chambres. Le
palais entier était une collection de niches et de petits
compartiments. Il n'y avait pas trois salles grandes
comme une de nos salles à manger ordinaires. Une chose
qui frappa Daru et Éblé, c'était la quantité d'étoffes de
Lyon en pièces empilées dans les appartements secrets
du dey. Cela, par moment, avait l'air d'un magasin, soit
que le dey en eût la manie, soit qu'il en fît le commerce.
Il y en avait tant que, le soir, les officiers logés à la Casbah les arrangèrent sur le carreau de façon à s'en faire
des matelas et des oreillers.

Les soldats, du reste, regorgent de toutes sortes de
choses prises dans la déroute du camp de Hussein-Dey.
Daru acheta un chameau cinq francs.

FAITS CONTEMPORAINS

L'empereur Nicolas était maussade avec les hommes
et gracieux avec les femmes. Cependant il se bornait
presque toujours aux coquetteries, *voulant*, disait-il, *se
conserver jeune*. Sa femme avait une vie fatigante et
triste. L'empereur, ne pouvant supporter d'être seul,
exigeait d'elle qu'elle fût à toutes les revues et les parades
où il passait sa vie. L'impératrice avait été assez belle ;
mais elle avait fini par n'être plus qu'un spectre de mai-
greur et d'ennui. Au contraire de l'empereur, elle était
dure avec les femmes. La comtesse Woronzow, femme du
gouverneur du Caucase, habituée aux honneurs quasi
royaux des vice-reines, venait l'hiver à Saint-Pétersbourg
faire sa cour. Il y avait dans la maison de l'impératrice

ce qu'on appelait *les dames du portrait.* C'était des
femmes de qualité qui accompagnaient l'impératrice
partout et qui portaient un cordon bleu en bandoulière
et, sur l'épaule gauche, le portrait de l'impératrice enrichi
de diamants. La comtesse Woronzow désirait ardemment être dame du portrait. C'était la seule dignité qui
lui manquât. Elle la fit demander à Sa Majesté. Cependant elle avait pour amant je ne sais quel cousin dont on
disait qu'elle portait toujours le portrait caché sur elle.
Calomnie peut-être ; non l'amant, mais le portrait.
L'impératrice apprit la chose, et un soir, devant toute
la cour, elle dit à la comtesse Woronzow : *Comtesse, vous
avez assez d'un portrait sur vous.*

L'empereur avait trouvé à son gré une fille d'honneur
de l'impératrice. Il dérogea à ses habitudes *de conserva-
tion.* La fille devint grosse. L'empereur la maria à un
brave officier avec une dot considérable. Au bout de
peu de temps, l'officier remarqua que la somme était
grosse, mais que la femme l'était aussi. Il prit mal le fait
et battit la dame. Ce qui est très russe. L'empereur
l'envoya au Caucase. L'officier se fit tuer. Un an ou deux
ans après, l'empereur dit au gouverneur du Caucase :
« — *Eh bien ! Untel est-il calmé ?*

— Oui, Sire », dit le gouverneur.

Il était mort.

Le czarevitch Alexandre était plus dur encore que
son père et plus haï. A vingt ans, il était sévère, hautain
et triste. Il rendait fort malheureuse sa femme, qui était
une princesse de Hesse.

L'empereur Nicolas, comme son frère l'empereur
Alexandre, aimait la conversation des femmes et se
plaisait aux causeries familières au coin du feu. Il était
doux, simple, charmant et galant à ces heures-là. Il
souriait de tout. Il semblait qu'on pût tout lui dire.
Pourtant on n'osa jamais lui parler de la princesse Trou-
betzkoï.

FAITS CONTEMPORAINS

Le prince Elim Mestzchersky disait à Émile Deschamps : « — Avec les glaces de Pétersbourg et le soleil
de Crimée, la Russie a les deux grandes conditions de
santé, la tête froide et les pieds chauds. — *Vous oubliez
la troisième*, dit Émile Deschamps, *elle n'a pas le ventre
libre* (la Pologne). »

FAITS CONTEMPORAINS

Mlle de Talhouët était la petite-fille de M. Roy, qui
avait deux millions de rente. Lorsque son mariage avec
M. le duc d'Uzès fut réglé, on l'en félicita de toutes parts.
Mme de Boignes lui dit un soir : « — Eh bien! chère petite,
vous voilà bien contente ; vous allez être duchesse! —
Oui, répondit-elle ; et je n'irai plus chercher le vin à la
cave. »

FAITS CONTEMPORAINS

Chaque fois que Mlle Mars jouait, elle demandait à
l'auteur de la pièce deux places de parterre qu'elle donnait à son claqueur particulier. Elle demandait ces deux
places *pour sa femme de chambre*. C'était sa coutume. Si
on les lui refusait, on s'exposait à ce qu'une indisposition
subite fît manquer la représentation.

FAITS CONTEMPORAINS

Abd-el-Kader portait un burnous en poil de chameau
noir, avec des glands rouges et un liséré rouge, et une
passementerie d'or sur l'épaule.

Le pacha d'Égypte Méhémet Ali recevait les visiteurs européens, le plus souvent le soir, dans un grand salon éclairé faiblement par de grands flambeaux d'église, en bois doré, portant chacun un cierge. Il y avait sur une crédence, dans ce salon, deux vases de cristal, achetés rue Saint-Denis, qui avaient été donnés au pacha par un négociant français appelé M. Pierre Andriel.

FAITS CONTEMPORAINS

En arrivant à Madrid pour les mariages, le fils d'Alexandre Dumas a rencontré Achard. Il lui a écrit ce billet :

> *J'arrive des pays les plus extravagants ;*
> *On m'a volé ma plume et j'ai perdu mes gants ;*
> *Mais, puisque je retrouve un ami si fidèle,*
> *Ma fortune va prendre une face nouvelle.*

FAITS CONTEMPORAINS

L'autre jour, M. le duc de Montpensier, qui reçoit tous les lundis à Vincennes, dit à Alexandre Dumas :

« — On m'a conté un mot que vous auriez dit chez Victor Hugo : M. Ponsard est la constipation ; M. Latour Saint-Ybars [1] est le contraire. Est-ce vrai, l'avez-vous dit ?

— C'est vrai, monseigneur.

— En ce cas, vous avez bien fait de ne pas venir hier chez moi ; vous y auriez trouvé M. Latour Saint-Ybars.

— Je le savais, monseigneur, dit Dumas. C'est pour cela que je ne suis pas venu. J'ai eu peur de marcher dedans. »

Le sultan Abdul Medjid a peu de physionomie, il est laid plutôt que beau ; cependant ses yeux sont doux et intelligents. Il marche et se meut lentement, ce qui est

étiquette, et ce qui peut être aussi débilité et rachis. Il a
du reste les meilleures intentions. Dernièrement, il faisait
faire son portrait par un jeune peintre français. Faire
faire son portrait, chose énorme pour un Turc, mons-
trueuse pour un sultan! Il parlait histoire avec le peintre
et le questionnait fort. Tout à coup, il l'interrompit et
soupira en disant : « — Oh! j'étudie le plus que je peux!
Nous autres, sultans, on nous cachait le passé comme le
présent. Mais je commence à savoir. Il y a eu des choses
bien tristes et bien mauvaises dans toutes les histoires,
et en particulier dans la nôtre. Mais, avec l'aide de Dieu,
j'espère que, sous mon règne, il n'y en aura pas chez moi
ni par moi! »

C'est dans cette pensée qu'il a destitué le pacha de
Salonique, vieux Turc qui faisait religieusement toutes
les vieilles cruautés comme nos ultras font toutes les
vieilles bêtises. Ce pacha, le plus féroce des hommes et le
plus dévot des Osmanlis, s'écria en recevant l'ordre du
sultan qui le déposait : « — C'est fini, le vieil esprit s'en
va! le monde est aux infidèles! »

L'étiquette se brise en Turquie comme ailleurs. Maintenant le sultan reçoit le corps diplomatique debout.
Après les trois saluts qu'on lui fait, il entre dans les
groupes et il cause. Il ne sait que le turc, auquel il mêle
par-ci par-là quelques mots italiens. Il bégaie aussi
quelques mots français. Image de son peuple, qui bégaie
la civilisation.

Ce mot lui-même, *civilisation*, vient d'entrer dans la
langue turque. Les Turcs n'en avaient aucun synonyme,
ô barbarie!

Ils ont de l'esprit, du reste. Le grand-duc Constantin,
qui les a visités l'an dernier, savait et parlait le turc. Il
croyait ainsi leur plaire ; il leur a déplu. Cette connaissance étrange et unique dans un prince européen leur a
paru un en-cas.

1847.

Je ne veux pas être ministre.

Un vrai ministre doit dominer et gouverner. Or, dans le moment actuel, le roi prend le gouvernement, la presse prend la domination ; il en résulte qu'avec la presse telle qu'elle est et le roi que nous avons, les ministres ne sont que des commis piloriés.

1847.

Voici la situation de la société depuis la révolution française et la liberté de la presse : une grande lumière mise à la disposition d'une grande envie [1].

1848

Le ministre de l'Intérieur anglais, Lord John Russell, vient d'écrire la lettre que voici au docteur Merewether, doyen de Hereford, qui s'opposait à la nomination d'un évêque (le docteur Hampden) par la reine :

> *Woburn-Abbey, 25 décembre.*
>
> *Monsieur,*
> *J'ai eu l'honneur de recevoir votre lettre du 22 courant, dans laquelle vous m'annoncez votre intention de violer la loi.*
> *J'ai l'honneur d'être parfaitement votre serviteur.*
>
> Joᴴɴ Rᴜssᴇʟʟ.

Si le doyen persiste, il peut être mis *hors la loi.* En Angleterre, pays de *loyauté*, on dit : « hors de la protection de Sa Majesté ».

2 janvier.

La recette totale du chemin de fer de Paris à Orléans s'est élevée du 1ᵉʳ janvier 1847 au 31 décembre à la somme de : 10 440 233 francs 44 centimes.

+ *Minuit.* — La nouvelle arrive qu'Abd el-Kader est à Toulon.

                                        3 janvier.

Cornouailles n'est autre chose que *Cornu Galliae.*
Trève vient-il du latin *trabes,* poutre, barrière, ou du
celte *trev,* tribu ? — Le mot celte, bas-breton, gallois,
lan, qui signifie terre est devenu français, allemand et
anglais. Il a engendré la lande, le land, et le clan. *Land-*
grave signifie *chef de clan.*

                                        4 janvier.

J'ai écrit à M. de Lacretelle (au sujet de son histoire)
« — Je suis de ceux qui, toutes restrictions faites et
acceptées, admirent pleinement et définitivement Napoléon. Je le renvoie du jugement de l'histoire absous et
couronné. Ce qu'on lui reproche est de l'homme ; le reste
est de l'archange et du géant.

« J'ai trouvé Lamartine pas assez sévère pour
Robespierre. Je vous trouve, vous, trop sévère pour
Bonaparte [1]. »

                                        5 janvier.

Abd-el-Kader a rendu son sabre au général Lamoricière dans le même marabout de Sidi-Brahim où se fit,
en septembre 1845, la boucherie de Djemmet-Ghazouat.
Lugubre victoire qu'il est venu expier au même lieu,
deux ans après, comme si la Providence l'y ramenait par
la main.

Quand il s'est rendu, il avait les jambes écorchées par
les broussailles.

                                        6 janvier.

Académie. M. Vatout nommé au premier tour par
dix-huit voix sur trente-quatre. MM. Thiers, Jay, Chateaubriand et Lamartine étaient absents. M. de Musier

a eu deux voix, M. de Saint-Priest sept. Quand on a demandé à M. Viennet, suivant le règlement, s'il n'avait pas engagé son vote, il a dit : « — *Je ne sais pas encore pour qui je vais voter.* »

7 janvier.

Discussion de l'adresse dans les bureaux de la Chambre des pairs.

J'étais du quatrième bureau. Entre autres changements, j'ai demandé celui-ci. Il y avait : « Nos princes, vos enfants bien-aimés, accomplissent en Afrique les devoirs de serviteurs de l'État. » J'ai proposé : « *Les* princes, vos enfants, etc., accomplissent, etc., *leurs* devoirs de serviteurs de l'État. » Cette niaiserie a fait l'effet d'une opposition farouche.

8 janvier.

C'est en 1819 (j'étais encore un enfant et je travaillais au *Conservateur littéraire*) que je reçus pour la première fois une lettre sur l'adresse de laquelle j'étais qualifié *homme de lettres*. Cette lettre m'était écrite de Tarascon, je crois, par un brave poète de l'Empire, grand pourvoyeur de l'*Almanach des Muses*, qui s'appelait M. de Labouïsse [1] et avait fait des *Lettres à Éléonore*, et faisait beaucoup de lettres à Sophie, à Émilie, à Éléonore. Le Labouïsse avait épousé son Éléonore et lui avait fait des enfants sans discontinuer de lui faire des vers. Je n'ai rien à dire à cela, l'ayant fait moi-même.

Quant à la lettre qu'il m'écrivait, je ne m'en rappelle que la suscription : « *A Monsieur Victor Hugo, homme de lettres.* » Ma mère lut cela et poussa un cri de joie. Moi, je fus stupéfait. Homme de lettres, moi ! Cela me paraissait bien étrange. J'en étais encore à couper ma barbe avec des ciseaux et j'avais l'air d'une fille de quinze ans. Quel charmant temps que le temps où l'on était bête !

13 janvier.

J'ai parlé à la Chambre hors de propos et sans succès [1].

14 janvier.

La Chambre des pairs a empêché d'Alton-Shée de prononcer à la tribune même le nom de la Convention. Il y a eu effroyable vacarme de couteaux sur les pupitres et de cris : « — A l'ordre! » et on l'a fait descendre presque violemment de la tribune.

J'ai été au moment de leur crier : « — Vous faites là une séance de la Convention ; seulement avec des couteaux de bois! »

J'ai été retenu par cette pensée que ce mot, jeté à travers leur colère, ils ne le pardonneraient jamais, non seulement à moi, ce qui m'importe peu, mais aux vérités calmes que je pourrais avoir à leur dire et à leur faire accepter plus tard.

14 janvier.

Abd-el-Kader a été transféré au fort Lamalgue, et enfermé. Si la parole d'honneur de la France est violée, ceci est grave.

16 janvier.

Mme Hamelin dit de Mlle Alboni : « — C'est du velours qui chante. »

17 janvier.

Définition des Marseillais par Richy [2] : « Ils sont riches et ils parlent patois comme des sauvages. »

19 janvier.

Voici, selon l'ennemi des farfadets, Berbiguier [1], qui s'intitulait *de Terre Neuve du Thym*, les vrais noms des diables :

Belzébuth, chef suprême c'est Moreau, le tireur de cartes.

Satan, prince détrôné c'est Pinel père.

Eurinome, prince de la mort c'est Bouge, médecin.

Pan, prince des incubes c'est Prieur aîné.

Libith, prince des succubes c'est Prieur jeune.

Léonard, grand maître des sabbats c'est Prieur père.

Boalbérith, grand pontife c'est Lomini, cousin des Prieur.

Proserpine, archidiablesse c'est la Vaudeval.

20 janvier.

En sortant de l'Académie, je suis allé à la Chambre des députés en compagnie de M. de Sainte-Aulaire [2]. Il faisait un froid de loup et, sur les quais, la poussière nous aveuglait. Nous causions littérature. M. de Sainte-Aulaire me disait : « — *Pour admettre qu'un homme a du talent, il me faut un livre.* » Je lui ai répondu : « — *Il me suffit d'un quatrain.* »

M. de Sainte-Aulaire, qui est d'ailleurs le plus aimable causeur du monde, n'avait pas mis le pied à la Chambre des députés depuis dix-huit ans. Je lui ai montré *les aîtres.* Nous sommes entrés. Les lustres étaient allumés, les tribunes combles, l'assemblée nombreuse et agitée, l'aspect sombre. On délibérait sur une élection contestée, celle de M. Richond des Brus [3]. Odilon Barrot et Garnier-Pagès parlaient au milieu du brouhaha et des rumeurs. Les mots *corruption, mensonge, trahison, abaissement politique du pays* m'arrivaient de la tribune, et tout près de moi j'entendais causer à haute voix les députés. Voici ce qui se croisait avec les phrases orageuses des orateurs :

Première anecdote. « Vous savez comme M. Louis
Blanc est petit, plus petit que Thiers, haut comme ça ;
il est démagogue, ce qui le fait adorer du faubourg Saint-
Germain ; il dîne chez l'archevêque de Paris ; il fait la
cour à deux marquises. Mme la comtesse X..., fort jolie
femme et grande, le reçoit très bien et cause volontiers
République avec lui. Ceci a tant enhardi M. Louis
Blanc que, l'autre jour, il s'est risqué, au milieu d'une
causerie presque tendre, à soulever les jupes de la comtesse ; en même temps il est tombé à genoux. La comtesse
lui a dit avec le plus grand sang-froid : « — *Oh ! monsieur Louis Blanc, si c'est pour vous cacher, je veux bien.
Pour autre chose, jamais.* »

Deuxième anecdote. Ce même M. Louis Blanc arrive
un jour chez Furne et demande une douzaine d'exemplaires d'une brochure qu'il venait de publier. On le
prend pour son propre saute-ruisseau, et le commis lui
dit : « — *Tout à l'heure, mon petit !* » Et les députés de
rire. Tout cela n'empêche pas d'ailleurs M. Louis Blanc
d'être un homme de talent.

Cependant, au moment où la question Richond des
Brus allait se décider (ce M. Richond des Brus est un
homme mince, d'assez haute taille, pâle, à moustaches,
ayant l'air jeune et qui parle facilement), survient près
de nous un homme grisonnant, d'environ soixante ans,
la prunelle égayée, la bouche empâtée, sentant le vin et
faisant des zigzags. Les pairs ont leur place derrière le
plus haut banc des députés. Cet homme fort gai s'adresse
à côté de moi au marquis de Maleville, qui a été député,
et lui dit : « Ah ! que vous faites bien d'être pair de France
et de ne plus siéger dans ce tas de canailles. Font-ils
un vacarme ! Sont-ils bêtes ! Qu'est-ce qu'ils disent ?
Qu'est-ce qu'ils disent ? Des inepties ! Ils ne s'enten-
dent pas eux-mêmes. Moi, je ne suis d'aucun parti. Je
suis jeune-France, il me semble que j'ai l'âge pour être
de la réforme. — Tiens ! Vous qui vous levez là-bas,
tenez-vous donc droit au moins ! Moi, je fais mieux

qu'Odilon Barrot qui ne se lève que pour la forme. Je
ne me lève pas du tout. Tiens, tiens, tiens, messieurs les
pairs, vous avez mis vos chapeaux sur notre banc.
Nous n'oserions pas faire cela chez vous. Nous ne met-
trions pas nos chapeaux sur vos fauteuils, mais vous
avez raison, ne vous gênez pas, traitez-nous comme des
drôles! »

Tout cela à haute voix et entremêlé de hoquets. Le
législateur était parfaitement ivre.

Le marquis d'Escayrac s'est penché à mon oreille et
m'a dit :

« — Connaissez-vous ce personnage ?

— Non.

— C'est M. Mater [1], premier président de la Cour
royale de Bourges. »

Paillard de Villeneuve, à qui j'en parlais en sortant,
m'a dit : « — C'est vrai. Il est toujours ivre. Et il ne
juge jamais mieux que lorsqu'il est saoul. »

Ceci m'a fait rêver. Ce magistrat à jeun est dur, froid,
sans pitié ; le vin en fait un bon homme. Ivre, il est lucide.

21 janvier, minuit.

En 1845, le 6 janvier, le propriétaire de la maison,
12, rue Saint-Anastase, vieillard de quatre-vingt-cinq
ans, appelé M. Burgat, est tombé malade. Il est mort le
21 janvier. Sa veuve, femme d'une soixantaine d'années, est tombée malade cette année, le 6. Elle a annoncé
en se mettant au lit qu'elle mourrait de cette maladie,
qu'elle tombait malade le même jour que son mari, à
trois ans de date, et qu'elle mourrait le même jour que
lui, le 21. Elle vient d'expirer il y a un quart d'heure.

26 janvier.

Le cardinal Mezzofanti [2] sait et parle soixante langues, mais il n'a que des mots dans la tête, pas une idée.

Le bonhomme est prodigieusement savant et parfaitement bête. C'est un dictionnaire polyglotte relié en rouge.

27 janvier.

M. Génie est le bras droit et la main gauche de M. Guizot. (Affaire Petit [1].)

28 janvier.

La Seine est prise. On patine sous le pont des Arts.

29 janvier.

La Chambre des pairs est chauffée, l'hiver, par 70 000 litres d'eau qui parcourent une lieue trois quarts de conduits sous les parquets et dans les murs. Cette eau fait le parcours complet en deux heures, et produit 18 degrés de chaleur dans le vestiaire et dans la salle des séances, 15 degrés dans tout le reste du palais.

30 janvier.

Le roi de Danemark est mort [2].

Lamartine a fait hier un magnifique discours à la Chambre des députés sur le sujet que j'ai manqué, l'Italie.

31 janvier.

M. Thiers a très bien parlé lui aussi sur l'Italie. J'ai fait cette remarque que, lu dans *Le Moniteur*, le discours de M. de Lamartine est beaucoup plus beau que dans les journaux, tandis que celui de M. Thiers est beaucoup mieux dans les journaux que dans *Le Moni-*

teur. Cela tient à ce que l'un et l'autre ont récrit leur discours dans *Le Moniteur.*

2 février.

Le 13 janvier, pendant que je parlais de l'Italie à la Chambre des pairs, que j'y constatais la présence et l'explosion prochaine des idées françaises, que j'engageais la Chambre à encourager l'Italie et le pape dans cette voie et *les princes intelligents qui suivront le prêtre inspiré*, et à décourager les *autres*, s'il est possible, à cette heure-là même éclatait à Palerme le mouvement populaire qui s'est terminé par la demande de la Charte française.

3 février. Affaire Warnery [1].

Le président épluchait les lettres de cet homme qui voulait créer en Afrique on ne sait quelle agence d'affaires ; il épelait l'écriture de Warnery, qui est peu lisible à ce qu'il paraît, et lui disait : « — Enfin, vous aviez de mauvaises intentions ! Je lis dans une de vos lettres : Mon but est d'établir un antre. » « — Un *centre* ! » s'est écrié Warnery.

7 février.

Dans la République d'Haïti, il vient de se passer ceci. Un sénateur nommé Courtois est condamné par le Sénat pour un petit délit quelconque à un mois de prison. Le président Soulouque [2], en vertu de la Constitution, qui attribue au président de la République le droit de commuer les peines, commue la peine du sénateur Courtois d'un mois de prison à la *peine de mort.* On a eu beaucoup de peine à l'en faire démordre. Il serait curieux que les Républiques entendissent ainsi le *droit de grâce.*

9 février.

Je me suis décidé à changer *Thomas* en *Marius* [1].

12 février.

Mme de Montespan a peint Mlle de Lavallière d'un vers :

> *Peu de gorge ; fort peu de sens.*

Portrait fait de main de maîtresse.

14 février.

Interrompu *Jean Tréjean* pour la loi des prisons.

16 février.

Richy dit qu'il a un cousin qui a été *assassiné par un sanglier.*

20 février.

Voici les noms des Frères ignorantins cités à Toulouse [2] dans l'affaire du Frère Léotade, accusé de viol et d'assassinat sur Cécile Combettes : Frère Laurien, Frère Illuminat, Frère Janissien, Frère Laphien, Frère Ibramium, Frère Floride, Frère Liéthen, Frère Irlide, Frère Léopardin, Frère Idile, Frère Luciolien, Frère Levy, Frère Liefroy, Frère Luxan, Frère Ysauldus, Frère Jubrien, Frère Hudgerus, Frère Stephant, Frère Ildefonse, Frèrc Urmon, Frère Zatiency, Frère Englevert, Frère Job.

M. de Montpensier a dit à l'orfèvre Froment-Meurice [3] qui est chef de bataillon de la garde nationale et qui lui parlait de l'émeute de mardi : « S'il y a émeute, le roi

montera à cheval, y fera monter monsieur le comte de
Paris, et ira se montrer au peuple. »

Des canons et des caissons traversent les rues et se
dirigent vers les Champs-Élysées.

D'après nature. Nuit du 23 au 24 février [1].

... Elle avait un collier de perles fines et un châle qui
était un cachemire rouge d'une beauté étrange. Les
palmes, au lieu d'être en couleur, étaient brodées en
or et en argent, et traînaient sur ses talons ; de sorte
qu'elle avait le charmant à son cou et l'éblouissant à ses
pieds, symbole complet de cette femme qui, volontiers,
introduisait un poète dans son alcôve et laissait un
prince dans son antichambre.

Elle entra, jeta son châle sur un canapé et vint s'asseoir à la table qui était toute servie près du feu. Un
poulet froid, une salade et quelques bouteilles de vin
de Champagne et de vin du Rhin.

Elle fit asseoir son peintre à sa gauche et, me montrant une chaise à sa droite :

« — Mettez-vous là, me dit-elle, près de moi, et ne
me faites pas le pied ; il ne faut pas trahir ce bêta. Si
vous saviez, c'est moi qui suis bête, je l'aime. Vous le
voyez, il est très laid. »

En parlant ainsi, elle regardait Serio avec des yeux
enivrés.

« — C'est vrai, reprit-elle, qu'il a du talent, un grand
talent même, mais imaginez-vous qu'il m'a prise d'une
drôle de façon. Depuis quelque temps, je le voyais dans
les coulisses rôder et je disais : — Qu'est-ce que c'est
donc que ce monsieur qui est si laid ? Je dis cela au
prince Cafrasti, qui me l'amena un soir souper. Quand
je le vis de près, je dis : « C'est un singe. » Lui me regardait je ne sais pas comment. A la fin du souper, je lui
pressai la main en lui présentant une assiette. En prenant congé, il me demanda très bas :

« — Quel jour voulez-vous que je revienne ?

« Je lui répondis : — Quel jour ? Ne venez pas le jour, vous êtes trop laid, venez la nuit. Il vint un soir. Je fis éteindre toutes les bougies. Il revint le lendemain, et puis encore le lendemain, comme cela pendant trois nuits. Je ne savais pas ce que j'avais. Le quatrième jour, je dis à ma maîtresse de piano : — Je ne sais pas ce que j'ai. Il y a un homme que je ne connais pas — je ne savais pas son nom — qui vient tous les soirs. Il me prend la tête sur sa poitrine et puis me parle doucement, si doucement. Il est très pauvre, il n'a pas le sou, il a deux sœurs qui n'ont rien, il est malade, il a des palpitations. J'ai une peur de chien d'être amoureuse folle de lui. Ma maîtresse de piano me dit : — Bah ! Le cinquième jour, il me sembla que cela s'en allait. Je dis à la maîtresse de piano : — Mais c'est qu'il commence à m'ennuyer beaucoup, ce monsieur ! Elle me dit : — Bah ! Je ne savais plus du tout où j'en étais. Monsieur, cela dure depuis trente-deux jours. Et figurez-vous que, lui, il ne dort pas. Le matin, je le chasse à grands coups de pied.

— C'est vrai, interrompit Serio mélancoliquement, elle rue. »

Elle se pencha vers lui et lui dit avec idolâtrie :

« — Tu es vraiment trop laid, vois-tu, pour avoir une jolie femme comme moi. Au fait, monsieur, poursuivit-elle en se tournant de mon côté, vous ne pouvez pas me juger, ma figure est une figure chiffonnée, voilà tout, mais j'ai vraiment de bien jolies choses. Dis donc, Serio, veux-tu que je lui montre ma gorge ?

— Faites », dit le peintre.

Je regardai Serio. Il était pâle. Elle, de son côté, écartait lentement, d'un mouvement plein de coquetterie et d'hésitation, sa robe entrouverte, et en même temps interrogeait Serio avec des yeux qui l'adoraient et un sourire qui se moquait de lui :

« — Qu'est-ce que cela te fait que je lui montre ma

gorge? dis, Serio. Il faut bien qu'il voie. Aussi bien, je serai à lui quelqu'un de ces jours. Je vais lui montrer. Veux-tu?

— Faites », répondit Serio.

Sa voix était gutturale. Il était vert. Il souffrait horriblement. Elle éclata de rire.

« — Tiens! dit-elle, quand il verrait ma gorge, Serio! Tout le monde l'a vue. »

Et en même temps elle saisissait résolument sa robe des deux mains et, comme elle n'avait pas de corset, sa chemise fendue par-devant laissa voir une de ces admirables gorges que les poètes chantent et que les banquiers achètent. Danaé devait avoir cette posture et cette chemise ouverte le jour où Jupiter se métamorphosa en Rothschild pour entrer chez elle.

Eh bien! en ce moment-là, je ne regardai pas Zubiri. Je regardai Serio.

Il tremblait de rage et de douleur. Tout à coup il se mit à ricaner comme un misérable qui a une agonie dans le cœur.

« — Mais regardez-la donc! me dit-il. La gorge d'une vierge et le sourire d'une fille! »

J'ai oublié de dire que, pendant que tout cela se passait, je ne sais lequel de nous avait découpé le poulet, et nous soupions.

Zubiri laissa sa robe se refermer et s'écria :

« — Ah! tu sais bien que je t'aime. Ne te fâche pas. Parce que tu n'as eu jusqu'à présent que des vieilles femmes, tu n'es pas accoutumé à nous autres. Pardi! c'est tout simple, tes vieilles, elles n'avaient rien à montrer. C'est vrai, mon pauvre garçon, tu n'as encore eu que des vieilles femmes. Tu es si laid! Eh bien! qu'est-ce que tu veux qu'elles montrent, ta princesse de Belle-Joyeuse, ce spectre! ta comtesse d'Agosta, cette sorcière! et ton grand diable de bas-bleu de quarante-cinq ans, qui a des cheveux blondasses! Voulez-vous bien vous cacher! A propos, monsieur, vous n'avez pas vu ma jambe. »

Et, avant que Serio eût pu faire un geste, elle avait
posé son talon sur la table, et sa robe relevée laissait voir
jusqu'à la jarretière la plus jolie jambe du monde,
chaussée d'un bas de soie transparent.

Je me tournai vers Serio. Il ne parlait plus, il ne bou-
geait plus, sa tête s'était renversée sur sa chaise. Il
était évanoui.

Zubiri se leva ou plutôt se dressa debout. Son regard, qui, la minute d'auparavant, exprimait toutes
les coquetteries, exprimait maintenant toutes les angoisses.

« — Qu'a-t-il ? cria-t-elle. Eh bien ! es-tu bête ! »
Elle se jeta sur lui, l'appela, lui frappa dans les mains,
lui jeta de l'eau au visage ; en un clin d'œil, fioles,
flacons, cassolettes, élixirs, vinaigres couvrirent la table,
mêlés aux verres à moitié vides et au poulet à demi
mangé. Serio rouvrit lentement les yeux.

Zubiri s'affaissa sur elle-même et s'assit sur les pieds
de Serio. En même temps, elle prenait les deux mains
du peintre dans ses petites mains blanches et qu'on eût
dit modelées par Coustou. Tout en fixant sur les pau-
pières de Serio qui se rouvraient des yeux éperdus, elle
murmurait :

« — Cette canaille ! se trouver mal parce que je montre
ma jambe ! Ah bien ! s'il me connaissait seulement depuis six mois, il en aurait eu des évanouissements ! Mais
enfin tu n'es pas un crétin cependant, Serio ! tu sais
bien que Zurbaran a fait mon portrait nue...

— Oui, interrompit languissamment Serio. Et il a
fait une grosse femme lourde, une Flamande. C'est bien
mauvais.

— C'est un animal, reprit Zubiri. Et comme je n'avais
pas d'argent pour payer le portrait, il l'offre en ce moment-ci à je ne sais plus qui, pour une pendule ! Eh
bien ! tu vois bien, il ne faut pas te fâcher. Qu'est-ce que
c'est qu'une jambe ? D'ailleurs, il est certain que ton
ami sera mon amant. Après toi, vois-tu. Oh ! en ce

moment-ci, monsieur, je ne pourrais pas. Vous seriez
Louis XIV que je ne pourrais pas. On me donnerait
cinquante mille francs que je ne pourrais pas tromper
Serio. Tenez, j'ai le prince Cafrasti qui reviendra un de
ces jours. Et puis un autre encore. Vous savez, on a
toujours un fonds de commerce. Et puis il y a des
gens qui ont envie de moi. Il y a toujours des curieux
qui ont de l'argent et qui disent : — Tiens, je voudrais
passer une nuit avec cette créature, avec cette fille,
avec ces yeux, avec ces épaules, avec cette effronterie,
avec ce cynisme. Ça doit être drôle de voir de près cette
Zubiri-là. Eh bien! personne! je ne veux de personne!
Je suis accoutumée à Cafrasti. Monsieur ; quand Cafrasti reviendra, je ne pourrai pas le supporter plus de
dix minutes. S'il reste un quart d'heure, je le tue, voilà
où j'en suis. J'adore celui-ci. Est-il canaille de s'être
trouvé mal et de m'avoir fait peur comme cela! J'aurais dû réveiller Cœlina. Ma femme de chambre s'appelle
Cœlina. Une femme du monde l'aurait réveillée, mais
nous autres filles, nous les laissons dormir, ces filles.
Nous sommes bonnes, n'ayant rien autre chose. Ah!
voilà qu'il se remet tout à fait. O mon vieux pauvre! si
tu savais comme je t'aime! Monsieur, il me réveille toutes les nuits à quatre heures du matin et il me parle de
sa famille, de sa pauvreté et du grand tableau qu'il a
fait pour le Conseil d'État. Je ne sais pas ce que j'ai,
cela me fait frissonner, cela me fait pleurer. Après cela,
il se fiche peut-être de moi avec ses jérémiades, c'est
peut-être une balançoire qu'il avait aussi avec ses vieilles
femmes. Tous ces hommes sont si gredins! Je suis bien
bête de me laisser prendre à tout cela, n'est-ce pas? vous
vous moquez de moi, n'est-ce pas? c'est égal, cela me
prend. Je pense à lui dans le jour, comme c'est bizarre!
Il y a des moments où je suis toute triste. Savez-vous?
J'ai envie de mourir. Au fait, je vais avoir vingt-quatre
ans, je vais être vieille aussi, moi. A quoi bon se rider,
se faner et se défaire peu à peu? Il vaut mieux s'en

aller tout d'un coup. Cela fait dire au moins à quelques flâneurs qui fument leur cigare devant Tortoni :
— Tiens! vous savez, cette jolie fille, elle est morte!
Tandis que plus tard on dit : — Quand donc mourra-
t-elle, cette affreuse sorcière! Qu'est-ce qu'elle a donc à
vivre comme cela! c'est ennuyeux! Voilà les élégies que
je me fais. Oh! mais c'est que je suis amoureuse pour de
bon. Amoureuse de ce sapajou de Serio! Oui, monsieur, de ce sapajou de Serio! Enfin, figurez-vous que je
l'appelle ma mère! »

Ici elle leva les yeux vers Serio. Lui levait les yeux au
ciel. Elle lui demanda doucement :

« — Qu'est-ce que tu fais? »

Il répondit :

« — Je t'écoute.

— Eh bien! qu'est-ce que tu entends?

— J'entends un hymme », dit Serio.

SANS DATE[1]

MÉDITATIONS PHILOSOPHIQUES D'UN ARRIÈRE-
PETIT-FILS DE GRINGOIRE SUR LES PAVÉS
DE PARIS

Depuis juillet, Paris a sur toutes les capitales le haut du pavé.

Il ne faut pas que le roi batte le pavé de Paris.

Dans le ciel politique, quand la foudre est faite de coups d'État, la pluie est faite de pavés.

A coups d'État qui éclatent, pavés qui pleuvent.

Depuis juillet, le trône est sur le pavé.

Quand le roi fait des sottises, le pavé monte et le réverbère descend.

Le plus excellent symbole du peuple, c'est le pavé. On marche dessus jusqu'à ce qu'il vous tombe sur la tête.

Les dragons ont beau avoir des crânes de fer quand les greniers de Paris se vident sur les régiments.

La rue de Paris joue toujours un grand rôle en révolution.

Le mot terrible de la révolution de 1789, c'était la *lanterne* ; le mot terrible de la révolution de 1830, c'était le *pavé*.

Tous deux venaient de la rue.

Ces coups d'État qui font
Descendre la lanterne et monter le pavé.

(F. P.)

Charles X n'a été renversé que par Charles X.

89 est accouché d'un monstre ; 1830, d'un nain.

(F. P.)

La royauté de Charles X est tombée moins bas que celle de Louis-Philippe n'est descendue.

Le front de Napoléon, presque aussi vaste que la mâchoire de Louis-Philippe.

Il y a une habileté de bourgmestre qui ne convient pas là où il faudrait une habileté de roi.

On peut gouverner Andorre ou Saint-Marin avec la première. On ne doit gouverner la France qu'avec la seconde.

Le roi actuel a une grande quantité de petites qualités. Force sous et pas un louis d'or.

V. Cousin me disait hier : « — Le roi est désolé qu'on ne puisse pas le tutoyer. »

(F. P.)

La révolution de Juillet inspire aux rois d'Europe une sorte de crainte, une horreur sacrée.

Après la révolution de 1830, une foule de braves bourgeois qui avaient employé quinze ans de leur vie à détester les Bourbons et à réclamer le duc d'Orléans se sont trouvés tout désorientés de ne plus être de l'opposition et d'être forcés d'épouser le pouvoir. Ils auraient volontiers dit comme de Talleyrand, quand le premier consul l'eut contraint de se marier avec sa maîtresse, Mme Grant : « — Où diable vais-je passer mes soirées, maintenant ? »

Égalité, traduction en langue politique du mot *envie*.

(F. P.)

En France, il y a toujours une révolution possible à l'état de calorique latent.

(F. P.)

La France ne connaît ni la véritable liberté ni le véritable pouvoir. Ce que nous avons eu depuis quarante ans, c'est de la licence doublée de despotisme. Le propre de la licence est de s'user et de se déchirer vite. Alors la doublure paraît.

Étrange nation qui ne flotte que de Marat à Mahmoud !

(F. P.)

Les révolutions, comme les volcans, ont leurs journées de flamme et leurs années de fumée. Nous sommes maintenant dans la fumée.

J'aime *La Marseillaise*, non les paroles, qui sont communes, mais l'air. Il y a dans ce chant je ne sais quelle tendresse héroïque mêlée au grand et au terrible.

(F. P.)

Notre gouvernement est un fantôme sans cœur, avec une main de coton pour tenir l'épée de la France et une main de fer pour nous comprimer la liberté.

Ma pincette ressemble à M. d'Argout, l'ancien ministre. Elle a la tête très petite et les jambes très longues.

(F. P.)

Dupin se croit Caton et n'est que Chicaneau.

(F. P.)

L'autre jour, Dupaty pérorait, littérairement. Thiers parvient enfin à l'interrompre : « — Mon cher Dupaty, vous êtes auteur, je suis auteur aussi ; vous êtes bavard, je suis bavard aussi ; mais je suis ministre et je demande la parole. »

La poésie disparaîtrait du monde, M. Thiers ne s'en apercevrait pas plus qu'un aveugle de la disparition du soleil.

Bourgeoisie. Guizot. Habit noir ; style gris.

Henri V, pour M. de Chateaubriand ? Occasion de style.

(F. P.)

M. de Chateaubriand a un *moi* qu'il appelle Henri V.

(F. P.)

Lemercier fait du bon et du mauvais, mais il fait mieux le mauvais que le bon.

Soumet [1] avait voté pour Viennet contre Benjamin Constant. Il s'en vantait pour qu'on ne le lui reprochât pas.

Pauvre poète harmonieux devenu critique aboyant [2].

(F. P.)

Quand j'ai publié l'*Ode à la Colonne*, Sainte-Beuve m'avait dit : « — C'est un cri d'aigle. »

(F. P.)

Guttinguer [1] me disait : « — Je ne suis plus malheureux depuis que j'ai renoncé à être heureux. »

(F. P.)

Guttinguer dit : « — C'est un de ces chagrins anglais qui ne guérissent pas vite. »

(F. P.)

Boulanger [2] dit : « — Je sens tout et ne puis rien dire, je suis frappé de silence. »

(F. P.)

Corneille, Racine et Voltaire, dites-vous, ont posé la borne.
L'Empire et la Restauration ont déposé un bien vilain tas de tragédies au coin de la borne.

(F. P.)

Parseval de Grandmaison [3] disait l'autre jour à Michaud [4] : « — J'ai soixante-dix-huit ans et je commence une épopée de vingt-quatre mille vers. — Vingt-quatre mille vers ! dit Michaud ; mais il faudrait douze mille hommes pour lire cela ! »

Nizard [5] est une grenouille quelconque du marais littéraire.

Un Allemand disait de Dumas : « — C'est une eau qui bout, mais où rien ne cuit. »

(F. P.)

Académie française. Quarante exemplaires des armoiries de Bourges [6].

(F. P.)

Ah! les aveuglements sont bizarres. Carrel reproche à Girardin d'être enfant naturel [1].

M. Thiers écrit l'histoire de Napoléon. O monsieur Scribe, traduisez Homère!

Henri Heine, Allemand et cul-de-jatte. Des ailes dans l'esprit ; l'envie et la haine dans la colonne vertébrale. *Desinit in monstrum* [2].

(F. P.)

Ce cuistre est sale. Il a horreur de la cuvette. De temps en temps, il essuie dans ses goussets la crasse de ses doigts [3].

(F. P.)

Un jour, Planche reçut de je ne sais qui, pour je ne sais quel article d'insultes, une volée de coups de canne. La chose se passa rue de Seine, vis-à-vis la boutique du parfumeur Mouilleron. Charles Nodier, en rentrant chez lui à l'Arsenal, où sa famille était à table (j'y dînais ce jour-là), conta l'aventure en ces termes : « — Je vous annonce une nouvelle ; l'habit de Planche a été battu ce matin [4]. »

Supposez que Polichinelle épouse Corinne, qu'il en ait une fille, que cette fille ait un profil et vous aurez le profil de Delphine Gay.

(F. P.)

Chateaubriand, pauvre, enrichit les libraires français, sans compter les traducteurs, sans compter les pirates belges, pareil à la source qui donne un fleuve et qui n'a jamais qu'une goutte d'eau.

(F. P.)

Odéon. Mettre un théâtre dans un quartier désert

qu'on veut vivifier et s'imaginer qu'on y fera venir le public, c'est comme si l'on se figurait qu'en posant un poisson sur la terre quelque part, on y fera venir de l'eau.

L'Odéon est toujours désert. Ce n'est pas la faute des directeurs, ce n'est pas la faute des auteurs, ce n'est pas la faute des artistes, c'est la faute de l'Odéon. « Chose singulière! disent quelques-uns, il n'y a qu'un théâtre sur la rive gauche pour toute une moitié de Paris, et il ne prospère pas! » C'est justement parce qu'il n'y a qu'un théâtre que vous devez soupçonner quelque raison cachée au fond des choses qui empêche celui-ci de prospérer, de même qu'elle en empêche d'autres de s'établir. La même raison qui fait que ce théâtre est seul fait qu'il est désert. C'est que le flot de Paris ne va pas de ce côté-là. Paris se retire de plus en plus du faubourg Saint-Germain. Paris est où sont les Tuileries, le Palais-Royal, le boulevard de Gand [1] ; Paris n'est pas où est le Luxembourg. Ce quartier est déjà pour Paris moins qu'un faubourg ; c'est presque la province. Paris appuie à droite.

(F. P.)

Étonnez-vous donc que le côté gauche de la Seine ressemble de plus en plus à une ville déserte ou morte, à Thèbes, à Pompéi.

Il y a dans cette moitié de Paris les Sourds-Muets, les Jeunes Aveugles, l'Institut, l'Odéon, les Invalides et la Chambre des pairs.

(F. P.)

L'Odéon, théâtre vaste et curieux, où l'on voit Mademoiselle George en totalité.

Un jour on comprendra ma vie et les transformations de ma pensée. L'esprit a ses avatars.

(F. P.)

Il y a des hommes qui sont faits pour la société des femmes ; moi, je suis fait pour la société des enfants.

(F. P.)

Mme de *** avait à un rare degré la mémoire des noms, mais des noms distingués seulement, ce qui est le propre des gens comme il faut.

On disait au siècle dernier :
Homme de bien. Homme de génie. Homme de cœur. Homme d'esprit. Homme de goût. Homme de Dieu. Homme d'église. Homme de cour. Homme de loi. Homme d'épée. Homme de robe. Homme de lettres. Homme d'État. Homme de guerre. Homme de mer. Homme du monde. Homme de qualité. Homme de plaisir. Homme de peine. Homme du peuple. Homme de peu. Homme de rien.

A toutes ces locutions reçues, notre siècle a ajouté celle-ci : Homme d'argent.

B... est un excellent homme, mais il vieillit triste. Il devient hypocondriaque et tourne au spleen. Je l'ai connu dans sa jeunesse, épanoui et joyeux, riant toujours sans savoir pourquoi. Il est lugubre à présent, sans savoir pourquoi. Il a mangé sa gaieté en herbe.

M. de Rothschild se connaît peu en peinture, mais il a un cuisinier qui s'y entend. Ce cuisinier protège les artistes, il est riche, l'anse du panier chez Rothschild est une grosse métairie. Le cuisinier aime les tableaux et paie généreusement les peintres. C'est lui, en particulier, qui a soutenu Diaz [1] et l'a empêché de tomber dans la misère et dans le désespoir. Il a eu foi dans ce talent peu compris, étrange, original, puissant et beau, mais bizarre. Il a été jusqu'à lui avancer sur des toiles à peine ébauchées dix ou vingt mille francs. Les cuisi-

niers au XIXe siècle font ce que faisaient les princes au
XVIe, et les princes font ce que faisaient les cuisiniers.

LE GALETAS

Sur le vieux mur de plâtre opposé à mon lit, il y
avait une lézarde qui, par un accident naturel et heureux, figurait assez bien le profil de Ferdinand VII, roi
d'Espagne [1].

(F. P.)

On m'a dit : « — Fermez cette porte ! Vous voyez bien
que n'importe qui ou n'importe quoi peut entrer : un
coup de vent, une femme... »
Je me suis recueilli un instant. « N'importe qui ou
n'importe quoi ? » ai-je pensé. Alors je me suis tourné
vers celui qui me donnait ce conseil et j'ai dit : « — Ne
fermez pas cette porte. » Et j'ai ajouté : « — Entrez ! »

J'ai vu l'archevêché de Paris sollicité comme un
bureau de tabac, m'a dit un jour Cousin, alors ministre
de l'Instruction publique (1840). Le solliciteur était
M. Affre.

La vieille reine du Portugal, mère de don Miguel,
avait été fort dévote et presque sainte.
Quelques années avant sa mort, elle devint folle. Sa
folie était de se croire au paradis. Seulement il paraît
que ce paradis était au-dessous de son idéal. Elle disait
souvent : « — Hem ! Ce n'est que cela ! Si j'avais su ! »
Mon confrère Brifaut me disait : « — J'ai connu un
Portugais qu'elle avait forcé de lui faire un enfant. »

Dans les premières années de l'Empire, on remarquait,
vers la partie du boulevard où s'est élevée depuis
l'église de la Madeleine, un enfant de sept à huit ans,

assez mal vêtu, qui passait sa journée à jouer avec les
polissons du quartier. Le jeu le plus habituel était la
bataille. Cet enfant était gauche, timide, et assez
volontiers battu par les autres. Sa mère habitait dans
le voisinage, le second étage de la maison de M. Morel,
dont le premier étage était occupé par Mme de Rémusat.

Cet enfant, qui se nommait Carignan, et que les
gamins appelaient *le Savoyard* à cause de son parler
étranger, a été Charles-Albert, roi de Sardaigne [1].

« — Quand nous commençons un tableau, me disait
l'autre jour M. Granet [2], nous sommes riches ; l'inspiration rayonne en nous ; nous croyons avoir cent mille
francs à dépenser. Hélas! le tableau fini, il se trouve
souvent que nous n'avons dépensé qu'un petit écu. »

Barère de Vieuzac est mort, il y a peu d'années,
membre du Conseil général des Hautes-Pyrénées, pensionnaire de Louis-Philippe, dynastique conservateur,
opinant toujours comme M. le préfet. C'était toujours
le même homme. Sa platitude avait passé de Robespierre à M. Guizot. Il avait les manières d'un homme de
cour, le langage aimable, poli, obséquieux, l'air d'un
lâche intelligent. Avant de savoir son nom, les femmes
disaient : « — Quel charmant vieillard! » Quand elles le
savaient, elles disaient : « — Le monstre! » Cela ne
l'empêchait pas de leur faire des madrigaux. Comme
il avait de l'esprit, elles prêtaient l'oreille en détournant
la tête. Être flatté, c'est toujours quelque chose, même
par une hyène.

M. le baron Séguier vient à la Chambre en redingote
olive, d'une mode de la Restauration, avec un pantalon
noir et des souliers à cordons, un rotin à la main.

Le plus souvent, il vient à pied ; quelquefois, il prend
un cabriolet de place, qu'il quitte au coin de la rue de
Condé pour qu'on ne l'en voie pas descendre.

Le père de M. Cousin, très vieux bonhomme, avait été malade. Il s'était rétabli, mais végétait. Quelqu'un entre et demande à Cousin : « — Comment va votre père ? — Peuh ! vous voyez, répond Cousin en montrant son père ; l'animal est sauvé. »

Matalina vieillit. Charmante actrice autrefois, gracieuse vieille aujourd'hui. Son œil est toujours vif et clair ; elle rit et jase à ravir et une physionomie spirituelle et gaie illumine sa petite face ridée, son front sans chevèux, ses joues flétries, sa bouche sans dents. C'est une ruine qu'habite un farfadet joyeux.

Frédérick Lemaître me contait hier qu'il entrait, un jour, dans un bouge, une auberge de rouliers, pour y passer la nuit ; il a demandé en entrant : « — Y a-t-il des puces, ici ? » L'hôte a répondu gravement : « — Non monsieur ; les poux les mangent. »

Mirecourt, du Théâtre-Français, est grand, sec, maigre et confident. Quelqu'un disait un jour devant Mlle Mars que Mirecourt avait parfois une tournure assez élégante et quelque chose qui plaisait.

« — *Vu de dos*, dit Mlle Mars, *quand il s'en va.* »

Sidonia (Mlle Mars). Actrice spirituelle, sotte femme. La perle y est, et l'huître aussi.

Un soir, M. de Chateaubriand, qui était alors ministre des Affaires étrangères, se promenait avec Mme de Castellane sous les beaux arbres de Chantilly. Le jour tomba, l'entretien non. M. de Chateaubriand fit à Mme de Castellane ces vers, qui sont jolis :

Aux portes du couchant, le ciel se décolore.
Le jour n'éclaire plus notre tendre entretien ;
Mais est-il un sourire aux lèvres de l'Aurore
Aussi doux que le tien?

Je les ai d'elle-même.

M. de Salvandy [1] était allé chez M. Roy à...

M. Roy a deux millions de rente. M. de Salvandy arrive, dîne, et, à dix heures du soir, chacun va se coucher. M. de Salvandy a coutume de lire tard la nuit. Entré dans la chambre qui lui est destinée, il regarde sur la cheminée et n'y trouve qu'un petit bout de bougie. Il dit au laquais qui l'avait accompagné : « — Apportez-moi de la bougie. — Monsieur, en voilà. — Je veux une bougie entière. J'ai besoin de travailler et de lire. — Impossible, monsieur. — Comment, impossible ? — M. le comte est rentré chez lui. — Eh bien ? — C'est M. le comte qui a les clefs. — En ce cas, descendez au salon et apportez-moi une des bougies qui sont sur la cheminée. — Impossible, monsieur. — Comment, encore impossible ? — Puisque M. le comte est rentré chez lui. — Fort bien. Mais son salon n'est pas sa chambre à coucher. — M. le comte, en se retirant, emporte dans sa chambre à coucher les bougies du salon. — Et il s'enferme ? — Il s'enferme. »

Comme M. de Salvandy insistait, le laquais alla chez M. de Talhouet, gendre de M. Roy, et eut une bougie. Quant à du feu (il faisait froid, c'était en automne), nul moyen d'avoir du bois. M. de Salvandy se coucha, et lut dans son lit, satisfait d'avoir conquis une chandelle et n'osant aspirer à une bûche.

CONTÉ PAR LE ROI JÉRÔME

Le lendemain du jour où Jérôme, rappelé de l'exil, était rentré à Paris, comme le soir venait et qu'il avait attendu vainement son secrétaire, s'ennuyant et seul, il sortit. C'était la fin de l'été (1847). Jérôme était descendu chez sa fille, la princesse Demidoff, dont l'hôtel touchait aux Champs-Élysées.

Il traversa la place de la Concorde, regardant tout autour de lui ces statues, cet obélisque, ces fontaines, toutes ces choses nouvelles pour l'exilé qui n'avait pas vu Paris depuis trente-deux ans. Il suivit le quai des Tuileries. Je ne sais quelle rêverie lui entrait peu à peu dans l'âme.

Arrivé au pavillon de Flore, il entra sous le guichet, tourna à gauche, prit un escalier sous la voûte et monta. Il avait monté deux ou trois marches, quand il se sentit saisir le bras. C'était le portier qui courait après lui.

« — Eh! Monsieur! Monsieur! Où allez-vous donc ? »

Jérôme le regarda d'un air surpris et répondit :

« — Parbleu! Chez moi. »

A peine avait-il prononcé ce mot qu'il se réveilla de son rêve. Le passé l'avait enivré un moment. En me contant cela, il ajoutait : « — Je m'en allai tout honteux, en faisant des excuses au portier. »

PROFILS

Fabvier avait vaillamment fait les guerres de l'Empire ; l'obscure affaire de Grenoble le brouilla avec la Restauration. Il s'expatria vers 1816. C'était l'époque du départ des aigles. Lallemand alla en Amérique, Allard et Ventura dans l'Inde, Fabvier en Grèce.

Le révolution de 1820 éclata. Il y fut héroïque. Il créa un corps de quatre mille palikares pour lesquels il n'était pas un chef, mais un Dieu. Il leur donnait de la civilisation et leur prenait de la barbarie. Il fut rude et brave entre tous, et presque sauvage, mais de cette grande sauvagerie homérique. On eût plutôt dit qu'il sortait de la tente d'Achille que du camp de Napoléon. Il invitait l'ambassadeur anglais à dîner à son bivouac. L'ambassadeur le trouvait assis près d'un grand feu où rotissait un mouton entier. Une fois la bête rôtie et

débrochée, Fabvier appuyait l'orteil de son pied nu
sur le mouton fumant et saignant, et en arrachait un
quartier qu'il offrait à l'ambassadeur. Dans les mauvais
jours, rien ne le rebutait, ni le froid, ni le chaud, ni la
fatigue, ni la faim ; il commençait par lui les privations.
Les palikares disaient : « Quand le soldat mange de
l'herbe cuite, Fabvier mange de l'herbe crue. »

Je savais son histoire, mais je ne connaissais pas sa
personne quand, en 1846, le général Fabvier fut nommé
pair de France. Un jour le chancelier dit : « — M. le
baron Fabvier a la parole » et le général monta à la
tribune. J'attendais un lion, je vis une vieille femme.

Une vieille femme, je me trompe.

C'était un masque mâle, héroïque et formidable,
qu'on eût dit pétri et tripoté par la main d'un géant
et qui semblait en avoir gardé une grimace fauve et
terrible [1]. Mais l'étrange, c'était la parole douce, lente
grave, contenue, caressante, qui s'alliait à cette férocité
magnifique. Une voix d'enfant sortait de ce mufle de
tigre.

Le général Fabvier débitait à la tribune des discours
appris par cœur, gracieux, fleuris, pleins d'images
forestières et pastorales, des idylles. A la tribune, cet
Ajax se changeait en Némorin.

Il parlait bas comme un diplomate ; il souriait comme
un courtisan. Il ne haïssait pas d'être agréable aux
princes. Voilà ce que la pairie avait fait de lui. Somme
toute, ce n'était qu'un héros.

1848

I

17 février.

Voici la situation politique telle que la fait la question du banquet (qui sera donné, à ce qu'il paraît, le 22).

Il y a un lion, d'autres disent un tigre, dans une cage fermée avec deux clefs. Le gouvernement a une de ces deux clefs ; l'opposition a l'autre. Gouvernement et opposition se disent réciproquement : « Si tu ouvres avec ta clef, j'ouvrirai avec la mienne. »

Qui sera dévoré ?

Tous les deux.

18 février.

Le banquet continue de préoccuper l'attention. Que se passera-t-il ?

En sortant de la Chambre des pairs, j'étais avec Villemain, M. d'Argout nous a abordés. Villemain a dit : « Je voudrais que ce banquet fût passé. — *Oui*, a répondu M. d'Argout, *nous le voyons cuire ; j'aimerais mieux le digérer.* »

M. Decazes a été opéré hier de la pierre. Il n'a pas voulu de chloroforme.

19 février.

M. Thiers est fort contrarié d'être obligé de se mêler de ce banquet, d'y aller peut-être. C'est l'opposition qui l'a poussé là. M. Duvergier de Hauranne a dit : « *Tant pis ! Nous l'avons jeté à l'eau. Il faut qu'il nage !* »

La semaine qui précéda la révolution, Jérôme Napoléon fit une visite aux Tuileries. Il témoigna au roi quelque inquiétude de l'agitation des esprits. Le roi sourit, et lui dit : « Mon prince, je ne crains rien. »

Et il ajouta après un silence : « Je suis nécessaire. »

Jérôme essaya encore quelques observations. Le roi l'écouta et reprit : « Votre Altesse a la première révolution trop présente à l'esprit. Les conditions sont changées. Alors le sol était miné. Il ne l'est plus. »

Il était, du reste, fort gai. La reine, elle, était sérieuse et triste. Elle dit au prince Jérôme : « *Je ne sais pas pourquoi, mais je ne suis pas tranquille. Cependant le roi sait ce qu'il fait.* »

Le samedi 19 février 1848, on discutait à la Chambre des pairs la loi sur le travail des enfants dans les manufactures ; je prenais à la discussion un vif intérêt, mais mon intention n'était pas d'y parler, quoique mon collègue Charles Dupin m'en pressât vivement. J'étais allé m'asseoir au côté gauche de la Chambre, à la place du prince de la Moskowa, que La Moskowa m'avait cédée depuis quelque temps et qui, étant plus proche de la tribune, me convenait mieux que la mienne.

Je venais d'écrire, en proie à je ne sais quelle rêverie, sur une feuille qu'on trouvera dans mes papiers, ces trois lignes auxquelles les événements qui sont survenus donnent un sens frappant pour moi :

« *La misère amène les peuples aux révolutions et les révolutions ramènent le peuple à la misère.* »

En ce moment, pendant que Napoléon Duchâtel parlait de sa place dans le sens du projet du gouvernement, le marquis de Boissy est venu s'asseoir à côté de moi ; il me dit :

« Eh bien, que pensez-vous de ce qui se passe ? Est-ce que vous ne ferez rien ?

— J'y songe, lui répondis-je.

— Mais il faut agir, reprit Boissy. Les événements qui s'annoncent sont de la plus haute gravité. Il faudrait les prévenir.

— C'est aussi mon avis.

— Et quel moyen voyez-vous ? demanda Boissy.

— Une interpellation à la Chambre des pairs. Un défi a été porté par ce gouvernement à l'opposition de la Chambre des députés et par la Chambre au gouvernement. La Chambre des pairs, jusqu'à ce jour, est neutre dans le débat. Si elle veut, elle peut résoudre la situation. Avec un vote de non-confiance, elle renverserait le cabinet, satisferait l'opposition, dégagerait la couronne et sauverait le pays. Comment obtenir ce vote de non-confiance ? Par une interpellation. »

Boissy s'écria : « C'est aussi mon sentiment.

— Eh bien, lui dis-je, faites l'interpellation.

— Non. Je viens vous le proposer. J'avais d'abord l'intention d'interpeller moi-même, mais il faut le faire utilement. Je me suis adressé à une vingtaine de pairs qui tous m'ont dit : *Non. Mais, tenez, allez trouver Victor Hugo ; s'il veut faire l'interpellation, nous l'appuierons.* Je viens à vous. La situation est dans vos mains, vous pouvez la trancher ou la résoudre. Le voulez-vous ? Ma conviction est que vous pouvez entraîner la Chambre. »

En parlant ainsi, Boissy avait pris une feuille de papier sur laquelle il avait écrit : « *Je demande à la Chambre l'autorisation d'interpeller immédiatement le cabinet sur la situation de la capitale.* » Puis il mit la date, et, me présentant la plume : « Signez », dit-il.

« Écoutez, lui dis-je ; j'étais tout prêt à vous appuyer. Je suis tout prêt à faire moi-même l'interpellation. Mais, comme vous le dites vous-même, il faut qu'elle soit utile. Pour cela, il me faut l'appui de l'espèce de côté gauche que nous avons ici. Si Daru et ses amis me promettent leur concours, je me lève et prends la parole sur-le-champ. »

Boissy, sans me répondre, enjamba les trois ou quatre rangs de fauteuils qui me séparaient du comte Daru, lui toucha l'épaule, et, un moment après, j'avais Daru à ma droite et Boissy à ma gauche. J'exposai à Daru la situation, la proposition de Boissy, mon adhésion et ma résolution d'interpeller le ministère si lui, Daru, et ses amis promettaient de m'appuyer, ajoutant : « En une occasion pareille il faut l'emporter. Mieux vaut encore ne pas se lever que se lever seul. Je suis d'avis qu'en politique il faut toujours se risquer et ne jamais se compromettre. J'aime le danger, mais je hais le ridicule. »

Daru resta un moment pensif et me dit : « Nous ne vous appuierons pas.

— Pourquoi ?

— Voici : si les choses entre l'opposition et le cabinet étaient au point où vous les croyez, vous auriez raison, il faudrait interpeller et nous nous lèverions avec vous ; mais depuis hier deux heures de l'après-midi, la situation a changé. Je viens de voir Dufaure qui, lui aussi, voulait interpeller le ministère à l'autre Chambre, et qui y renonce. Au fond, ni le cabinet ni l'opposition ne se soucient du banquet. C'est un duel imprudemment engagé et on cherche à se dégager des deux parts. Ce matin, on faisait encore les bravaches et on croisait le fer ; ce soir, on en est aux pourparlers. Ma conviction est que le duel n'aura pas lieu ; c'est-à-dire qu'il n'y aura pas de banquet, partant pas d'émeute, partant pas de révolution. Dans cette situation, interpeller le cabinet, c'est le contraindre à s'expliquer. Il ne peut s'expliquer sans accuser l'opposition. De là un nouveau venin sur la querelle ; et à quoi bon, quand les choses ne demandent qu'à s'apaiser ? Il paraît en outre qu'il y aura demain

dimanche un commencement d'émeute assez insignifiante, mais suffisante pour donner prétexte à l'opposition et faire ajourner le banquet par respect pour la paix
publique. Je crois donc que le mieux est de les laisser
s'arranger et de se taire. »

« — Votre parti, dis-je à Daru, est-il absolument pris ?
Tout à fait ? Je crois que vous avez tort ; mais comme
je ne puis me passer de vous, je renonce à l'interpellation. »

J'étais dans ce moment-là entre le sage et le fou de la
Chambre des pairs. Le fou me donnait le conseil sage,
et le sage le conseil fou. J'ai eu tort, je le reconnais, de
suivre le conseil du sage avec la conviction que le fou
avait raison. Mais que faire ? La loi des assemblées, c'est
de n'y agir jamais seul.

Boissy avait écouté notre conversation. « Vous ne
signez pas, me dit-il ? — Non, lui répondis-je. Vous le
voyez, Daru refuse.

— Eh bien, je signe et je ferai l'interpellation. »

Il prit la plume, signa, et, comme il allait quitter le
banc et faisait signe à un huissier de porter l'interpellation au président (qui, ce jour-là, était M. Barthe et non
le chancelier), le comte Daru retint Boissy par le bras et
lui dit : « Prenez garde ! Vous croyez tout sauver, vous
allez tout perdre. »

Boissy s'arrêta, me regarda fixement, comme cherchant un conseil dans mes yeux, resta un moment pensif,
et déchira la feuille sur laquelle il venait de signer, en
disant : « Comme vous voudrez ! »

Un moment après, il retourna à sa place, mais il ne put
laisser finir la séance sans annoncer qu'il interpellerait
le cabinet le surlendemain lundi sur la situation de la
capitale ; annonce qui fut fort mal accueillie par la
Chambre.

Avant de s'en aller, Boissy vint à moi et me dit :
« M'appuierez-vous ? — Vous n'en doutez pas », lui dis-je.
Il me serra la main en disant : « J'y ai bien compté. »

Cependant la salle s'était vidée ; le lustre s'était éteint ;

il ne restait plus que quelques bougies çà et là, et nous
étions demeurés à nos places, Daru et moi.

Daru me disait : « Ne regrettez pas cette interpellation.
Je vous jure qu'elle eût tout gâté. Quoi qu'il arrive, le
ministère est changé à l'heure qu'il est. M. Molé a été
appelé chez le roi et a dans sa poche la liste d'un nouveau
cabinet. » Je pressai Daru de questions et nous causâmes
assez longtemps. A sa réserve, je jugeai qu'il faisait partie
du ministère nouveau. Le mercredi suivant, quand la
liste du ministère Molé circula, je vis que je ne m'étais
pas trompé.

Cependant Daru savait le fond de l'émeute : 20 000 ouvriers venus d'Amiens, de Beauvais et de Rouen à
Paris, payés, enrégimentés, et prêts à une sorte de
bataille rangée ; les comités révolutionnaires en permanence, tous les symptômes d'une crise, tous les préparatifs d'une journée ; et il ne voyait rien dans tout cela
que la chute de Guizot et l'avènement de Molé! J'y
voyais autre chose et notre conversation dura près
d'une heure.

Elle nous avait profondément absorbés. Lorsque nous
nous levâmes pour nous en aller, nous nous aperçûmes
que Napoléon Duchâtel corrigeait à quelques pas de nous
les épreuves de son discours. Son ami Pèdre Lacaze était
assis à côté de lui. Il n'y avait plus que nous quatre dans
la salle. Ils avaient certainement pu entendre tout ce que
nous avions dit.

Le soir, plusieurs personnes vinrent chez moi et je
racontai l'incident de la séance. Les avis étaient partagés
sur l'opportunité de l'interpellation. Cependant, la plupart pensaient, contrairement à mon avis, que tout se ré-
soudrait en une émeute insignifiante. Au milieu de la conversation, survint M. Hello, jeune avocat de talent qui,
cinq jours plus tard, était nommé avocat général près la
cour d'appel de la République. Je lui demandai son avis.
Voici ce qu'il nous répondit :

« Je sors de Sainte-Pélagie. J'y ai dîné avec beaucoup

de condamnés politiques qui ont tous été mes clients. Ils boivent du vin de Champagne, ils chantent *la Marseillaise*, ils sont dans la joie et ils dansent dans les corridors en criant à tue-tête : — Dans trois jours nous serons libres! »

23 février.

Comme j'arrivais à la Chambre des pairs, il était trois heures précises, le général Rapatel entrait au vestiaire et me dit : « La séance est finie. »

Je suis allé à la Chambre des députés. Au moment où mon cabriolet prenait la rue de Lille, une colonne épaisse et interminable d'hommes en vestes, en blouses et en casquettes, marchant bras dessus, bras dessous, trois par trois, débouchait de la rue Bellechasse et se dirigeait vers la Chambre. Je voyais l'autre extrémité de la rue barrée par une rangée profonde d'infanterie de ligne, l'arme au bras. J'ai dépassé les gens en blouse qui étaient mêlés de femmes et qui criaient : « *Vive la ligne ! A bas Guizot !* » Ils se sont arrêtés à une portée de fusil environ de l'infanterie. Les soldats ont ouvert leurs rangs pour me laisser passer. Les soldats causaient et riaient. Un, très jeune, haussait les épaules.

Je ne suis pas allé plus loin que la salle des Pas-Perdus. Elle était pleine de groupes affairés et inquiets. M. Thiers, M. de Rémusat, M. Vivien, M. Merruau (du *Constitutionnel*) dans un coin ; M. Émile de Girardin, M. d'Althon-Shée et M. de Boissy, M. Franck-Carré, M. d'Houdetot et M. de Lagrenée. M. Armand Marrast prenait M. d'Alton à part. M. de Girardin m'a arrêté au passage ; puis France d'Houdetot et Lagrenée, MM. Franck-Carré et Vigier nous ont rejoints. On a causé. Je leur disais :

« Le cabinet est gravement coupable. Il a oublié que, dans un temps comme le nôtre, il y a des abîmes à droite et à gauche et qu'il ne faut pas gouverner trop près du bord. Il se dit : Ce n'est qu'une émeute, et il s'en applaudit presque. Il s'en croit raffermi ; il tombait hier, le voilà debout aujourd'hui. Mais d'abord qui est-ce qui sait la fin d'une émeute ? C'est vrai, les émeutes raffermissent les cabinets, mais les révolutions renversent les dynasties. Et quel jeu imprudent ! Risquer la dynastie pour sauver le ministère ! Comment sortir de là ? La situation tendue serre le nœud, et il est impossible de le dénouer aujourd'hui. L'amarre peut casser et alors tout s'en ira à la dérive. La gauche a manœuvré imprudemment et le cabinet follement. On est responsable des deux côtés. Mais quelle folie à ce cabinet de mêler une question de police à une question de liberté et d'opposer l'esprit de chicane à l'esprit de révolution ! Il me fait l'effet d'envoyer des huissiers et du papier timbré à un lion. Les arguties de M. Hébert en présence de l'émeute ! La belle affaire ! Malheureusement il est trop tard pour décomposer les éléments de la crise. Le sang va couler. »

Comme je disais cela, un député a passé près de nous et a dit : « La Marine est prise.

— Allons voir ! » m'a dit France d'Houdetot.

Nous sommes sortis. Nous avons traversé un régiment d'infanterie qui gardait la tête du pont de la Concorde. Un autre régiment barrait l'autre bout. La cavalerie chargeait, sur la place Louis XV, des groupes immobiles et sombres qui, à l'approche des cavaliers, s'enfuyaient comme des essaims. Personne sur le pont, qu'un général en uniforme et à cheval, la croix de commandeur au cou, le général Prévot. Ce général a passé au grand trot et nous a crié : « On attaque ! »

Comme nous rejoignions la troupe qui était au bout opposé du pont, un chef de bataillon à cheval, en burnous galonné, gros homme à bonne et brave figure, a salué M. d'Houdetot. « Y a-t-il quelque chose ? » lui a demandé France. « Il y a, a dit le commandant, que je suis arrivé à temps. » C'est ce chef de bataillon qui a dégagé le palais de la Chambre que l'émeute avait envahi ce matin à dix heures.

Nous sommes descendus sur la place. Les charges de cavalerie tourbillonnaient autour de nous. A l'angle du pont, un dragon levait le sabre sur un homme en blouse. Je ne crois pas qu'il ait frappé. Du reste, la Marine n'était pas « prise ». Un attroupement avait jeté une pierre à une vitre de l'hôtel et blessé un curieux qui regardait derrière la vitre. Rien de plus.

Nous apercevions des voitures arrêtées et comme rangées en barricade dans la grande avenue des Champs-Élysées, à la hauteur du rond-point. D'Houdetot me dit : « Le feu commence là-bas. Voyez-vous la fumée ? — Bah ! ai-je répondu, c'est la vapeur de la fontaine. Ce feu est de l'eau. » Et nous nous sommes mis à rire.

Du reste, il y avait là en effet un engagement. Le peuple avait fait trois barricades avec des chaises. Le poste du grand carré des Champs-Élysées est venu pour détruire les barricades. Le peuple a refoulé les soldats à coups de pierres dans le corps de garde. Le général Prévot a envoyé une escouade de garde municipale pour dégager le poste. L'escouade a été entourée et obligée de se réfugier dans le poste avec les soldats. La foule a bloqué le corps de garde. Un homme a pris une échelle et, monté sur le toit du corps de garde, a arraché le drapeau, l'a déchiré et l'a jeté au peuple. Il a fallu un bataillon pour délivrer le poste.

« Diable ! disait France d'Houdetot au général Prévot qui nous racontait ceci, un drapeau enlevé ! » Le général a répondu vivement : « Pris, non. Volé, oui. »

Nous étions revenus sur le pont ; M. Vivien passait et nous a abordés. Il était fort calme, et même de bonne humeur ; ce qui ne l'empêchait pas d'avoir les cheveux mal peignés, la chemise sale et les ongles noirs. Avec son grand vieux chapeau à larges bords et son paletot boutonné jusqu'à la cravate, l'ancien garde des sceaux avait l'air d'un sergent de ville. Du reste, nous étions d'accord lui et moi. Il est certain qu'en ce moment on sent que toute la machine constitutionnelle est soulevée. Elle ne

pose plus d'aplomb sur le sol. On entend le craquement.
La crise se complique de toute l'Europe en rumeur.

M. Pèdre Lacaze est survenu, donnant le bras à Napoléon Duchâtel, tous deux fort gais. Ils ont allumé leur
cigare au cigare de France d'Houdetot, et nous ont dit :
« Savez-vous ? Genoude dépose son acte d'accusation à
lui tout seul! On n'a pas voulu le laisser signer l'acte
d'accusation de la gauche. Il n'a pas voulu en avoir le
démenti, et maintenant voilà le ministère entre deux
feux : à gauche, toute la gauche ; à droite, M. de Genoude. » Puis Napoléon Duchâtel a repris : « On dit qu'on
a porté Duvergier de Hauranne en triomphe. — Ils
n'auront pas eu grand-peine, a dit France d'Houdetot.
— Le fait est qu'il n'est pas de poids », a dit Pèdre Lacaze. Et ces messieurs s'en sont allés.

Vivien me contait que le roi avait jeté dans son tiroir
un projet de loi de réforme électorale, en disant : « Voilà
pour mon successeur. » C'est le mot de Louis XV, en
supposant que la réforme soit le déluge.

Il paraît certain que le roi a interrompu M. Sallandrouze [1] lui apportant les doléances des *progressistes*, et
qu'il lui a demandé brusquement : « Vendez-vous beaucoup de tapis ? »

A cette même réception des progressistes, le roi a
aperçu M. Blanqui [2] et est allé à lui gracieusement :
« Eh bien, Monsieur Blanqui, que dit-on ? Que se passe-
t-il ? — Sire, a dit M. Blanqui, je dois dire au roi qu'il
y a dans les départements, et en particulier à Bordeaux,
beaucoup d'agitation. — Ah! a interrompu le roi,
encore les agitations! » Et il a tourné le dos à M. Blanqui.

Tout en causant : « Écoutez, me dit Vivien, il me
semble que j'entends la fusillade. »

Un jeune officier d'état-major s'est adressé en souriant
au général d'Houdetot et lui a dit : « Mon général, en
avons-nous encore pour longtemps ? — Pourquoi ? a dit
France d'Houdetot. — C'est que je dîne en ville », a
repris l'officier.

En ce moment, un groupe de femmes en deuil et d'enfants vêtus de noir passait rapidement sur l'autre trottoir du pont. Un homme donnait la main au plus grand des enfants. J'ai regardé et j'ai reconnu le duc de Montebello. « Tiens! a dit d'Houdetot, le ministre de la marine! » Il a couru et causé un moment avec M. de Montebello. La duchesse avait eu peur, et toute la famille se réfugiait sur la rive gauche.

Nous sommes rentrés au palais de la Chambre, Vivien et moi. D'Houdetot nous a quittés. En un instant, nous avons été entourés. Boissy m'a dit : « Vous n'étiez pas au Luxembourg? J'ai essayé de parler sur la situation de Paris. J'ai été hué. A ce mot *la capitale en danger*, on m'a interrompu, et le chancelier, qui était venu présider exprès pour cela, m'a rappelé à l'ordre. Et savez-vous ce que m'a dit le général Gourgaud? — Monsieur de Boissy, j'ai soixante pièces de canon avec leurs caissons chargés de mitraille. C'est moi qui les ai chargés. » J'ai répondu : — Général, je suis charmé de savoir la pensée intime du château. Et savez-vous ce qu'a dit le maréchal Bugeaud qui commande Paris depuis deux heures? *Eussé-je devant moi cinquante mille femmes et enfants, je mitraillerais.* Il y aura de belles choses d'ici à demain matin. »

Duvergier de Hauranne, sans chapeau, les cheveux hérissés, pâle, mais l'air content, a passé en ce moment et m'a tendu la main.

Pendant que nous échangions un bonjour, un jeune homme à barbe blonde est survenu et lui a dit : « Avez-vous quelque chose de plus à me donner pour *la Patrie* (c'est le journal du soir)? — Non, a dit Duvergier. Mais n'oubliez pas d'effacer la signature de Moreau. — Soyez tranquille. — Moreau, du département de la Seine. — Je sais. — C'est qu'il ne faut pas qu'il réclame, cela ferait mauvais effet. — J'y veillerai. — Prenez-en note. *Moreau, Seine.* — J'ai pris note. — Où? — Dans mon cerveau. Ne craignez rien. » Et le journaliste est parti.

J'ai laissé Duvergier et je suis entré dans la Chambre.
Il n'y avait pas cent députés. On y discutait une loi
sur la Banque de Bordeaux. Un bonhomme nasillard
était à la tribune, et M. Sauzet lisait les articles de la
loi d'un air endormi. M. de Belleyme, qui sortait, m'a
serré la main en passant, et m'a dit : « Hélas! »

Plusieurs députés sont venus à moi, M. Marie,
M. Roger (du Loiret), M. de Rémusat, M. Chambolle
et quelques autres. Je leur ai conté le fait du drapeau
arraché, grave à cause de l'audace de cette attaque d'un
poste en *rase campagne*. Un d'eux m'a dit : « Le plus
grave, c'est qu'il y a un mauvais dessous. Cette nuit,
plus de quinze hôtels riches de Paris ont été marqués
d'une croix sur la porte pour être pillés, entre autres
l'hôtel de la princesse de Liéven, rue Saint-Florentin,
et l'hôtel de Mme de Talhouët. — Êtes-vous sûr? ai-je
demandé. — J'ai vu la croix de mes yeux sur la porte de
Mme de Liéven », m'a-t-il répondu.

Le président Franck-Carré a rencontré ce matin
M. Duchâtel et lui a dit : « Eh bien? — Cela va bien, a
répondu le ministre. — Que faites-vous de l'émeute? —
Je la laisse ici. Que voulez-vous qu'ils fassent place
Louis XV et dans les Champs-Élysées? Il pleut. Ils
vont piétiner là toute la journée. Ce soir, ils seront
éreintés, et iront se coucher. »

M. Étienne Arago, qui entrait, nous a jeté sans s'arrêter ces quatre mots : « Déjà sept blessés et deux tués. Il
y a des barricades rue Sainte-Avoye. »

La séance a fini. Je suis sorti en même temps que les
députés et je m'en suis revenu sur les quais.

On continuait de charger place de la Concorde.
Deux barricades avaient été essayées rue Saint-Honoré.
On dépavait le marché Saint-Honoré. Les omnibus
des barricades avaient été relevés par la troupe. Rue
Saint-Honoré, la foule laissait passer les gardes municipaux, puis les criblait de pierres dans le dos. Une
multitude montait par les quais avec le bruit d'une

fourmilière irritée. J'ai vu passer une très jolie femme
en chapeau de velours vert avec un grand cachemire
marchant au milieu d'un groupe de blouses et de bras
nus. Elle relevait sa robe à outrance, à cause de la boue
et était fort crottée. Car il pleut de minute en minute.
Les Tuileries étaient fermées. Aux guichets du Carrousel, la foule était arrêtée et regardait par les arcades
la cavalerie rangée en bataille devant le palais.

Vers le pont du Carrousel, j'ai rencontré M. Jules
Sandeau [1]. Il m'a demandé : « Que pensez-vous de ceci ?
— Que l'émeute sera vaincue, mais que la révolution
triomphera. »

Tout le long du quai, des patrouilles passaient, et la
foule criait : *Vive la ligne !* Les boutiques étaient fermées
et les fenêtres ouvertes.

Place du Châtelet, j'ai entendu un homme dire à un
groupe : « C'est 1830 ! »

Non. En 1830, il y avait le duc d'Orléans derrière
Charles X. En 1848, derrière Louis-Philippe il y a un
trou. C'est triste de tomber de Louis-Philippe en
Ledru-Rollin.

J'ai pris par l'Hôtel de Ville et par la rue Sainte-Avoye.
Tout était tranquille à l'Hôtel de Ville, deux gardes
nationaux se promenaient devant la grille et il n'y avait
point de barricades rue Sainte-Avoye. Quelques gardes
nationaux, en uniforme, le sabre au côté, allaient et
venaient rue Rambuteau. On battait le rappel dans le
quartier du Temple.

Jusqu'à ce moment, le pouvoir avait fait mine de se
passer cette fois de la garde nationale. Ce serait peut-
être prudent. Ce matin, le poste de garde nationale de
service à la Chambre des députés a refusé de marcher.

On dit le roi fort calme et même gai. Il ne faut pourtant pas trop jouer ce jeu. Toutes les parties qu'on y
gagne ne servent qu'à faire le total de la partie qu'on y
perd.

Minuit sonne en ce moment. Il y a dix pièces de canon place de Grève. L'aspect du Marais est lugubre. Je m'y suis promené et je rentre. Les réverbères sont brisés et éteints sur le boulevard fort bien nommé *le boulevard noir*. Il n'y a eu ce soir de boutiques ouvertes que rue Saint-Antoine. Le théâtre Beaumarchais a fermé. La place Royale est gardée comme une place d'armes. Des troupes sont embusquées sous les arcades. Rue Saint-Louis, un bataillon est adossé silencieusement le long des murailles dans les ténèbres.

Tout à l'heure, quand l'heure a sonné, nous nous sommes levés et nous sommes allés sur le balcon, en disant : « C'est le tocsin ! »

Dans la nuit du 23 au 24, à une heure du matin, la grille de l'église Notre-Dame-de-Lorette fut arrachée et servit à armer d'un cheval de frise, très bien construit, une barricade que l'on bâtissait en ce moment-là même devant le nº 61 de la rue de Provence. Il y avait à cette maison une fort belle grille qui eût pu servir au cheval de frise et que les constructeurs de la barricade ne touchèrent point. Ils dirent : *Respect aux propriétés particulières* et allèrent chercher la grille de Notre-Dame-de-Lorette.

24 février

Rue Bellechasse. Le régiment de dragons qui s'enfuit comme un essaim devant un homme aux bras nus agitant un coupe-chou.

Pont-Neuf. Rassemblement armé (piques, haches, fusils) conduit, tambour en tête, par un homme armé d'un sabre et vêtu d'un grand habit de livrée de cocher du roi. (Le cocher, tué rue Saint-Thomas, en sortant des écuries du roi.)

Le jeudi matin [1] j'entendais chanter dans les barricades :

> *Mais on dit qu'en quatre-vingt-treize,*
> *Il vota la mort de Louis seize.*
>   *Ah ! ah ! ah ! oui vraiment,*
> *Cadet-Roussel est bon enfant !*

> *Le citoyen Égalité*
> *Veut qu'on l'appelle majesté.*
> *Ma foi, cela me paraît drôle,*
> *Lui qui dansait la Carmagnole !*
>   *Ah ! ah ! ah ! oui vraiment, etc.*

Ouvre la fenêtre [2]. Écoute. *Oui, c'est le tocsin.*

Le roi a dit dans la nuit à trois heures du matin au
colonel *** aide de camp : « Il faut faire taire ces polissons qui sonnent le tocsin. » Cependant fait réveiller
la reine.

La famille royale passe le reste de la nuit au balcon et
l'angoisse croît avec le jour.

24 février.

Au jour, je vois, de mon balcon, arriver en tumulte
devant la mairie une colonne de peuple mêlé de garde
nationale. Une trentaine de gardes municipaux gardaient
la mairie. On leur demande à grands cris leurs armes.
Refus énergique des gardes municipaux, clameurs mena-
çantes de la foule. Deux officiers de la garde nationale
interviennent : « A quoi bon répandre encore le sang ?
Toute résistance serait inutile. » Les gardes municipaux
déposent leurs fusils et leur munitions et se retirent sans
être inquiétés.

Le maire du VIIIe arrondissement, M. Ernest Moreau,
me fait prier de venir à la mairie. Il m'apprend la terri-
fiante nouvelle du massacre des Capucines [3]. Et, de

quart d'heure en quart d'heure, d'autres nouvelles
arrivent de plus en plus graves. La garde nationale
prend décidément parti cette fois contre le gouvernement et crie : *Vive la Réforme !* L'armée, effrayée de ce
qu'elle-même avait fait la veille, semble vouloir se
refuser désormais à cette lutte fratricide. Rue Sainte-
Croix-la-Bretonnerie, les troupes se sont repliées devant
la garde nationale. On vient nous dire qu'à la mairie
voisine du IXe arrondissement les soldats fraternisent
et font patrouille avec les gardes nationaux. Deux
autres messagers, en blouse, se succèdent : la caserne
de Reuilly est prise, la caserne des Minimes s'est rendue.

« Et du gouvernement, je n'ai ni instruction, ni nouvelles! dit M. Ernest Moreau. Quel est-il seulement, ce
gouvernement? Le ministère Molé existe-t-il encore?
Que faire ? — Allez jusqu'à la préfecture de la Seine, lui
dit M. Perret, membre du conseil général ; l'Hôtel de
Ville est à deux pas. — Eh bien, venez avec moi. »
Ils partent. Je fais une reconnaissance autour de la
place Royale. Partout l'agitation, l'anxiété, une attente
fiévreuse. Partout on travaille activement aux barricades
déjà formidables. C'est plus qu'une émeute, cette fois,
c'est une insurrection. Je rentre. Un soldat de la ligne,
en faction à l'entrée de la place Royale, cause amicalement avec la vedette d'une barricade construite à vingt
pas de lui.

Huit heures un quart. M. Ernest Moreau est revenu de
l'Hôtel de Ville. Il a vu M. de Rambuteau et rapporte
des nouvelles un peu meilleures. Le roi a chargé Thiers
et Odilon Barrot de former un ministère. Thiers n'est
pas bien populaire, mais Odilon Barrot, c'est la Réforme.
Par malheur, la concession s'aggrave d'une menace :
le maréchal Bugeaud est investi du commandement
général de la garde nationale et de l'armée. Odilon
Barrot, c'est la Réforme, mais Bugeaud, c'est la répression. Le roi tend la main droite et montre le poing gauche.

Le préfet a prié M. Moreau de répandre et de proclamer ces nouvelles dans son quartier et au faubourg
Saint-Antoine. « C'est ce que je vais faire, me dit le
maire. — Bien! dis-je, mais croyez-moi, annoncez le
ministère Thiers-Barrot et ne parlez pas du maréchal
Bugeaud.

— Vous avez raison. »

Le maire requit une escouade de la garde nationale,
prit avec lui les deux adjoints et les conseillers municipaux présents et descendit sur la place Royale. Un
roulement de tambour amassa la foule. Il annonça le
nouveau cabinet. Le peuple applaudit aux cris répétés
de : « *Vive la Réforme !* » Le maire ajouta quelques mots
pour recommander l'ordre et la concorde et fut encore
universellement applaudi. « Tout est sauvé! me dit-il
en me serrant la main. — Oui, dis-je, si Bugeaud renonce
à être le sauveur. »

M. Ernest Moreau, suivi de son escorte, partit pour
répéter sa proclamation place de la Bastille et dans le
faubourg, et je montai chez moi pour rassurer les miens.

Une demi-heure après, le maire et son cortège ren-
traient émus et en désordre à la mairie. Voici ce qui
s'était passé :

La place de la Bastille était occupée, à ses deux extrémités, par la troupe, qui s'y tenait l'arme au bras,
immobile. Le peuple circulait librement et paisiblement entre les deux lignes. Le maire, arrivé au pied de
la colonne de Juillet, avait fait sa proclamation et,
de nouveau, la foule avait chaleureusement applaudi.
M. Moreau se dirigea alors vers le faubourg Saint-
Antoine. Au même moment, des ouvriers accostaient
amicalement les soldats, leur disant : « Vos armes! Li-
vrez vos armes! » Sur l'ordre énergique du capitaine,
les soldats résistaient. Soudain un coup de fusil part,
d'autres suivent. La terrible panique de la veille au

boulevard des Capucines va se renouveler peut-être.
M. Moreau et son escorte sont bousculés, renversés. Le
feu des deux parts se prolonge plus d'une minute et
fait cinq ou six morts ou blessés.

Heureusement, on était cette fois en plein jour.
A la vue du sang qui coule, un brusque revirement s'est
produit dans la troupe, et, après un instant de surprise et d'épouvante, les soldats, d'un élan irrésistible,
ont levé la crosse en l'air en criant : « Vive la garde
nationale! » Le général, impuissant à maîtriser ses
hommes, s'est replié par les quais sur Vincennes. Le
peuple reste maître de la Bastille et du faubourg.

« C'est un résultat qui aurait pu coûter plus cher ;
à moi surtout », disait M. Ernest Moreau. Et il nous montrait son chapeau troué d'une balle. « Un chapeau tout
neuf! » ajoutait-il en riant.

Dix heures et demie. Trois élèves de l'École polytechnique sont arrivés à la mairie. Ils racontent que les élèves
ont forcé les portes de l'École et viennent se mettre à la
disposition du peuple. Un certain nombre d'entre eux se
sont ainsi répartis entre les mairies de Paris.

L'insurrection fait des progrès d'heure en heure. Elle
exigerait maintenant le remplacement du maréchal
Bugeaud et la dissolution de la Chambre. Les élèves de
l'École vont plus loin et parlent de l'abdication du roi.

Que se passe-t-il aux Tuileries? Pas de nouvelles non
plus du ministère, pas d'ordre de l'état-major. Je me
décide à partir pour la Chambre des députés en passant
par l'Hôtel de Ville, et M. Ernest Moreau veut bien m'y
accompagner.

Nous trouvons la rue Saint-Antoine toute hérissée de
barricades. Nous nous faisons connaître au passage et les
insurgés nous aident à franchir les tas de pavés.

En approchant de l'Hôtel de Ville, d'où partait une
grande rumeur de foule, et en traversant un terrain en
construction, nous voyons venir devant nous, marchant
à pas précipités, M. de Rambuteau, le préfet de la Seine.

« Hé! que faites-vous là, Monsieur le préfet? » lui dis-je.
« Préfet! Est-ce que je suis encore préfet? » répond-il
d'un air bourru. Des curieux, qui ne semblaient pas très
bienveillants, s'amassaient déjà. M. Moreau avise une
maison neuve à louer, nous y entrons, et M. de Rambuteau nous conte sa mésaventure :

« J'étais dans mon cabinet avec deux ou trois conseillers municipaux. Grand bruit dans le corridor. La porte
s'ouvre avec fracas. Entre un grand gaillard, capitaine
de la garde nationale, à la tête d'une troupe fort échauf-
fée. — Monsieur m'a dit l'homme, il faut vous en aller
d'ici. — Pardon, Monsieur ; ici, à l'Hôtel de Ville, je suis
chez moi et j'y reste. — Hier, vous étiez peut-être chez
vous à l'Hôtel de Ville ; aujourd'hui le peuple y est chez
lui. — Eh! mais... — Allez à la fenêtre et regardez sur la
place. — La place était envahie par une foule bruyante
et grouillante où se confondaient les hommes du peuple,
les gardes nationaux et les soldats. Et les fusils des soldats étaient aux mains des hommes du peuple. Je me
suis retourné vers les envahisseurs et je leur ai dit : —
— Vous avez raison, Messieurs, vous êtes les maîtres.
— Eh bien alors, a dit le capitaine, faites-moi reconnaître par vos employés. » C'était trop fort! J'ai répliqué :
« — Il ne manquait plus que ça! — J'ai pris quelques
papiers, j'ai donné quelques ordres, et me voici. Puisque
vous allez à la Chambre, s'il y a encore une Chambre,
vous direz au ministre de l'Intérieur, s'il y a un ministère, qu'il n'y a plus, à l'Hôtel de Ville, ni préfet, ni
préfecture. »

Nous avons dû traverser à grand-peine l'océan humain qui couvrait, avec un bruit de tempête, la place
de l'Hôtel de Ville. Au quai de la Mégisserie se dressait
une formidable barricade ; grâce à l'écharpe du maire,
on nous a laissés la franchir. Au-delà, les quais étaient
à peu près déserts. Nous avons gagné la Chambre des
députés par la rive gauche.

Le Palais-Bourbon était encombré d'une cohue bour-
donnante de députés, de pairs et de hauts fonctionnaires.
D'un groupe assez nombreux est sortie la voix aigrelette
de M. Thiers : « Ah! Voilà Victor Hugo! » Et M. Thiers
est venu à nous, demandant des nouvelles du faubourg
Saint-Antoine. Nous y avons ajouté celles de l'Hôtel de
Ville ; il a secoué lugubrement la tête. « Et par ici ? dis-je.
D'abord êtes-vous toujours ministre ? — Moi! Ah! je
suis bien dépassé, moi! Bien dépassé! On en est à Odilon
Barrot, président du conseil et ministre de l'Intérieur.
— Et le maréchal Bugeaud ? — Remplacé aussi par le
maréchal Gérard. Mais ce n'est rien. La Chambre est
dissoute ; le roi a abdiqué ; il est sur le chemin de Saint-
Cloud, Mme la duchesse d'Orléans est régente. Ah! Le
flot monte, monte, monte! »

M. Thiers nous engagea, M. Ernest Moreau et moi, à
aller nous entendre avec M. Odilon Barrot. Notre action
dans notre quartier, si important, pouvait être grandement utile. Nous nous sommes donc mis en route pour
le ministère de l'Intérieur.

Le peuple avait envahi le ministère et refluait jusque
dans le cabinet du ministre, où allait et venait une foule
peu respectueuse. A une grande table, au milieu de la
vaste pièce, des secrétaires écrivaient. M. Odilon Barrot,
la face rouge, les lèvres serrées, les mains derrière le dos,
s'accotait à la cheminée. Il dit en nous voyant : « Vous
êtes au courant, n'est-ce pas ? Le roi abdique, la duchesse
d'Orléans est régente... » « Si le peuple consent », dit un
homme en blouse qui passait.

Le ministre nous emmena dans l'embrasure d'une
fenêtre, en jetant autour de lui des regards inquiets.
« Qu'allez-vous faire ? Que faites-vous ? lui dis-je.
— J'expédie des dépêches aux départements. — Est-ce
très urgent ? — Il faut bien instruire la France des événements. — Mais, pendant ce temps-là, Paris les fait,
les événements. Hélas, a-t-il fini de les faire ? La Régence
c'est bien, mais il faudrait qu'elle fût sanctionnée. — Oui

par la Chambre. La duchesse d'Orléans devrait mener le comte de Paris à la Chambre. — Non, puisque la Chambre est dissoute. Si la duchesse doit aller quelque part, c'est à l'Hôtel de Ville. — Y pensez-vous ? Et le danger ? — Aucun danger. Une mère, un enfant ! Je réponds de ce peuple. Il respectera la femme dans la princesse. — Eh bien, allez aux Tuileries, voyez la duchesse d'Orléans, conseillez-la, éclairez-la. — Pourquoi n'y allez-vous pas vous-même ? — J'en arrive. On ne savait où était la duchesse ; je n'ai pu l'aborder. Mais dites-lui, si vous la voyez, que je suis à sa disposition, que j'attends ses ordres. Ah ! Monsieur Victor Hugo, je donnerais ma vie pour cette femme et pour cet enfant ! »

Odilon Barrot est l'homme le plus honnête et le plus dévoué du monde, mais il est le contraire d'un homme d'action ; on sentait le trouble et l'indécision dans sa parole, dans son regard, dans toute sa personne.

« Écoutez, me dit-il encore, ce qui importe, ce qui presse, c'est que le peuple connaisse ces graves changements, l'abdication, la Régence. Promettez-moi d'aller les proclamer à votre mairie, au faubourg, partout où vous pourrez. — Je vous le promets. »

Je me dirige, avec M. Moreau, vers les Tuileries.

Rue Bellechasse, chevaux au galop. Un escadron de dragons passe comme un éclair et a l'air de s'enfuir devant un homme aux bras nus qui court derrière lui en brandissant un coupe-chou.

Les Tuileries sont encore gardées par les troupes. Le maire montre son écharpe, et nous passons. Au guichet, le concierge, auquel je me nomme, nous dit que Mme la duchesse d'Orléans, accompagnée de M. le duc de Nemours, vient de quitter le château, avec le comte de Paris, pour se rendre sans doute à la Chambre des députés. Nous n'avons donc plus qu'à continuer notre route.

A l'entrée du pont du Carrousel, des balles sifflent à nos oreilles. Ce sont les insurgés qui, place du Carrousel,

tirent sur les voitures de la cour sortant des petites écuries. Un des cochers a été tué sur son siège.

« Ce serait trop bête de nous faire tuer en curieux!
me dit M. Ernest Moreau. Passons de l'autre côté de
l'eau. »

Nous longeons l'Institut et le quai de la Monnaie. Au
Pont-Neuf, nous nous croisons avec une troupe armée de
piques, de haches et de fusils, conduite, tambour en tête,
par un homme agitant un sabre et vêtu d'un grand habit
à la livrée du roi. C'est l'habit du cocher qui vient d'être
tué rue Saint-Thomas-du-Louvre.

Quand nous arrivons, M. Moreau et moi, à la place
Royale, nous la trouvons toute remplie d'une foule
anxieuse. Nous sommes aussitôt entourés, questionnés,
et nous n'arrivons pas sans peine à la mairie. La masse
du peuple est trop compacte pour qu'on puisse parler sur
la place. Je monte, avec le maire, quelques officiers de
la garde nationale et deux élèves de l'École polytechnique, au balcon de la mairie. Je lève la main, le silence
se fait comme par enchantement. Je dis :

« Mes amis, vous attendez des nouvelles. Voilà ce que
nous savons : M. Thiers n'est plus ministre, le maréchal
Bugeaud n'a plus le commandement (*Applaudissements*).
Ils sont remplacés par le maréchal Gérard et par M. Odilon Barrot (*Applaudissements, mais plus clairsemés*). La
Chambre est dissoute. Le roi a abdiqué (*Acclamation
universelle*). La duchesse d'Orléans est régente » (*Quelques bravos isolés, mêlés à de sourds murmures*).

Je reprends : « Le nom d'Odilon Barrot vous est garant
que le plus large appel sera fait à la nation et que vous
aurez le gouvernement représentatif dans toute sa sin-
cérité. »

Sur plusieurs points des applaudissements me répondent, mais il paraît évident que la masse est incertaine
et non satisfaite.

Nous rentrons dans la salle de la mairie. « Il faut à

présent, dis-je à M. Ernest Moreau, que j'aille faire la
proclamation sur la place de la Bastille. » Mais le maire
est découragé. « — Vous voyez bien que c'est inutile, me
dit-il, tristement ; la Régence n'est pas acceptée. Et vous
avez parlé ici dans un milieu où vous êtes connu, où vous
êtes aimé! A la Bastille, vous trouveriez le peuple révolutionnaire du faubourg, qui vous ferait un mauvais parti
peut-être. — J'irai, dis-je, je l'ai promis à Odilon Barrot.
— J'ai changé de chapeau, reprit en souriant le maire,
mais rappelez-vous mon chapeau de ce matin. — Ce
matin, l'armée et le peuple étaient en présence, il y avait
danger de conflit ; à l'heure qu'il est, le peuple est seul,
le peuple est maître. — Maître... et hostile, prenez-y
garde! — N'importe! j'ai promis, je tiendrai ma pro-
messe. »

Je dis au maire que sa place à lui était à la mairie et
qu'il y devait rester, mais plusieurs officiers de la garde
nationale se présentèrent spontanément pour m'accompagner, et, parmi eux, l'excellent M. Launaye, mon
ancien capitaine[1]. J'acceptai leur offre amicale, et cela
fit un petit cortège, qui se dirigea, par la rue du Pas-de-
la-Mule et le boulevard Beaumarchais, vers la place de
la Bastille.

Là s'agitait une foule ardente, où les ouvriers domi-
naient. Beaucoup armés de fusils pris aux casernes ou
livrés par les soldats. Cris et chant des Girondins, *Mourir
pour la patrie!* Groupes nombreux qui discutent et dis-
putent avec passion. On se retourne, on nous regarde,
on nous interroge : « Qu'est-ce qu'il y a de nouveau?
Qu'est-ce qui se passe? » Et l'on nous suit. J'entends
murmurer mon nom avec des sentiments divers : « Victor
Hugo! C'est Victor Hugo! » Quelques-uns me saluent.
Quand nous arrivons à la colonne de Juillet, une af-
fluence considérable nous entoure. Je monte, pour me
faire entendre, sur le soubassement de la colonne.

Je ne rapporterai de mes paroles que celles qu'il me fut

possible de faire arriver à mon orageux auditoire. Ce
fut bien moins un discours qu'un dialogue, mais le dialogue d'une seule voix avec dix, vingt, cent voix plus ou
moins hostiles.

Je commençai par annoncer tout de suite l'abdication
de Louis-Philippe, et, comme à la place Royale, des applaudissements à peu près unanimes accueillirent la
nouvelle. On cria cependant aussi : « Non! Pas d'abdication! La déchéance! La déchéance! » J'allais décidément avoir affaire à forte partie.

Quand j'annonçai la Régence de la duchesse d'Orléans,
ce furent de violentes dénégations : « Non! Non! Pas de
Régence! A bas les Bourbons! Ni roi ni reine! Pas de
maîtres! » Je répétai : « Pas de maîtres! Je n'en veux
pas plus que vous, j'ai défendu toute ma vie la liberté!
— Alors pourquoi proclamez-vous la Régence? — Parce
qu'une régente n'est pas un maître. D'ailleurs, je n'ai
aucun droit de proclamer la Régence, je l'annonce. —
— Non! Non! Pas de Régence! »

Un homme en blouse cria : « Silence au pair de France!
A bas le pair de France! » Et il m'ajusta de son fusil.
Je le regardai fixement, et j'élevai la voix si haut qu'on
fit silence. « Oui, je suis pair de France et je parle comme
pair de France. J'ai juré fidélité, non à une personne
royale, mais à la monarchie constitutionnelle. Tant qu'un
autre gouvernement ne sera pas établi, c'est mon devoir
d'être fidèle à celui-là. Et j'ai toujours pensé que le peuple
n'aimait pas que l'on manquât, quel qu'il fût, à son
devoir. »

Il y eut autour de moi un murmure d'approbation et
même quelques bravos çà et là. Mais quand j'essayai de
continuer : « Si la Régence... » les protestations redou-
blèrent. On ne me laissa en relever qu'une seule. Un
ouvrier m'avait crié : « Nous ne voulons pas être gouver-
nés par une femme. » Je ripostai vivement : « Hé! moi
non plus je ne veux pas être gouverné par une femme,
ni même par un homme. C'est parce que Louis-Philippe

a voulu gouverner que son abdication est aujourd'hui
nécessaire et qu'elle est juste. Mais une femme qui règne
au nom d'un enfant! N'y a-t-il pas là une garantie contre
toute pensée de gouvernement personnel? Voyez la
reine Victoria en Angleterre... —Nous sommes Français,
nous! cria-t-on. Pas de Régence! — Pas de Régence?
Mais alors quoi? Rien n'est prêt, rien! C'est le boule-
versement total, la ruine, la misère, la guerre civile peut-
être ; en tout cas, c'est l'inconnu. » Une voix, une seule
voix, cria : *Vive la République!* Pas une autre voix ne
lui fit écho. Pauvre grand peuple, inconscient et aveugle!
Il sait ce qu'il ne veut pas, mais il ne sait pas ce qu'il veut!

A partir de ce moment, le bruit, les cris, les menaces
devinrent tels que je renonçai à me faire entendre. Mon
brave Launaye me dit : « Vous avez fait ce que vous vouliez, ce que vous aviez promis ; nous n'avons plus qu'à
nous retirer. »

La foule s'ouvrit devant nous, curieuse et inoffensive.
Mais à vingt pas de la colonne, l'homme qui m'avait
menacé de son fusil me rejoignit et de nouveau me coucha
en joue, en criant : « A mort le pair de France! — Non,
respect au grand homme! » fit un jeune ouvrier, qui vivement avait abaissé l'arme. Je remerciai de la main cet
ami inconnu et je passai.

A la mairie, M. Ernest Moreau, qui avait été, paraît-il,
fort anxieux sur notre sort, nous reçut avec joie et me
félicita avec cordialité. Mais je savais que, même dans
la passion, ce peuple est juste, et je n'avais pas eu le
moindre mérite, n'ayant pas eu la moindre inquiétude.

Pendant que ces choses se passaient place de la Bastille, voici ce qui se passait au Palais-Bourbon :

Il y a en ce moment un homme dont le nom est dans
toutes les bouches et la pensée dans toutes les âmes ;
c'est Lamartine. Son éloquente et vivante *Histoire des
Girondins* vient pour la première fois d'enseigner la Révolution à la France. Il n'était jusqu'ici qu'illustre, il est

devenu populaire, et l'on peut dire qu'il tient dans sa main Paris.

Dans le désarroi universel, son influence pouvait être décisive. On se l'était dit aux bureaux du *National*, où les chances possibles de la République venaient d'être pesées et où l'on avait ébauché un projet de gouvernement provisoire, dont n'était pas Lamartine. En 1842, lors de la discussion sur la Régence, qui avait abouti au choix de M. le duc de Nemours, Lamartine avait chaleureusement plaidé pour la duchesse d'Orléans. Était-il aujourd'hui dans les mêmes idées ? que voulait-il ? que ferait-il ? il importait de le savoir. M. Armand Marrast, le rédacteur en chef du *National*, prit avec lui trois républicains notoires, M. Bastide, M. Hetzel[1], l'éditeur, et M. Bocage, l'éminent comédien qui a créé le rôle de Didier dans *Marion de Lorme*. Tous quatre se rendirent à la Chambre des députés. Ils y trouvèrent Lamartine et allèrent conférer avec lui dans les bureaux.

Ils parlèrent l'un après l'autre, ils dirent leurs convictions et leurs espérances : ils seraient heureux de penser que Lamartine était avec eux pour la réalisation immédiate de la République. S'il jugeait pourtant que la transition de la Régence était nécessaire, ils lui demandaient, du moins, de les aider à obtenir des garanties sérieuses contre tout retour en arrière. Ils attendaient avec émotion sa décision dans ce grand arbitrage.

Lamartine écouta silencieusement leurs raisons, puis les pria de vouloir bien le laisser se recueillir pendant quelques instants. Il s'assit à l'écart devant une table, prit sa tête dans ses mains et songea. Les quatre consultants, debout, le regardaient respectueusement en silence. Minute solennelle. « Nous écoutions passer l'histoire », me disait Bocage.

Lamartine redressa la tête et leur dit : « Je combattrai la Régence. »

Un quart d'heure après, la duchesse d'Orléans arrivait à la Chambre, tenant par la main ses deux fils, le comte

de Paris et le duc de Chartres. M. Odilon Barrot n'était
pas auprès d'elle. Le duc de Nemours l'accompagnait.

Elle était acclamée par les députés. Mais, la Chambre
dissoute, y avait-il des députés ?

M. Crémieux montait à la tribune et proposait
nettement un gouvernement provisoire. M. Odilon
Barrot, qu'on était allé chercher au ministère, se
montrait enfin et plaidait la cause de la Régence, mais
sans éclat et sans énergie. Puis, voilà qu'un flot de
peuple et de gardes nationaux, avec armes et drapeaux,
envahissait la salle. La duchesse d'Orléans, entraînée
par des amis, se retirait avec ses enfants.

La Chambre des députés alors s'évanouissait sub-
mergée sous une sorte d'assemblée révolutionnaire.
Ledru-Rollin haranguait cette foule. Puis venait
Lamartine, attendu et acclamé. Il combattit, comme
il l'avait promis, la Régence.

Tout était dit. Les noms d'un gouvernement provisoire étaient jetés au peuple. Et, par des cris oui ou
non, le peuple élut ainsi successivement : Lamartine,
Dupont de l'Eure, Arago et Ledru-Rollin, à l'unanimité, Crémieux, Garnier-Pagès et Marie à la majorité.

Les nouveaux gouvernants se mirent aussitôt en
route pour l'Hôtel de Ville.

A la Chambre des députés, dans les discours des
orateurs, pas même dans celui de Ledru-Rollin, pas
une fois le mot *République* n'avait été prononcé. Mais
maintenant, au dehors, dans la rue, ce mot, ce cri,
les élus du peuple le trouvèrent partout, il volait sur
toutes les bouches, il emplissait l'air de Paris.

Les quelques hommes qui, dans ces jours suprêmes et
extrêmes, tenaient dans leur main le sort de la France,
étaient eux-mêmes, à la fois, outils et hochets dans la
main de la foule, qui n'est pas le peuple, et du hasard,
qui n'est pas la providence. Sous la pression de la
multitude, dans l'éblouissement et la terreur de leur

triomphe qui les débordait, ils décrétèrent la République, sans savoir qu'ils faisaient une si grande chose.

On prit une demi-feuille de papier en tête de laquelle étaient imprimés les mots : *Préfecture de la Seine. Cabinet du Préfet.* M. de Rambuteau avait peut-être, le matin même, employé l'autre moitié de cette feuille à écrire quelque billet doux galant ou rassurant à ce qu'il appelait ses petites bourgeoises.

M. de Lamartine traça cette phrase sous la dictée des cris terribles qui rugissaient au dehors :

« *Le gouvernement provisoire déclare que le gouvernement provisoire de la France est le gouvernement républicain, et que la nation sera immédiatement appelée à ratifier la résolution du gouvernement provisoire et du peuple de Paris.* »

J'ai tenu dans mes mains cette pièce, cette feuille sordide, maculée, tachée d'encre, qu'un insurgé emporta et alla livrer à la foule furieuse et ravie. La fièvre du moment est encore empreinte sur ce papier, et y palpite. Les mots jetés avec emportement, sont à peine formés. Appelée est écrit *appellée.*

Quand ces six lignes furent écrites, Lamartine signa et passa la plume à Ledru-Rollin.

M. Ledru-Rollin lut à haute voix la phrase : « *Le gouvernement provisoire déclare que le gouvernement provisoire de la France est le gouvernement républicain...* »

« Voilà deux fois le mot *provisoire*, dit-il.

— C'est vrai, dirent les autres.

— Il faut l'effacer au moins une fois », ajouta M. Ledru-Rollin.

M. de Lamartine comprit la portée de cette observation grammaticale qui était tout simplement une révolution par escamotage.

« Il faut pourtant attendre la sanction de la France, dit-il.

— Je me passe de la sanction de la France, s'écria Ledru-Rollin, quand j'ai la sanction du peuple.

— Mais qui peut savoir en ce moment ce que veut le peuple? observa Lamartine.

— Moi, dit Ledru-Rollin. »

Il y eut un moment de silence. On entendait la foule comme une mer. Ledru-Rollin reprit :

« Ce que le peuple veut, c'est la République tout de suite, la République sans attendre!

— La République sans sursis », dit Lamartine, cachant une objection dans cette traduction des paroles de Ledru-Rollin.

« Nous sommes provisoires, nous, repartit Ledru-Rollin, mais la République ne l'est pas. »

M. Crémieux prit la plume des mains de Lamartine, raya le mot *provisoire* au bas de la troisième ligne et écrivit à côté : *actuel.*

« Le gouvernement *actuel?* dit Ledru-Rollin, à la bonne heure. J'aimerais mieux définitif. Pourtant je signe. »

A côté de la signature de Lamartine, signature à peine formée, où l'on retrouve les incertitudes qui bouleversaient le cœur du poète, Ledru-Rollin mit sa signature tranquille ornée de ce banal paraphe de clerc d'avoué qu'il partage avec Proudhon. Après Ledru-Rollin, et au-dessous, Garnier-Pagès signa avec la même assurance et le même paraphe. Puis Crémieux, puis Marie, enfin Dupont de l'Eure, dont la main tremblait de vieillesse et d'épouvante.

Ces six hommes signèrent seuls. Le gouvernement provisoire en ce moment-là ne se composait que de ces six députés.

Le cachet de la Ville de Paris était sur la table. Depuis 1830, le navire voguant sous un ciel semé de fleurs de lys, avec la devise : *Prælucent certius astris* [1] avait disparu du sceau de la Ville. Ce sceau n'était plus qu'un simple cercle figurant un grand zéro et

portant à son centre ces seuls mots : *Ville de Paris.*
Ledru-Rollin prit le cachet et l'apposa au bas du
papier, si précipitamment qu'il l'imprima renversé.
Personne ne songea à mettre une date.

Quelques minutes après ce chiffon de papier était
une loi, ce chiffon de papier était l'avenir d'un peuple,
ce chiffon de papier était l'avenir du monde. La République était proclamée. *Alea jacta,* comme l'a dit plus
tard Lamartine [1].

Il a été fait à Paris dans la nuit du 24 février 1574
barricades.

Voici comment le magasin de Lepage, rue Richelieu,
fut forcé le 24 au matin. La devanture était fermée.
Cette devanture était doublée de fer en dedans et en
dehors ; en outre, en arrière des volets, l'armurier
Lepage, dans la prévision des émeutes, avait fait
poser un rideau de tôle pareil aux rideaux de fer des
théâtres pour les cas d'incendie. Ce rideau, manœuvré
comme une toile d'avant-scène, se lève et s'abaisse
à volonté, tout d'une pièce. Le rideau du magasin
Lepage était baissé et faisait une seconde armature
derrière la devanture. Les insurgés attaquèrent cette
devanture à coups de crosse, mais en vain. Ils l'ébran-
laient à peine. Il fallait y renoncer.

En ce moment, un omnibus passe. Les assaillants
arrêtent l'omnibus et font descendre les gens qui
étaient dedans. — Que vont-ils faire ? disaient les
voisins. Les insurgés détellent les chevaux, tournent
l'arrière de l'omnibus vers le magasin Lepage, saisis-
sent la voiture par le timon, et quarante hommes à
la fois, poussent l'omnibus d'un seul effort contre la
devanture. On entend un craquement formidable.
Volets et rideau de fer se défoncent, et l'omnibus
entre dans la boutique. Un moment après, les deux
cents fusils de Lepage étaient aux mains des insurgés.

Puis, ils couchèrent l'omnibus en travers dans la rue et en firent une barricade.

25 février.

Dans la matinée, le mouvement de va-et-vient à la mairie du VIIIe arrondissement et aux alentours était relativement calme, et les mesures d'ordre, prises la veille d'accord avec M. Ernest Moreau, semblaient assurer la sécurité du quartier.

Je crus pouvoir quitter la place Royale et me diriger vers le centre avec mon fils Victor. Le bouillonnement d'un peuple (du peuple de Paris!) le lendemain d'une révolution, c'était là un spectacle qui m'attirait invinciblement.

Temps couvert et gris, mais doux et sans pluie. Les rues étaient toutes frémissantes d'une foule en rumeur et en joie. On continuait avec une incroyable ardeur à fortifier les barricades déjà faites et à en construire de nouvelles. Des bandes, avec drapeaux et tambours, circulaient criant : Vive la République! ou chantant *la Marseillaise* et *Mourir pour la patrie !* Les cafés regorgeaient, mais nombre de magasins étaient fermés, comme les jours de fête ; et tout avait l'aspect d'une fête, en effet.

J'allai ainsi par les quais jusqu'au Pont-Neuf. Là, je lus au bas d'une proclamation le nom de Lamartine, et, ayant vu le peuple, j'éprouvai je ne sais quel besoin d'aller voir mon grand ami. Je rebroussai donc chemin, avec Victor, vers l'Hôtel de Ville.

La place était, comme la veille, couverte de foule, et cette foule, autour de l'Hôtel de Ville, était si serrée qu'elle s'immobilisait elle-même. Les marches du perron étaient inabordables. Après d'inutiles efforts pour en approcher seulement, j'allais me retirer, quand je fus aperçu par M. Froment-Meurice, l'orfèvre artiste, le frère de mon jeune ami Paul Meurice. Il

était commandant de la garde nationale et de service,
avec son bataillon, à l'Hôtel de Ville. Je lui dis notre
embarras. « Place! cria-t-il avec autorité, place à
Victor Hugo! » Et la muraille s'ouvrit, je ne sais comment, devant ses épaulettes.

Le perron franchi, M. Froment-Meurice nous guida,
à travers toutes sortes d'escaliers, de corridors et de
pièces encombrées de foule. En nous voyant passer,
un homme du peuple se détacha d'un groupe et se
campa devant moi. « Citoyen Victor Hugo, dit-il,
criez : *Vive la République!* — Je ne crie rien par ordre,
dis-je. Comprenez-vous la liberté? Moi, je la pratique.
Je crierai aujourd'hui : *Vive le peuple!* parce que ça
me plaît. Le jour où je crierai : *Vive la République!*
c'est parce que je le voudrai. — Il a raison! c'est très
bien! » murmurèrent plusieurs voix. Et nous passâmes.

Après bien des détours, M. Froment-Meurice nous
introduisit dans une petite pièce et nous quitta pour
aller m'annoncer à Lamartine.

La porte vitrée de la salle où nous étions donnait
sur une galerie, où je vis passer mon ami David d'Angers,
le grand statuaire. Je l'appelai. David, républicain
de vieille date, était rayonnant. « Ah! mon ami, le
beau jour! » s'écria-t-il. Il me dit que le gouvernement
provisoire l'avait nommé maire du XIe arrondissement.
« On vous a mandé, je crois, pour quelque chose de
pareil. — Non, dis-je, je ne suis pas appelé. Je viens
de moi-même pour serrer la main à Lamartine. »

M. Froment-Meurice revint et me dit que Lamartine
m'attendait. Je laissai Victor dans cette salle où je
viendrais le reprendre et je suivis de nouveau mon
obligeant conducteur à travers d'autres couloirs aboutissant à un grand vestibule plein de monde. « Un
monde de solliciteurs! » me dit M. Froment-Meurice.
C'est que le gouvernement provisoire siégeait dans la
pièce à côté. Deux grenadiers de la garde nationale
gardaient, l'arme au pied, la porte de cette salle, impas-

sibles et sourds aux prières et aux menaces. J'eus
à fendre cette presse ; un des grenadiers, averti, m'en-
trouvrit la porte ; la poussée des assaillants voulut
profiter de l'issue et se rua sur les sentinelles qui,
avec l'aide de M. Froment-Meurice, la refoulèrent, et
la porte se referma derrière moi.

J'étais dans une salle spacieuse faisant l'angle d'un
des pavillons de l'Hôtel de Ville et de deux côtés
éclairée par de hautes fenêtres. J'aurais souhaité
trouver Lamartine seul, mais il y avait là avec lui,
dispersés dans la pièce et causant avec des amis ou
écrivant, trois ou quatre de ses collègues du gouvernement provisoire, Arago, Marie, Armand Marrast...
Lamartine se leva à mon entrée. Sur sa redingote
boutonnée comme d'habitude, il portait en sautoir
une ample écharpe tricolore. Il fit quelques pas à ma
rencontre et, me tendant la main : « Ah ! Vous venez à
nous, Victor Hugo ! C'est pour la République une fière
recrue ! — N'allez pas si vite, mon ami ! lui dis-je en
riant, je viens tout simplement à mon ami Lamartine.
Vous ne savez peut-être pas qu'hier, tandis que vous
combattiez la Régence à la Chambre, je la défendais
place de la Bastille. — Hier, bien ; mais aujourd'hui !
Il n'y a plus aujourd'hui ni régence, ni royauté. Il
n'est pas possible qu'au fond Victor Hugo ne soit pas
républicain. — En principe, oui, je le suis. La République est, à mon avis, le seul gouvernement rationnel,
le seul digne des nations. La République universelle
sera le dernier mot du progrès. Mais son heure est-elle
venue en France ? C'est parce que je veux la République que je la veux viable, que je la veux définitive.
Vous allez consulter la nation, n'est-ce pas ? toute la
nation ? — Toute la nation, certes. Nous nous sommes
tous prononcés, au gouvernement provisoire, pour le
suffrage universel. »

En ce moment, Arago s'approcha de nous, avec
M. Armand Marrast qui tenait un pli.

« Mon cher ami, me dit Lamartine, sachez que nous vous avons désigné ce matin comme maire de votre arrondissement

— Et en voici le brevet signé de nous tous, dit Armand Marrast.

— Je vous remercie, dis-je, mais je ne puis accepter.

— Pourquoi ? reprit Arago ; ce sont des fonctions non politiques et purement gratuites.

— Nous avons été informés tantôt de cette tentative de révolte à la Force, ajouta Lamartine ; vous avez fait mieux que la réprimer, vous l'avez prévenue [1]. Vous êtes aimé, respecté dans votre arrondissement.

— Mon autorité est toute morale, dis-je, elle ne peut que perdre à devenir officielle. D'ailleurs, je ne veux, à aucun prix, déposséder M. Ernest Moreau, qui s'est loyalement et vaillamment comporté dans ces journées. »

Lamartine et Arago insistaient. « Ne nous refusez pas notre brevet. — Eh bien, dis-je, je le prends... pour les autographes ; mais il est entendu que je le garderai dans ma poche. — Oui, gardez-le, reprit en riant Armand Marrast, pour que vous puissiez dire que, du jour au lendemain, vous avez été pair et maire. »

Lamartine m'entraîna dans l'embrasure d'une croisée. « Ce n'est pas une mairie que je voudrais pour vous, reprit-il, c'est un ministère. Victor Hugo ministre de l'instruction publique de la République!... Voyons, puisque vous dites que vous êtes républicain ! — Républicain... en principe. Mais, en fait, j'étais hier pair de France, j'étais hier pour la Régence, et, croyant la République prématurée, je serais encore pour la Régence aujourd'hui. — Les nations sont au-dessus des dynasties reprit Lamartine ; moi aussi, j'ai été royaliste... — Vous étiez, vous, député, élu par la nation ; moi, j'étais pair, nommé par le roi, — Le roi, en vous choisissant, aux termes de la Constitution, dans une des catégories où se recrutait là Chambre haute, n'avait fait qu'honorer

la pairie et s'honorer lui-même. — Je vous remercie,
dis-je, mais vous voyez les choses du dehors, je regarde
dans ma conscience. »

Nous fûmes interrompus par le bruit d'une fusillade
prolongée qui éclata tout à coup sur la place. Une balle
vint briser un carreau au-dessus de nos têtes. « Qu'est-ce
encore que cela ? » s'écria douloureusement Lamartine.
M. Armand Marrast et M. Marie sortirent pour aller
voir ce qui se passait. « Ah! mon ami, reprit Lamartine,
que ce pouvoir révolutionnaire est dur à porter! On a de
telles responsabilités, et si soudaines, à prendre devant
la conscience et devant l'histoire! Depuis deux jours je
ne sais comment je vis. Hier j'avais quelques cheveux
gris, ils seront tous blancs demain. » « — Oui, mais vous
faites grandement votre devoir de génie », lui dis-je.

Au bout de quelques minutes, M. Armand Marrast
revint. « Ce n'était pas contre nous, dit-il. On n'a pas pu
m'expliquer cette lamentable échauffourée. Il y a eu
collision, les fusils sont partis. Pourquoi? Était-ce
malentendu? Était-ce querelle entre socialistes et républicains? On ne sait. » « Est-ce qu'il y a des blessés ? —
Oui, et même des morts. »

Un silence morne suivit. Je me levai. « Vous avez sans
doute des mesures à prendre ? — Hé! quelles mesures ?
reprit tristement Lamartine. Ce matin, nous avons résolu
de décréter ce que vous avez déjà pu faire en petit dans
votre quartier [1] : la garde nationale mobile ; tout Français soldat en même temps qu'électeur. Mais il faut le
temps, et, en attendant... » Il me montra sur la place, les
vagues et les remous de ces milliers de têtes. « Voyez, c'est
la mer! »

Un jeune garçon portant un tablier entra et lui parla
bas. « Ah! fort bien! dit-il ; c'est mon déjeuner. Voulez-
vous le partager, Hugo? — Merci! Mais à cette heure,
j'ai déjeuné. — Moi pas! Et je meurs de faim. Venez du
moins assister à ce festin ; je vous laisserai libre après. »

Il me fit passer dans une pièce donnant sur une cour

intérieure. Un jeune homme, d'une figure douce, qui écrivait à une table, se leva et fit mine de se retirer. C'était le jeune ouvrier que Louis Blanc avait fait adjoindre au gouvernement provisoire. « Restez, Albert, lui dit Lamartine ; je n'ai rien de secret à dire à Victor Hugo. » Nous nous saluâmes, M. Albert et moi.

Le garçonnet montra à Lamartine, sur la table, des côtelettes dans un plat de terre cuite, un pain, une bouteille de vin et un verre. Le tout venait de quelque marchand de vin du voisinage. « Eh bien, fit Lamartine ; et une fourchette ? un couteau ? — Je croyais qu'il y en avait ici. S'il faut aller en chercher !... J'ai déjà eu assez de peine à apporter ça jusqu'ici ! — Bah ! dit Lamartine, à la guerre comme à la guerre ! » Il rompit le pain, prit une côtelette par l'os et déchira la noix avec ses dents. Quand il avait fini, il jetait l'os dans la cheminée. Il expédia ainsi trois côtelettes et but deux verres de vin.

« Convenez, me dit-il, que voilà un repas primitif ! Mais c'est un progrès sur notre souper d'hier soir ; nous n'avions, à nous tous, que du pain et du fromage, et nous buvions de l'eau dans le même sucrier cassé. Ce qui n'empêche qu'un journal, ce matin, dénonce, à ce qu'il paraît, la grande orgie du gouvernement provisoire ! »

Je ne retrouvai pas Victor dans la salle où il devait m'attendre. Je pensai que, perdant patience, il était retourné seul à la maison.

Quand je descendis sur la place de Grève, la foule était encore tout émue et consternée de l'inexplicable collision de l'heure d'auparavant. Je vis passer le cadavre d'un blessé qui venait d'expirer. C'était, me dit-on, le cinquième. On le transportait, comme les autres, à la salle Saint-Jean, où étaient déjà exposés les morts de la veille, au nombre de plus de cent.

Avant de regagner la place Royale, je fis un tour pour visiter nos postes. Devant la caserne des Minimes, un garçonnet d'une quinzaine d'années, armé d'un grand fusil de la ligne, montait fièrement la garde. Il me sembla

l'avoir déjà vu le matin ou même la veille. « Vous êtes
donc en faction de nouveau ? lui dis-je. — Non, pas de
nouveau, toujours ; on n'est pas venu me relever. —
Ah çà ! depuis quand donc êtes-vous là ? — Eh ! voilà
bien dix-sept heures ! — Comment ! Vous n'avez pas
dormi ! Vous n'avez pas mangé ? — Si, j'ai mangé. —
Oui, vous avez été chercher de la nourriture ? — Oh !
Non ! Est-ce qu'une sentinelle quitte son poste ? Ce
matin, j'ai crié à la boutique en face que j'avais bien
faim, et on m'a apporté du pain. » Je me hâtai de faire
remplacer le brave enfant.

En arrivant place Royale, je demandai Victor. Il
n'était pas rentré. Un frisson me saisit ; je ne sais
pourquoi la vision de ces morts transportés à la salle
Saint-Jean traversa ma pensée. Si mon Victor avait été
surpris dans cette sanglante bagarre ? Je donnai un
prétexte pour sortir de nouveau. Vacquerie était là, je
lui dis tout bas mon angoisse, il s'offrit à m'accompagner.

Nous allâmes d'abord trouver M. Froment-Meurice,
dont les magasins étaient rue Lobau, à côté de l'Hôtel
de Ville, et je le priai de me faire entrer à la salle Saint-
Jean. Il essaya d'abord de me détourner de ce spectacle
hideux ; il l'avait vu la veille et en gardait encore l'impression d'horreur. Je crus saisir comme des ménage-
ments dans ces réticences, j'insistai d'autant plus, et
nous partîmes.

Dans la grande salle Saint-Jean, transformée en une
vaste morgue, s'étendait sur des lits de camp la longue
file des cadavres, méconnaissables pour la plupart. Et je
passai la sinistre revue, frémissant quand un des morts
était jeune et mince avec des cheveux châtains. Oh ! oui,
le spectacle était horrible de ces pauvres morts ensan-
glantés ! Mais je ne saurais le décrire ; tout ce que je
voyais de chacun d'eux, c'est que ce n'était pas mon
enfant. J'arrivai enfin au dernier et je respirai.

Comme je sortais du lieu lugubre, je vis accourir à
moi Victor bien vivant. Il avait quitté la salle où il

m'attendait lorsqu'il avait entendu la fusillade, il
n'avait pas retrouvé son chemin, et il avait été voir un
ami.

Février 1848.

Un homme à collier de barbe noire, fardé comme un
comédien, debout sur une borne, faisait le signe de la
croix sur le boulevard et chantait au milieu de la foule
une chanson intitulée : *Prière républicaine.*

26 février.

Sous les arcades de la place Royale, on a écrit partout,
au charbon : *Place des Vosges.*

On voit dans Paris, sur les murs, une affiche qui commence ainsi :

RÉPUBLIQUE FRANÇAISE

Citoyennes !

Dans un moment où chacun songe
a enlever ses tapis (etc...)

Au bas, l'adresse d'un industriel quelconque.

A Versailles, le 25, la statue de Jeanne d'Arc par Marie
d'Orléans brisée et jetée par les fenêtres.

FUITE DE LOUIS-PHILIPPE

Ce fut M. Crémieux qui dit au roi Louis-Philippe ces
tristes paroles : « Sire, il faut partir. »

Le roi avait déjà abdiqué. Cette signature fatale était
donnée. Il regarda M. Crémieux fixement.

On entendait au-dehors la vive fusillade de la place
du Palais-Royal ; c'était le moment où les gardes municipaux du Château-d'Eau luttaient contre les deux
barricades de la rue de Valois et de la rue Saint-Honoré.

Par moment, d'immenses clameurs montaient et
couvraient la mousqueterie. Il était évident que le
peuple arrivait. Du Palais-Royal aux Tuileries, c'est
à peine une enjambée pour ce géant qu'on appelle
l'émeute.

M. Crémieux étendit la main vers ce bruit sinistre
qui venait du dehors et répéta :

« Sire, il faut partir. »

Le roi, sans répondre une parole, et sans quitter
M. Crémieux de son regard fixe, ôta son chapeau de général qu'il tendit à quelqu'un au hasard près de lui, puis il
ôta son cordon rouge, puis il ôta son uniforme à grosses
épaulettes d'argent, et dit, sans se lever du large fauteuil
où il était comme affaissé depuis plusieurs heures :

« Un chapeau rond ! une redingote ! »

On lui apporta une redingote et un chapeau rond. Au
bout d'un instant, il n'y avait plus qu'un vieux bourgeois.

Puis il cria d'une voix qui commandait la hâte :

« Mes clefs ! mes clefs ! »

Les clefs se firent attendre.

Cependant le bruit croissait, la fusillade semblait
s'approcher, la rumeur terrible grandissait.

Le roi répétait : « Mes clefs ! mes clefs ! »

Enfin on trouva les clefs, on les lui apporta. Il en ferma
un portefeuille qu'il prit sous son bras, et un plus gros
portefeuille dont un valet de pied se chargea. Il avait
une sorte d'agitation fébrile. Tout se hâtait autour de
lui. On entendait les princes et les valets dire : « Vite !
Vite ! » La reine seule était lente et fière.

On se mit en marche. On traversa les Tuilleries, le
roi donnant le bras à la reine ou, pour mieux dire, la
reine donnant le bras au roi ; la duchesse de Montpensier

s'appuyant sur M. Jules de Lasteyrie, le duc de Montpensier sur M. Crémieux.

Le duc de Montpensier dit à M. Crémieux :

« Restez avec nous, Monsieur Crémieux, ne nous
quittez pas. Votre nom peut nous être utile. »

On arriva ainsi à la place de la Révolution. Là, le
roi pâlit.

Il chercha des yeux les quatre voitures qu'il avait
fait demander à ses écuries. Elles n'y étaient pas. Au
sortir des écuries, le cocher de la première voiture avait
été tué d'un coup de fusil. Et au moment où le roi les
cherchait sur la place Louis XV, le peuple les brûlait
sur la place du Palais-Royal.

Il y avait au pied de l'obélisque un petit fiacre à un
cheval, arrêté.

Le roi y marcha rapidement, suivi de la reine.

Dans ce fiacre, il y avait quatre femmes portant sur
leurs genoux quatre enfants.

Les quatre femmes étaient MM^mes de Nemours et de
Joinville et deux personnes de la cour. Les quatre enfants
étaient des petits-fils du roi.

Le roi ouvrit vivement la portière et dit aux quatre
femmes : » Descendez! Toutes! toutes! »

Il ne prononça que ces trois mots.

Les coups de fusil devenaient de plus en plus terribles.
On entendait le flot du peuple qui entrait aux Tuileries.

En un clin d'œil les quatre femmes furent sur le pavé.
— le même pavé où avait été dressé l'échafaud de
Louis XVI.

Le roi monta, ou, pour mieux dire, se plongea dans le
fiacre vide ; la reine l'y suivit. Mme de Nemours monta
sur la banquette de devant. Le roi avait toujours son
portefeuille sous le bras. On fit entrer l'autre grand
portefeuille, qui était vert, dans la voiture avec quelque
peine. M. Crémieux l'y fit tomber d'un coup de poing.
Du reste le portefeuille ne contenait pas d'argent. Deux
jours après, le gouvernement provisoire, apprenant que

Louis-Philippe était à Trouville, empêché par le défaut
d'argent, fit porter par M. de Lamartine à M. de Montalivet trois cent mille francs pour le roi.

« Partez! » cria le roi.

Le fiacre partit. On prit l'avenue de Neuilly.

Thuret, le valet de chambre du roi, monta derrière.
Mais il ne put se tenir sur la barre qui tenait lieu de
strapontin. Il essaya alors de monter sur le cheval, puis
finit par courir à pied. La voiture le dépassa.

Thuret courut jusqu'à Saint-Cloud, pensant y retrouver le roi. Là, il apprit que le roi était reparti pour Trianon.

En ce moment, Mme la princesse Clémentine et son
mari, le duc de Saxe-Cobourg, arrivaient par le chemin
de fer.

« Vite, Madame, dit Thuret, reprenons le chemin de
fer et partons pour Trianon. Le roi est là. »

Ce fut ainsi que Thuret parvint à rejoindre le roi.

Cependant, à Versailles, le roi s'était procuré une
grande berline et une espèce de voiture omnibus. Il prit
la berline avec la reine. Sa suite prit l'omnibus. On mit
à tout cela des chevaux de poste et l'on partit pour Dreux.

Chemin faisant, le roi ôta son faux toupet et se coiffa
d'un bonnet de soie noire jusqu'aux yeux. Sa barbe
n'était pas faite de la veille. Il n'avait pas dormi. Il
était méconnaissable. Il se tourna vers la reine qui lui
dit : « Vous avez cent ans. »

En arrivant à Dreux il y a deux routes, l'une à droite,
qui est la meilleure, bien pavée, et qu'on prend toujours,
l'autre à gauche pleine de frondrières et plus longue. Le
roi dit : « Postillon, prenez à gauche. »

Il fit bien, il était haï à Dreux. Une partie de la population l'attendait sur la route de droite avec des intentions hostiles. De cette façon, il échappa au danger.

Le sous-préfet de Dreux, prévenu, le rejoignit et lui
remit douze mille francs : six mille en billets, six mille
en sacs d'argent.

La berline quitta l'omnibus, qui devint ce qu'il put,
et se dirigea vers Évreux. Le roi connaissait là, à une
lieue avant d'arriver à la ville, une maison de campagne
appartenant à quelqu'un de dévoué, M. de...

Il était nuit noire quand on arriva à cette maison.

La voiture s'arrêta.

Thuret descendit, sonna à la porte, sonna longtemps.
Enfin quelqu'un parut.

Thuret demanda : « M. de... ? »

M. de... était absent. C'était l'hiver ; M. de... était
à la ville...

Son fermier, appelé Renard, qui était venu ouvrir,
expliqua cela à Thuret.

« C'est égal, dit Thuret, j'ai là un vieux monsieur et
une vieille dame de ses amis, qui sont fatigués, ouvrez-
nous toujours la maison.

— Je n'ai pas les clefs », dit Renard.

Le roi était épuisé de fatigue, de souffrance et de
faim. Renard regarda ce vieillard et fut ému.

« Monsieur et Madame, reprit-il, entrez toujours. Je ne
puis pas vous ouvrir le château, mais je vous offre la
ferme. Entrez. Pendant ce temps-là, je vais envoyer
chercher mon maître à Évreux. »

Le roi et la reine descendirent. Renard les introduisit
dans la salle basse de la ferme. Il y avait grand feu. Le
roi était transi.

« J'ai bien froid », dit-il. Puis il reprit : « J'ai bien
faim. »

Renard dit : « Monsieur, aimez-vous la soupe à l'oignon ? — Beaucoup », dit le roi.

On fit une soupe à l'oignon, on apporta les restes du
déjeuner de la ferme, je ne sais quel ragoût froid, une
omelette.

Le roi et la reine se mirent à table, et tout le monde
avec eux, Renard le fermier, ses garçons de charrue, et
Thuret, le valet de chambre.

Le roi dévora tout ce qu'on lui servit. La reine ne
mangea pas.

Au milieu du repas, la porte s'ouvre. C'était M. de... ;
il arrivait en hâte d'Évreux.

Il aperçoit Louis-Philippe et s'écrie : « Le roi! »

« Silence! » dit le roi.

Mais il était trop tard.

M. de... rassura le roi. Renard était un brave homme.
On pouvait se fier à lui. Toute la ferme était pleine de
gens sûrs.

« Eh bien! dit le roi, il faut que je reparte tout de
suite. Comment faire ?

— Où voulez-vous aller ? demanda Renard.

— Quel est le port le plus proche ?

— Honfleur.

— Eh bien! je vais à Honfleur.

— Soit, dit Renard.

— Combien y a-t-il d'ici là ?

— Vingt-deux lieues. »

Le roi effrayé s'écria :

« Vingt-deux lieues!

— Vous serez demain matin à Honfleur », dit Renard.

Renard avait un tape-cul dont il se servait pour courir
les marchés. Il était éleveur et marchand de chevaux.
Il attela à son tape-cul deux forts chevaux.

Le roi se mit dans un coin, Thuret dans l'autre, Renard
comme cocher, au milieu ; on mit en travers sur le tablier
un gros sac plein d'avoine, et l'on partit.

Il était sept heures du soir.

La reine ne partit que deux heures après dans la berline, avec des chevaux de poste.

Le roi avait mis les billets de banque dans sa poche.
Quant aux sacs d'argent, ils gênaient.

« J'ai vu plus d'une fois le moment où le roi allait
m'ordonner de les jeter sur la route », me disait plus tard
Thuret en me contant ces détails.

On traversa Évreux, non sans peine. A la sortie,

près l'église Saint-Taurin, il y avait un rassemblement qui arrêta la voiture.

Un homme prit le cheval par la bride et dit : « C'est qu'on dit que le roi se sauve par ici. »

Un autre mit une lanterne sous les yeux du roi.

Enfin une espèce d'officier de garde nationale qui, depuis quelques instants, semblait toucher aux harnais des chevaux dans une intention suspecte, s'écria :

« Tiens! c'est le père Renard, je le connais, citoyens! »

Il ajouta à voix basse en se tournant vers Thuret : « Je reconnais votre compagnon du coin. Partez vite. »

Thuret m'a dit depuis :

« Il m'a parlé à temps, cet homme-là. Car je croyais qu'il venait de couper les traits d'un cheval, et j'allais lui donner un coup de couteau. J'avais déjà mon couteau tout ouvert dans la main. »

Renard fouetta et l'on quitta Évreux.

On courut toute la nuit. De temps en temps, on s'arrêtait aux auberges du bord de la route et Renard faisait manger l'avoine à ses chevaux. Il disait à Thuret : « Descendez. Ayez l'air à votre aise. Tutoyez-moi. » Il tutoyait aussi un peu le roi.

Le roi abaissait son bonnet de soie noire jusqu'à son nez et gardait un silence profond.

A sept heures du matin on était à Honfleur. Les chevaux avaient fait vingt-deux lieues sans s'arrêter, en douze heures. Ils étaient harassés.

« Il est temps », dit le roi.

De Honfleur le roi gagna Trouville. Là, la reine le rejoignit.

A Trouville, ils espéraient se cacher dans une maison autrefois louée par M. Duchâtel quand il venait prendre les bains de mer aux vacances. Mais la maison était fermée. Ils se réfugièrent chez un pêcheur.

Le général de Rumigny survint dans la matinée et faillit tout perdre. Un officier le reconnut sur le port.

Enfin le roi parvint à s'embarquer. Le gouvernement provisoire s'y prêtait beaucoup.

Cependant, au dernier moment, un commissaire de police voulut faire du zèle. Il se présenta sur le bâtiment où était le roi en vue de Honfleur et le visita du pont à la cale.

Dans l'entrepont, il regardait beaucoup ce vieux monsieur et cette vieille dame qui étaient là assis dans un coin et ayant l'air de veiller sur leurs sacs de nuit.

Cependant il ne s'en allait pas.

Tout à coup le capitaine tira sa montre, et dit :

« Monsieur le commissaire de police, restez-vous ou partez-vous ?

— Pourquoi cette question ? dit le commissaire.

— C'est que, si vous n'êtes pas à terre en France dans un quart d'heure, demain vous serez en Angleterre.

— Vous partez ?

— Tout de suite. »

Le commissaire de police prit le parti de déguerpir, fort mécontent et ayant vainement flairé une proie.

Le bâtiment partit.

En vue du Havre, il faillit sombrer. Il se heurta — le temps était mauvais et la nuit noire — dans un gros navire qui lui enleva une partie de sa mâture et de son bordage. On répara les avaries comme on put, et le lendemain matin le roi et la reine étaient en Angleterre.

Le 24 février, le duc et la duchesse Decazes furent à la lettre chassés du Luxembourg. Et par qui ? Par les habitants mêmes du palais, tous employés de la Chambre des pairs, tous nommés par le grand référendaire. Le bruit courait dans le quartier que les pairs devaient se réunir dans la nuit, qu'ils feraient un acte contre-révolutionnaire et publieraient une proclamation, etc. Tout le faubourg Saint-Jacques se préparait à marcher

contre le Luxembourg. De là, terreur. On vint supplier
d'abord, puis presser, puis enfin contraindre le duc et
la duchesse de quitter le palais. « Mais demain nous
partirons. Nous ne savons où aller. Laissez-nous passer
la nuit ici! — Non, pas même la nuit! » On les chassa.

Ils allèrent coucher dans un hôtel garni. Le lendemain,
ils prirent gîte rue de Verneuil, 9.

M. Decazes était fort malade. On l'avait taillé quelque
huit jours auparavant. Mme Decazes prit tout cela
avec gaieté et courage, ce qui est la vertu des femmes
au milieu des sottises des hommes.

Les ministres, le 24 février, ne s'évadèrent pas sans
peine.

M. Guizot avait, depuis trois jours, quitté l'hôtel des
Capucines et s'était installé au ministère de l'Intérieur.
Il vivait là en famille avec M. Duchâtel.

Le 24 février, ils attendaient M. Odilon Barrot et
la régence ; ce fut M. Ledru-Rollin qui vint, et la
révolution.

MM. Duchâtel et Guizot étaient au moment de
déjeuner, ils allaient se mettre à table, lorsqu'un huissier
accourut tout effaré. La tête de colonne de l'émeute
débouchait de la rue de Bourgogne. Les deux ministres
laissèrent la table servie et n'eurent que le temps de
s'enfuir par le jardin. Leurs familles les suivaient :
la jeune femme de M. Duchâtel, la vieille mère de
M. Guizot, les enfants.

Une particularité, c'est que le déjeuner de M. Guizot
devint le dîner de M. Ledru-Rollin. Ce n'est pas la
première fois que ce qui est servi à la monarchie est
mangé par la République.

Cependant les fugitifs avaient pris la rue Bellechasse.
M. Guizot marchait le premier, donnant le bras à
Mme Duchâtel, son pardessus de fourrure boutonné,
son chapeau comme à l'ordinaire renversé sur le derrière
de la tête, fort reconnaissable. Rue Hillerin-Bertin

Mme Duchâtel s'aperçut que des hommes en blouse regardaient singulièrement M. Guizot. Elle le fit entrer dans une porte cochère ; il se trouva qu'elle en connaissait la portière. On fit monter M. Guizot au cinquième étage, dans une chambre inhabitée, et on l'y cacha.

M. Guizot passa un jour dans cette cachette, mais il n'y pouvait rester. Un de ses amis se souvint d'un libraire, grand admirateur de M. Guizot, qui avait souvent, dans des temps meilleurs, déclaré qu'il se dévouerait et donnerait sa vie pour celui qu'il appelait un « grand homme », et qu'il en souhaitait l'occasion. (On ne m'a pas dit le nom de ce libraire.) On l'alla trouver. On lui rappela ses paroles, on lui dit que l'heure qu'il avait désirée était venue. Le brave homme de libraire ne faillit pas à ce qu'on attendait de lui. Il offrit sa maison et cacha M. Guizot dix jours entiers.

Au bout de ces dix jours, on loua les huit places d'un compartiment du chemin de fer du Nord. M. Guizot s'y transporta à la nuit tombante. Les sept personnes qui l'accompagnaient et qui se dévouaient à son évasion prirent place près de lui dans le compartiment. On gagna ainsi Lille, puis Ostende. De là, M. Guizot passa en Angleterre.

L'évasion de M. Duchâtel fut plus compliquée.

Il resta caché dans Paris jusqu'au 27. Le 28, M. Arago lui fit remettre un passeport ainsi conçu : « Les autorités de la République laisseront circuler librement le sieur Masson auquel j'ai donné une mission de confiance pour le service de la République. *Signé :* ARAGO. » M. Duchâtel se grima, se mit des moustaches et partit pour le Havre. Il fut arrêté trois fois en route. Le passeport le tira d'affaire. Au Havre, le commissaire de marine, M. de la Gâtinerie, lui dit en souriant : « Monsieur Masson, je vous connais bien, passez », et le fit embarquer.

Il commençait à s'installer, lorsqu'on vint le prévenir que le paquebot ne partait pas. Il se crut découvert et perdu. Le paquebot était tout simplement retenu par le consul d'Angleterre, probablement pour favoriser au besoin la fuite de Louis-Philippe. M. Duchâtel revint à terre et passa la nuit et la journée du lendemain dans l'atelier d'une femme peintre qui lui était dévouée.

Le lendemain autre paquebot, autre embarquement. M. Duchâtel descendit dans la salle basse en attendant le départ du navire. Il ne respirait pas, croyant à tout moment se voir reconnu et saisi. Enfin la machine chauffe, les premiers tours de roue battent l'eau. On part. Tout à coup, un cri s'élève du quai et du navire : *Arrêtez ! Arrêtez !* Le navire s'arrête court. Cette fois, le pauvre diable de ministre se crut perdu.

C'était un officier de la garde nationale qui s'était attardé à faire ses adieux sur le pont, et qui ne voulait pas aller en Angleterre malgré lui. Voyant que le navire s'ébranlait, il avait crié : *Arrêtez !* et sa famille lui avait répondu du quai. On mit l'officier à terre et le paquebot partit.

Ce fut ainsi que M. Duchâtel quitta la France et gagna l'Angleterre.

Ce fut également avec un passeport d'Arago au nom de M. Estienne que M. Pasquier quitta Paris. Il gagna Tours et ne s'y voyant pas inquiété, il y resta.

Arago me disait plus tard : « C'est égal, en revenant en France, Duchâtel aurait dû mettre une carte chez moi. »

Entre autres papiers on a trouvé aux Tuileries une lettre de Mme de Joinville à son mari où il y a ce passage :

« Mon bon vieux, je ne te parlerai pas politique, on ne nous dit rien. Paf sait quelque chose, mais il est à Vincennes. »

Paf était le sobriquet de M. de Montpensier. Chaque prince de la famille avait le sien.

M. LIBRI [1]

Le lundi qui suivit la révolution (le 28 février),
M. Libri vint comme à l'ordinaire à l'Académie des
sciences. Il avait une large cocarde tricolore fixée par
une épingle sur sa poitrine. En entrant, il demanda à
M. Pingard : « Est-ce qu'il n'y a pas ici de liste de
souscription pour les blessés ? » « Non, Monsieur, répondit
Pingard. « Ah! » M. Libri parut surpris et presque
mécontent, et ajouta : « Si l'on ouvre une liste, vous
me le direz, que j'y mette mon nom. »

Cela dit, il alla s'asseoir à sa place habituelle. Il y
était depuis quelques instants, lorsqu'un billet écrit
au crayon et plié en quatre lui fut remis par M. Pingard
jeune. Ce billet venait de la part d'un spectateur mêlé
au public, et qu'on a supposé être un journaliste.
M. Libri ouvrit le papier, lut et pâlit. Il resta encore à
sa place un quart d'heure environ, puis il se leva, fit le
tour de la salle et sortit. On le l'a plus revu depuis à
l'Académie.

Il paraît que le billet était un avis de la pièce trouvée
et des poursuites commencées contre lui.

M. Libri rentra à son logis, ressortit au bout d'une
heure, et dit à son domestique de ne pas s'inquiéter
s'il ne revenait pas coucher. Il fut en effet deux jours
absent, puis il reparut un soir et coucha une nuit chez
lui. Le lendemain, il prit la fuite. Il paraît qu'il n'a
pu emporter aucun papier. Avant de quitter Paris, il
fit un paquet de livres qu'il renvoya à la bibiothè-
que.

M. Libri avait mauvaise renommée à l'Institut.
Il passait pour avoir dérobé force autographes précieux,
de Descartes entre autres, dans les cartons du secrétariat, du temps du vieux bonhomme Cardot. Un jour,
Pingard, le voyant fouiller dans les cartons, prit le
parti de s'installer au secrétariat et de n'en point

bouger. Ceci impatientait fort M. Libri qui lui disait :
« Mais allez donc à vos affaires! » Pingard tint bon.

Quel changement à vue! Comme les événements
vous ont, en un clin d'œil, déshabillé les acteurs et
emporté les coulisses! Jamais le bon Dieu n'avait été
si grand machiniste depuis soixante ans!

> *La chose est farce ; on rit dès le premier chapitre,*
> *Paillasse dictateur fait ministre son pitre* [1].

Place des Victoires, la statue de Louis XIV est
coiffée d'un bonnet rouge. Bonnet énorme qui couvre
la perruque et qu'on a dû faire exprès.

> *le pavé sale et noir*
> *Sue une populace épouvantable à voir.*

> *botté de boue*
> *ganté de sang.*

Tout à l'heure, aux Tuileries, un homme pérorait
dans un groupe et disait : « La république est en prison ».
J'ai répliqué : « Non! la guillotine est en prison [2]. La
république est au soleil. »
La foule a applaudi.

O républicains, au bout de toutes vos belles théories,
on trouve, d'un côté la guillotine, et de l'autre :

> *ce cloaque sans nom*
> *Plein d'ossements hideux dont le peuple se joue,*
> *Cave infâme où Marat se dissout dans la boue,*
> *Égout qui se dégorge en votre Panthéon.*

Rue Saint-Anastase. Un groupe d'hommes et de
femmes, violon en tête, sautait et dansait en poussant

toutes sortes de cris de joie devant un poste de minuit.
Un gamin criait :

« Vivent les propriétaires qui font grâce de leur
terme aux locataires ! »

Il s'interrompit et dit : « *Cré coquin, j'ai la gorge sec !* »

Cette nuit [1] quatre hommes ont traversé le faubourg
Saint-Antoine portant un drapeau noir avec cette
inscription : *Guerre aux riches.* Ils ont été arrêtés par
une patrouille de garde mobile commandée par un jeune
capitaine de dix-huit ans appelé Baudoin. Le drapeau
était fait avec un jupon de femme.

Hier 13 mars, sous les arcades de la place Royale, une
affiche jaune annonçait la réapparition du *Père Duchesme.*

Soyez effrayants, je le veux bien, mais soyez origi-
naux. Quoi ! Toujours la même vieille guenille rouge !
Toujours la même pique ! O copistes des choses terribles !
Respectez ces choses, car elles ont été grandes. Ne les
faites pas risibles en les recommençant. Vous êtes les
moutons de Panurge, et vous êtes ces moutons-là au
point de devenir des tigres !

14 mars.

Le cadran des Tuileries arrêté à *trois heures.* (N'a pas
été remonté depuis la révolution.) Marque l'heure de la
chute de la monarchie. La façade, toutes les vitres brisées.
Plus de rideaux. On aperçoit à travers les carreaux cassés
le spectre noir des lustres qui se découpe en silhouette
sur les fenêtres de l'autre façade. Si cette façade eût
apparu en rêve à Louis-Philippe, il y a un mois ! Une
fenêtre chez M. de Joinville et deux chez Mme Adélaïde
ont conservé des rideaux blancs. Les grilles des Tuileries
descellées et arrachées, redressées à la hâte, rapiécées
avec des palissades en bois. La grille sur la rue de Casti-

glione fermée avec des chaînes et contrebutée avec de
grosses pierres. Les passants regardent dans les caves du
pavillon Marsan. Ce sont les cuisines. Elles sont dévas-
tées. On voit encore une grande pile de poêlons verts en
terre cuite sur une immense table de cuisine. Tout le
reste brisé. A la grille sur le Pont Royal, un crieur vend,
pour un sou chaque, les deux numéros uniques du journal de Raspail, *L'Ami du peuple*. Il crie : « *Le journal du
citoyen Raspail !* » Un soldat de la mobile, reconnaissable
à sa casquette qui porte le numéro de sa légion sur un
carton blanc, achète un numéro et le rend en disant :
« *Un vieux journal ! Je n'en veux pas ! Tu nous vends les
journaux d'il y a quinze jours à présent !* »

Au Palais-Royal, sous la galerie des Princes, encore
encombrée de démolitions et de débris, un homme ven-
dait des brochures et criait : « *Les crimes de Louis-Philippe ! Pour deux sous ! Louis-Philippe a fait tuer le duc de
Berry ! Pour deux sous ! Louis-Philippe a fait pendre le
prince de Condé ! Pour deux sous !* » Un enfant passait en
disant : « *Paraît qu'on guillotinera bientôt.* » .

ACADÉMIE

Deuxième séance après la révolution de Février. Il y
avait MM. de Barante et Molé qui n'étaient pas à la précédente. MM. de Sainte-Aulaire, Cousin, de Ségur, Rémusat, Tocqueville, Mignet, Viennet étaient à celle-ci et à
la précédente. M. Mérimée y était, en garde national.
M. Dupin, qui assistait à la précédente, n'est pas venu
à celle-ci. La dernière fois, quand il vint, il sortait de
l'Hôtel de Ville où il avait accompagné la cour de
cassation et crié, dit-on : *Vive la République !* Il s'approcha de moi et me dit : « Savez-vous le mot du bonhomme
Séguier ? — Non. — Voici : *C'est le sixième gouvernement
que je regarde passer du haut de mon tribunal.* » Et M. Dupin se mit à rire.

On disait en ce moment-là qu'il était destitué et remplacé par maître Baroche, bâtonnier de l'ordre des avocats.

Mars 1848.

Cependant toutes sortes de passions fermentaient, les anciennes rancunes, les vieilles haines, qui jadis se dressaient contre le gouvernement, et qui maintenant, le gouvernement terrassé, montaient vers la société.

Dans les premiers jours de mars, une nouvelle et étrange classe d'hommes, classe exaltée et fanatique, irritée quelquefois à tort, quelquefois justement indignée, les *condamnés politiques*, s'assemblait dans la salle Valentino. Sobrier avait provoqué la réunion ; Huber, Barbès, Blanqui l'avaient organisée.

Cette assemblée ne fut qu'un long tumulte. Elle commença comme un orage et finit comme un combat. Sobrier y parla avec sa passion ardente ; Blanqui avec sa colère froide. D'autres encore. Mille violences, contre le roi tombé, contre le gouvernement provisoire, contre Guizot, contre Lamartine, contre tous et contre tout.

« Les condamnés politiques étaient les vrais auteurs de la révolution de février. — Ils avaient préparé l'explosion, ils avaient fait l'idée. Or, faire l'idée, c'est faire la chose. — Et on les oubliait! eux, les vrais, les purs, les seuls républicains! eux, les vainqueurs, on les traitait en vaincus! évidemment le gouvernement provisoire trahissait! »

Huber, qui était sorti des cachots du Mont Saint-Michel perclus de tous ses membres, se fit porter sur le théâtre dressé au fond de la salle. Il était assis sur un fauteuil, pâle et furieux, suppléant aux gestes par le regard. Il cria : « Citoyens, savez-vous ce que j'ai vu ? Je suis allé à l'Hôtel de Ville. On a refusé devant moi la porte à nos frères des barricades, à nos frères des cabanons, à nos frères de 1830 et de 1848! On chasse les

pieds nus et l'on admet les bottes vernies! Ce sont les
gens bien mis, les gens en habit, les riches, qui sont les
maîtres! De toutes parts on allonge des griffes vers les
places, mais ce sont des griffes en gants jaunes! Ceux
qui sont en haut veulent rester en haut. Est-ce que ceux
qui sont en bas ne vont pas monter à la fin? La vieille
société se défend ; faisons-lui brèche et ouvrons l'assaut !
Et commençons par jeter bas ce méchant mur de plâtre
qu'on appelle le gouvernement provisoire! »

Cette imprécation acheva l'exaspération. Toutes les
têtes prirent feu. Une immense clameur remplit la salle :
« *Aux armes ! A l'Hôtel de Ville ! A bas le gouvernement
provisoire !* »

Beaucoup crièrent : « *A bas les riches !* » « *Non ! non !* »
dirent les autres, républicains austères qui ne voulaient
pas transformer l'idée de février et dépasser les propor-
tions d'une révolution politique. Un conflit éclata. La
scission se fit sur-le-champ, tout de suite, violemment,
à coups de poing, entre ceux qui se contentaient de
Robespierre et ceux qui allaient jusqu'à Babeuf. L'am-
phithéâtre de la salle, qui sert d'orchestre, quand on y
danse, servit de champ de bataille.

Occupés à la querelle entre eux, ils oublièrent pour un
moment l'Hôtel de Ville et le gouvernement provisoire.
Cette petite guerre empêcha la grande.

Shakespeare eût accepté 93, Guilbert de Pixérécourt
eût dédaigné 1848 [1].

En révolution j'aime encore mieux les culs-de-jatte
que les nains et Couthon que Marrast.
Dans le cul-de-jatte il y a eu un homme.

J'aime mieux 93 que 48. J'aime mieux voir patauger
les titans dans le chaos que les jocrisses dans le gâ-
chis.

O parodistes de 93! Prenez garde de produire autour de vos noms la terreur un moment et l'horreur à
jamais!

Prenez garde...

> *Voulant être effrayants, de rester exécrables,*
> *Et de produire autour de vos noms misérables,*
> *La terreur un moment et l'horreur à jamais!*

Quoi! Nous verrions Barbès dévorer Sobrier comme
Robespierre dévorait Danton, et Blanqui dévorer Barbès
comme Tallien dévorait Robespierre! Nous verrions
recommencer le duel à la guillotine!

Ah! doucement! Ne confondez pas les hommes de 92
et de 93 avec les hommes de 1848. Les anciens révolutionnaires, les grands révolutionnaires ont été taillés
à coups de serpe de la main même de Dieu dans le
vieux chêne populaire. Ceux-ci sont les copeaux du
travail.

On peut tomber au-dessous de Marat, au-dessous de
Couthon, au-dessous de Carrier. Comment? En les imitant. Ils étaient horribles et graves. On serait horrible
et ridicule. Quoi! La Terreur parodie! Quoi! La guillotine plagiaire! Y a-t-il quelque chose de plus hideux et
de plus bête? Voyez un peu, est-ce là ce que vous voulez? 93 a eu ses hommes, il y a de cela cinquante-cinq
ans, et maintenant il aurait ses singes.

17 mars 1848.

Courtais [1].

> *Il n'est pas sans danger, quoi qu'il soit sans malice.*
> *Il se croit La Fayette et n'est que La Palisse.*

LE ROI JÉRÔME

Un matin de mars 1848, je vis entrer dans mon salon de la place Royale un homme de moyenne taille, d'environ soixante-cinq ou six ans, ayant un habit noir, un ruban rouge et gros bleu à la boutonnière, un pantalon à sous-pieds, des bottes vernies et des gants blancs. C'était Jérôme Napoléon, roi de Westphalie.

Il avait une voix très douce, un sourire charmant, quoique un peu timide, les cheveux plats et grisonnants, et quelque chose du profil de l'empereur.

Il venait me remercier de son retour en France, qu'il m'attribuait, et me prier de le faire nommer gouverneur des Invalides. Il me conta que M. Crémieux, membre du gouvernement provisoire, lui avait dit la veille : « Si Victor Hugo le demande à Lamartine, cela sera. Autrefois tout dépendait de l'entrevue de deux empereurs, maintenant tout dépend de l'entrevue de deux poètes. » J'ai répondu au roi Jérôme : « Dites à M. Crémieux que c'est lui qui est le poète. »

Casse-cou! Prenez quelques heures de plus. Descendez par les transitions. Point de chute à pic. Une révolution n'est pas un saut périlleux. Vous changeriez tout simplement l'événement en dislocation. Ce qui, par l'escalier, est votre cour ou votre jardin, par la fenêtre est précipice. Le beau résultat d'arriver mort!

Mars 1848.

L'État penche. Le trésor vide. La banqueroute approche. L'argent a disparu. Faillite sur faillite.

Ainsi l'un après l'autre
Dans un vaisseau qui brûle éclatent les canons.

Quoi ! des niais seront mes docteurs, mes prophètes,
Mes maîtres ! J'agirai quand ils me diront : faites !
Quoi ! je vénérerai, quoi ! je déifierai
Le vieux Dupont de l'Eure au regard effaré !
Quoi donc ! Il suffira qu'on me dise : — Ces hommes,
Parce que nous régnons et parce que nous sommes,
Sont grands, sages, profonds, divins, prodigieux !
Pour que j'aille, incliné, muet, religieux,
Comme devant les saints, les héros et les justes,
Contempler le néant dans ces crétins augustes !

Mars 1848.

Nous sommes sur le radeau de la Méduse, et la nuit tombe.

Quoi! Depuis vingt ans chacun de nous apporte sa pierre à l'édifice de l'avenir, et c'est avec cette pierre qu'on veut nous lapider aujourd'hui!

Les hommes de Février semblent s'entendre pour ébranler à qui mieux mieux l'ordre de choses qu'ils ont fondé ; ceux qui sont hors du pouvoir, par leurs menées, ceux qui sont au pouvoir, par leurs mesures. Ces derniers surtout, je les admire. Les lois qu'on propose, les combinaisons qu'on imagine, les expédients qu'on improvise, les étranges façons de gouvernement qu'on a, autant de coups portés, qu'on le fasse exprès ou non, à l'établissement actuel, dont personne plus que moi n'aurait souhaité le succès et la durée. En vérité, les partis hostiles, s'il y en a, seraient bien insensés et bien imbéciles d'intriguer et de comploter. A quoi bon prendre cette peine ? Ce qu'ils ont de mieux à faire, c'est de laisser les républicains conspirer contre la République.

Suzanne [1]. — Madame, la fontaine [2] ne peut plus aller.

MADAME. — Eh bien, Suzanne.

SUZANNE. — Il faut en acheter une autre.

MADAME. — Impossible, Suzanne.

SUZANNE. — Mais regardez! Elle est toute fêlée! L'eau fuit!

MADAME. — C'est égal, Suzanne. Je n'ai pas d'argent pour en acheter une autre.

SUZANNE. — Alors, si c'est comme ça, la République!...

Je ne comprends pas qu'on ait peur du peuple souverain ; le peuple, c'est nous tous ; c'est avoir peur de soi-même.

Quant à moi, depuis trois semaines, je le vois tous les jours de mon balcon, dans cette vieille place Royale qui eût mérité de garder son nom historique, je le vois calme, joyeux, bon, spirituel, quand je me mêle aux groupes, imposant quand il marche en colonnes, le fusil ou la pioche sur l'épaule, tambours et drapeau en tête. Je le vois, et je vous jure que je n'ai pas peur de lui.

Je lui ai parlé, un peu haut [... ¹] sept fois dans ces deux jours.

Dans ce moment de panique, je n'ai peur que de ceux qui ont peur.

L'État chancelle, le pays est ébranlé, la vieille grandeur séculaire de la France s'écroule ; les lois, les mœurs, les idées, les intérêts, les esprits, les volontés, les autorités, les consciences, tout vacille et penche à la fois. Vous affirmez que vous sauverez tout? Affirmer n'est pas affermir.

Vous êtes inquiets, troublés, effrayés. Vous allez à tâtons. Vous sentez que vous êtes dans la nuit. Vous ne voyez rien devant vous et vous ne savez même pas, hélas, de quelle nature est cette nuit. Vous vous demandez, avec un doute plein de terreur, si c'est vous qui êtes sans yeux ou si c'est le monde qui est sans soleil.

Question terrible. Chacun se la pose. Personne ne répond.

30 mars 1848.

Un enfant de sept ans passait sur le boulevard en chantant avec mille gestes et mille contorsions folâtres :

> *La tête tranchée*
> *Et le poing coupé !*
> *Vengeons-nous ou mourons !*

Les noms de Louis-Philippe et de Guizot revenaient dans la chanson. Après chaque refrain, il faisait sauter sa casquette par-dessous sa jambe et la rattrapait en l'air avec de grands éclats de rire.

La baraque bâtie en mars 1848 pour l'Assemblée Nationale coûte 336 000 francs.

6 avril.

Un marmot de trois ans chantait *Mourir pour la patrie*. Sa mère lui demande :

« Sais-tu ce que c'est que cela, mourir pour la patrie ?

— Oui, dit l'enfant, c'est se promener dans la rue avec un drapeau. »

Avril 1848.

Le 25 février la Porte-Saint-Martin joua *Le Chiffonnier* de Félix Pyat[1]. Frédérick Lemaître qui faisait le chiffonnier, substitua à « *graine de niais* » qui était dans son rôle le mot « *graine de Guizot* ». Le peuple n'applaudit pas et ne rit point. Leçon de goût que le grand peuple donnait au grand comédien.

Vous voyez la révolution dans ceci : Barbès, représentant du peuple ; je la voyais encore bien plus dans ceci : Monsieur Barbet, pair de France.

25 avril.

M. Portalis parlant de M. Arago : « *J'étais dans l'intimité la plus étroite de cette auréole brillante.* »

28 avril 1848.

Béranger disait hier, à propos des commissaires de Ledru-Rollin : « On a été peu adroit, j'en tombe d'accord. Il aurait fallu envoyer les forçats du Nord dans le Midi, et les forçats du Midi dans le Nord. Dépaysés, ils eussent fait bon effet, je n'en doute pas. Au lieu de cela, on les a expédiés dans les endroits où ils étaient connus. C'est une faute. »

Il disait aussi : « Si je connaissais monsieur Sobrier ou monsieur Blanqui, je leur dirais : Prenez garde ! Votre république n'est pas née à terme ; il n'est pas sûr qu'elle soit viable. Il faudrait la mettre dans du coton. Vous la tuerez si vous la touchez avec des mains si rudes ! »

Une mode de ces dix dernières années, c'est de prendre des pignons entiers pour en faire des affiches. On y badigeonne d'énormes majuscules. Les passants lisent et le but est atteint. On a annoncé de cette manière, sur la place du Carrousel, sur les quais, sur les boulevards, l'*Histoire de la Révolution* de Louis Blanc. Avant février 1848, on peignait le nom de Louis Blanc en rouge ; depuis février, on le peint en noir.

Quand on a découvert que le président du Club de la Montagne était le galérien Nist, quelqu'un a dit : « Désormais, vérifions les épaules. Je vote pour que les clubs soient présidés par des citoyens décolletés. »

Faivre, commissaire, vraiment extraordinaire [1] à Besançon, écrivait à l'archevêque : « *Citoyen Mathieu, vous aurez à vous rendre à mon bureau à 4 heures.* »

3 mai 1848.

La famille d'Orléans en Angleterre est à la lettre dans la misère ; ils sont vingt-deux à table et boivent de l'eau. Ceci sans la moindre exagération. Ils n'ont absolument pour vivre qu'une quarantaine de mille livres de rente ainsi composées : 24 000 francs de rente de Naples, dot de la reine Marie-Amélie, et le revenu d'une somme de 340 000 francs que Louis-Philippe avait oubliée en Angleterre, voici à quelle occasion : à ce dernier voyage tout triomphal qu'il fit en octobre 1844 avec le prince de Joinville, le roi se fit ouvrir un crédit de 500 000 francs chez un banquier de Londres ; il ne dépensa sur ces 500 000 francs que 160 000 francs. Il a été fort ébahi et fort agréablement surpris de trouver le reste de la somme à sa disposition en arrivant à Londres.

M. Vatout est avec la famille royale. Ils n'ont à eux tous que trois domestiques dont un, un seul, venu des Tuileries. Dans ce dénûment, ils ont réclamé à Paris la restitution de ce qui leur appartenait en France ; leurs biens sont sous le séquestre et y sont restés nonobstant leurs réclamations. Pour différentes raisons. Un des motifs allégués par le gouvernement provisoire est la dette de la liste civile qui est de trente millions. On avait d'étranges idées sur Louis-Philippe ; il était peut-être cupide, mais à coup sûr il n'était pas avare ; c'était le plus prodigue, le plus dissipateur et le moins rangé des hommes ; il avait des dettes, des comptes et des arriérés partout. Il devait à un menuisier 700 000 francs, il devait à son verdurier 70 000 francs de beurre.

On n'a donc pu lever aucun scellé et tout est resté pour le gage des créanciers, tout, jusqu'aux biens personnels du prince et de la princesse de Joinville, rentes, diamants, etc. Jusqu'à une somme de 198 000 francs appartenant en propre à Mme la duchesse d'Orléans.

Tout ce que la famille royale a pu obtenir, c'est la restitution des hardes et des effets personnels, du moins de ce qu'on en a pu retrouver. On a dressé dans la salle de spectacle des Tuileries trois longues tables sur lesquelles on a apporté tout ce que les combattants de Février avaient déposé entre les mains du gouverneur des Tuileries, M. Durand-Saint-Amand. Cela formait un pêle-mêle bizarre : des robes de cour tachées et déchirées ; des grands cordons de la Légion d'honneur traînés dans la boue, des plaques d'ordres étrangers, des épées, des couronnes de diamant, des colliers de perles, un collier de la Toison d'or, etc. Chaque fondé de pouvoir des princes, aide de camp ou secrétaire des commandements, a pris ce qu'il a reconnu. Il paraît qu'en somme on a retrouvé peu de chose. M. le duc de Nemours s'était borné à demander du linge et surtout de gros souliers.

En bas de la réclamation émanée de Louis-Philippe se trouvait une liste singulière d'objets perdus. Note évidemment ironique et qu'on suppose écrite par quelque mystificateur républicain. Cette note était ainsi conçue : « *Je réclame en outre un paquet de cure-dents, deux vieux caleçons, un gilet de flanelle, mes pantalons et une paire de bretelles.* »

M. le prince de Joinville a abordé ainsi M. le duc de Montpensier : « Ah vous voilà, Monsieur ; vous n'êtes pas tué, vous n'avez pas eu de chance ! »

Gudin, le peintre de marine, qui arrive d'Angleterre, a vu Louis-Philippe. Le roi est très accablé ; il a dit à Gudin : « Je ne comprends pas. Que s'est-il passé à Paris ? Quel vent a traversé la cervelle des Parisiens ? Je ne sais !... Un jour ils reconnaîtront que je n'ai eu aucun tort. » Il n'a eu aucun tort, et il les a eus tous.

Il en était du reste arrivé à un degré d'optimisme inexprimable ; il se croyait plus roi que Louis XIV et plus empereur que Napoléon. Le mardi 22, il était d'une gaieté qu'on peut dire folle. Du reste, ce jour-là même, encore occupé uniquement de ses propres affaires et de ses affaires les plus petites. A deux heures, comme les premiers coups de fusil se tiraient, il conférait avec MM. de Gérante, Scribe et Denormandie, ses gens d'affaires, sur le parti à tirer du testament de Madame Adélaïde. Le mercredi à une heure, au moment même où la garde nationale se prononçait, ce qui entraînait une révolution, le roi mandait près de lui M. Hersent pour lui commander je ne sais quel tableau.

Charles X était un lynx.

Du reste, Louis-Philippe en Angleterre porte dignement son malheur. La reine Victoria a été très sèche pour Louis-Philippe. Pas une marque d'intérêt, pas une offre d'argent. L'aristocratie anglaise a mieux agi. Louis-Philippe a reçu dix lettres des principaux pairs d'Angleterre ouvrant leurs bourses et le priant d'y puiser. Il a répondu : « Je garde les lettres. »

En ce moment (mai 1848), les Tuileries sont déjà réparées, et M. Empis me disait ce matin : « On va frotter et il n'y paraîtra plus. » En revanche, Neuilly et le Palais-Royal ont été dévastés. La galerie des tableaux du Palais-Royal, assez médiocre d'ailleurs, est à peu près détruite. Il n'est resté qu'un seul tableau parfaitement intact, c'est le portrait de Philippe-Égalité. Est-ce un choix de l'émeute ? Est-ce une dérision du hasard ? Les gardes nationaux s'amusaient et s'amusent encore à découper carrément et proprement les figures qui leur conviennent dans les toiles des tableaux qui n'ont pas été entièrement brûlés.

La première chose qu'on aperçoit en arrivant à l'Assemblée nationale, c'est le grand cadran placé sur le fronton. Ce cadran, lequel date probablement de 1816, a une grande aiguille qui se termine par une fleur de lys.

Meubles du bureau de l'Assemblée Nationale : du papier, des plumes, des écritoires, une grosse sonnette, quatre grandes lampes à abat-jour blanc avec des feuillages ; sur la tribune, un verre d'eau, deux lampes à abat-jour vert taché d'huile ; plus un président et deux secrétaires.

Samedi 6 mai 1848.

M. Louis Blanc a parlé pour la première fois à l'Assemblée nationale. Il est de si petite taille que lorsqu'il a paru à la tribune, le garde-fou lui montait presque aux yeux. Un huissier lui a apporté un petit banc sur lequel il est monté, et l'assemblée s'est mise à rire.

Le soir, dans les théâtres, les spectateurs disaient aux ouvreuses : « Donnez-nous un petit *blanc* ».

Samedi 6 mai, Lamartine fit à l'Assemblée le rapport du Gouvernement provisoire. Il fut très applaudi. Le soir, rumeur et colère au club Blanqui. Après un discours d'Alphonse Esquiros [1] sur les sourds-muets contre l'instituteur Delanno, un homme aux bras nus, le menton englouti dans une énorme cravate rouge, s'écria : « Je viens d'entendre le citoyen de Lamartine à l'Assemblée (appuyant sur le *de*). Jusque-là j'étais sa dupe. Je ne le suis plus. Je croyais à son éloquence, à sa politique, à son humanité. Aujourd'hui, je le vois tel qu'il est. Le citoyen de Lamartine n'est pas un orateur, n'est pas un ministre, n'est pas un homme. Il trompe la France et trahit le peuple. J'ai été longtemps séduit moi-même par cette parole emmiellée, mais aujourd'hui je vois que sa langue n'a pas de racine dans son cœur. »

Le discours se terminait en escopette. Il fut frénétiquement applaudi, notamment par Esquiros. Le reste de la séance se passa en motions à propos des événements de Rouen [2] qu'on ne qualifiait que *boucherie, tuerie, massacre, Saint-Barthélemy des ouvriers*. Une caricature circulait dans le club. Cette caricature représentait Lamartine ayant dans sa manche Henri V dont on voyait passer la tête. Lamartine le renfonçait doucement dans sa manche en disant : « *Monseigneur, attendez encore un peu. Tout à l'heure ! Tout à l'heure !* »

Les intérêts, si vite et si aisément effarouchés, commencent à se rassurer. On remet le nez à la fenêtre peu à peu. Il semble qu'on se dise : « Tiens! ce n'est que çà, la République! »

Le samedi 13 mai, Chapuis (le même qui était auprès de Lamartine quand Lamartine défendit le drapeau tricolore contre le drapeau rouge, homme courageux et énergique) vint à la Commission des Récompenses Nationales et demande une place *tout de suite* pour Huber. « Quelle place ? — Gouverneur du Raincy. — Du Raincy ? Mais il n'y a rien à faire là! Quelques prés à faucher et deux vaches à nourrir. — C'est bon, cela lui va. Vous lui donnerez 2 000 francs d'appointements. Ah! Il n'y a pas d'écritures à faire? — Non. — Bien. — Pourquoi? — Pardieu! C'est qu'il ne sait pas écrire! — Eh bien, va pour le gouvernement du Raincy! »
Le lundi 15, le gouvernement provisoire, qui dura dix minutes, nomma Huber ministre des Finances.
Cet Huber était corroyeur. Remarquable par une longue barbe rouge-carotte.

L'invasion du 15 mai fut un étrange spectacle [1].
Qu'on se figure la halle mêlée au sénat. Des flots d'hommes déguenillés descendant ou plutôt ruisselant le long des piliers des tribunes basses et même des tribunes hautes jusque dans la salle, des milliers de drapeaux agités de toutes parts, les femmes effrayées et levant les mains, les émeutiers juchés sur le pupitre des journalistes, les couloirs encombrés ; partout des têtes, des épaules, des faces hurlantes, des bras tendus, des poings

fermés ; personne ne parlant, tout le monde criant, les
représentants immobiles ; cela dura trois heures.

Le bureau du président, l'estrade des secrétaires, le
tribune avaient disparu, et n'étaient plus qu'un monceau
d'hommes. Des hommes étaient assis sur le dossier du
président, à cheval sur les griffons de cuivre de son
fauteuil, debout sur la table des secrétaires, debout sur
les consoles des sténographes, debout sur les rampes du
double escalier, debout sur le velours de la tribune.
La plupart pieds nus. En revanche, les têtes couvertes.

L'un d'eux prit et mit dans sa poche une des deux
petites horloges qui sont des deux côtés de la tribune
pour l'usage des rédacteurs du *Moniteur*.

Brouhaha effrayant. La poussière comme de la fumée,
le vacarme comme le tonnerre. Il fallait une demi-heure
pour faire entendre une demi-phrase.

Blanqui pâle et froid au milieu de tout cela.

Aussi ce qu'on voulait dire on l'écrivait, et on hissait à
chaque instant, au-dessus des têtes, des écriteaux au
bout d'une pique.

Les émeutiers des tribunes frappaient de la hampe de
leurs drapeaux sur les chapeaux des femmes ; la curiosité
luttant avec l'effroi, les femmes tinrent bon pendant
trois quarts d'heure, mais elles finirent par s'enfuir et
elles disparurent toutes. Une seule resta quelque temps,
jolie, parée, avec un chapeau rose, épouvantée et prête
à se jeter dans la salle pour échapper à la foule qui
l'étouffait.

Un représentant, M. Duchaffaut, fut pris à la gorge et
menacé d'un poignard. Plusieurs autres furent mal-
traités.

Un chef des émeutiers, qui n'était pas du peuple,
homme à face sinistre, avec des yeux injectés de sang et
un nez qui ressemblait à un bec d'oiseau de proie, criait :
« Demain nous dresserons dans Paris autant de guillo-
tines que nous y avons dressé d'arbres de liberté. »

Le terrorisme bavard et boursouflé ne sert qu'à couvrir
la vraie lame. Ledru-Rollin n'est que la gaine de Blanqui.

Ledru-Rollin meuglant, joufflu, ventru, superbe,
Éloquent comme un bœuf et beau comme un boucher.

> *19 mai.*

Lamartine, en dînant hier avec Alphonse Karr, lui a
dit : « Je vais donner ma démission ; car si je ne m'en
vais pas dans trois jours, ils me chasseront dans quatre. »

> *24 mai 1848.*

« ... Lamartine a fait des fautes grandes comme lui,
et ce n'est pas peu dire ; mais il a foulé aux pieds le
drapeau rouge ; il a aboli la peine de mort ; il a été pendant quinze jours l'homme lumineux d'une révolution
sombre. Aujourd'hui nous passons des hommes lumineux
aux hommes flamboyants, de Lamartine à Ledru-Rollin,
en attendant que nous allions de Ledru-Rollin à Blanqui.
Que Dieu nous aide [1] ! »

Le dimanche 28 mai, mon installation à Petit-Bourg [2]
comme président de l'œuvre en remplacement de mon
collègue M. Portalis.

J'y ai passé la journée. On était fort nombreux. Louis
Blanc y était. Nous avons fait route ensemble et beaucoup causé. Il me disait : « Béranger est fin ; La Mennais
est haineux ; bonhomme ni l'un ni l'autre. Barbès est un
bon fou. Quant à Blanqui, c'est un phénomène : l'excès
de l'audace mêlé dans la même âme à l'excès de la poltronnerie. Un misérable d'ailleurs. J'ai une lettre que
Barbès m'écrivait sur Blanqui du Mont Saint-Michel.
Elle finit ainsi : *Il y a un homme que je méprise plus que
Louis-Philippe, c'est Blanqui.* »

Après le dîner qui a été gai, quoique traversé par des conversations sombres, une très jolie femme, blonde avec des yeux bleus, Mme Limonet, femme d'un médecin de Corbeil, m'a dit : « Si jamais on vous poursuit, venez à Corbeil. Je vous cacherai. »

Mai.

La proclamation de l'abolition de l'esclavage se fit à la Guadeloupe avec solennité. Le capitaine de vaisseau Layrle, gouverneur de la colonie, lut le décret de l'Assemblée du haut d'une estrade élevée au milieu de la place publique et entourée d'une foule immense. C'était par le plus beau soleil du monde.

Au moment où le gouverneur proclamait l'égalité de la race blanche, de la race mulâtre et de la race noire, il n'y avait sur l'estrade que trois hommes, représentant pour ainsi dire les trois races : un blanc, le gouverneur ; un mulâtre qui lui tenait le parasol ; et un nègre qui lui portait son chapeau.

Mai 1848.

L'annonce du banquet avait inquiété toute la France, et Alger non plus n'était pas tranquille. Tout le mois de février on s'y préparait à des nouvelles sinistres de Paris. Le 25 février, M. le duc d'Aumale donnait un grand dîner. On savait que le 22 la question avait dû se décider. On attendait l'arrivée du courrier avec anxiété. Le prince était soucieux. Au dessert, il dit en s'efforçant de sourire : « *Ce qui se passe à Paris en ce moment doit être curieux.* »

L'événement arriva en plusieurs morceaux ; d'abord le 27, Odilon Barrot, la régence ; puis le gouvernement provisoire ; enfin le 1er mars, la République. Le prince lui-même la fit proclamer.

Il visita une dernière fois avec M. de Joinville les fortifications afin de s'assurer qu'elles étaient en bon état ;

il ordonna à tous ses officiers de rester au service, leur disant d'être fidèles à la France, et qu'il les enviait.

Comme il n'avait pas d'argent, il ne put quitter la colonie qu'en se faisant payer ses appointements. Sur trente mille francs qu'il toucha, il fit donner vingt mille francs aux ouvriers qui avaient travaillé pour le palais du Gouvernement, et partit avec dix mille francs.

De février à mai, dans ces quatre mois d'anarchie où l'on sentait de toutes parts l'écroulement, la situation du monde civilisé fut inouïe. L'Europe avait peur d'un peuple, la France ; ce peuple avait peur d'un parti, la République ; et ce parti avait peur d'un homme, Blanqui.

Le dernier mot de tout était la peur de quelque chose ou de quelqu'un.

N'oubliez pas ceci : autrefois il y avait la question de la réforme, la question des mariages, la question d'Alger, la question d'Espagne, la question de Tahiti, la question d'Orient. Maintenant il y a la question de la vie.

Ceci change un peu la politique.

Je ne suis pas républicain, dites-vous [1]?

Quel est le républicain, de celui qui veut faire aimer la République ou de celui qui veut la faire haïr ? Si je n'étais pas républicain, si je voulais le renversement de la République, écoutez : Je provoquerais la banqueroute ; je provoquerais la guerre civile ; j'agiterais la rue ; je mettrais l'armée en suspicion ; je mettrais la garde nationale en suspicion ; je mettrais le pays lui-même en suspicion ; je conseillerais le viol des consciences et l'oppression de la liberté ; je donnerais à des hommes violents ou à des hommes tarés le droit de briser à leur caprice la vieille épée des officiers ; j'instituerais des pachas républicains ; je tâcherais de maintenir les boutiques fermées ; je mettrais le pied

sur la gorge au commerce, à l'industrie, au travail ; je
crierais : *mort aux riches !* je provoquerais l'abolition
de la propriété et de la famille ; je prêcherais le pillage,
le meurtre, le massacre ; je réclamerais un Comité de
Salut Public ; j'ajournerais indéfiniment les élections,
c'est-à-dire que je confisquerais la souveraineté du
peuple ; je tâcherais de faire surgir, aux yeux de tous,
les spectres de 93 ; je ferais mieux : je prêcherais des
doctrines qu'on ne pourrait même plus dédier à Robespierre et à Marat, mais sur le frontispice desquelles
il faudrait écrire : Lacenaire, Cartouche, Mandrin, en
faisant cela, savez-vous ce que je ferais ? Je détruirais
la République ! Je serais sûr de la faire crouler, dans
un temps donné et avant peu, sous l'horreur du genre
humain.

Que fais-je ? Tout le contraire. Je déclare que la
République veut, doit et peut grouper autour d'elle le
commerce, la richesse, l'industrie, le travail, la propriété, la famille, les arts, les lettres, l'intelligence, la
puissance nationale, la prospérité publique, l'amour
du peuple et l'admiration des nations. Je réclame la
liberté, l'égalité, la fraternité, et j'y ajoute l'unité.
J'aspire à la république universelle. C'est le cri que j'ai
poussé il y a un mois quand le peuple vint me chercher
dans ma maison pour planter un arbre de la liberté.
Réfléchissez maintenant avant de m'accuser. Savez-
vous à qui il faut dire : « Vous n'êtes pas républicain ? »
C'est aux terroristes.

Vous venez de voir le fond de mon cœur. Si je ne
voulais pas la République, je vous montrerais la guillotine dans les ténèbres ; et c'est parce que je veux la
République que je vous montre dans la lumière la
France libre, fière, heureuse et triomphante.

Et puis (nécessité de l'ancienne Terreur, inutilité
de la Terreur actuelle. Plagiat hideux et gratuit. Le
démontrer par les faits).

Défendre la société, défendre le peuple, régler le mouvement des idées, modérer le mouvement des esprits, dégager le progrès vrai des hideuses étreintes du faux progrès, protéger la liberté, contenir la réaction, sauver la France, ce qui est la même chose que sauver la civilisation, voilà pour moi désormais le but, le devoir, la loi, la préoccupation unique. Voilà ce qui remplira ma vie, tristement mais utilement et noblement, je l'espère. Je dis adieu aux pures joies de l'art, de la famille, de la poésie, de la nature. Je lutterai avec ceux qui savent compter sur eux-mêmes pour la lutte, tout en ne comptant que sur Dieu pour la victoire.

Si ténébreux que soit le présent, j'ai foi dans l'avenir ; une foi profonde. Il est dans les vues de la Providence, je l'affirme comme on affirme les nécessités, que le peuple de France, qui depuis trois siècles fait l'éducation des autres nations, sorte de toute les épreuves meilleur et plus grand.

J'espère dans le peuple, car je crois en Dieu.

Quinconque sera contre le peuple sera contre moi.

Je ne suis rien, mais l'adhésion des générations nouvelles fait peut-être de moi quelque chose. A terre, je ne suis qu'une barre de fer ; prenez-moi dans vos mains, et je serai un levier.

Mai 1848.

Comment douter du dénouement ? Il sera évidemment bon pour le genre humain tout entier. Espérons ! Confions-nous ! C'est Dieu qui fait la pièce et c'est la France qui joue le rôle.

1ᵉʳ juin. Élections.

Il y a cette affiche sur les murs :

> « *Le besoin*
>> *de lois de septembre*
>> *de grands discours*
>> *de massacre Transnonain*
>> *et de répressions monarchiques*
> *nomme M. Thiers* [1]. »

Dans une affiche il y a ce passage :

« *Où en sommes-nous ? Où la réaction est-elle parve-nue ?*

Quoi ! Il nous faut des hommes qui aient médité, des hommes qui aient pénétré au fond des questions sociales, et au lieu des Malarmet, des Savary, des Adam, des Flotte, on nous présente des Victor Hugo [2] *!* »

ATELIERS NATIONAUX

Ceci les caractérise assez bien : des hommes en blouse jouaient au bouchon sous les arcades de la place Royale, qui s'appelle aujourd'hui place des Vosges. Jouer au bouchon, c'est un des travaux des Ateliers nationaux. Un autre, en blouse aussi, dormait étendu le long du mur. Un des joueurs vient à lui, le pousse du pied, et lui dit : « Qu'est-ce que tu fais là, toi ? » Le dormeur se réveille, se frotte les yeux, lève la tête, et répond : « Eh bien, je gagne mes 20 sous ! » Et il se recouche sur le pavé.

Voilà ce que c'est que les Ateliers nationaux.

Rétablir la prospérité. Les moyens ? Vous me les demandez, je vais vous les dire. Il ne faut pas qu'un ministre vienne dire à la tribune en parlant des lois que vous votez : ceci ou cela fera tirer des coups de fusil. Il faut publier moins de *Père Duchesne*, moins

de *Vraie République*, moins de *République Rouge*, moins
de *Pilori*, moins de *Robespierre*, etc... Tout cela fait
fermenter l'esprit du peuple. Vous me demandez le
moyen d'empêcher la chaudière de bouillir? Ne faites
pas de feu dessous!

Noble et digne peuple qu'on pervertit et qu'on
trompe. Oisiveté, paresse, fainéantise organisée. Barrières, jeux sans fin, ennui, rixes. Aumône qui flétrit
le cœur au lieu du salaire qui le satisfait.

Libelles, pamphlets, affiches odieuses, etc...

Hélas! vous dégradez le peuple et vous l'égarez.
Quand aurez-vous fini de l'enivrer de république
rouge et de vin bleu?

Et toutes ces jouissances, ces dix sous de plus, ce
fameux bien-être, ce gros ventre, par-dessus le marché,
vous ne les aurez pas, ce qu'il y a de bon! Car la révolution avortera.

8 juin 1848.

Hier, rue de Bellechasse, à une affiche des Ateliers
nationaux, un passant avait ajouté, au crayon, un R.
Cela faisait : *RATELIERS NATIONAUX.*

Il est impossible que les braves et généreux ouvriers
qu'on égare avec des mots ne finissent pas par réfléchir,
et le jour où ils réfléchiront, ils s'indigneront.

Le terrorisme et le communisme, combinés et se
prêtant un mutuel appui, ne sont autre chose que
l'antique attentat contre les personnes et contre les
propriétés. Quand on plonge au plus profond de ces
théories, quand on creuse le fond des choses, on descend
même au-delà de Marat et du Père Duchesne, et il se
trouve que le communisme s'appelle Cartouche et que
le terrorisme s'appelle Mandrin.

Je suis allé pour la première fois à l'Assemblée
nationale le 10 juin [1]. Toto m'a forcé de mettre un
habit noir. J'y voulais aller en paletot.

La salle est d'une laideur rare. Des poutres au lieu
de colonnes, des cloisons au lieu de murailles, de la
détrempe au lieu de marbre, quelque chose comme la
salle de spectacle de Carpentras élevée à des propor-
tions gigantesques.

La tribune, qui porte la date des journées de Février,
ressemble à l'estrade des musiciens du *Café des Aveugles*. Un panneau peint en granit rouge avec une bordure peinte en marbre gris ; sur ce fond rouge, trois
guirlandes de grisaille entourant ces trois dates *22, 23,
24 février* ; au-dessous de ces guirlandes, les figures
placides de quatre huissiers en habits noirs et en
cravates blanches avec des épées à pommeau d'argent ;
près des huissiers, des sténographes debout, barbus,
en redingotes, griffonnent sur des pupitres cloués aux
retours du panneau ; des deux côtés, un escalier de
sept marches recouvert d'un tapis rouge à fleurs ; une
bordure de velours rouge, un verre d'eau, deux lampes
le soir ; pour fond, un petit bureau d'acajou soutenu
par quatre cariatides de cuivre séparées par des palmettes ; au milieu un homme mal vêtu qui se démène ;
voilà ce que c'est que cette tribune qui remue le monde.

En somme le goût monarchique, quoique plus orné,
est tout aussi pauvre que le goût républicain. Mesqui-
nerie bourgeoise des deux parts.

Je retrouve là plusieurs huissiers de la Chambre des
pairs. L'un d'eux me regarde longtemps d'un air mélancolique.

Les trois premiers représentants qui m'ont fait
accueil et auxquels j'ai serré la main sont MM. Boulay
de la Meurthe, Edgar Quinet [2] et Altaroche.

Les premiers orateurs que j'ai entendus sont MM. Duclerc, ministre des Finances, Bethmont, ministre de la
Justice, et Flourens, ministre du Commerce. Lamar-

tine était à son banc à gauche, à côté d'un ministre
que je ne connais pas.

Je suis allé m'asseoir sur les bancs élevés de la droite
à la place de Dupont de l'Eure, qui est malade en ce
moment.

10 juin 1848.

Je suis sorti de l'Assemblée avec Cormenin. Il pleuvait. Nous avons partagé le même parapluie, comme
Paul et Virginie. Cela était touchant. Nous avons
causé. Il voit les choses très en noir. Péril pour mon
cou et pour le sien. Il était amusant sur les hommes.
Il m'a dit de Flocon [1] : « On voit que cela n'a jamais
vu aucun monde. Cet homme vivait café Sainte-Agnès,
rue Jean-Jacques Rousseau. Il passait les journées
avec une pipe et les nuits avec une blanchisseuse. Il
est emphatique et fait des phrases. C'est ampoulé et
naïf. C'est farce. Cet homme est une espèce de milieu
entre l'estaminet et le mélodrame. »

PHYSIONOMIE DE CETTE ASSEMBLÉE

13 juin.

Un petit jeune homme blond, tondu, chauve au
sommet, à barbe châtaine pointue, au col de chemise
rabattu, aux oreilles larges et rouges, vêtu d'une
petite redingote et d'un pantalon de cheval, est à la
tribune. C'est le ministre des Finances [2].

Il y a quatre mois, la situation était vierge. Qui
retrouvera cette virginité ? Personne. Aujourd'hui,
c'est gâté, compromis ; l'esprit va du difficile à l'impossible. En mars, tout pouvait se résoudre avec une

fermeté droite, cordiale et résolue ; en juin il faudrait
plus et moins. Alors c'était l'heure de la force ; aujour-
d'hui c'est l'heure de la violence.

O moment précieux, peut-être à jamais passé! Je
pouvais être l'homme de la force, je le sentais, je le
sens toujours ; je ne serai jamais l'homme de la
violence. Devant une tête qu'il faut couper, je m'arrête.

ATELIERS NATIONAUX

Juin 1848.

Quelle situation! J'aimais mieux la besogne telle
qu'elle s'offrait au 24 février. Cela était terrible, mais
beau, et pouvait s'achever vite et bien. Aujourd'hui
cela est hideux, pourri, et, qui sait? peut-être in-
curable. Ah! J'aime mieux avoir affaire à une fièvre
cérébrale qu'à une gangrène. Oui, certes! Alors le peuple
était ardent, mais bon, généreux, plein d'amour respec-
tueux pour toute noble chose, admirable. Aujourd'hui
le peuple, ce même peuple, ces mêmes blouses, hélas!
est amer, mécontent, injuste, défiant, presque haineux.
En quatre mois de fainéantise on a fait du brave ouvrier
un flâneur hostile auquel la civilisation est suspecte.
L'oisiveté nourrie de mauvaises lectures, voilà tout le
secret du changement. Ces travailleurs sont dégoûtés
du travail, ces Français sont dégoûtés de l'honneur,
ces Parisiens sont dégoûtés de la gloire. Il y en a, oui,
il y en a qui rêvent je ne sais quels tristes rêves de
pillage, de massacre et d'incendie. De ces hommes
dont Napoléon faisait des héros, nos pamphlétaires [1]
font des sauvages! Il me vient des sanglots du fond du
cœur par moments. Et la France, où en est-elle ? Où en
est Paris ? Où en est l'intelligence, la pensée, l'art,
l'industrie, la science, la famille, la propriété, la richesse
publique, la discipline de l'armée, la grandeur du pays ?

Où en est tout ce que nous avons fait, voulu, essayé, construit, bâti, fondé depuis soixante ans ? Ruines en haut, abîmes en bas. Nous sommes entre un plafond qui s'écroule sur notre tête et un plancher qui s'effondre sous nos pieds.

22 juin 1848.

Ce matin, à midi, une troupe de huit à neuf cents ouvriers, marchant six par six, avec quatre drapeaux tricolores en tête, a passé sous mon balcon de la place Royale et s'est arrêtée devant la mairie en chantant *La Carmagnole* et en criant : « *A bas Lamartine !* »

Voici une des choses que l'on chuchote dans l'Assemblée : Louis Blanc est en ce moment fort bien avec une personne jolie et de grande taille. L'autre jour, il monte dans un omnibus avec cette dame. Au moment où elle s'asseyait, le conducteur lui cria en montrant Louis Blanc : « Madame, vous savez que le petit paie place entière ! »

Pendant que l'amiral Cazy, surnommé le quasi-ministre, lisait à la tribune les fatales dépêches des Antilles, annonçant que le quartier des *Pêcheurs* à Saint-Pierre avait été livré le 22 mai *au meurtre, au pillage et à l'incendie*, M. Armand Marrast, maire de Paris, un lorgnon dans l'œil, lorgnait, du banc des ministres, les femmes de la tribune publique.

La Chambre républicaine a des laquais en livrée ; à peu près la même livrée que celle de la Chambre des pairs, habit bleu à collet rouge, gilet rouge, boutons de métal.

Le citoyen Bastide, ministre des Affaires Étrangères, est maigre, sec, triste, laid, grisonnant, vêtu de noir et boutonné. Il parle avec l'embarras d'une pucelle et la mine rogue d'un assommeur. Il a dans l'assem-

blée un ménechme qui est huissier et que je prends toujours pour le ministre. Cependant je reconnais l'huissier
à son épée à poignée d'argent.

Hier le citoyen Lagrange, qualifié sur la liste officielle des représentants de Paris *ex-détenu politique* et
auteur du coup de pistolet auteur de la révolution
de Février ¹, a commencé une interpellation par cette
phrase : « *Je regrette que M. le président n'ait pas
suivi la prière que je lui avais demandée.* »

Un autre orateur vient de dire : « *L'approvisionne-
ment du combustible qui est l'âme de notre flotte à vapeur.* »

Des bruits d'émeutes circulent dans la salle. « Le
choc est imminent, m'a dit Lamartine ; ce sera ce soir,
demain, cette nuit! » Louis Blanc parcourt la crête de
la Montagne et cause successivement avec tous les montagnards. Leroux, qui était au commencement de la
séance, est parti.

L'amiral Cazy, ministre de la Marine, a une prononciation particulière. L'autre jour, je l'entendais, au
milieu d'une phrase, s'écrier : « *Astarté!* » Cela me
parut étrange. Je prêtai l'oreille et je reconnus qu'il
avait voulu dire : « A cet arrêté... »

Samedi 24 juin.

La barricade était basse, elle barrait la place Baudoyer. Une autre barricade, étroite et haute, la protégeait dans la rue ***. Le soleil égayait le haut des che-
minées. Les coudes tortueux de la rue Saint-Antoine
se prolongeaient devant nous dans une solitude sinistre.

Les soldats étaient couchés sur la barricade qui
n'avait guère plus de trois pieds de haut. Leurs fusils
étaient braqués entre les pavés comme entre des cré-
neaux. De temps en temps, des balles sifflaient et venaient frapper les murs des maisons autour de nous, en

faisant jaillir des éclats de plâtre et de pierre. Par moments une blouse, quelquefois une tête coiffée d'une
casquette, apparaissait à l'angle d'une rue. Les soldats
lâchaient leur coup. Quand le coup avait porté, ils
s'applaudissaient : « Bon! Bien joué! Fameux! »

Ils riaient et causaient gaiement. Par intervalles, une
détonation éclatait et une grêle de balles pleuvait des
toits et des fenêtres sur la barricade. Un capitaine à
moustaches grises, de haute taille, se tenait debout au
milieu du barrage, dépassant les pavés de la moitié du
corps. Les balles grêlaient autour de lui comme autour
d'une cible. Il était impassible et serein et criait : « Là,
enfants! On tire! Couchez-vous! Prends garde à toi, le
picard, ta tête passe. Rechargez! »

Tout à coup une femme débouche de l'angle d'une
rue. Elle vient lentement vers la barricade. Les soldats
éclatent en jurons mêlés d'avertissements : « Ah! la
garce! Veux-tu t'en aller, p...! Mais dépêche-toi donc
poison! Elle vient observer. C'est une espionne! Des-
cendons-la! A bas la moucharde! »

Le capitaine les retenait : « Ne tirez pas! C'est une
femme! »

La femme, qui semblait observer en effet, est entrée,
après vingt pas, sous une porte basse qui s'est refermée
sur elle.

Le samedi 24 juin au matin, il était onze heures, je
revenais de ma visite à la barricade de la place
Baudoyer où j'étais allé à quatre heures du matin, je
m'étais assis à ma place ordinaire à l'Assemblée, un représentant que je ne connaissais pas et que j'ai su,
depuis, être M. Belley, ingénieur, républicain rouge, de-
meurant rue des Tournelles, vint s'asseoir près de moi et
me dit : « Monsieur Victor Hugo, la place Royale est
brûlée ; on a mis le feu à votre maison ; les insurgés sont
entrés par la petite porte sur le cul-de-sac Guéménée.
— Et ma famille? dis-je. — En sûreté. — Comment le

savez-vous ? — J'en arrive. J'ai pu, n'étant pas connu,
franchir les barricades pour arriver jusqu'ici. Votre
famille s'était réfugiée d'abord à la mairie. J'y étais
aussi. Voyant le danger grossir, j'ai engagé Mme Victor
Hugo à chercher quelque autre asile. Elle a trouvé abri,
avec ses enfants, chez un fumiste appelé Martignoni qui
demeure à côté de votre maison, sous les arcades. »

Je connaissais cette digne famille Martignoni. Cela me
rassura. « Et où en est l'émeute ? dis-je à M. Belley.

— C'est une révolution. L'insurrection est maîtresse
de Paris en ce moment. Nous sommes perdus. »

M. Belley paraissait consterné.

Je quittai M. Belley et je traversai rapidement les
quelques salles qui séparaient le lieu de nos séances du
cabinet où se tenait la Commission exécutive.

C'était un petit salon appartenant à la présidence
précédé de deux pièces plus petites encore. Il y avait
dans ces antichambres des officiers et des gardes nationaux, l'air éperdu, bourdonnant pêle-mêle. Cette cohue
effarée n'opposait d'ailleurs aucune résistance au passage
de quiconque voulait entrer.

Je poussai la porte du cabinet de la Commission exécutive, et je me trouvai brusquement face à face avec
tous ces hommes qui étaient le pouvoir. Cela ressemblait plutôt à une cellule où des accusés attendaient leur
condamnation qu'à un conseil de gouvernement. M. Ledru-Rollin, très rouge, était assis, une fesse sur la table.
M. Garnier-Pagès, très pâle, et à demi couché sur un
grand fauteuil, faisait une antithèse avec lui. Le contraste était complet, Garnier-Pagès maigre et chevelu,
Ledru-Rollin gras et tondu. Deux ou trois colonels,
dont était le représentant Charras, causaient dans un
coin. Je ne me rappelle Arago que vaguement. Je ne
me souviens plus si M. Marie était là. Il faisait le plus
beau soleil du monde.

M. de Lamartine, debout dans l'embrasure de la
fenêtre de gauche, causait avec un général en grand

uniforme, que je voyais pour la première et pour la dernière fois, et qui était Négrier. Négrier fut tué le soir de ce même jour devant une barricade.

Je courus à Lamartine qui fit quelques pas vers moi. Il était blême, défait, la barbe longue, l'habit non brossé et tout poudreux.

Il me tendit la main : « Ah! bonjour, Hugo. »

Voici le dialogue qui s'engagea entre nous et dont les moindres mots sont encore présents à mon souvenir.

« Où en sommes-nous, Lamartine?

— Nous sommes f...!

— Qu'est-ce que cela veut dire?

— Cela veut dire que dans un quart d'heure l'Assemblée sera envahie. »

(Une colonne d'insurgés arrivait en effet par la rue de Lille. Une charge de cavalerie, faite à propos, la dispersa.)

« Comment! et les troupes?

— Il n'y en a pas.

— Mais vous m'avez dit mercredi, et répété hier, que vous aviez soixante mille hommes!

— Je le croyais.

— Comment, vous le croyiez! vous vous êtes borné à le croire! vous ne vous en êtes pas assuré, vous gouvernement!

— Que voulez-vous!

— Eh bien! mais on ne s'abandonne pas ainsi! Ce n'est pas vous seulement qui êtes en jeu, c'est l'Assemblée, et ce n'est pas seulement l'Assemblée, c'est la France, et ce n'est pas seulement la France, c'est la civilisation tout entière! Voilà ce que vous perdez dans une partie mal jouée et où évidemment quelqu'un triche! Pourquoi n'avoir pas donné hier des ordres pour faire venir les garnisons des villes dans un rayon de quarante lieues? Cela vous ferait tout de suite trente mille hommes.

— Nous avons donné les ordres.

— Eh bien?

— Les troupes ne viennent pas. »

Je haussai la voix et je le regardai fixement ; j'étais indigné, hors de moi, injuste. « Ah çà! dis-je, quelqu'un trahit ici. »

Lamartine me prit la main et me répondit :

« Je ne suis pas ministre de la Guerre! »

En ce moment, quelques représentants entrèrent avec bruit. L'Assemblée venait de voter l'état de siège. Ils le dirent en trois mots à Ledru-Rollin et à Garnier-Pagès.

Lamartine se tourna à demi vers eux et dit à mi-voix :

« L'état de siège! L'état de siège! Allons, faites, si vous croyez cela nécessaire. Moi, je ne dis rien! »

Il se laissa tomber sur une chaise, en répétant :

« Je n'ai rien à dire. Ni oui, ni non. Faites! »

Cependant le général Négrier était venu à moi.

« Monsieur Victor Hugo, me dit-il, je viens vous rassurer, j'ai des nouvelles de la place Royale.

— Eh bien, général?

— Votre famille est sauvée, mais votre maison est brûlée.

— Qu'est-ce que cela fait? dis-je. »

Négrier me serra vivement le bras :

« Je vous comprends. Ne songeons plus qu'à une chose. Sauvons le pays. »

Comme je me retirais, Lamartine sortit d'un groupe et courut à moi :

« Adieu, me dit-il. Mais n'oubliez pas ceci : ne me jugez pas trop vite. Je ne suis pas ministre de la Guerre. »

J'avais depuis quelques jours des défiances dans l'esprit sur Cavaignac. Le mot de Lamartine les changea en soupçons.

La veille, comme l'émeute grandissait, Cavaignac, après quelques dispositions prises, avait dit à Lamartine :

« En voilà assez pour aujourd'hui. »

Il était cinq heures.

« Comment! s'écria Lamartine. Mais nous avons encore quatre heures de jour! Et l'émeute en profitera pendant que nous les perdrons! »

Il ne put rien tirer de Cavaignac que : « En voilà assez pour aujourd'hui [1]! »

24 juin. *Journée du samedi.*

Vers trois heures, au moment le plus critique, un représentant du peuple, en écharpe, arriva à la mairie du 11e arrondissement, rue Chauchat, derrière l'Opéra. On le reconnut. C'était Lagrange.

Les gardes nationaux l'entourèrent. En un clin d'œil, le groupe devint menaçant. « C'est Lagrange! L'homme du coup de pistolet! Que venez-vous faire ici? Vous êtes un lâche. Allez derrière les barricades, c'est votre place. Les vôtres sont là et pas avec nous. Ils vous proclament leur chef. Allez-y! Ils sont braves, eux, au moins. Ils donnent leur sang pour vos folies. Et vous, vous avez peur! Vous avez un vilain devoir, mais faites-le au moins! Allez-vous-en! Hors d'ici! »

Lagrange essaya de parler, les huées couvrirent sa voix.

Voilà comment ces furieux accueillaient l'honnête homme qui, après avoir combattu pour le peuple, voulait se dévouer pour la société.

Voici comment les soldats de la ligne qualifient la garde mobile. Tout à l'heure, sur le perron de la Chambre, ils disaient : « *Les voyous* ont mis la crosse en l'air. »

Quelques heures après la garde mobile se comportait héroïquement.

25 juin.

Les insurgés tiraient, sur toute la longueur du boulevard Beaumarchais, du haut des maisons neuves. Beaucoup s'étaient embusqués dans la grande maison en construction vis-à-vis la Galiote. Ils avaient mis aux fenêtres des mannequins, bottes de paille revêtues de blouses et coiffées de casquettes.

Je voyais distinctement un homme qui s'était retranché derrière une petite barricade de briques bâtie à l'angle du balcon du quatrième de la maison qui fait face à la rue du Pont-aux-Choux. Cet homme visait longtemps et tuait beaucoup de monde.

Il était trois heures. Les soldats et les mobiles couronnaient les toits du boulevard du Temple et répondaient au feu. On venait de braquer un obusier devant la Gaîté pour démolir la maison de la Galiote et battre tout le boulevard.

Je crus devoir tenter un effort pour faire cesser, s'il était possible, l'effusion du sang ; et je m'avançai jusqu'à l'angle de la rue d'Angoulême. Comme j'allais dépasser la petite tourelle qui est tout près, une fusillade m'assaillit. La tourelle fut criblée de balles derrière moi. Elle était couverte d'affiches de théâtre déchiquetées par la mousqueterie. J'en ai détaché un chiffon de papier comme souvenir. L'affiche auquel il appartenait annonçait pour ce même dimanche une fête au Château des Fleurs avec *dix mille lampions.*

Quatorze balles ont frappé ma porte cochère, onze en dehors, trois en dedans. Un soldat de la ligne a été atteint mortellement dans ma cour. On voit encore la traînée de sang sur les pavés.

Le souterrain des Tuileries fut construit pour le passage de Mme la duchesse de Berry quand elle se promenait, dans sa grossesse, sur la terrasse du bord de

l'eau après la mort de M. le duc de Berry. Je l'ai souvent vue à cette époque marcher lentement sous les
arbres, vêtue de noir avec son gros ventre, seule ou
suivie à distance par quelques femmes en deuil. Ce souterrain a seize lucarnes grillées sur le jardin ; ces lucarnes
sont rondes et la disposition de leurs barreaux les fait
ressembler à des roues. C'est dans ce souterrain qu'on
enferma d'abord les insurgés de juin. Il leur était défendu de mettre la tête aux soupiraux. Les sentinelles
tiraient sur toute figure qui apparaissait. On voit encore
le trou d'une balle au bas d'une lucarne, la troisième
à partir du château.

A la barrière Rochechouart, les insurgés s'étaient
embusqués dans la boutique d'un perruquier nommé
Bataille. Cette boutique a été criblée de balles.

Partout sur les volets des boutiques fermées, faubourg Saint-Antoine, les insurgés avaient écrit : « *Mort
aux voleurs !* » Sous les arcades de la place Royale, il
y a : « *Maure au voleur.* »

Le 25 juin, je me suis approché de l'obusier en batterie sur le boulevard devant le Théâtre Historique, et
qui démolissait la première maison en construction
près de la rue Neuve-Ménilmontant. Cet obusier portait
près de la lumière le chiffre de Louis-Philippe.

Aux journées de Juin, Lamoricière n'avait pas de
chevaux, étant réduit par la loi du cumul à son seul
traitement de représentant. Il fit toute cette guerre de
rues sur des locatis. Il me le disait quelque temps
après. Deux de ces chevaux furent tués sous lui. L'État
qui les paya, en eut pour 1 800 francs.

L'émeute de juin présenta, dès le premier jour, des
linéaments étranges. Elle montra subitement à la

société épouvantée des formes monstrueuses et inconnues.

La première barricade fut dressée dès le vendredi
matin 23 à la porte Saint-Denis ; elle fut attaquée le
même jour. La garde nationale s'y porta résolument. C'étaient des bataillons de la première et de la
deuxième légion. Quand les assaillants, qui arrivaient
par le boulevard, furent à portée, une décharge formidable partit de la barricade et joncha le pavé de gardes
nationaux. La garde nationale, plus irritée qu'intimidée,
se rua sur la barricade au pas de course.

En ce moment, une femme parut sur la crête de la
barricade, une femme jeune, belle, échevelée, terrible.
Cette femme, qui était une fille publique, releva sa robe
jusqu'à la ceinture et cria aux gardes nationaux, dans
cette affreuse langue de lupanar qu'on est toujours forcé
de traduire. « Lâches, tirez, si vous l'osez, sur le ventre
d'une femme ! »

Ici la chose devient effroyable. La garde nationale
n'hésita pas. Un feu de peloton renversa la misérable.
Elle tomba en poussant un grand cri. Il y eut un silence
d'horreur dans la barricade et parmi les assaillants.

Tout à coup une seconde femme apparut. Celle-ci était
plus jeune et plus belle encore ; c'était presque une
enfant, dix-sept ans à peine. Quelle profonde misère !
C'était encore une fille publique. Elle leva sa robe, montra son ventre, et cria : « Tirez, brigands ! » On tira. Elle
tomba trouée de balles sur le corps de la première.

Ce fut ainsi que cette guerre commença.

Rien n'est plus glaçant et plus sombre. C'est une chose
hideuse que cet héroïsme de l'abjection où éclate tout ce
que la faiblesse contient de force ; que cette civilisation
attaquée par le cynisme et se défendant par la barbarie.
D'un côté le désespoir du peuple, de l'autre le désespoir
de la société.

Sauver la civilisation, comme Paris l'a fait en juin, on pourrait presque dire que c'est sauver la vie du genre humain.

Juin 1848.

O malheureux pays! Comment tout ne s'écroulerait-il pas? D'un côté les coups de canon, de l'autre, les coups d'idées.

O philosophes, penseurs, poètes, écrivains, amis du peuple et de l'humanité, artilleurs de l'intelligence, à vos pièces!

Mais prenez garde pourtant!

Depuis quatre mois, nous vivons dans une fournaise. Ce qui me console, c'est que la statue de l'avenir en sortira, et il ne faut pas moins qu'un tel brasier pour fondre un tel bronze [1].

4 juillet 1848.

M. de Chateaubriand est mort le 4 juillet 1848 à huit heures du matin. Il était depuis cinq ou six mois atteint d'une paralysie qui avait presque éteint le cerveau et, depuis cinq jours, d'une fluxion de poitrine qui éteignit brusquement la vie.

La nouvelle parvint, par M. Ampère, à l'Académie qui décida qu'elle ne tiendrait pas de séance.

Je quittai l'Assemblée nationale où l'on nommait un questeur en remplacement du général Négrier tué dans les journées de Juin, et j'allai chez M. de Chateaubriand, rue du Bac, 110.

On m'introduisit près du gendre de son neveu, M. de Preuille. J'entrai dans la chambre de M. de Chateaubriand.

M. de Chateaubriand était couché sur son lit, petit lit en fer à rideaux blancs avec une couronne de fer d'assez

mauvais goût. La face était découverte ; le front, le nez,
les yeux fermés apparaissaient avec cette expression de
noblesse qu'il avait pendant la vie et à laquelle se mêlait
la grave majesté de la mort. La bouche et le menton
étaient cachés par un mouchoir de batiste. Il était coiffé
d'un bonnet de coton blanc qui laissait voir les cheveux
gris sur les tempes ; une cravate blanche lui montait
jusqu'aux oreilles. Son visage basané semblait plus
sévère au milieu de toute cette blancheur. Sous le drap
on distinguait sa poitrine affaissée et étroite et ses
jambes amaigries.

Les volets des fenêtres donnant sur un jardin étaient
fermés. Un peu de jour venait par la porte du salon
entrouverte. La chambre et le visage du mort étaient
éclairés par quatre cierges qui brûlaient aux coins d'une
table placée près du lit. Sur cette table un crucifix en
argent et un vase plein d'eau bénite avec un goupillon.
Un prêtre priait à côté. Derrière le prêtre, un haut paravent de couleur brune cachait la cheminée dont on
voyait la glace et laissait voir à demi quelques gravures
d'églises et de cathédrales.

Aux pieds de M. de Chateaubriand, dans l'angle que
faisait le lit avec le mur de la chambre, il y avait deux
caisses de bois blanc posées l'une sur l'autre. La plus
grande contenait le manuscrit complet de ses Mémoires,
divisé en quarante-huit cahiers. Sur les derniers temps,
il y avait un tel désordre autour de lui qu'un de ces
cahiers avait été retrouvé le matin même par M. de
Preuille dans un petit coin sale et noir où l'on nettoyait
les lampes.

Quelques tables, une armoire et quelques fauteuils
bleus et verts en désordre encombraient plus qu'ils ne
meublaient cette chambre.

Le salon voisin, dont les meubles étaient cachés par
des housses de toile écrue, n'avait rien de remarquable
qu'un buste en marbre de Henri V posé sur la cheminée.
En avant de ce buste, une statuette de M. de Chateau-

briand en pied. Des deux côtés d'une fenêtre, Mme de Berri et son fils enfant, en plâtre.

M. de Chateaubriand ne disait rien de la République, sinon : « Cela vous fera-t-il plus heureux ? »

Les obsèques de M. de Chateaubriand se firent le 8 juillet 1848, précisément au jour anniversaire de cette seconde rentrée de Louis XVIII en 1815 à laquelle il avait puissamment contribué. Je dis les obsèques et non l'enterrement, car M. de Chateaubriand avait depuis longtemps son tombeau bâti d'avance à Saint-Malo sur un rocher au milieu de la mer.

Paris était comme abruti par les journées de Juin, et tout ce bruit de fusillades, de canon et de tocsin qu'il avait encore dans les oreilles l'empêcha d'entendre, à la mort de M. de Chateaubriand, cette espèce de silence qui se fait autour des grands hommes disparus. Et puis c'était le troisième enterrement depuis trois jours, la veille, l'archevêque [1] ; l'avant-veille, les victimes de Juin.

Il y eut peu de foule et une émotion médiocre aux obsèques de M. de Chateaubriand. La cérémonie se fit à la chapelle-église des Missions étrangères, rue du Bac, à quelques pas de la maison que M. de Chateaubriand habitait.

L'église des Missions, étroite, petite, laide, tendue de noir à mi-mur ; au milieu de l'église, un cénotaphe de bois couleur bronze surmonté d'un drap de velours noir à croix blanche semé d'étoiles d'argent ; aux quatre coins du cénotaphe, quatre candélabres de bois bronzé et argenté portant une flammèche verte qui s'éteignit avant la fin ; deux rangées de cierges sur les degrés du cata-falque ; aucun insigne ; pour toute famille, des collaté-raux ; quelques centaines de personnes ; Cousin en noir, Ampère avec l'habit de l'Institut, Villemain avec la plaque, M. Molé en redingote, sept femmes dans les tri-bunes hautes, un peu de peuple sous l'orgue, l'évêque de

Quimper dans le chœur, quatre fusiliers auprès de l'autel,
une trentaine de soldats du 61e dans l'église commandés
par un capitaine, deux membres de l'Assemblée nationale en écharpe, presque tout l'Institut ; la messe
chantée en faux-bourdon, deux séminaristes des Missions
regardant à droite de l'autel de derrière une statue.
M. Antony Thouret tenant un des quatre coins du poële,
M. Patin faisant un discours ; telle fut cette cérémonie,
qui eut tout ensemble je ne sais quoi de pompeux qui
excluait la simplicité et je ne sais quoi de bourgeois qui
excluait la grandeur.

C'était trop et trop peu. J'eusse voulu pour M. de Chateaubriand des funérailles royales, Notre-Dame, le manteau de pair, l'habit de l'Institut, l'épée du gentilhomme
émigré, le collier de l'ordre, la Toison d'or, tous les corps
présents, la moitié de la garnison sur pied, les tambours
drapés, le canon de cinq en cinq minutes ,— ou le corbillard du pauvre dans une église de campagne.

Il y avait dans l'église un vieux missionnaire à longue
barbe qui avait l'air vénérable.

Le cadavre ne pouvait partir immédiatement pour
Saint-Malo, car le flot ne lui permettait de prendre pos-
session de son tombeau que le 18 juillet.

Après la cérémonie religieuse et la cérémonie académique, dont M. Patin fut l'officiant, dans la cour, par un
soleil ardent, les femmes aux fenêtres, on descendit le
mort illustre dans le caveau de l'église. On le plaça sur
un tréteau dans un compartiment voûté à porte cintrée
qui est à gauche au bas de l'escalier. J'y entrai.

Le cercueil était encore couvert du drap de velours
noir. Une corde d'argent à gland en effilé était jetée
dessus. Deux cierges brûlaient de chaque côté.

J'y rêvai quelques minutes. Puis je sortis et la porte
se referma.

Juillet 1848.

C'était un peintre.

Voici comment il faisait le portrait du chef du pouvoir exécutif :

« Cavaignac ? Un nez dans du poil. »

30 juillet 1848.

L'assemblée a entendu aujourd'hui les développements de la proposition Proudhon, présentés par l'auteur.

On voit paraître à la tribune un homme d'environ quarante-cinq ans, blond, avec peu de cheveux et beaucoup de favoris. Il était vêtu d'un gilet noir et d'une redingote noire. Il ne parla pas, il lut. Il tenait ses deux mains crispées sur le velours rouge de la tribune, son manuscrit entre elles. Il avait un son de voix vulgaire, une prononciation commune et enrouée, et des besicles. Le début fut écouté avec anxiété ; puis l'assemblée éclata en rires et en murmures ; enfin chacun se mit à causer. La salle se vida et l'orateur termina au milieu de l'inattention le discours commencé au milieu d'une sorte de terreur.

Proudhon n'était ni sans talent ni sans puissance. Cependant il plia visiblement sous l'insuccès et n'eut rien de l'effronterie sublime des grands novateurs.

La Mennais a écouté la fin du discours de Proudhon, son mouchoir rouge sur les yeux, comme s'il pleurait.

Hier, Antony Thouret a rencontré Proudhon.

« Ça va mal, a dit Proudhon.

— Quelle cause assignez-vous à tous nos embarras ? a demandé Antony Thouret.

— Pardieu ! tout le mal vient des socialistes !

— Comment ! des socialistes ? mais vous-même, n'êtes-vous pas un socialiste ?

— Moi, un socialiste ! a repris Proudhon, par exemple !

— Ah çà! qu'êtes-vous donc?

— Je suis un financier. »

Séance du 3 août.

Lecture du rapport de la commission d'enquête [1].

Caussidière, d'abord absent, arrive à deux heures et demie et se place à son banc, au haut de la Montagne. Gilet blanc. Redingote noire.

Louis Blanc est assis au sommet de la Montagne à côté de Ferdinand Gambon et passe sa main dans ses cheveux.

Pierre Leroux [2] est au troisième banc, au-dessous de Louis Blanc ; à côté de La Mennais. Pierre Leroux et La Mennais ont des lorgnons. Leroux promène le sien sur les tribunes publiques. La Mennais baisse la tête et semble lire. De temps en temps, il épluche ses ongles et plonge son pouce dans sa tabatière.

Cavaignac arrive après le commencement et s'assied, les bras croisés, près de Marie, au banc des ministres.

Lamartine est à sa place ordinaire, à l'extrémité du banc inférieur de la seconde travée de gauche, séparé de Garnier-Pagès par Pagnerre. Lamartine croise les bras comme Cavaignac ; il est pâle et calme, ce qui contraste avec Ledru-Rollin, qui est au-dessus de lui, rouge et agité.

Ledru-Rollin est un gros homme à belles dents, l'idéal d'Anne d'Autriche. Il a de grosses mains blanches dont il caresse son collier de barbe.

Flocon est absent ; on le remarque. Jules Favre est venu s'asseoir à droite à côté de Portalis. Jules Favre est armé comme toujours de son gros portefeuille noir. Jules Favre a un visage blême, à menton avancé, collier de barbe noire, besicles.

Proudhon est assis à côté de Lagrange, à la dernière travée triangulaire de gauche, au fond de la salle. Les femmes de la tribune diplomatique, au-dessus de sa tête, le regardent avec une sorte d'horreur et disent tout haut : « *C'est ce monstre !* » Proudhon a les jambes croisées, pantalon gris et redingote brune, et est à demi couché sur son banc, de façon que sa tête n'atteint pas le haut du dossier.

Lagrange, à côté de lui, se tient droit dans son habit noir boutonné. On remarque sa figure anguleuse, honnête et égarée. Il a un col rabattu et des manchettes blanches.

Caussidière s'est souvent agité pendant la lecture du rapport. Louis Blanc a demandé la parole d'un ton indigné. Caussidière a crié : « C'est ignoble! » Au mot *stupides bourgeois* que le rapport lui attribue, il a dit : « Calomnie! »

Pendant la seconde partie du rapport, Ledru-Rollin a pris une plume et a écrit des notes. La lecture de la première partie a duré une heure.

Le rapporteur Bauchart [1], avocat à Saint-Quentin, a une voix et un geste de procureur général.

A la seconde partie du rapport, Marrast avait quitté le fauteuil et était remplacé par M. Corbon, l'ouvrier horloger. Le rédacteur de *l'Atelier* a succédé dans la présidence au rédacteur du *National*.

Pendant le rapport, il m'a été impossible de ne pas croire entendre un rapport de Franck Carré à la cour des pairs.

François Arago est absent. Étienne Arago est à son banc au bas de la troisième travée de gauche avec le ruban de représentant à la boutonnière. Ce ruban commence à tomber en désuétude. Il n'y a plus guère qu'une moitié des représentants qui le portent.

3 heures et demie. — Odilon Barrot monte par l'escalier de la Montagne et sort de la salle. Les tribunes remarquent son habit vert russe et sa couronne de cheveux blancs qui ressemble à la coiffure des évêques.

Bastide arrive tard et se place au banc des ministres à côté de Goudchaux. Dupont de l'Eure est à sa place, trois bancs au-dessous de moi à côté de Nachet. Dupont de

Bussac, au banc des ministres, promène lentement un binocle sur les femmes des tribunes.

A un moment où le rapporteur a parlé de la déposition d'un représentant, David d'Angers s'est levé au deuxième banc de la Montagne et a crié : « Nommez-le ! » (*Violent tumulte.*)

5 *août 1848.*

Je vois en ce moment Louis Blanc causer avec Caussidière. Louis Blanc, debout, est juste de la hauteur de Caussidière assis.

8 *août 1848.*

Hier, Antony Thouret, qui est énorme, et Louis Blanc, qui est minuscule, se sont trouvés ensemble à la tribune et s'y sont un moment disputés. La salle a éclaté de rire de l'antithèse. J'entendais une femme dire en sortant : « Il n'y a qu'une chose qui m'ait amusée, c'est la rencontre de l'hippopotame et du pierrot ».

Il y a, aux Champs-Élysées, avenue d'Antin, un cabaret qu'on appelait sous le dernier régime le *Moulin Rouge*. Les artistes, qui y vont beaucoup, l'appellent maintenant le *Moulin démocratique et social*.

8 *août 1848.*

On vend en ce moment le matériel des Ateliers nationaux. Cela fait un encan étrange. Tout y est, depuis l'attirail du luxe le plus effréné jusqu'à l'attirail de la misère et du travail pénible. Il y a quatorze voitures de plaisir ou de fantaisie, briskes, calèches, grands cabriolets à quatre roues, escargots, coupés et trente ou quarante beaux chevaux à attelage — et avec cela un tas de brouettes haut comme une maison, des pelles et des

fourches à profusion, un monceau de pioches à emplir la
salle de l'Assemblée nationale.

On vend tout cela pêle-mêle, briskes et pioches,
brouettes et coupés ; les pioches sont neuves ; les
pelles sont presque toutes cassées ; les brouettes sont
hors de service. Un maréchal est là avec une petite
forge qui raccommode les outils avant qu'ils soient
livrés à l'adjudication.

Août 1848.

La commission d'enquête, présidée par Odilon
Barrot, entendit Lamartine ; à la fin de l'audition, qui
ressembla beaucoup à un interrogatoire, le président
redevint collègue et demanda à Lamartine s'il ne sou-
haiterait pas qu'on négligeât, ou même qu'on omît
certaines pièces dans le rapport, ajoutant qu'en ce qui
touchait Lamartine la commission, usant d'égards,
voulait ne rien approfondir et ne point pousser la curiosité à outrance.

Lamartine répondit : « Allez droit devant vous, au
fond, nettement, franchement. Vous y trouverez mon
innocence et j'y retrouverai ma popularité. »

Août 1848.

Février a mis une couche de république sur la France.
L'ancienne société reparaît déjà dessous.

Il faudra une seconde couche. A réaction, révolution
et demie.

Séance de nuit. 25 août.

Les tribunes regorgent de foule. Tous les représentants sont à leur banc. Les huit lampes et les sept
lustres de l'Assemblée sont allumés.

On parle d'une émeute qui s'amasse, dit-on, sur les boulevards. Ces jours-ci, il y a eu des rassemblements dans le jardin du Palais-Royal. « Que n'a-t-on fait fermer les grilles ! » s'écrie M. de Champvans [1].

On dit que les troupes sont sur les dents.

L'Assemblée a un aspect sombre. Huit heures sonnent avec le bruit lugubre d'un tocsin.

La salle est à peine éclairée. On distingue sous le premier lustre la tête vénérable et accablée d'Arago et, près de lui, le profil doux, calme et sévère de Lamartine.

Cavaignac est à sa place, le premier sur le banc des ministres de gauche, séparé de Goudchaux et de Marie par son chapeau posé sur le banc des ministres.

Caussidière et Ledru-Rollin ne sont pas encore arrivés.

Louis Blanc prend la parole.

Comme je traversais le parquet de la Chambre, Lamartine m'a appelé. Il était assis, causant avec Vivien debout. Il m'a dit : « Que me conseillez-vous ? Faut-il que je parle ou que je me taise ? »

Je lui ai dit : « Ne parlez pas. Gardez le silence. Vous êtes peu en cause. Tout cela s'agite en bas. Restez en haut. »

Il a repris : « C'est bien mon avis.

— C'est aussi le mien, a dit Vivien.

— Ainsi, a reparti Lamartine, je ne dirai rien. »

Il a repris, après un silence :

« A moins que la discussion ne vienne à moi et ne m'égratigne. »

J'ai répondu : « Pas même dans ce cas-là, croyez-moi. Ayons des cris de douleur pour les plaies de la France, et non pour nos égratignures.

— Merci, a dit Lamartine. Vous avez raison. »

Et je suis retourné à mon banc.

Pendant une interruption causée parce que Louis Blanc s'est mis en parallèle avec Lamartine, Caussidière arrive, monte au bureau du président, et cause un moment avec Marrast ; puis il va à sa place.

On aperçoit un homme en manches de chemise, un curieux, qui s'est juché sur le plafond de l'Assemblée, près du trou d'un lustre, et qui écoute et regarde de là.

L'abbé Fayet, évêque d'Orléans, et le général Lamoricière, ministre de la Guerre, viennent s'asseoir au banc des ministres, à côté de MM. Goudchaux et Marie.

Vers la fin du discours de Louis Blanc, le colonel de Ludre, qui est venu s'asseoir à côté de moi, et mon autre voisin, M. Archambault, s'endorment profondément au milieu de l'agitation de l'Assemblée.

Louis Blanc a parlé une heure quarante minutes. Il a terminé éloquemment et par une protestation qui m'a paru venir du cœur.

A dix heures, le préfet de police Ducoux est arrivé et est venu s'asseoir à côté de Cavaignac.

Il était près de minuit quand Caussidière a paru à la tribune, avec une énorme liasse de papiers qu'il a annoncé l'intention de lire. Rumeur d'effroi dans l'Assemblée. En réalité, le manuscrit avait beaucoup de feuilles, mais l'écriture était si grosse que chaque feuille tenait peu de mots ; ceci parce que Caussidière lit avec quelque difficulté et qu'il lui faut de grosses lettres comme à un enfant.

Caussidière avait une redingote noire à un seul rang de boutons, boutonnée jusqu'à la cravate. Il y avait un singulier contraste entre sa figure de tartare, ses larges épaules, sa stature colossale, et son accent timide et son attitude embarrassée. Il y a du géant et de l'enfant dans cet homme. Cependant, je le crois fort mêlé aux choses de mai. Quant à juin, nulle preuve.

Il a donné, entre autres pièces, lecture d'une lettre de Ledru-Rollin, à lui adressée le 23 avril ; lui préfet, Ledru-Rollin ministre. Cette lettre lui donne avis d'un complot pour l'égorger et se termine par ceci : « *Bonne nuit comme à l'ordinaire, en ne dormant pas.* »

Dans un autre moment, Caussidière, refusant de s'expliquer sur des ouï-dire, s'est écrié : « La tribune nationale n'a pas été fondée pour bavarder sur des bavardages! »

A une heure du matin, au milieu d'un profond silence qui s'est fait tout à coup au milieu du tumulte, le président Marrast a lu une demande en autorisation de poursuites du procureur général Corne contre Louis Blanc et Caussidière.

Ceci a amené à la tribune Louis Blanc, qui a protesté. Sa protestation était énergique, mais sa voix était altérée. On disait autour de moi : « Il a peur. »

A de certains moments, les cris éclataient de toutes parts, et les spectateurs se dressaient debout dans les tribunes.

Les lustres se sont éteints plusieurs fois, et l'on a été obligé de les rallumer dans le cours de la séance.

A deux heures et demie du matin, Lamartine s'en est allé, baissant la tête et les deux mains dans ses goussets. Il a traversé la salle d'un air abattu. Il est revenu une heure après.

Au moment où on allait voter, Caussidière s'est approché du banc des ministres et a dit au général Cavaignac :

« C'est donc dit? »

Cavaignac a répondu :

« C'est mon devoir.

— Général, a repris Caussidière, est-ce que vous allez me faire arrêter comme cela, ici? J'ai là ma mère et mes sœurs, que diable!

— Que voulez-vous que j'y fasse ? a dit Cavaignac.

— Donnez-moi quarante-huit heures. J'ai des affaires. Il me faut le temps de me retourner.

— Je veux bien, a répondu Cavaignac. Seulement,
entendez-vous avec Marie. »

(Le ministre de la Justice a consenti aux quarante-
huit heures, et Caussidière en a profité pour s'évader.)

Quand le jour a paru, l'Assemblée délibérait encore.
Les lustres pâlissaient. On voyait à travers les fenêtres
le ciel gris et morne du crépuscule. Les rideaux blancs
des croisées s'agitaient au vent du matin. Il faisait très
froid dans la salle. Je distinguais de ma place des sil-
houettes d'hommes juchés sur la corniche extérieure
des croisées, qui se découpaient sur la clarté du ciel.

On votait par billets bleus et billets blancs. Les
billets blancs étaient pour l'accusation, les billets
bleus contre. Chaque billet selon l'usage de l'Assemblée,
portait le nom du député votant.

Au dernier tour, j'ai fait mettre des billets bleus à
presque tous mes voisins, même à M. Isambert, qui
était fort animé contre les représentants inculpés.

L'urgence a été votée par 493 voix contre 292. La
majorité nécessaire était 393 (93 deux fois).

A six heures et demie du matin tout était terminé ;
les femmes des tribunes descendaient en foule par
l'unique escalier, la plupart cherchant des maris représentants. Les journalistes s'appelaient dans les couloirs,
les huissiers couraient affairés, on disait avoir vu des
gendarmes dans la salle des pas perdus ; les yeux
étaient mornes, les visages étaient pâles, et le plus
beau soleil du monde emplissait la place de la Concorde.

25 août 1848.

Caussidière prononce les *r* de tous les infinitifs en *er* ;
il dit : concilière, reprimère, aidère ; il dit aussi :
« J'avais envoyère des agents. »

Au moment où Louis Blanc a pris la parole, mon voisin, le représentant de Chambolle [1] a dit : « Nous nous foutons pas mal de toi! Dis ce que tu voudras! »

Août 1848.

Prenons garde! Bastide [2] ne nous sauvera pas de Blanqui. On peut aller de la république-lièvre à la république-tigre.

Août 1848.

Voici ce que doit savoir un ambassadeur qui part pour Saint-Pétersbourg :

En Russie il n'y a que l'empereur et, dans l'empereur, il n'y a que le premier mouvement. Plaisez à l'empereur, et plaisez le premier jour. Tout est là. L'empereur ne revient pas de son premier coup d'œil et tout Pétersbourg et toute la Russie voient comme a vu l'empereur. Si l'empereur a été froid, la Russie vous tourne le dos ; s'il vous a souri, vous êtes un dieu.

Or pour plaire à l'empereur tout d'abord, il fallait en 1830 lui bien parler de la garde royale ; il faut en 1848 lui bien parler de la garde nationale et de la garde mobile en juin. Soyez libéral, Français, philosophe, voltairien tant que vous voudrez, mais pas un mot de la Pologne. La Pologne, entrevue dans une allusion même la plus lointaine, lui fait froncer le sourcil ; et tout est dit.

Parlez-lui de l'Afrique. Il nous voit volontiers en Algérie. La France y fait contrepoids à l'Angleterre en Égypte. En 1830, quand il apprit la prise d'Alger, quelque temps avant les événements de juillet, il dit à M. de Bourgoing, alors premier secrétaire de l'ambassade française : « *Bravo! Je voudrais vous aider! Mais je ne puis que vous applaudir. Des soldats français là me font autant de plaisir que des soldats russes.* »

Après juillet, le général Atthelin vint comme ambassadeur. Nicolas le mit tout de suite sur la garde royale. « *Ces braves grenadiers ! Voilà comme on comprend le devoir !* » Il ajouta ce mot remarquable : « *Je voudrais leur donner à chacun une statue d'or.* »

Atthelin resta froid devant l'éloge des grenadiers royaux, et fut perdu. L'empereur le regarda à peine ; le lendemain personne ne le regarda plus.

31 août 1848.

On vient de poser des grilles très hautes entre les colonnes de la cour du palais de l'Assemblée. Au bas de ces grilles, une épaisse bordure de broussaille de fer.

Il y a six obusiers avec leurs caissons dans une des cours intérieures du palais.

4 septembre 1848.

Une pauvre femme, appelée Mme R., est venue chez moi hier soir. En entrant dans mon cabinet, j'ai été frappé de son air de résolution. C'est une femme d'une trentaine d'années, qui serait très belle si elle n'était très pauvre. La misère ne s'empreint pas seulement sur les vêtements ; elle s'empreint sur la beauté. Cela se mêle au point qu'on pourrait dire que le vêtement devient maigre et le visage pauvre.

Mme R. est mariée à un vieux mari, officier de santé, et vit avec deux enfants d'une pension de retraite de 1 050 francs.

Mme R. avait les yeux rouges, de cette rougeur qui a pleuré et veillé. Elle voulut parler et fondit en larmes. Cependant elle s'expliqua, avec moins de paroles que de sanglots. Sa petite fille aînée, âgée de quatre ans, était tombée malade, jeudi, d'une fièvre typhoïde compliquée d'accidents nerveux ; du bien, du mal, du mieux, des angoisses pendant trois jours et trois nuits. Enfin la petite fille, le matin de la troisième nuit, vers 4 heures, avait dit : « *petite maman* », puis était morte.

La mère est fille naturelle de M. de M., homme riche et membre de l'Assemblée nationale. Elle n'avait pas chez elle de quoi faire enterrer son enfant. Elle avait couru chez M. de M. et lui avait demandé de quoi payer la bière, le drap et le corbillard. M. de M. lui avait dit : « Je ne puis ; je n'ai pas un sou ! » Là-dessus, elle venait chez moi.

J'ai ouvert un tiroir et je lui ai donné vingt francs que j'avais. Elle s'est remise à sangloter et je la regardais sans pouvoir lui parler.

Pauvre femme ! Elle avait perdu dans la même journée sa fille et son père.

5 septembre 1848.

Pendant que Pierre Leroux est à la tribune, l'abbé de La Mennais, son voisin de banc et de doctrine, tourne le dos et affecte de causer avec Félix Pyat, qui siège derrière lui.

5 septembre 1848.

L'Assemblée a dédaigné d'écouter un discours écrit de Pierre Leroux, trop long, mais fort remarquable. Huées et éclats de rire à chaque instant.

Ce pauvre honnête général Cavaignac s'est mis à bâiller au beau milieu. Si c'est involontairement, cela fait peu d'honneur à son intelligence. Si c'est exprès, cela fait peu d'honneur à sa perspicacité.

5 septembre 1848.

M. l'évêque d'Orléans [1] a parlé sur le Préambule [2]. On a beaucoup ri. Cela tenait le milieu entre la harangue et le sermon. D'éloquence, point ; de bon sens, peu.

8 septembre 1848.

La journée d'hier a été la journée du 7.

Le 7 septembre, 777 voix ont voté la république démocratique. Les astrologues, il y a seulement deux siècles, auraient conclu de cela bien des choses.

13 septembre 1848.

Hier, les troupes campées au grand carré des Champs-Élysées ont trouvé mauvais le biscuit qu'on leur donne pour la soupe. Elles ont dit : « Le pain n'est pas cher ! Nous voulons du pain ! » Elles ont renversé les marmites. Révolte de janissaires. Cela s'appelle être en république.

15 septembre.

En descendant de la tribune [1], j'ai demandé au général Cavaignac la grâce de quatre transportés désignés et enfermés pour partir au fort de l'Est, un poëte et trois peintres, Simon Chaumier, Bourguignon, Doublemard père et fils. Le général m'a présenté une feuille de papier et m'a dit : « Écrivez les noms. » Je les ai écrits ; il a pris la plume de mes mains et a ajouté ceci : « *Ordre au général Bertrand de surseoir immédiatement. Gal C.* »

Il a écrit *sursoir* ; mais qu'importe que l'orthographe soit mauvaise si l'action est bonne.

17 septembre 1848.

On dit dans l'Assemblée nationale qu'il y a quatre évêques parmi nous : Fayet, évêque d'Orléans ; Graveran, évêque de Quimper ; Parisis, évêque de Langres, et Montalembert. Les gens de la droite appellent Fayet *lœtificat*, Graveran *tœdificat*, Parisis *œdificat*, et Montalembert *magnificat*.

19 septembre 1848.

Mœurs de l'Assemblée : le ministre de l'Intérieur, Sénard, s'assied par terre pour causer avec le ministre de la Guerre, Lamoricière.

Il y a un représentant rouge qui s'appelle Fossoyeux. Pourquoi pas Fossoyeur?

21 septembre 1848.

Deux évêques ont parlé aujourd'hui, l'abbé Parisis, évêque de Langres, et l'abbé Fayet, évêque d'Orléans. Il s'agissait de la liberté d'enseignement.

L'abbé Parisis, homme au visage coloré, aux cheveux gris, aux gros yeux bleuâtres et ronds à fleur de tête, porte ses cinquante-cinq ans d'un air où il entre plus de gravité ecclésiastique et d'humilité officielle que de gravité vraie et d'humilité simple. Il a dit, de mémoire, avec un peu de pompe, quelques phrases qui ont été accueillies par des *très bien!* A la tribune, l'effet de la soutane est divers : avec l'abbé Parisis, elle porte respect ; avec l'abbé Fayet, elle fait rire.

L'abbé Fayet est un bonhomme, vraie bête à bon Dieu, qui ressemble plus à un hanneton qu'à un évêque. A l'Assemblée il va de banc en banc, s'assoit sur les chaises des huissiers, rit avec les bleus, avec les blancs, avec les rouges, rit avec tout le monde et se fait rire au nez par tout le monde. Il a une calotte de velours noir, des cheveux blancs qui sont vénérables malgré lui, un accent gascon, et il monte à la tribune en se mouchant dans un vaste mouchoir de couleur qui a toute la mine d'un mouchoir d'invalide. On rit. Il dit en gasconnant que le grand danger de l'époque c'est l'école romantique. On rit. Il propose un amendement. On rit. « Est-il appuyé? — Non! non! » Il descend de la tribune et se mouche. On rit.

Voilà nos deux évêques.

Hier, dans la question de la liberté d'enseignement,
pendant que M. de Montalembert parlait, l'évêque de
Langres qui siège à côté de mon banc et qui n'est séparé
de moi que par un marchand de bois (M. Archambault), tenait les mains jointes et les yeux levés au
ciel. Aujourd'hui, l'évêque de Langres parle, et pendant qu'il parle, l'abbé de La Mennais cause, gesticule
et rit aux éclats avec Ledru-Rollin.

ÉTAT DE SIÈGE

Septembre 1848.

MM. les généraux qui nous gouvernent — qui nous
gouvernent un peu trop — mettent aujourd'hui leur
gloire à faire reculer la liberté. Il vaudrait mieux faire
reculer les Autrichiens.

Je me défie de l'état de siège [1]. L'état de siège est
le commencement des coups d'État. L'état de siège est
le pont où passe la dictature. Pont tremblant qui peut
crouler sous le poids du despotisme, mais qui entraîne
tout en s'abîmant.

Quant à un certain général [2] investi d'un haut commandement qui rêverait autre chose que la plus parfaite
obéissance à la souveraineté nationale, s'il est vrai que
ce général existe, je lui dois un avis : Pour qu'une épée
puisse, impunément et sans soulever l'indignation de
la France, trancher un nœud gordien des libertés et des
complications politiques, il faut que cette épée revienne
de Marengo, d'Arcole et de Lodi.

Septembre 1848.

Arago ne paraît plus à l'Assemblée.
Quand on a ces deux spécialités de regarder le ciel et

de regarder la terre, je comprends qu'on préfère la première.

Septembre 1848.

Le banc où siège Lamartine, au bas de la troisième travée de gauche, est ainsi composé à partir de la tribune : Duclerc, Garnier-Pagès, Pagnerre, Barthélemy-Saint-Hilaire, Bixio, Altaroche, Lamartine. Ce banc fait suite au banc des ministres où il n'y a que cinq places ainsi occupées : Cavaignac, Bastide, Goudchaux, Marie, Lamoricière. L'évêque d'Orléans s'assied *en lapin* tantôt au bout du banc des ministres, tantôt au bout du banc de Lamartine.

Septembre 1848.

L'Assemblée continue à s'égayer. Quand M. Joly [1] est à la tribune, on dit sur les bancs de la droite : « Joly parle, Joly ment. »

Septembre 1848.

M. Vaulabelle, ministre actuel de l'Instruction publique, s'appelle Quénaille ou Kénaille. Une assonance possible lui a fait quitter ce nom. Son frère, Éléonor Vaulabelle, rédigeait *l'Entr'acte* et fait des vaudevilles sous le nom de Jules Cordier. Du temps où Rabbe [2] habitait rue des Petits-Augustins, vers 1825, le ministre était clerc de notaire. Rabbe avait tous les soirs dans sa chambre quelques amis poètes, entre autres Méry et Barthélemy ; plus tard Gauja ; plus tard Carrel. Le clerc de notaire fit la connaissance de Rabbe au cabinet de lecture de la rue Saint-Benoît et se faufila.

« Que voulez-vous faire ? lui dit Rabbe un jour. — Du notariat. — Faites plutôt de l'histoire, dit Rabbe. Cela se vend. Fabriquez pour Lecointe et Durey, quai des Augustins, quelque résumé de quelque chose. — Ça me va », dit Vaulabelle.

Ceci le fit historien, puis journaliste, puis ministre.

Septembre 1848.

On a nié le mot de l'abbé Edgeworth à Louis XVI ; on a nié le mot de Cambronne à Waterloo.

Laissons à l'histoire les mensonges sublimes ; ne les discutons pas. Si l'histoire ment, les mensonges qu'elle fait valent mieux que les vérités que nous faisons.

Septembre 1848.

Les deux membres les plus laids de l'Assemblée nationale sont, par ordre de mérite :

No 1 : M. Tastel.

No 2 : M. de Saint-Priest.

(Accessit : M. Laurent de l'Ardèche).

Septembre 1848.

Le général Cavaignac a en ce moment pour maîtresse Mlle Plumkett et M. Marrast Mlle Masson.

Septembre 1848.

L'autre jour, on causait au banc des ministres. On parlait femmes. M. Dupin aîné flânait aux alentours. M. Vaulabelle, le ministre de l'Instruction publique, contait un peu ses bonnes fortunes, tout en dissimulant sous des théories sa pratique. Il convenait qu'il fallait payer ; mais, disait-il, les femmes se rendent plus aisément aux beaux et aux aimables qu'aux laids et aux fâcheux. On paie plus ou moins cher selon l'homme. « Oui, dit Dupin intervenant, *tant vaut l'homme, tant vaut la belle.* »

Septembre 1848.

M. de Luynes me disait tout à l'heure : « Quand Cavaignac est à la tribune, il penche tantôt vers le bon sens, tantôt vers la *gaucherie* ». J'ai répondu : « Il verse souvent. »

Septembre 1848.

Auguste Blanqui, de sa prison de Vincennes, s'est fait candidat. C'est son droit. Et le droit du peuple est de le nommer. Le peuple a le droit d'aller choisir l'homme auquel il croit, partout, au fond d'un cachot comme au fond d'un palais, comme au fond de l'exil. Et toute barrière qui n'est pas la loi doit tomber devant l'appel souverain du peuple.

Du reste, Blanqui a fait une affiche, et cette affiche, dit-on, commence par cette phrase :

« *Citoyens,*

« *La province entière trahit.* »

La province entière, qu'est-ce ? c'est la France. Ainsi « *la France trahit* ».

Septembre 1848.

Un nommé Salivi, du Midi, tenait l'an dernier une petite pension, faubourg Saint-Antoine. Il avait huit ou dix élèves et pour médecin M. Recurt. La femme de ce Salivi, qui était de Nîmes ou d'Avignon, était amie intime de sa portière. Mme Salivi allait tous les soirs passer deux heures à jaser dans la loge ; comme il y faisait très chaud et que les chaises de la portière n'étaient point fort propres, Mme Salivi, pour ne point salir ses hardes, troussait sa robe, sa jupe et jusqu'à sa chemise et s'asseyait à cru de telle sorte que la paille de la chaise s'imprimait sur sa personne et faisait — disait un témoin oculaire — ressembler ses fesses à un fromage.

Après Février, le maître d'école Salivi est allé trouver son médecin Recurt, de docteur devenu ministre. « Que voulez-vous de moi? » demanda le ministre. « Un mot pour votre collègue M. Carnot. — Pourquoi? — Pour qu'il me nomme professeur de sixième ou de septième quelque part. — Impossible. Mais voulez-vous une préfecture? » M. Salivi est aujourd'hui préfet du Gard.

Septembre 1848.

La police de sûreté de l'Assemblée nationale est distincte de la police de Paris. Elle se fait au moyen de quatre agents placés directement et exclusivement sous les ordres du commissaire spécial de police Yon. M. Yon ne fait de rapports qu'au président de l'Assemblée et aux questeurs. Ceci froisse le préfet de police et amène souvent des conflits.

Ce commissaire Yon est un homme de quarante ans, de bonnes manières et d'une figure agréable. Il ressemble à M. de Langsdorff, le gendre de M. de Sainte-Aulaire.

C'est un personnage intelligent, expéditif et fin, qui sait bien la police et qui la fait bien. La police politique a cela de particulier qu'elle se fait toujours un peu contre ceux qui l'emploient, et qu'elle est toujours prête à passer du côté de ceux qu'elle pourchasse. Elle donne la main aux gouvernants et touche le coude aux conspirateurs. Pour être instruite, elle a besoin de confiance des deux côtés. Chose bizarre, elle en inspire.

En 1834, M. Yon reçut l'ordre de visiter les papiers de Barbès ; il était en même temps porteur d'un mandat d'amener contre Blanqui qu'il n'avait jamais vu. Blanqui avait disparu.

M. Yon arrive inopinément chez Barbès de grand matin. Barbès était couché. Il n'était pas seul. Il y avait un homme dans son lit. M. Yon ne connaissait pas cet homme.

On les fait lever tous deux. On procède à la visite.

M. Yon interroge l'homme qui était couché avec Barbès. L'homme répond avec calme et le plus simplement du monde. Il donne un nom et une adresse quelconques, à Batignolles. On le fouille, on ne trouve rien sur lui, qu'une clef.

M. Yon allait le faire relâcher.

Cependant : « Voyons la clef », dit-il.

Il regarde la clef et il regarde l'homme.

« Qu'est-ce que c'est que cette clef ?

— Pardieu, c'est la clef de mon logement.

— Alors, dit M. Yon, vous êtes Blanqui. »

Et il ajouta : « Vous demeurez rue de l'Estrapade, n° 27, au troisième. »

C'était Blanqui en effet.

Le mois d'auparavant, M. Yon, cherchant Blanqui, était allé au lieu où il savait bien qu'il ne le trouverait pas, c'est-à-dire chez lui. C'était de grand matin. Mme Blanqui était couchée. Pendant qu'elle se levait, M. Yon était resté à la porte, et tout en attendant, il s'était amusé à regarder la clef.

De cette façon il s'en était gravé la figure dans l'esprit.

Ce fut encore M. Yon qui arrêta Blanqui après le 15 mai. Blanqui était caché rue Montholon. M. Yon, accompagné d'agents, pénétra brusquement dans sa cachette au moment où Blanqui se mettait à table avec trois autres dont Flotte et Delcambre.

« Ne faites pas de mal à Blanqui! » cria Delcambre.

Flotte se jeta sur des pistolets.

« Ne bougez pas », dit Blanqui.

Il avait reconnu Yon.

Il sourit et dit : « Allons, il faut marcher. »

« Soyez tranquilles tous, dit M. Yon. Mon devoir est de vous rendre sains et saufs à la fois. »

Cependant Blanqui porta brusquement sa main à sa bouche et se mit à mâcher quelque chose.

M. Yon pensa que c'était du poison. Il se jeta sur lui
et s'efforça de le lui faire revomir.

« Est-ce que c'est vraiment du poison ? » demanda-t-i
à Blanqui.

Blanqui se mit à rire.

« Du poison ! dit-il. C'est du papier. »

Et il recracha ce qu'il avait dans la bouche. C'était en
effet des papiers qu'il venait de mâcher.

« Ah ! dit M. Yon, vous, un chef de complots, avoir des
papiers sur vous ! Est-ce que vous ne devez pas avoir
tout dans votre tête ? Vous me faites de la peine. Je vous
croyais plus conspirateur que cela. »

Ceci toucha Blanqui. Il devint sombre.

« Allons, dit-il, police, paix-là ! »

M. Yon reprit : « Franchement, ce n'était pas la peine
de mâcher ceci. Si vous m'aviez dit que vous aviez des
papiers, je suis tellement sûr que vous ne feriez pas la
folie d'écrire les choses essentielles, que je vous les aurais
laissé brûler. »

Blanqui emmené, on essaya de déplier les papiers qu'il
avait mâchés, on tâcha d'y lire quelque chose ; on ne put
rien retrouver.

Septembre 1848.

Louis Bonaparte était à Paris depuis deux jours, logé
à l'*Hôtel du Rhin*, place Vendôme, que personne dans
l'hôtel, pas même le maître de la maison, ne s'en doutait.
Ce sont les fils Bertrand qui, en leur qualité de quêteurs
de soupe et de tondeurs de nappe, ont découvert le prince.
Ils l'ont flairé, épié, guetté, observé, dépisté, puis ils ont
couru à l'*Hôtel du Rhin*.

Ils ont dit au maître de l'auberge : « Savez-vous qui
vous avez chez vous ? — Non, bah, qui ? — Le prince
Louis Napoléon. — Ça ? c'est un nommé monsieur... (un
nom quelconque que le prince avait donné. Je l'ai su et
oublié). — Nous vous disons que c'est le prince Louis. »

Le maître de l'hôtel n'en a rien cru. Il lui semblait nécessaire que le prince Louis ressemblât à l'empereur Napoléon. Or, le prince Louis ne ressemble qu'à Lockroy, du Théâtre-Français. Cependant l'aubergiste rencontrant le prince dans l'escalier s'est hasardé à lui dire en ôtant son bonnet : « Monsieur ne sait pas ce qu'on dit ? — Non, a répondu M. Louis. — On dit que Monsieur est le prince Louis Bonaparte. — On a raison. C'est moi. » L'aubergiste est tombé du haut de la colonne.

Septembre 1848.

A son arrivée à Paris, Louis Bonaparte se logea place Vendôme. Mlle George alla le voir. Ils causèrent assez longtemps. Tout en causant, Louis Bonaparte mena Mlle George à une fenêtre d'où l'on voyait la colonne et lui dit : « Je passe ma journée à regarder cela. »

« — C'est bien haut ! » dit Mlle George.

23 septembre 1848.

On parlait ce soir de Béranger. Sainte-Beuve me dit : « Les événements l'ont dépassé. Béranger est un républicain honoraire. » Puis on parla de La Mennais. Sainte-Beuve, qui le connaît bien, dit : « Bah ! C'est un bon homme. Il ne déteste jamais les gens qu'il voit. Quand il écrit, il ne voit personne. »

26 septembre 1848.

Louis Napoléon a paru aujourd'hui à l'Assemblée. Un M. *** parlait sur les deux Chambres ; il resta court au milieu d'un discours appris par cœur. Louis Bonaparte est allé s'asseoir au septième banc de la troisième travée à gauche, entre M. Vieillard et M. Havin.

Il paraît jeune, a des moustaches et une royale noires, une raie dans les cheveux, cravate noire, habit noir bou-

tonné, col rabattu, des gants blancs. Perrin et Léon Faucher, assis immédiatement au-dessous de lui, n'ont pas
tourné la tête. Au bout de quelques instants, l'émotion
s'est évanouie ; les tribunes se sont mises à lorgner le
prince, et le prince s'est mis à lorgner les tribunes.

Il est monté à la tribune (3 h/1/4). Il a lu, avec un
papier chiffonné à la main. On l'a écouté dans un profond silence. Il a prononcé le mot *compatriotes* avec un
accent étranger. Il ressemble à Lockroy. Quand il a eu
fini, quelques voix ont crié : « *Vive la République !* »

Il est retourné lentement à sa place. Son cousin Napoléon, fils de Jérôme, celui qui ressemble tant à l'empereur, est venu le féliciter par-dessus M. Vieillard.

Du reste, il s'est assis sans dire un mot à ses deux voisins. Il se tait, mais il paraît plutôt embarrassé que
taciturne.

28 septembre.

On a remarqué dans cette séance que M. Berryer est
venu trouver Louis Napoléon à son banc, et a longtemps
causé avec lui.

Amendement [1] proposé par M. Victor Hugo :

Art. 25

Sont électeurs et éligibles tous les Français... (Le reste
comme au projet.)

Art. 26.

Supprimé.

J'ai montré ceci, le 28 septembre au matin, à Lamartine, dans le 3e bureau. Lamartine n'a pas voulu.

29 septembre 1848.

Hier 28, je suis allé au troisième bureau pour statuer
de l'élection contestée de M. Molé. Lamartine est, comme

moi, de ce bureau. Je me suis approché de lui et je l'ai
félicité de son discours de la veille pour une assemblée
unique et contre le système de deux chambres. « Mon
éloge est d'autant moins suspect, lui ai-je dit, que je ne
suis pas du tout de votre opinion. » Lamartine m'a pris
vivement le bras et m'a dit en souriant : « Et moi je suis
de la vôtre [1]. »

Dans les assemblées uniques, ce n'est pas la Montagne que je crains, c'est le Marais. Le Marais, dans un
temps donné, engendre toujours cette hydre qu'on
appelle le Comité de Salut Public, douze têtes qui dé-
vorent toutes les autres.

Ils veulent l'état sans chef, ni consul, ni président, une
assemblée unique, sept cent cinquante têtes gouvernant,
l'agitation perpétuelle, l'instabilité en permanence, les
coups de majorité, c'est-à-dire les coups de vent, faisant
tout, la loi, le pouvoir, l'administration, les finances ;
et, à la merci de ces continuelles brusqueries d'une assemblée, ils mettent un pays de trente millions d'hommes
avec son inextricable complication de droits, d'intérêts,
d'idées, d'affaires, de spéculations industrielles, de tran-
sactions commerciales, et ils veulent que ce pays marche
et prospère ! Ces gens-là n'ont vu de leur vie un colimaçon.

Le président de la République : habit noir, pas de décorations, pas d'aides de camp, pas de chevaux, pas de
panache. Vit simple, modeste, fier ; entre pauvre et sort
pauvre. N'accorde aux princes que ce qu'il en reçoit. Dit
Monsieur au roi d'Angleterre et à l'empereur d'Autriche.
En France, l'égal de tous les citoyens ; hors de France,
l'égal de tous les souverains.

Dans les premiers jours d'octobre il y eut à l'Assemblée constituante un incident singulier et dont le

Moniteur ne parla pas. Au milieu d'un orage venu je ne
sais plus à quel propos, quelqu'un cria de la Montagne
en montrant les bancs de la droite : « *Vous êtes des roya-
listes !* » Un jeune représentant de la Nièvre qui siège
habituellement près de M. Parisis, évêque de Langres,
répliqua avec violence : « *Nous acceptons l'épithète.* »
Immense rumeur sur tous les bancs d'alentour. On cria
« *Rétractez ! Rétractez !* » Ce qui aggravait la parole dite,
c'est que M. Grangier de la Marinière était un des secrétaires de la rue de Poitiers. M. Edgar Quinet se lève,
M. Lacrosse se retourne, l'évêque de Langres s'éloigne,
M. Dupont de l'Eure, qui siège sur les mêmes bancs
s'agite et gesticule tout courbé qu'il est par ses quatre-
vingts ans. L'orateur qui tenait la tribune s'interrompt.
L'Assemblée s'étonne. Toute la gauche répète d'une
seule voix à M. de la Marinière : « *Rétractez ! Rétractez !* »
Quelques-uns disent : « *Expliquez !* » M. Grangier de la
Marinière, pâle, debout, demande la parole. Mais M. Marrast sent que l'explication sera une aggravation et que
le mot lâché est mauvais pour tout le monde. Il refuse
la parole à M. Grangier de la Marinière. M. Grangier de
la Marinière assiège la tribune et en redescend trois fois
au milieu d'un tumulte inexprimable, il crie : « Je veux
m'expliquez ! » M. Marrast lui répond : « Vous vous expli-
querez avec vos voisins. »

Ceci clôt l'incident ; le lendemain le *Moniteur* se tait,
et il ne résulte de la chose qu'une lettre de M. Grangier
de la Marinière au *Journal des Débats.*

5 octobre 1848.

Le général Cavaignac siégeait à l'extrémité du banc
des ministres, côté gauche, au plus près de la tribune ; il
avait l'escalier de la Montagne derrière lui, et, en montant, les passants lui touchaient l'épaule ou lui poussaient
la tête. Pour se garantir des coups de coude, il a fait
garnir l'angle supérieur de son banc d'une planche de

sapin. Ceci a fait rumeur. On y a vu un commencement
de privilège, un commencement de trône ; car le trône
en effet commence par le sapin. Le lendemain on a vu le
même dossier au banc d'en face. L'égalité s'est calmée.

5 octobre 1848.

On se passait ce quatrain fait avec le mot de Dupin :

> *Un ministre aux désirs ardents*
> *Prend chaque soir femme nouvelle.*
> *Il lui donne jusqu'à trois francs ;*
> *Tant vaut l'homme, tant vaut la belle.*

9 octobre.

Pendant qu'on agitait la question de la présidence,
Louis Bonaparte s'est absenté de l'Assemblée. Cependant
lorsqu'on a discuté l'amendement d'Antony Thouret et
de Ludre qui excluait les membres des familles royales
ou impériales, il a reparu. Il s'est assis à l'extrémité de
son banc, à côté de son ancien précepteur, M. Vieillard,
et il a écouté en silence, tantôt s'accoudant, le menton
dans la main, tantôt tordant sa moustache.

Tout à coup, il s'est levé et s'est dirigé lentement vers
la tribune, au milieu d'une agitation extraordinaire, une
moitié de l'Assemblée criant : « *Aux voix !* » L'autre
criant : « *Parlez !* »

M. Sarrans était à la tribune. Le président a dit :
« M. Sarrans cède la parole à M. Louis Napoléon Bonaparte. »

Il n'a dit que quelques mots insignifiants et est redes-
cendu de la tribune au milieu d'un éclat de rire de stu-
péfaction.

10 octobre 1848.

M. Thiers (sur le crédit foncier) : « La Banque de France
déteste ces prêts-là. »

Comme il regarde en ce moment vers l'évêque d'Orléans, assis au banc des ministres, près de Cavaignac,
on entend *prélats* et on éclate de rire.

Le mot favori de Cavaignac est : « *Je le répète.* » Il le dit
vingt fois par minute. Homme indécis qui sent toujours
le besoin de recommencer.

Mercredi 11 octobre 1848.

A l'issue de la séance où nous sommâmes le pouvoir
exécutif de respecter la liberté de la presse et où l'Assemblée répondit à mes paroles par une minorité de
334 voix contre 339, le ministère, dissocié du choc, donna
en masse sa démission. Le général Cavaignac se borna à
remplacer M. Sénard par M. Dufaure, M. Vaulabelle par
M. Freslon, et M. Recurt par M. Vivien. Cet écroulement
du ministère se mêla à l'agitation des événements et
l'augmenta.

Le lendemain, comme l'Assemblée était encore dans
l'émotion de ce changement à vue, arriva la nouvelle de
la révolution de Vienne et de la fuite de la famille impériale. Au moment où le cabinet s'ébranlait au-dedans, le
vieux monde se raffermissait au-dehors. Nous en étions
à ce point dans la crise européenne qu'une révolution de
plus, c'était une guerre de moins. L'abbé de La Mennais
dit à cette occasion : « Allons, soit! Acceptons ce répit
de la Providence. Si ce n'est pas l'honneur, c'est la vie. »

Du reste, la défiance d'une partie de l'Assemblée était
toujours fixée sur Cavaignac. On l'observait de la droite
comme de la gauche. La gauche prenait ombrage de
cette nouvelle combinaison où entraient deux ministres
de Louis-Philippe, et la droite des antécédents et de la

famille du général. Sa mère, encore vivante, est une
vieille montagnarde. Porion, le maire d'Amiens, l'appelle
« *la mère rouge* ».

15 octobre 1848.

J'ai quitté le n° 5 de la rue d'Isly pour le n° 37 de la
rue de la Tour-d'Auvergne.

Pendant que mes meubles déménagent de la rue
d'Isly, les principes déménagent de la Constitution. Je
m'occupe le plus que je peux du premier de ces déména-
gements pour ne pas prendre part à l'autre.

Du reste, lord Byron, Rossini et Paganini auraient
refusé d'entrer chez moi dans les circonstances où j'y
entre : J'ai quitté ma chambre à coucher de la place
Royale le *vendredi* 23 juin, mes premiers meubles sont
entrés dans ma chambre à coucher de la rue de la Tour-
d'Auvergne le *vendredi 13* octobre. En déposant la glace
de la cheminée de cette chambre, on a trouvé écrit au
charbon derrière cette glace le n° *13* ; la chambre-man-
sarde que j'occupe provisoirement dans la maison, au
quatrième, porte le n° *13*. Les présages sont mauvais,
comme dit Nuño Saledo.

17 octobre 1848.

Le représentant de la Martinique, Bory-Papy est venu
défendre son élection à la tribune. On a vu paraître un
homme basané, d'une trentaine d'années, aux cheveux
courts, au masque de nègre, moins mulâtre pourtant que
Crémieux.

Il était vêtu d'une redingote bleue comme un bourgeois de Paris et s'est mis à parler comme un avocat,
facilement, en consultant ses notes de temps en temps.

On disait, pendant qu'il parlait, qu'il avait été représentant du général Pernetty [1] ; d'autres ajoutaient qu'il
l'était encore, et qu'il *cumulait*.

Après le vote contre l'interdiction du remplacement militaire, Lamoricière, de fort mauvaise humeur — car le vote l'avait rudoyé et presque jeté bas — rencontra dans l'avant-salle le général Leydet qui avait parlé contre l'avis du ministre. Leydet était un ancien questeur de la Chambre des députés, vieux général, soldat sous l'Empire. Les deux généraux s'accostent :

« Eh bien, remplaçant! dit Lamoricière.

— Eh bien, imprudent! dit Leydet.

— Général, reprit le ministre, vous ne connaissez pas l'armée. »

Le général Leydet se redressa et toisa le ministre de toute la hauteur de sa vieille tête grise. « Je ne connais pas l'armée? Général Lamoricière, vous avez traversé l'armée en chemin de fer ; moi, je l'ai traversée en charrette, et je connais mieux le pays que vous! »

Dans la séance du 24 octobre, l'Assemblée, malgré la très vive opposition du ministre des Finances Goudchaux, décida, sur la motion de M. Creton, qu'il serait fait une enquête sur la gestion financière du gouvernement provisoire du 24 février au 24 juin. Ce vote fit prendre feu à Goudchaux qui envoya immédiatement sa démission à Cavaignac.

Après la séance, j'étais resté à mon banc et j'écrivais. La salle s'était vidée, je levai la tête par hasard et je vis Goudchaux qui était demeuré à son banc et qui gesticulait en criant à haute voix au milieu d'un groupe de représentants :

« C'est fini. J'ai donné ma démission. Vous avez manqué de délicatesse envers moi ; je suis libre de m'en aller, et je m'en vais. Je ne suis plus là à l'heure qu'il est. Laissez-moi tranquille. Vous avez battu ces messieurs sur mon dos (Ledru-Rollin, etc.). Je ne veux pas de ce vote-là contre moi. Il y avait un sentiment qu'on n'a pas compris. Je ne veux pas du décret Creton. Je réponds à mon origine et à mon caractère en m'en allant.

J'aime bien périr dans une bataille, et comme personne
n'est tué avec moi, cela me va. »

Marrast essayait de le calmer. Il ne tenait compte de
rien. Les représentants étaient montés sur les bancs et
l'entouraient avec des murmures confus. Une partie du
public écoutait des tribunes. Les lustres s'éteignaient.
Les journalistes se penchaient pour entendre. Les valets
et les huissiers étaient béants. Une femme jeune et jolie,
donnant le bras à un étranger, était entrée dans la salle,
et regardait.

24 octobre 1848.

Écrit au bas d'une statue de la popularité :

> Qu'un autre la cherche et l'obtienne !
> Moi, j'aspire à m'en isoler.
> Je ne veux pas qu'elle me vienne
> Pour n'avoir point à s'en aller.

Les hommes qui tiennent le pays depuis Février ont
d'abord pris l'anarchie pour la liberté ; maintenant ils
prennent la liberté pour l'anarchie.

Godefroy Cavaignac [1] disait de son frère : « Ce pauvre
Eugène, il a de bons instincts, mais j'ai peur qu'il ne
soit jamais bon qu'à traîner un grand sabre. »

Godefroy Cavaignac ne se doutait guère, en parlant
ainsi, que toute une politique pouvait consister en cela.

Octobre 1848.

L'autre jour, j'étais au ministère de l'Intérieur, dans
le cabinet de M. Charles Blanc, frère de Louis Blanc,
directeur des Beaux-Arts. Il s'agissait de faire donner des
secours aux associations d'art. Tout en causant, je
remarquais la table où s'accoudait M. Charles Blanc,

table énorme, massive, rectiligne, à larges jambages
carrés, chargée de cuivres dorés, thyrses et médaillons
avec palmettes. C'était hideux ; l'acajou empire mêlé
au bronze Ravrio. Ledit bahut fort délabré.

Comme je regardais cette chose, M. Charles Blanc me
dit :

« Vous examinez cette table ? Savez-vous ce qu'elle a
coûté ?

— Je n'en donnerais pas cent sous.

— Elle a coûté quarante mille francs.

— Bah !

— Et savez-vous à qui elle a appartenu ?

— A qui ?

— A l'empereur. »

Au fait, je m'en doutais. Cela était assez empire
pour avoir été à l'empereur.

Napoléon commanda une table pour son cabinet en
1810. On lui fit ce meuble avec toute la splendeur d'alors,
acajou massif, et l'on fit exécuter les bronzes par les
sculpteurs de l'Institut. Les médaillons qui font le tour
de l'entablement ont en effet toute la sécheresse de
l'Académie. J'y ai remarqué Socrate et Démosthène.
Cette immondice coûta donc quarante mille francs. Vers
1812, comme le ministre de l'Intérieur, M. Montalivet,
admirait fort cette table, Napoléon la lui donna. La table
passa du cabinet de l'empereur dans le cabinet du
ministre. Après 1815, M. de Corbières la donna à M. de
Lourdoueix (Lourde-oie, comme on disait alors). Nouvelle chute. Du cabinet du ministre au cabinet du
commis. De Lourdoueix, sous Charles X, elle a passé à
Cavé, sous Louis-Philippe, et de Cavé à Charles Blanc,
sous la République. Maintenant elle va tomber au bric-à-
brac.

J'ai dit à M. Charles Blanc : « C'est égal, elle est
horrible, mais c'est la table de Charlemagne. Il faut la
mettre dans un musée. »

Ah çà! Qui êtes-vous [1]? D'où venez-vous? D'où
sortez-vous? Vous êtes partout, sur tout, dans tout!
L'orage ruisselle encore dans les chemins, vous sautez
dans la boue et dans la joie ; vous envahissez places,
fonctions, pouvoirs, palais, hôtels, caisses publiques ;
vous êtes avides, innombrables, fourmillants, hideux,
difformes, immondes. Vous dites que vous descendez
du ciel. En descendez-vous, ou en tombez-vous? Tout
peut tomber du ciel. Il y a des pluies de crapauds.

AUX MARRAST

Avait-on d'autre but — pourquoi tous ces cris aigres ? —
Que d'appeler des chiens nouveaux, ardents et maigres,
          Basset et lévrier,
Autour de la curée embaumée, odorante,
Et que de remplacer ceux de mil huit cent trente
          Par ceux de Février ?

Est-ce que par hasard on voulait autre chose ?
Ah! des rêveurs, c'est vrai, des fous au front morose,
          Pensent naïvement
Qu'un abîme, en ces jours d'une humanité forte,
Ne doit jamais s'ouvrir sans qu'un principe en sorte
          Comme un rayonnement ;

L'échafaud renversé, la liberté plus sûre,
Le travail, le bien-être en plus large mesure,
               Moins de maux, plus de droits,
Les riches plus contents et les pauvres moins blêmes,
L'école ouverte à tous... — Songes ! vapeurs ! systèmes !
          Vivons ! Nous sommes rois !

Ah ! valets qui volez le maître ! ah ! misérables !
L'honneur pouvait sortir de ces jours mémorables ;
          Nous touchions au sommet ;

Vous avez tout souillé d'une main fourbe et prompte,
Tout a croulé par vous ; vous avez mis la honte
Où la gloire germait !

Soyez maudits ! Soyez flétris ! Soyez infâmes !
Pillez, prenez, gardez, laissez rouler vos âmes
Dans l'opprobre sans fond !
Gardez, puisque c'est là que les Brutus se brisent,
L'argent et le pouvoir ! O peuple, à ce qu'ils disent,
Compare ce qu'ils font !

Octobre.

En ce moment, l'Assemblée, fort travaillée par son président, compose les droits et la fonction du président de la République. Il me semble voir M. Marrast faisant le lit de Louis Bonaparte.

Prenez le nom que vous voudrez, mais ne vous appelez pas république puisque vous opprimez la liberté ; ne vous appelez pas France puisque vous opprimez l'intelligence.

Quand je songe au présent gouvernement et à la liberté, je me sens également irrité des choses qu'il fait contre elle et des phrases qu'il fait pour elle.

Il y a quelques mois, je disais à Louis Blanc un jour que nous entrions ensemble à l'Assemblée : « Personne n'est plus rien. Nous sommes tous déconcertés, la droite parce que la gauche lui a ôté la royauté, la gauche parce que la droite lui a ôté la république. »

4 novembre 1848.

La Chambre vient de voter la Constitution [1].
Voici l'avenir : la France gouvernée par une assemblée unique ; c'est-à-dire l'océan gouverné par l'ouragan [2].

B. qui est réactionnaire et qui pourtant a de l'esprit, me disait :

Constitution de 1848. Tout par les élections. Des élections à chaque instant. Le temps se passera à essuyer des plâtres.

9 novembre 1848.

M. Deville : « La République a de magnifiques mamelles.

Éclats de rire. Un membre : « C'est pour cela qu'elle nous donne tant de laid ! »

Jeudi 9 novembre 1848.

M. Pasquier était, depuis février, réfugié à Tours où il passait ses soirée à jouer au whist avec quelques vieux bonshommes, après avoir, vingt ans de sa vie, joué à un autre jeu de silence avec d'autres vieux bonshommes qu'on appelait la Chambre des Pairs.

Il vient de revenir à Paris. Il a reparu depuis huit jours à l'Académie. Je l'y ai vu aujourd'hui toujours droit, vert, froid, sec, tranquille.

Tout le monde l'appelle *Monsieur le Chancelier.*

11 novembre 1848.

Je suis arrivé à l'Assemblée à trois heures. Louis Bonaparte y arrivait en même temps. Il est descendu d'un petit coupé colimaçon de couleur sombre, attelé d'un seul cheval, le cocher et le valet de pied en livrée grise.

Louis Bonaparte est de petite taille. Il était vêtu d'un paletot brun et d'un pantalon gris ; il avait à la main un gros jonc à pommeau d'or. Il a traversé rapidement l'avant-cour et la salle des Pas-Perdus. Le portier du palais et les gardiens de Paris de service

l'ont salué sur son passage ; un curieux qui se trouvait
là a salué aussi. Louis Bonaparte est entré dans l'Assemblée au milieu d'une querelle entre MM. Vaulabelle
et Sénard, et est venu s'asseoir à sa place ordinaire à
l'extrémité du septième banc de la troisième travée
de gauche, à côté de M. Vieillard.

Un orateur (M. Laborde) ayant dit, en parlant de
Napoléon : « *Ce grand homme* », des « *Oh ! Oh !* » se sont
élevés de presque tous les bancs.

Cette Assemblée en est là.

La promulgation de la Constitution aura lieu demain [1].
La place de la Révolution, devenue définitivement
place de la Concorde, est couverte d'échafaudages.
Le temps est froid et sombre. Quelques curieux s'arrêtent, regardent et passent. Il y a plus de maçons et de
charpentiers que de curieux. Des affiches qualifient
la cérémonie *Fête de la Constitution*.

12 novembre 1848.

A UNE STATUE

Non, tu n'es pas la grande et sainte République !
Celle que l'homme attend, que l'Évangile explique,
Qui se composera de tous les bons instincts
Allumés et vivants, et des mauvais, éteints ;
Qui s'enveloppera d'une paix magnifique,
Fera sortir des cœurs un hymne séraphique,
Pénétrera les lois de lumière et de jour,
En ôtera la mort pour y mettre l'amour,
Fera, sur les versants même les plus contraires,
Libres tous les esprits et tous les peuples frères,
Nous réchauffera tous autour du même feu,

Sera sur tous les fronts comme un ciel toujours bleu,
Et qui, comme si Dieu, dans sa bonté profonde,
Rendait visible aux yeux la grande âme du monde,
Mettra, vaste et sublime épanouissement,
Toute l'humanité dans son rayonnement !
Tu n'es pas même, non, tu n'es pas la déesse,
La déesse terrible, étrange, vengeresse,
Qui tua le vieux monde et créa le nouveau,
Broya peuples et rois sous son fatal niveau,
Vainquit l'Europe armée, et qui, dans la fournaise,
Après quatre-vingt-neuf jeta quatre-vingt-treize,
Comme en son moule ardent le fondeur souverain
Mêle le plomb à l'or quand il fait de l'airain !

Non, tu n'es pas la grande et sainte République !
O fantôme à l'œil louche, à l'attitude oblique ;
Tu n'as pas su donner l'honneur à nos drapeaux,
Au peuple le travail, au pays le repos ;
Tu n'as point reconnu le droit des misérables ;
Tu n'as point su toucher à leurs maux vénérables ;
Tu pouvais, en suivant un élan immortel,
De l'échafaud brisé te bâtir un autel,
Et tu ne l'as point fait. Tu n'as rien su comprendre
Au peuple qui, pour être heureux, superbe et tendre,
Ne veut qu'un peu de gloire avec un peu de pain ;
Tu n'as, comme les rois, qu'un tréteau de sapin,
Et tu n'as su montrer, triomphante et rapace,
Que la voracité d'un étranger qui passe.
Tu troublas les palais sans calmer les greniers ;
Tu n'as point eu pitié des pauvres prisonniers,
Et tu n'as pas même eu un instant de clémence.
Tes pères, nains chétifs, qui mesuraient, démence !
La pensée à l'équerre et le cœur au compas,
T'ont faite à leur image avec ce qu'ils n'ont pas ;
Des sourds t'ont dit : « Entends ! » des boiteux t'ont dit :
                                        [« Marche ! »
La patrie est un temple et tu n'en es point l'arche ;

Car l'éclair d'en haut manque à ton code impuissant;
Car Dieu n'est pas visible où le peuple est absent !

Fille des courts instants et des heures troublées,
Éclose au dur cerveau des sombres assemblées,
Parmi les rires vains, les rumeurs, les refus
Des sages, et les cris dans les groupes confus,
Qui donc t'a mise ici, dans un jour d'ironie,
Près de la pierre auguste où revit le génie,
Des temps évanouis et des peuples anciens,
Énigme dont rêvaient les sphinx égyptiens,
Sinistre et du manteau des siècles revêtue ?
Qui donc ainsi t'adosse, ô fragile statue,
A l'obélisque empreint du doigt de Sésostris ?
La pluie âpre et chassant les feuillages flétris,
Inonde le quai morne et les Champs-Élysées,
Et ce pavé, témoin des royautés brisées ;
Que viens-tu faire, à l'heure où l'automne finit,
Spectre de plâtre au pied du géant de granit ?

Pendant qu'on promulguait cette pauvre Constitution dans une espèce de décoration de théâtre qui cachait sous de la toile peinte et du carton la magnifique ornementation de marbre et de pierre de la place Louis XV, les représentants causaient de cent bagatelles tout en grelottant sous la première neige de l'année qui tombait en ce moment-là même. On se racontait la *vraie conversation* de M. Véron et de M. le général Cavaignac. M. Véron, invité à faire visite au général, a eu soin d'y aller parfaitement gris. C'était le soir, à la sortie de l'Opéra. A la question du général Cavaignac : « *Qui choisissez-vous de M. Louis Bonaparte ou de moi ?* » M. Véron a répondu : « *Couchez-moi dans un lit entre le général Cavaignac et le prince Louis, je choisirai après.* »

Il y avait dans les tribunes de fort belles tapisseries empruntées au garde-meuble et qui servaient, les hivers passés, aux bals des Tuileries.

L'ornementation de la place se composait d'un demi-cercle de faisceaux placés en avant des tribunes. Chaque faisceau portait le nom d'un département. De trois en trois faisceaux, il y avait le coq tel que l'a fait la révolution de Février. Les réactionnaires loustics remarquaient à l'un des bouts de la place les noms de trois départements ainsi disposés : l'Oise, l'Eure, la Somme. Ils lisaient : *L'oiseleur l'assomme.*

On disait Caussidière présent à Paris et caché.

Le soir, le gouvernement avait invité Paris à illuminer.

De la rue de la Tour-d'Auvergne à la rue Charlot, j'ai compté trois lanternes allumées à une seule maison. Le seul théâtre qui ait obéi à l'injonction, ç'a été le petit spectacle-concert qui est au coin du bazar Bonne-Nouvelle.

Le lendemain, un banquet réunissait quinze cents ouvriers socialistes à la barrière du Maine. On y criait beaucoup : *Vive Raspail ! Vive Cabet ! Vive Pierre Leroux !* ce qui forçait le ministre de la Guerre à tenir trois bataillons cachés dans le palais de l'Assemblée.

A propos du feu d'artifice annoncé pour le dimanche suivant, un colonel me disait : « Voilà un feu d'artifice qui fera tenir soixante-cinq mille hommes sous les armes. »

15 novembre 1848.

J'ai eu ce soir une conversation avec M. Marrast, dans l'ancienne salle du Trône, à propos d'une lettre qu'il venait de m'écrire. Il m'a dit : « Je ne suis pour rien dans ce qui se fait. On me croit l'âme de tout ceci. Je n'en suis que le spectateur un peu attristé. Le gouvernement me tient à l'écart. Le jour où il a accepté le gouvernement, Cavaignac a dit : *Oui, à condition que Flocon restera au pouvoir et que Marrast n'y entrera pas.* Je n'ai nulle influence sur Cavaignac, qui d'ailleurs

est jaloux et hautain. J'aurais voulu faire une République qui ouvre les bras et non une République qui les
ferme. Quand Dufaure vous a rayé des commissions
d'Art et du Théâtre, j'ai été indigné et je lui ai dit :
*Savez-vous qui vous froissez ? Ce n'est pas Hugo et
Lamartine, c'est la France.* »

Il s'agit de faire un président de la République.
« Offrons Blanqui », dit le parti. Mais il réfléchit.
Le suffrage universel dirait non. « Faisons une conces-
sion, offrons Raspail. » Le suffrage universel dit non.
« Encore une concession, offrons Ledru-Rollin! » Le
suffrage universel dit non. « Reculons encore. Offrons
Cavaignac. » Le suffrage universel dira non.

Novembre. 1848

Il faut à un parti un principe ou un homme. Quand
il a l'un et l'autre, ce parti est formidable ; quand le
principe est vrai, et quand l'homme est juste, le parti
est grand.

En ce moment le parti républicain proprement dit
est dans une fausse position. Il a peur de son principe
et il n'a pas trouvé un homme.

Ou, pour mieux dire, son principe, le suffrage universel, ne veut pas de ses hommes.

Un troupier africain [1], *un lansquenet, un reître*
. . . .
Gauche, et parodiant César dont il hérite,
Gouverne les esprits du fond de sa guérite.
                    il vient [2], *il avance sans bruit*
Pensif comme un vengeur qui marche dans la nuit.
. . . .
. . . . . . *car mon esprit qui veut la France grande*
Et connaît les renards, louche et honteuse bande,
Préfère l'aigle au coq et la serre aux ergots.

Quelques jours après la promulgation de la Constitution, je rencontrai sur la place de la Concorde, l'ex-préfet de police M. Ducoux. Nous nous abordâmes. Il arrivait d'une tournée. « Eh bien, lui dis-je, que pensez-vous de la candidature de Cavaignac ? » « Il est noyé ! » Puis il ajouta : « C'est pour cela qu'il cherche à se raccrocher à toutes les branches. Il essaiera de tout, même du coup d'État. Je vois l'avenir bien sombre. » — « Monsieur Ducoux, ai-je dit, moi aussi je vois l'avenir sombre, mais je vois le devoir clair. »

Novembre 1848.

J'ai dîné le 19 novembre chez Odilon Barrot à Bougival.

Il y avait MM. de Rémusat, de Tocqueville[1], Grandin, Léon Faucher, un membre du Parlement anglais et sa femme, laide avec de belles dents et de l'esprit, Mme Odilon Barrot et sa mère.

Vers le milieu du dîner, Louis Bonaparte est venu avec son cousin, le fils de Jérôme, et M. Abbatucci, représentant.

Louis Bonaparte est distingué, froid, doux, intelligent avec une certaine mesure de déférence et de dignité, l'air allemand, des moustaches noires, nulle ressemblance avec l'empereur.

Il a peu mangé, peu parlé, peu ri, quoiqu'on fût très gai.

Mme Odilon Barrot l'a fait asseoir à sa gauche, l'Anglais étant à sa droite.

M. de Rémusat, qui était assis entre le prince et moi, m'a dit assez haut pour que Louis Napoléon ait pu l'entendre : « Je donne mes vœux à Louis Napoléon et mon vote à Cavaignac. »

Louis Bonaparte, pendant ce temps-là, faisait manger des goujons frits à la levrette de Mme Odilon Barrot.

J'aborde M. Marrast et je lui dis en riant :

« Eh bien, on va nous fructidoriser ?

— Bah ! dit-il.

— Vrai. On en parle. »

Il prit un air sérieux.

« Écoutez-moi bien. Moi président, jamais on n'attentera à l'inviolabilité d'un représentant. »

Je repris :

« Et moi représentant, jamais on n'attentera à l'inviolabilité de l'Assemblée. »

Le 21 novembre 1848 la liste suivante circulait dans l'Assemblée. C'étaient les représentants qui devaient être enlevés et transférés à Vincennes. Mon nom y était. On l'avait, disait-on, effacé.

La liste suivante est écrite de la main du colonel Ambert qui y est désigné et qui me l'apporta à mon banc :

Odilon Barrot, Thiers, Général Baraguey-d'Hilliers, Général Bedeau, Colonel Ambert, Louis Napoléon Bonaparte, Général Changarnier, Crémieux, Général Lebreton, Boulay (de la Meurthe), Porion (maire d'Amiens), Lucien Murat, Napoléon Bonaparte, Prince Bonaparte.

> *La république est marrie.*
> *On commença par Marie.*
> *Nous ,en sommes à Marrast[1].*
> *Finira-t-on par Marat ?*

M. Poujoulat a essayé, l'autre jour, de jeter sur Louis Bonaparte ce qu'il appelait « l'odieux de la conduite du prince de Canino à Rome ». Cela a fait l'effet d'une

pauvre farce de tribune. Aussi a-t-on dit : « Y a-t-il
une méchante comédie à jouer ? *Pou, joue-là !* »

A propos des projets de dictature et d'oppression
qu'on prête à Cavaignac, Bugeaud a fait cette méta-
phore violente : « Bah! Laissez donc! Cavaignac, c'est
une vache dans une peau de lièvre. »

*Pour moi, je ne crains pas vos porteurs de moustache
Qui heurtent la chabraque avec la sabretache.*

Novembre 1848.

Les bruits de coup d'État continuant, l'Assemblée en
était émue. Les souvenirs de Fructidor rendaient tout
possible. Parmi les représentants indiqués comme
devant être violemment arrachés de leurs sièges, quelques-uns ne couchaient plus chez eux, d'autres souriaient.
Le sourire est la meilleure arme contre cette sorte
d'audaces et la violence se déconcerte devant l'ironie.
Un homme courageux pourtant, M. Émile de Girardin,
passait les nuits hors de sa maison. Il est vrai qu'en
juin il avait pu apprendre à se défier.

Voici du reste ce qu'on disait avec une certaine
abondance de détails. Trente ou quarante représentants
(dont j'étais ; voir la liste que le colonel Ambert m'a
donnée) devaient être saisis une nuit dans leur logis :
on allait jusqu'à désigner la nuit choisie qui était celle
du 23 au 24 novembre. Avec eux, les rédacteurs de
l'*Événement*, M. Véron [1], rédacteur du *Constitutionnel*,
M. de Girardin et M. Laurent, un des journalistes de
la Presse. Tous devaient être transportés hors de Paris
immédiatement par un convoi spécial de chemin de fer
et enfermés dans la citadelle de Lille.

Cela était absurde ; mais ce qui caractérise le pouvoir
de ce temps-là, c'est que l'Assemblée se préoccupait
de l'absurdité. *Credo quia absurdum.*

Les uns attribuaient l'inspiration à Mme Cavaignac,
les autres à tort au lieutenant-colonel Charras, homme
hardi et brave qui avait été ministre de la guerre au
15 mai et tenait lieu d'âme à Cavaignac et à Lamoricière. D'autres enfin, les mieux informés, disait-on,
attribuaient le plan à MM. Recurt et Marrast.

Selon cette version, le conseil avait été donné dans
ces termes précis par MM. Marrast et Recurt au gouvernement. Un représentant (M. Louvet, je crois) ami de
M. Freslon, ministre de l'Instruction publique, et son
ami particulier, crut devoir lui en parler, M. Freslon,
au dire des mêmes gens, n'avait point nié et avait
répondu : « Oui, l'expédient a été en effet proposé au
conseil des Ministres qui l'a repoussé avec horreur. »

Il était déjà bien grave que des entremetteurs politiques eussent jugé le gouvernement capable d'entendre
une pareille ouverture.

Aussi quand, dans la séance du 24, M. Dufaure, vint
enfin s'expliquer sur ces rumeurs devant l'Assemblée
il eut beau parler avec les raisons d'un homme d'État
et l'accent d'un honnête homme, quelque chose demeura
dans l'esprit de tous, et l'ombre d'un coup d'État avorté
resta sur la figure indécise et sombre de Cavaignac.

Dans les trois jours qui séparèrent la demande
d'explication [1] du débat fixé au samedi 25, la Chambre
fut agitée et inquiète. Les amis de Cavaignac tremblaient
secrètement et essayaient de faire trembler. Ils le
sentaient perdu. Ils disaient : « On verra ! » Ils affectaient
l'assurance. Jules Favre ayant parlé à la tribune du
grand et solennel débat qui allait s'ouvrir, ils éclatèrent
de rire. M. Coquerel, le pasteur protestant, rencontrant
Cavaignac dans l'avant-salle, lui dit : « Tenez-vous
bien, général ! » « Moi ! répliqua Cavaignac avec des
yeux étincelants, dans un quart d'heure j'aurai balayé
ces misérables ! » Ces misérables, c'étaient Lamartine
Garnier-Pagès et Arago. Cependant on doutait d'Arago ;

il s'était rapproché de Cavaignac ; on le supposait ébranlé et douteux à cause de l'ambassade de Berlin qu'avait son fils et de la direction des postes qu'avait son frère.

Cavaignac, dans le même moment, donnait la Légion d'honneur à l'évêque de Quimper, l'abbé Graveran, qui l'acceptait. « Une croix pour une voix », disait-on dans l'Assemblée. Et l'on riait de ces rôles retournés : un général donnant la croix à un évêque.

Lamartine, averti par le télégraphe, arriva en hâte à Paris. Il était chez lui rue de l'Université, 80, le vendredi soir, veille du jour où le combat devait s'engager entre Cavaignac et la Commission exécutive. Plusieurs amis étaient venus le recevoir au débotté. M\ :ne de Girardin, toujours attachée à ce grand et noble esprit, était du nombre. La conversation s'engagea. M\ :ne de Girardin pressa Lamartine. « Vous allez combattre, j'espère. C'est votre dernière chance. Faites le jour sur Cavaignac et sur vous. » Lamartine ne répondait pas, ou était évasif. Il dit enfin : « Non. Je ne parlerai pas. Je ne veux pas monter au pouvoir sur le cadavre de Cavaignac. » Sa femme qui l'écoutait avec anxiété, et qui n'avait pas encore dit une parole, laissa échapper ce cri : « Il y est bien monté sur le tien ! »

L'excès de la pitié, c'est une erreur auguste.
Je plains jusqu'au tyran quand il meurt. Même juste,
J'ai l'expiation en horreur. Je n'ai pas
L'âpre haine et le goût des sévères trépas.
C'est pourquoi je frémis devant quatre-vingt-treize.
Mais du moins, dans ces jours dont le spectre nous pèse,
On gardait le front haut, sans pâlir, sans bouger,
Devant la guillotine et devant l'étranger ;
Ceux qui régnaient avaient une grandeur horrible ;
Saint-Just était puissant, Marat était terrible ;
Sur la haute tribune on s'entredévorait ;

Et l'Europe tremblait d'un tremblement secret
Quand Danton hurlant, fier, le feu dans la paupière,
Mordait Collot d'Herbois ou mâchait Robespierre.
Ces temps étaient affreux ; ils n'étaient pas petits.
Mais aujourd'hui, quels sont ces êtres aplatis
Qui tous autour de moi vont la tête courbée ?
Hélas ! le front baissé trahit l'âme tombée.
Comme on oublie orgueil, fierté, devoir, mandat !
Comme on lèche humblement la botte du soldat !
Comme on presse en tremblant ses genoux ! Comme on
                                                    [flatte
Son caban africain à la ganse écarlate !
Comme à son moindre mot, ordre, grâce, refus,
On adore, on éclate en jappements confus !
Comme autour de ce Banc où l'œil soumis s'attache,
On attend qu'un sourire entrouvre sa moustache !
Il dit : « Venez ! » on vient. Comme à chaque moment,
Avec l'avidité de l'avilissement,
Devant ce sabre obscur qui n'est pas même un glaive,
On se couche à plat ventre ! Ah ! mon cœur se soulève.
Vers le passé hideux je tourne un œil jaloux,
Et quand je vois ces chiens, je regrette les loups !

                              25 novembre. En séance.

Nous voici en pleine querelle pour la présidence. Les
candidats se montrent le poing. Cavaignac se défend
contre Garnier-Pagès. L'Assemblée hue, gronde, murmure, trépigne, écrase l'un, applaudit l'autre.

Cette pauvre Assemblée est une vraie fille à soldats,
amoureuse d'un troupier. Pour l'instant, c'est Cavaignac. Qui sera-ce demain ?

Le général Cavaignac fut habile et parfois même
éloquent. Il se défendit comme on attaque. Il me parut
souvent vrai, à moi, parce qu'il était louche depuis si
longtemps. L'Assemblée l'écouta près de trois heures
avec une attention profonde, où perçait à chaque ins-

tant la sympathie, toujours la confiance, quelquefois
une sorte d'amour.

Cavaignac, avec sa taille haute et souple, sa petite
redingote noire, son col militaire, ses épaisses moustaches, ses sourcils froncés, sa parole brève, brusque,
coupée de saccades et de parenthèses, son geste rude,
était par moments tout à la fois farouche comme un
soldat et farouche comme un tribun. Vers le milieu, il
fut avocat, ce qui pour moi gâta l'homme ; la harangue
tournait au plaidoyer. Mais à la fin il se releva avec une
sorte d'indignation vraie, il frappa du poing la tribune
et fit tomber le verre d'eau au grand émoi des huissiers,
et quand il termina en disant : « J'ai parlé je ne sais
combien de temps, je parlerai encore tout ce soir, toute
cette nuit, tout demain dimanche, s'il le faut, et ce ne
sera plus maintenant l'avocat, ce sera le soldat, et vous
l'entendrez! » toute l'Assemblée éclata dans une immense acclamation.

M. Barthélemy-Saint-Hilaire, qui attaqua Cavaignac,
était un orateur froid, roide, un peu sec, qui ne convenait pas à la lutte, ayant de la colère sans éclat et de la
haine sans passion. Il commença par lire un factum, ce
qui déplaît toujours aux assemblées. L'Assemblée,
mal disposée et furieuse en secret, voulait l'accabler.
Elle ne demandait que des prétextes il lui donna des
raisons. Son mémoire avait ce grave défaut d'asseoir
sur de petits faits de grosses accusations, surcharge
qui fit plier tout le système. Et puis, ce petit homme
blême, qui jetait à chaque instant sa jambe en arrière
et se penchait, les deux mains sur le rebord de la tribune
comme sur la margelle d'un puits, faisait rire ceux qui
ne huaient pas. Au milieu des violences de l'Assemblée,
il affectait d'écrire longuement sur les feuilles de son
cahier, de sécher l'encre avec de la poudre et de reverser
cette poudre à loisir dans la poudrière, trouvant ainsi
moyen d'augmenter le tumulte avec son calme. Quand

M. Barthélemy-Saint-Hilaire descendit de la tribune, Cavaignac n'était encore qu'attaqué et déjà il était absous.

M. Garnier-Pagès, républicain éprouvé, honnête homme, mais ayant le fond vaniteux et la forme emphatique, succéda à M. Barthélemy-Saint-Hilaire. L'Assemblée essaya de l'accabler lui aussi, mais il se redressa sous les murmures. Il invoqua son passé, attesta les souvenirs de la salle Roisin [1], compara les séides de Cavaignac aux séides de Guizot, montra sa poitrine « qui avait affronté les poignards de la République rouge », et finit par attaquer résolument le général, avec trop peu de faits et trop de paroles, mais de front et comme la Bible veut qu'on prenne le taureau, par les cornes. Garnier-Pagès releva l'accusation presque terrassée. Il mêla trop souvent son *moi* à la discussion ; il eut tort, car toute personnalité doit s'effacer devant la gravité du débat et l'anxiété du pays. Il se tourna de tous les côtés avec une sorte de furie désolée ; il somma Arago d'intervenir. Ledru-Rollin de parler, Lamartine de s'expliquer. Tous trois gardèrent le silence, manquant à la fois au devoir et à la destinée.

L'Assemblée, cependant, poursuivait Garnier-Pagès de ses huées, et, quand il dit à Cavaignac : « *Vous avez voulu nous jeter par terre !* », elle éclata de rire, et à cause du sentiment et à cause de l'expression. Garnier-Pagès la regarda rire avec un air désespéré.

On criait de toutes parts : « La clôture ! »

L'Assemblée était à ce moment où elle ne voulait plus écouter et où elle ne pouvait plus entendre.

M. Ledru-Rollin parut à la tribune.

Ce cri éclata sur tous les bancs : « Enfin ! »

On fit silence.

Ledru-Rollin, espèce de Danton bâtard, appuyant sur la tribune son gros ventre boutonné, avait le son de voix enroué de Pétion et le balancement d'épaules de Mirabeau, sans son éloquence.

Sa parole avait une sorte d'effet physique ; grossier,
mais puissant. Garnier-Pagès avait signalé les fautes
politiques du général ; Ledru-Rollin signala ses fautes
militaires. Lui aussi occupa l'Assemblée de son moi, et
la fit rire. M. Ledru-Rollin disait Ledru-Rollin comme
César disait César. Cela réussissait quelquefois, mais pas
toujours. Avec tout cela, quelque adresse d'avocat
mêlée à la violence du tribun. Il termina par un vœu
de clémence. Somme toute, il ébranla Cavaignac.

Quand il revint s'asseoir à son banc, à côté de Pierre
Leroux et de La Mennais, un homme à longue chevelure grisonnante, en redingote blanche, traversa l'Assemblée et vint serrer la main à Ledru-Rollin. C'était
Lagrange.

Cavaignac monta pour la quatrième fois à la tribune.
Il était dix heures et demie du soir. On entendait les
rumeurs de la foule et les évolutions de cavalerie sur
la place de la Concorde. L'aspect de l'Assemblée devenait sinistre.

Cavaignac, fatigué, prit le parti d'être hautain. Il
s'adressa à la Montagne et la défia, déclarant aux montagnards, aux acclamations de la majorité et des réactionnaires, qu'il préférerait toujours *leurs injures à
leurs éloges.* Ceci parut violent et était habile; Cavaignac
y perdit la rue Taitbout, qui représentait les socialistes, et y gagna la rue de Poitiers, qui représentait
les conservateurs.

Il s'arrêta après cette apostrophe et resta quelques
instants immobile, passant la main sur son front. L'Assemblée lui cria : « Assez! assez! »

Il se tourna vers Ledru-Rollin et lui jeta cette parole :
« Vous avez dit que vous vous retiriez de moi. C'est
moi qui me retire de vous. Vous avez dit : pour longtemps. Je vous dis : pour jamais! »

C'était fini. L'Assemblée voulait clore le débat.

Lagrange parut à la tribune et gesticula au milieu

des huées. Lagrange était une espèce de déclamateur
à la fois populaire et chevaleresque qui exprimait des
sentiments vrais avec une voix fausse. « Représentants,
dit-il, tout cela vous amuse, eh bien! cela ne m'amuse
pas! » L'Assemblée éclata de rire et l'éclat de rire dura
tout le reste du discours. Il appela M. Landrin M. Flan-
drin, et la gaieté devint folle.

J'étais de ceux auxquels cette gaieté serrait le cœur,
car il me semblait entendre les sanglots du peuple à
travers ces éclats de rire.

Pendant tout ce vacarme, on faisait circuler de banc
en banc une liste qui se couvrait de signatures et qui
portait un ordre du jour motivé proposé par M. Dupont
de l'Eure.

Dupont de l'Eure lui-même, courbé, chancelant,
vint lire, avec l'autorité de ses quatre-vingts ans, son
ordre du jour à la tribune au milieu d'un profond silence
interrompu par les acclamations.

503 voix contre 34 accueillirent cet ordre du jour, qui
renouvelait purement et simplement la déclaration du
28 juin : « *Le général Cavaignac a bien mérité de la patrie.* »

Je fus des trente-quatre. Pendant qu'on dépouil-
lait le scrutin, Napoléon Bonaparte, fils de Jérôme,
s'approcha de moi et me dit :

« Vous vous êtes abstenu ? »

Je répondis :

« De parler, oui. De voter, non.

— Ah! reprit-il. Nous nous sommes abstenus de
voter. La rue de Poitiers aussi s'est abstenue. »

Je lui pris la main, et je lui dis :

« A votre aise. Moi je ne m'abstiens pas. Je juge Cavaignac, et le pays me juge. Je veux le jour sur mes
actions, et mes votes sont des actions. »

Ce fut pendant le dépouillement de ce scrutin que
M. Félix Pyat donna un soufflet à M. Proudhon qui lui
rendit un coup de poing.

Avant l'échange du coup de poing et du soufflet, comme Félix Pyat abordait Proudhon en lui disant : « Pourquoi donc attaquez-vous tous les jours la Montagne ? » Proudhon s'est écrié : « Vous, une Montagne! vous êtes un Parnasse de niais! »

25 novembre 1848.

La révolution de Février a aboli la Chambre haute, mais n'a point supprimé la Chambre basse.

Novembre 1848.

En attendant le résultat du duel de Cavaignac contre Louis Bonaparte, c'est-à-dire du fantôme de la République contre l'ombre de Napoléon, l'Assemblée, haineuse, irritée, inquiète, sotte et folle, fait des coq-à-l'âne et des calembours.

Hier, on jasait de l'énorme et jolie Mme B. qui, disait-on, éperdue d'amour pour Louis Blanc, est allée le rejoindre en Angleterre. On se passait, de banc à banc, ce distique :

> *L'extrême à l'extrême touche :*
> *L'éléphant cherche la mouche.*

En novembre 1848, MM. Thiers et Molé passaient quelquefois la durée entière des séances en conférences dans le couloir de la Chambre qui est derrière mon banc.

Un fait qu'on n'a pas su, c'est que le général Cavaignac faisait partie du gouvernement provisoire proclamé le 15 mai à la tribune par les envahisseurs de l'Assemblée. Il était désigné comme ministre de la Guerre. Il était en ce moment absent de Paris où il n'arriva que le 17 mai.

Je tiens le fait de M. Denis Lagarde, rédacteur des procès-verbaux de l'Assemblée, qui resta le dernier dans la salle quand les représentants l'eurent évacuée, et qui entendit le nom de Cavaignac proclamé à la tribune et en fut frappé.

En ce moment (novembre), on arme les faubourgs ; on a déjà distribué plus de trois mille fusils au faubourg du Temple. On fait venir à Paris les régiments d'Afrique qu'on croit plus dévoués aux généraux Cavaignac et Lamoricière.

CONTÉ PAR ODILON BARROT

Novembre 1848.

Cinq ou six jours après le 24 février, M. Odilon Barrot en habit de garde national était au corps de garde. Quelqu'un entra et lui toucha l'épaule, M. Barrot se retourna. C'était le général Lamoricière.

« Monsieur Barrot, un mot, s'il vous plaît ? »

Ils se retirèrent à part, et Lamoricière demanda à Odilon Barrot *si c'était qu'on allait en rester là*, que la République était *une indigne surprise*, qu'*il fallait répondre à un coup de main par un autre coup de main, que l'armée était exaspérée d'avoir été chassée de Paris la crosse en l'air, qu'il y avait d'un côté trois cents gueux et de l'autre tous les honnêtes gens et tous les braves gens, que quant à lui, Lamoricière, il était prêt, qu'il s'offrait formellement, et que si Odilon Barrot voulait être la tête, lui, Lamoricière, serait le bras.*

M. Barrot refusa.

Novembre 1848.

A mesure que l'époque de l'élection approchait, les deux généraux qui gouvernaient perdaient contenance.

Cavaignac devenait soucieux, Lamoricière furieux.

L'humeur de Cavaignac perçait même à la Chambre. Un jour, Crémieux vient s'asseoir au banc des ministres. De là, il jette à l'orateur qui tenait la tribune quelques *très bien!* C'était précisément un orateur de l'opposition.

« Monsieur Crémieux, dit Cavaignac, vous faites bien du bruit.

— Qu'est-ce que cela vous fait? répond Crémieux.

— Cela me fait que vous êtes au banc des ministres.

— Voulez-vous que je m'en aille?

— Mais!... »

Crémieux se lève et sort du banc, en disant :

« Général, vous m'en faites sortir et je vous y ai fait entrer. »

Crémieux, en effet, avait, étant du gouvernement provisoire, fait nommer Cavaignac ministre de la Guerre.

Le général Lamoricière rencontrait M. Grandin [1] à la bibliothèque.

« Eh bien, Grandin, pour qui voteront vos ouvriers?

— Pour Louis Bonaparte. »

Lamoricière bondissait. « Ah! les gueux! ah! les gredins! Ils veulent Louis Bonaparte? Eh bien, voyez-vous, je vous donnerai à tous une trempée, mille noms de noms, comme en Afrique, sacrebleu! Je ne voulais pas de la République, moi ; mais puisque j'y suis, j'en suis! Ah! vous voulez l'aigle, à présent! Eh bien, je lui mangerai les tripes! »

M. Léon Faucher, vice-président de la rue de Poitiers, croyait devoir se plaindre à deux ministres, hommes graves et raisonnables, MM. Dufaure et Vivien, des façons du général Lamoricière, et ceux-ci répondaient : « Ah! bah! vous savez bien que Lamoricière est un étourneau. »

Il y avait en effet de l'étourneau dans Lamoricière, mais il y avait aussi de l'épervier.

Un autre jour, on voyait Cavaignac se promener à grands pas, de long en large, dans l'avant-salle au milieu des valets de la Chambre et des huissiers ébahis. C'était à propos d'un malheureux jeune homme qui était là tout tremblant et qui avait eu l'audace de lui faire remettre une pétition quelconque avec ce mot : *pressée.*

Le général criait avec tous les jurements qui n'ont pas d'orthographe :

« Me déranger pour ça! Niais! Imbécile! Animal! » C'était son dépit qui éclatait en colère.

Une autre fois, c'était encore ce même Crémieux que Cavaignac accostait au pied même de la tribune, et l'on entendait ce dialogue étrange :

« Maître Crémieux, quand aurez-vous fini de me noircir ?

— Général, je ne vous comprends pas très bien.

— Je vous dévoilerai!

— Et moi, je vous démasquerai!

— Je dirai tous vos crimes.

— Et moi tous les vôtres! »

Les deux généraux avaient des conciliabules en dehors du conseil. Des bruits sinistres circulaient. Des représentants étaient assaillis d'avis ou de menaces anonymes. Mme Cavaignac mère disait à son fils, dans le salon princier de la rue de Varennes :

« Vous n'entendez rien à la politique. Il devrait déjà y avoir une vingtaine de ces gens-là au-delà des mers. »

Ces gens-là, c'étaient les représentants de l'opposition.

C'est au sortir de cette conversation que M. Porion, maire d'Amiens et représentant, qui l'avait entendue, dit à quelqu'un qui lui demandait ce qu'il pensait de la mère Cavaignac : « *Elle me fait l'effet d'une vieille guillotine.* »

Cependant on parlait de préparatifs mystérieux. Deux sous-officiers étaient arrêtés aux environs d'Amiens, achetant des fusils aux paysans gardes nationaux. On leur demandait : « Pour le compte de qui ? » Ils répondaient : « Pour le ministre de la Guerre. »

Des querelles éclataient aux barrières de Paris entre la ligne et la garde mobile. Les soldats appelaient les gardes mobiles : *les bouchers de Cavaignac.* On disait qu'à la première occasion le gouvernement ferait lui-même les barricades et que la moitié de la garnison passerait du côté de l'émeute.

Le 19 novembre, à la chute du jour, je comptais douze caissons chargés de munitions de guerre longeant silencieusement le quai des Tuileries et allant à l'École militaire. Tout devenait question, la trahison comme la fidélité. Où serait l'attaque ? où serait la défense ? Ombre, doute, péril et figures suspectes de tous les côtés. On était à cette heure crépusculaire, si étrange en politique, où l'on ne sait plus si les loups sont des chiens, et si les chiens sont des loups.

En novembre 1848, le roi de Westphalie habitait au premier au-dessus de l'entresol, rue d'Alger, n⁰ 3. Il avait là un petit appartement meublé de velours de laine et d'acajou.

Son salon, tendu en papier gris, éclairé par deux lampes, était orné d'une lourde pendule dans le goût empire et de deux tableaux peu authentiques, quoique le cadre de l'un portât ce nom : *Titien,* et le cadre de l'autre cet autre nom : *Rembrandt.* Il y avait sur la cheminée un buste en bronze de Napoléon, ce buste convenu que l'empire nous a légué.

Les seuls vestiges de son existence royale qui restassent au prince étaient son argenterie et sa vaisselle ornées de couronnes royales richement gravées et dorées.

Jérôme, à cette époque, n'avait encore que soixante-quatre ans et ne les paraissait pas. Il avait l'œil vif, le sourire bienveillant et charmant, la main petite et encore belle. Il était habituellement vêtu de noir et avait une chaînette d'or à sa boutonnière où pendaient trois croix, la Légion d'honneur, la Couronne de fer et son ordre de Westphalie, créé par lui à l'imitation de la Couronne de fer.

Jérôme causait bien, avec grâce toujours et souvent avec esprit. Il était plein de souvenirs et parlait de l'empereur avec un mélange de respect et de fraternité qui était touchant. Un peu de vanité perçait en lui ; j'aurais préféré l'orgueil.

Du reste, il prenait avec bonhomie toutes les qualifications variées que lui attirait cette situation étrange d'un homme qui n'est plus roi, qui n'est plus proscrit et qui n'est pas citoyen. Chacun le nommait comme il voulait. Louis-Philippe l'appelait *Altesse*, M. Boulay de la Meurthe lui disait : *Sire* et *Votre Majesté*, Alexandre Dumas l'appelait *Monseigneur*, je lui disais : *Prince* et ma femme lui disait : *Monsieur*. Il mettait sur sa carte : *Le général Jérôme Bonaparte*. A sa place, j'aurais compris autrement ma position. Roi ou rien.

30 novembre.

Ce matin, les soldats libérés du service militaire ont traversé Paris par bandes se dirigeant vers les divers chemins de fer en criant : « *A bas Cavaignac !* »

Séance du 1er décembre.

Les représentants Mazuline, Parisis et Goudchaux ont parlé dans cette séance. On a vu successivement monter à la tribune un noir, un évêque et un juif. Grand fait qui montre comme les portes du passé sont bien fermées et combien c'est un avenir nouveau que celui qui s'ouvre devant la civilisation.

Ce qui complète la grandeur décisive du fait, c'est qu'il a passé inaperçu.

Décembre 1848.

Je suis entré l'autre jour, rue Saint-Antoine, près l'église Saint-Paul, dans le club socialiste des Acacias, au moment où l'orateur prononçait cette phrase au milieu d'applaudissements frénétiques : « Il y a une vieille peau de lièvre mangée par les asticots. La peau de lièvre, c'est la société ; les asticots, c'est nous! »

10 décembre 1848.

Les gamins de Paris parcouraient les rues pendant le vote [1] en criant et en chantant : « A bas Cavergnac! »

11 décembre 1848.

On remarque des malices d'afficheurs ; boulevard des Italiens, on a collé l'affiche de Cavaignac au-dessus d'une affiche qui porte : « *Danse, Valse, Polka, Redoute, Mazurka* » ; le placard de la Montagne au-dessus d'une affiche qui annonce en grosses lettres : « *Les Pirates* » ; et le placard pour Louis-Napoléon à côté d'une annonce de « *Rogers, dentiste* ».

11 décembre 1848.

Le peuple des faubourgs chante sur l'air des lampions :

> *Viv' Raspail* [2] *!*
> *Viv' Raspail !*

Le peuple de la banlieue réplique par ce couplet :

> *Veux-tu un' canaille ?*
> *Vote pour Raspail.*

Veux-tu un coquin ?
Prends Ledru-Rollin.
Veux-tu du mic-mac ?
Vot' pour Cavaignac.
Mais veux-tu le bon ?
Prends Napoléon !

11 décembre 1848.

Un ouvrier imprimeur disait à côté de moi tout à l'heure, dans un groupe : « Ils m'ont donné une poignée de bulletins Cavaignac. Je les ai foutus au coin de la borne et j'ai mis mon cachet dessus. »

Un paysan des Basses-Alpes qu'on essayait de détourner de voter pour Louis Bonaparte résistait. On lui disait des choses convenues : « Mais c'est un homme incapable, un sot, un niais etc. — *Oui*, dit le paysan, *j'ai bien entendu dire qu'il n'était pas bien fort ; eh bien ! il prendra un bon commis !* »

11 décembre.

A l'Assemblée, on considère Louis Bonaparte comme certain. On se demande : « Où logera-t-il ? » On répond : « Pas aux Tuileries. » On se préoccupe de sa fortune personnelle. On le dit très pauvre. On a remarqué qu'il venait toujours toucher son traitement de représentant le jour même de l'échéance.

Décembre 1848.

La nuit s'était faite sur tout.

Cependant la situation se dessinait. Personne dans l'Assemblée ne mettait en question la République. Chacun l'acceptait, à la seule condition de la définir. J'avais dit pour ma part et tout haut : « *Ce que la République sera pour la France, je le serai pour la République. Bonne,*

elle me trouvera bon. » Seulement la lutte éclatait entre
les deux partis formés des débris de tous les autres, les
deux seuls qui restassent, dont l'un voulait une halte
en attendant que le jour revînt, tandis que l'autre
voulait continuer la marche dans les ténèbres.

Les députés qu'on appelait *les rouges* placardèrent
une proclamation. On remarqua qu'ils abandonnaient
le rouge, couleur habituelle de leurs placards. L'affiche
était jaune. Elle était franchement intitulée : *Déclara-*
tion des représentants de la Montagne et signée, au nom
de la réunion Taitbout, par les membres du bureau :
La Mennais, Félix Pyat, Buvignier, Deville, Martin-
Bernard et *Th. Bac.*

L'affiche faisait les promesses habituelles des partis
extrêmes, théories, spéculations, utopies, qui n'ont
souvent d'autre tort que de vouloir devenir immédiatement des réalités. Tort grave, car la première condition
de toute moisson, c'est la maturité. Que dirait-on de celui
qui faucherait le blé en avril, engerberait de l'herbe
comme des épis et déclarerait qu'il va en faire immédiatement du pain ?

L'affiche recommandait au peuple Ledru-Rollin. Elle
promettait en son nom deux choses assez malaisément
conciliables : l'abolition immédiate de presque tous les
impôts, et la fondation du crédit public.

Vers cette époque, on vint me proposer de signer une
affiche qui recommandait Louis Bonaparte. Je refusai.
Je dis en propres termes : « *Je ne réponds de personne,*
pas même de moi. Je réponds que je ne ferai jamais une
lâcheté, mais je ne réponds pas que je ne ferai jamais une
bêtise. »

Cependant, comme il arrive toujours aux époques où
les éléments de tout se mêlent, le bouffon apparaissait
parmi le terrible. Tous les cœurs se serraient dans une
anxiété secrète et par moments le spectacle devenait si
grotesque et si petit qu'on éclatait de rire. Le 9 décembre,
la veille de l'élection, une affiche bleue couvrait les

murs des boulevards. On y lisait en substance :
« *Français, vous avez d'un côté Cavaignac, un sabreur,
dont la liberté ne veut pas, de l'autre Louis-Napoléon,
un prince, dont la République s'inquiète ; pour vous
tirer d'embarras, nommez le docteur Watbled. Signé :
Watbled.* »

D'autre part, tout se précipitait. A un certain tremblement de la chose publique, on sentait l'approche des
événements.

Pendant que les hommes équivoques qui tenaient le
pouvoir balbutiaient le mot *coup d'État,* les ouvriers
disaient dans les faubourgs : « *Nous allons avoir un coup
de chien.* » Les symptômes de juin revenaient en décembre ; les solstices sont favorables aux révolutions. A ces
époques, il semble que le pouls des masses s'élève. De
même que les hautes marées de l'océan correspondent
aux équinoxes, les hautes marées du peuple correspondent
aux solstices. Le peuple des faubourgs se remettait à
chanter. Dans la nuit du 7 au 8, des hommes qui descendaient le boulevard en chantant *la Marseillaise* désar-
mèrent un garde mobile.

Les clubs, qu'une législation maladroite n'avait fait
qu'exaspérer, redoublaient de violence. Tous les soirs,
trois ou quatre mille individus, parmi lesquels beaucoup
d'hommes de police, se rassemblaient place Vendôme
en criant : « *Vive Bonaparte !* » La police faisait tout son
possible pour leur faire crier : « *Vive l'empereur !* » espérant que l'émeute sortirait du cri comme l'incendie sort
de l'étincelle. On eût tout éteint d'un coup, la candidature en même temps que l'insurrection.

Le point d'irritation cette fois, ce n'était pas la
Bastille, ce n'était pas la porte Saint-Martin, c'était la
place Maubert. Les chiffonniers y tenaient club toutes les
nuits. Des hommes sinistres de tous les temps reparais-
saient et erraient parmi les groupes. On voyait souvent
rôder place Maubert un homme de haute taille, vêtu d'un
large paletot bleu, vieux, gris, visage inquiet et farou-

che, un éclair de joie dans les yeux, l'air d'un vieux tigre. C'était le général Donnadieu [1].

Le gouvernement Cavaignac faisait faute sur faute. Il raccommodait la sottise des récompenses nationales par la sottise des malles-poste [2]. Comme à tous ceux qui ont tort, des paroles de colère lui échappaient. M. Dufaure qualifiait *crime* à la tribune la publication d'un document officiel. Le général Lamoricière écumait au nom de Louis Bonaparte et disait : « Nommé, c'est bon. Installé, c'est autre chose. » Le maréchal des logis Clément Thomas [3], que la rédaction du *National* avait fait général et chef de la garde nationale de Paris, s'écriait : « Il faut en finir avec la liberté de la presse! » La République répétait le cri de Charles X. Le ministre des Affaires étrangères, Bastide, figure qui tenait le milieu entre le sergent de ville et le sacristain, disait au représentant Parisis, évêque de Langres : « *Je vois qu'il faut renoncer à la politique honnête.* »

A travers cela, toujours des pauvretés misérables. Un ouvrier horloger qui présidait l'Assemblée le 9 décembre, Corbon, croyait pouvoir supprimer de son chef les maréchaux de France ; il proclamait représentants du peuple le général Regnault de Saint-Jean d'Angély et le *citoyen* Bugeaud. La Chambre éclatait de rire, et le lendemain la niaiserie était rectifiée au *Moniteur*.

En même temps, des menaces d'assassinat. Quelques représentants qui résistaient à la coterie étaient désignés. Dans une des dernières nuits de novembre une tentative mystérieuse avait eu lieu chez M. Odilon Barrot, à Bougival ; son valet de chambre, Victor L'Homme, avait été frappé de coups de couteau et laissé pour mort. On avait tiré un coup de fusil sur les fenêtres de M. Thiers. Le 9 décembre au matin, je reçus la visite très inattendue du vieux Gentil, pauvre homme de lettres devenu homme de police, plein d'esprit et de cœur du reste, réduit par la misère aux extrémités, mais demeuré honnête. Il venait de la part du commissaire de police de l'Assemblée,

M. Yon, me prévenir de veiller à ma sûreté. On m'en-
gageait à ne plus sortir que le jour, en voiture et accompagné. Je répondis : « « Je sortirai comme il me plaira,
la nuit, à pied et seul. » Déjà, le mois précédent, au
moment où quelques hommes du pouvoir, habitués aux
razzias d'Afrique, rêvaient je ne sais quel 18 fructidor,
j'avais reçu par un républicain de la veille, membre de
l'Assemblée, l'avis de ne plus coucher chez moi, et
qu'on devait enlever une vingtaine de représentants
dans la nuit du 24 au 25 ; j'avais répondu : « Je loge
en ce moment rue de la Tour-d'Auvergne, 37, au quatrième, dans le grenier nº 13 ; je laisserai désormais la
clef à la porte jour et nuit. » Ce que je fis.

Pendant que ces choses se passaient à Paris, la famille
d'Orléans vivait à Claremont dans la gêne, presque
dans la misère, tous, le vieux roi et les jeunes princes,
fixant leurs yeux avec anxiété sur l'Assemblée et sur la
France. Ils lisaient avidement les journaux, recher-
chaient les nouveaux arrivants, interrogeaient, attendaient. Quoi ? Aucun vent d'en haut ne soufflait de
leur côté. Étranges combinaisons du sort ! Ils faisaient
des vœux ardents pour Louis Bonaparte. « *Je suis napo-
léonien* », disait Louis-Philippe. M. Guizot s'était retiré
dans un faubourg de Londres. Il habitait là un petit
appartement avec sa famille ayant pour tout domestique une servante anglaise. Le Val-Richer ne rapportait
rien, sa maison de la rue de la Ville-l'Évêque n'était
pas louée, il négociait vainement avec M. Bastide pour
les vingt-trois jours de ses appointements de février, on
lui refusait même son traitement de l'Académie française ; ses filles vendaient leurs bracelets pour vivre. Il
aspirait ardemment à rentrer en France et surtout à
rentrer dans la politique, sa vraie et sa seule patrie. « *Hors
de là, je ne vis pas* », disait-il.

Que tout cela était petit ! Et cependant tout marchait
vers le progrès et vers le peuple, et Dieu faisait son travail
avec ces misères.

Avant l'élection de M. Louis Bonaparte à la présidence, il venait souvent, chez M. de Girardin, le solliciter ou le remercier. M. Fialin de Persigny accompagnait M. Louis Bonaparte, mais n'entrait pas. Pendant que son maître causait avec M. de Girardin, M. de Persigny restait dans l'antichambre ; « *avec les chapeaux* », disait M. de Girardin en contant la chose à mon fils Victor.

Waldeck-Rousseau. — Son rapport tient une colonne et demie du *Moniteur*. On y remarque cette phrase : « *C'est le sceau de son inviolable puissance que la nation, par cette admirable exécution donnée à la loi fondamentale, pose elle-même sur la Constitution pour la rendre sainte et inviolable.* »

Il dit les suffrages exprimés : 7 327 345.

Le citoyen Napoléon Bonaparte	5 434 226
Le citoyen Cavaignac	1 448 107
Ledru-Rollin	370 119
Raspail	36 920
Lamartine	17 940
Changarnier	4 790
Voix perdues...........................	12 600

Il rendit compte, sans y insister, des protestations qui contestèrent l'éligibilité de N. B. rappelant sa perte de la qualité de Français et sa naturalisation en pays étranger.

Il finit ainsi : « Citoyens représentants, il y a neuf mois bientôt vous proclamiez sur le seuil de ce palais la République sortie des luttes populaires du 24 février. Aujoud'hui vous imprimez à votre œuvre le sceau de la ratification nationale. Ayez confiance. Dieu protège la France ! » (*Très bien ! très bien !*)

Décembre 1848.

La proclamation de Louis Bonaparte comme président de la République se fit le 20 décembre.

Le temps, admirable jusque-là et qui ressemblait plutôt à la venue du printemps qu'au commencement de l'hiver, avait brusquement changé. Ce fut le premier jour froid de l'année. Les supersititions populaires purent dire que le soleil d'Austerlitz se voilait.

Cette proclamation se fit d'une manière assez inattendue. On l'avait annoncée pour le vendredi. Elle eut lieu brusquement le mercredi.

M. Marrast, le Talleyrand de ce Directoire, jugea prudent de dérober la chose au peuple.

Vers trois heures, les abords de l'Assemblée se couvrirent de troupes. Un régiment d'infanterie vint se masser derrière le palais d'Orsay ; un régiment de dragons s'échelonna sur le quai ; les cavaliers grelottaient et paraissaient mornes. La population accourait, inquiète, et ne sachant ce que cela voulait dire. Depuis quelques jours, on parlait vaguement d'un mouvement bonapartiste. Les faubourgs, disait-on, devaient se porter sur l'Assemblée en criant : « Vive l'empereur ! » La veille, les fonds avaient baissé de trois francs. Napoléon Bonaparte, le fils de Jérôme, était venu me trouver fort alarmé.

Des groupes, où bourdonnaient toutes sortes de rumeurs confuses, couvraient la place de la Concorde. On y discutait l'élection de Louis Bonaparte. On y blâmait l'Assemblée de n'avoir point exigé, avant tout, son serment. On y annonçait la venue de dix milles socialistes du faubourg Saint-Antoine qui allaient dissoudre l'Assemblée et « défaire l'empereur ». Les Tuilleries étaient fermées et pleines de troupes. La rue de Rivoli était interceptée.

L'Assemblée ressemblait à la place publique. C'étaient plutôt des groupes qu'un parlement. On discutait à la tribune, sans que personne écoutât, une proposition, fort utile d'ailleurs, de M. Leremboure pour régler la publicité des séances et substituer l'imprimerie de l'État, l'ancienne imprimerie royale, à l'imprimerie du *Moniteur*. M. Bureaux de Puzy, questeur, tenait la parole.

Tout à coup, l'Assemblée s'émeut ; un flot de représentants, arrivé par la porte de gauche, l'envahit ; l'orateur s'interrompt. C'était la commission chargée du dépouillement des votes qui entrait et venait proclamer le nouveau président. Il était quatre heures, les lustres étaient allumés, une foule immense aux tribunes publiques, le banc des ministres au complet. Cavaignac, calme, vêtu d'une redingote noire, sans décoration, était à sa place. Il tenait sa main droite dans sa redingote boutonnée et ne répondait pas à M. Bastide qui se penchait par moments à son oreille. M. Fayet, évêque d'Orléans, était sur une chaise devant le général. Ce qui fit dire à l'évêque de Langres, l'abbé Parisis : « C'est la place d'un chien et non d'un évêque. »

M. de Lamartine était absent.

Les quatre assaillants du 25 novembre, MM. Garnier-Pagès, Pagnerre, Duclerc et Barthélemy Saint-Hilaire étaient à leur banc. Le dernier causait assez cordialement avec M. Altaroche, son voisin, ancien rédacteur en chef du *Charivari*, fait représentant du peuple par la révolution de Février.

Le rapporteur, M. Waldeck-Rousseau, lut un discours froid, froidement écouté. Quant il vint à l'énumération des suffrages obtenus et qu'il arriva au chiffre de Lamartine, 17 940 votes, la droite éclata de rire. Chétive vengeance, sarcasme des impopularités de la veille à l'impopularité du lendemain !

Cavaignac prit congé en quelques paroles dignes et brèves, auxquelles toute l'Assemblée battit des mains. Il annonça que le ministère se démettait en masse et que lui, Cavaignac, déposait le pouvoir. Il remercia l'Assemblée d'une voix émue. Quelques représentants pleuraient.

Titus reginam Berenicem invitus invitam dimisit.

Puis le président Marrast proclama « le citoyen Louis Bonaparte » président de la République.

Quelques représentants assis autour du banc où avait siégé Louis Bonaparte applaudirent. Le reste de l'Assemblée garda un silence glacial. On quittait l'amant pour prendre le mari.

Armand Marrast appela l'élu du pays à la prestation du serment. Il se fit un mouvement.

Louis Bonaparte, vêtu d'un habit noir boutonné, la décoration de représentant et la plaque de la Légion d'honneur sur la poitrine, entra par la porte de droite, monta à la tribune, prononça d'une voix calme le serment dont le président Marrast prit Dieu et les hommes à témoin, puis lut, avec son accent étranger, qui déplaisait, un discours interrompu par quelques rares murmures d'adhésion. Il fit l'éloge de Cavaignac, ce qui fut remarqué et applaudi. Après quelques minutes, il descendit de la tribune couvert, non, comme Cavaignac, des acclamations de la Chambre, mais d'un immense cri de : « Vive la République ? » Une voix cria : « Vive la Constitution ! »

Avant de sortir, il alla serrer la main à son ancien précepteur, M. Vieillard, assis à la troisième travée de gauche. Puis le président de l'Assemblée invita le bureau à accompagner le président de la République et à lui faire rendre jusqu'à son palais les honneurs dus *à son rang*. Le mot fit murmurer la Montagne. Je criai de mon banc : « *A ses fonctions !* »

Le président de l'Assemblée annonça que le président de la République avait chargé M. Odilon Barrot de composer le ministère et que l'Assemblée serait informée du nouveau cabinet par un message ; que, le soir même, du reste, on distribuerait aux représentants un supplément du *Moniteur.*

On remarqua, car on remarquait tout dans ce jour qui commençait une phase décisive, que le président Marrast appelait Louis Bonaparte *citoyen* et Odilon Barrot *monsieur*.

Cependant les huissiers, leur chef Duponceau à leur tête, les officiers de la Chambres, les questeurs, et parmi eux le général Lebreton en grand uniforme, s'étaient groupés au pied de la tribune ; plusieurs représentants s'étaient joints à eux ; il se fit un mouvement qui annonçait que Louis Bonaparte allait sortir de l'enceinte. Quelques députés se levèrent, on cria : « *Assis ! assis !*

Louis Bonaparte sortit ; les mécontents, pour marquer leur indifférence, voulurent continuer la discussion de la proposition Leremboure. Mais l'Assemblée était trop agitée pour pouvoir même rester sur ses bancs. On se leva en tumulte et la salle se vida. Il était quatre heures et demie. Le tout avait duré une demi-heure.

Quelques groupes restèrent çà et là. Un représentant, M. Hubert-Delisle, se mit à érire paisiblement sa correspondance privée à la place que Cavaignac venait de quitter.

Décembre 1848.

Une curiosité du moment qui s'écoule, c'est que Louis Bonaparte a pour ministre M. de Maleville qui, en 1840, le fit arrêter (étant sous-secrétaire d'État de l'intérieur) et, pour conseillers intimes, M. Thiers qui, comme président du conseil, le fit juger, et M. Molé qui, comme pair, le condamna.

Décembre 1848

Deux hommes gênaient Louis Bonaparte à force de trop vouloir le servir, M. Thiers et M. Molé. Ils le servaient jusqu'à se substituer à lui. M. Molé représentait les vanités de tous les anciens pouvoirs groupés et coalisés autour du nouveau ; M. Thiers représentait les peurs de la bourgeoisie. Or, les vanités et les peurs, deux forces immenses, les mettre contre soi, c'était sombrer à coup sûr et avant peu. Louis Bonaparte voulut écarter les deux hommes, ce qui déjà était difficile, et les satisfaire en les écartant, ce qui était plus difficile encore. Il offrit à M. Thiers l'ambassade de Londres ; M. Thiers déclina l'offre avec hauteur. Il offrit à M. Molé l'ambassade d'Espagne, M. Molé répondit : « *Il y a vingt-huit ans que j'ai refusé cela.* »

Tous deux restèrent donc, froissés et mécontents, près de Louis Bonaparte inquiet.

24 décembre 1848.

Louis Bonaparte a donné son premier dîner, hier samedi, 23, deux jours après sa proclamation comme président de la République.

La Chambre chômait à cause de la Noël.

J'étais chez moi, à mon nouveau logis de la rue de la Tour-d'Auvergne, occupé à je ne sais quelles bagatelles, *totus in illis*, lorsqu'on me remit un pli à mon adresse, apporté par un dragon. Je décachetai l'enveloppe et j'y trouvai ceci :

« *L'officier d'ordonnance de service a l'honneur d'informer M. le général Changarnier qu'il est invité à dîner à l'Élysée-National, aujourd'hui samedi, à sept heures.* »

J'écrivis au-dessous : « Remis par erreur à M. Victor Hugo », et je renvoyai la lettre par le dragon qui l'avait apportée.

Comme je sortais de l'Assemblée, seul, et évité comme un homme qui a manqué ou dédaigné l'occasion d'être ministre, je côtoyai dans l'avant-salle, au pied de l'escalier, un groupe où je remarquai Montalembert, et qui entourait Changarnier en uniforme de lieutenant général de la garde nationale. Changarnier venait de reconduire Louis Bonaparte jusqu'à l'Élysée. Je l'entendis qui disait : « Tout s'est bien passé. »

Quand je me trouvai sur la place de la Révolution, il

n'y avait plus ni troupes, ni foule ; tout avait disparu ;
quelques rares passants venaient des Champs-Élysées ;
la nuit était noire et froide ; une bise aigre soufflait de la
rivière, et, en même temps, un gros nuage orageux qui
rampait à l'occident couvrait l'horizon d'éclairs silencieux. Le vent de décembre mêlé aux éclairs d'août, tels
furent les présages de cette journée.

Ce fut M. Lacrosse, vice-président de l'Assemblée et
grand partisan de Cavaignac, qui reçut du président
Marrast la mission de reconduire Louis Bonaparte à
l'Élysée-National le soir de son installation. On avait des
craintes assez sérieuses sur le trajet. Un rapport de
police, fort explicite, annonçait qu'un *groupe de rouges*
stationnerait sur la place Louis XV à la tête du pont
de la Concorde, du côté des Champs-Élysées, afin de
pouvoir s'échapper plus aisément, et que de ce groupe
plusieurs coups de pistolet seraient tirés sur la voiture
du président de la République.

M. Lacrosse, sans parler à Louis Bonaparte de ce
détail, prit la gauche au fond de la voiture, à côté du
président, place qui était la sienne et qui le mettait du
côté des coups de pistolet.

Du reste on passa le pont, et l'on ne trouva personne à
l'endroit indiqué. Les assassins avaient reculé ou les
espions avaient menti. Deux suppositions vraisemblables
entre lesquelles on peut choisir.

Je suis, je veux être et rester l'homme de la vérité,
l'homme du peuple, l'homme de ma conscience. Je ne
brigue pas le pouvoir, je ne cherche pas les applaudissements. Je n'ai ni l'ambition d'être ministre, ni l'ambition
d'être tribun.

Une heure après, arriva une lettre de M. de Persigny,
ancien compagnon de complots du prince Louis, aujour-
d'hui son secrétaire des commandements. Cette lettre

contenait force excuses pour l'erreur commise et me
prévenait que j'étais du nombre des invités. Ma lettre
avait été adressée par mégarde au représentant de la
Corse, M. Conti.

En tête de la lettre de M. de Persigny, il y avait ceci,
écrit à la main : *Maison du Président.*

Je remarquai la forme de ces invitations tout à fait
semblable à la forme employée par le roi Louis-Philippe.
Comme je tenais à ne rien faire qui pût ressembler à
de la froideur calculée, je m'habillai, il était six heures
et demie, et je me rendis sur-le-champ à l'Élysée.

Sept heures et demie sonnaient quand j'y arrivai.

Je jetai en passant un coup d'œil au sinistre portail
de l'hôtel Praslin qui touche à l'Élysée. La grande
porte cochère verte, encadrée entre deux colonnes
doriques du temps de l'empire, était close, morne,
vaguement dessinée par la lueur du réverbère.

La porte de l'Élysée était fermée à un battant, deux
factionnaires de la ligne la gardaient, la cour était à
peine éclairée, un maçon la traversait dans ses habits
de travail, portant une échelle sur son dos, presque
toutes les vitres des fenêtres des communs à droite
étaient brisées et raccommodées avec du papier.

J'entrai par la porte du perron. Trois hommes de
service en habit noir m'y reçurent, l'un m'ouvrit les
portes, l'autre me débarrassa de mon manteau, le troisième me dit : « Monsieur, au premier. » Je montai par
l'escalier d'honneur ; il y avait un tapis et des fleurs,
mais je ne sais quoi de froid et de dérangé qui sentait
l'emménagement.

Au premier, un huissier me dit : « Monsieur vient pour
dîner ? — Oui, dis-je, est-ce qu'on est à table ? — Oui,
Monsieur. — En ce cas, je m'en vais. »

L'huissier se récria :

« Mais, Monsieur, presque tout le monde est arrivé
qu'on était déjà à table, entrez. On compte sur Monsieur. »

Je remarquai cette exactitude militaire et impériale, qui était l'habitude de Napoléon. Chez l'empereur, *sept heures* voulait dire *sept heures*.

Je traversai l'antichambre, puis un salon où je laissai mon chapeau, et j'entrai dans la salle à manger.

C'était une pièce carrée, lambrissée dans le goût empire, à boiseries blanches. Aux murs, des gravures et des tableaux, du choix le plus misérable, entre autres la *Marie Stuart écoutant Rizzio* du peintre Ducis. Autour de la salle un buffet. Au milieu, une table longue arrondie aux deux extrémités où siégeaient une quinzaine de convives. Cette table avait un haut bout dirigé vers le fond de la salle où était assis le président de la République. Il avait à ses côtés deux femmes; à sa droite, la marquise du Hallays-Coëtquen, née princesse de Chimay (Tallien); à sa gauche, Mme Conti, mère du représentant.

Le président se leva quand j'entrai. J'allai à lui; nous nous prîmes la main. « J'ai improvisé ce dîner, me dit-il; je n'ai que quelques amis chers; j'ai espéré que vous voudriez bien être du nombre. Je vous remercie d'être venu. Vous êtes venu à moi, comme je suis allé à vous, simplement. Je vous remercie. »

Il me prit encore la main. Le prince de la Moskowa, qui était à côté du général Changarnier, me fit une place à côté de lui et je m'assis à la table. Je me hâtai et mis les morceaux doubles, car le président avait fait interrompre le dîner pour me donner « le temps de rejoindre ». On était au second service.

J'avais en face de moi le général Ruhlières, ancien pair, ministre de la guerre, le représentant Conti et Lucien Murat. Les autres convives m'étaient inconnus. Il y avait parmi eux un jeune chef d'escadron, décoré de la Légion d'honneur. Ce chef d'escadron seul était en uniforme; les autres étaient en frac. Le prince avait un habit noir, avec la rosette de la Légion d'honneur à sa boutonnière.

Chacun causait avec son voisin. Louis Bonaparte
paraissait préférer à sa voisine de gauche sa voisine
de droite. La marquise du Hallays a trente-six ans, et
les paraît. De beaux yeux, peu de cheveux, la bouche
laide, la peau blanche, la gorge éclatante, le bras charmant, les plus jolies petites mains du monde, les épaules
admirables. Elle est séparée en ce moment de M. du
Hallays. Elle a fait huit enfants, les sept premiers avec
son mari. Il y a quinze ans qu'elle s'est marié. Dans
les premiers temps de son mariage, elle venait trouver
son mari au salon en plein jour, elle lui disait : « Viens
donc! » et elle l'emmenait se coucher. Quelquefois un
domestique venait dire : « Mme la marquise demande
M. le marquis. » Le marquis obéissait. Cela faisait
sourire les assistants.

Aujourd'hui le marquis et la marquise sont brouillés.

« Vous savez, me dit tout bas La Moskowa, elle a
été le maîtresse de Napoléon, fils de Jérôme ; elle est
maintenant à Louis. — Eh bien, fis-je, changer
un Napoléon pour un Louis, cela se voit tous les
jours. »

Ces méchants calembours ne m'empêchaient pas de
manger, et j'observais.

Les deux femmes assises aux côtés du président
avaient des chaises carrées par le haut. Celle du président
était surmontée d'un petit chef arrondi. Au moment
d'en tirer quelque induction, je regardai les autres
chaises et je vis que quatre ou cinq convives, du nombre
desquels j'étais moi-même, avaient des chaises pareilles
à celle du président. Ces chaises étaient en velours
rouge à clous dorés. Une remarque plus sérieuse, c'est
que tous les assistants appelaient le président de la
République *Monseigneur* et *Votre Altesse*. Moi qui
l'appelais *Prince*, j'avais l'air d'un démagogue.

Le prince me demanda des nouvelles de ma femme,
puis s'excusa beaucoup de la rusticité du service.

« Je ne suis pas encore installé, me dit-il ; avant-hier, quand je suis arrivé, c'est à peine si j'avais un matelas pour me coucher. »

Cela n'était pas étonnant, Cavaignac ayant fait le lit de Bonaparte.

Le dîner était médiocre et le prince avait raison de s'excuser. Le service en porcelaine blanche commune, l'argenterie bourgeoise, usée et grossière. Au milieu de la table, il y avait un assez beau vase en craquelé, monté en cuivre doré du mauvais goût Louis XVI.

Cependant nous entendions une musique dans une salle voisine. « C'est une surprise, nous dit le président, ce sont les musiciens de l'Opéra. »

Un moment après, on nous passa un programme écrit à la main qui indiquait les cinq morceaux qu'on était en train d'exécuter :

1º Prière de *la Muette* ;
2º Fantaisie sur des airs favoris de la Reine Hortense ;
3º Final de *Robert Bruce* ;
4º *Marche républicaine* ;
5º *La Victoire*, pas redoublé.

Dans la disposition d'esprit assez inquiète que je partageais avec toute la France, au moment où s'écrivait ceci, je ne pus m'empêcher de remarquer cette *Victoire*, pas redoublé, venant après la *Marche républicaine*.

Je me levai de la table ayant encore faim.

Nous passâmes dans le grand salon, séparé de la salle à manger par le salon d'attente que j'avais traversé en entrant.

Ce grand salon était fort laid, blanc avec des figures dans le goût de Pompéi sur les panneaux, tout l'ameublement dans le style empire, excepté les fauteuils en tapisserie et or d'un assez beau goût rocaille. Il y avait trois fenêtres cintrées auxquelles répondaient, de l'autre côté du salon, trois grandes glaces de même forme, dont l'une, celle du milieu, était une porte. Les rideaux des fenêtres étaient d'un beau satin blanc à ramages perse fort riches.

Pendant que nous causions, le prince de la Moskowa et moi, socialisme, montagne, communisme, etc., Louis Bonaparte vint et me prit à part.

Il me demanda ce que je pensais du moment. Je fus réservé. Je lui dis que les choses s'annonçaient bien, que la tâche était rude, mais grande, qu'il fallait rassurer la bourgeoisie et satisfaire le peuple, donner aux uns le calme et aux autres le travail, la vie à tous ; qu'après trois petits gouvernements, les Bourbons aînés, Louis-Philippe et la République de Février, il en fallait un grand ; que l'empereur avait fait un grand gouvernement par la guerre, qu'il devait, lui, faire un grand gouvernement par la paix ; que le peuple français, étant illustre depuis trois siècles, ne voulait pas devenir ignoble ; que c'était cette méconnaissance de la fierté du peuple et de l'orgueil national qui avait surtout perdu Louis-Philippe ; qu'il fallait en un mot décorer la paix.

« Comment ? me dit Louis Napoléon.

— Par toutes les grandeurs des arts, des lettres, des sciences, par les victoires de l'industrie et du progrès. Le travail populaire peut faire des miracles. Et puis, la France est une nation conquérante. Quand elle ne fait pas de conquête par l'épée, elle veut en faire par l'esprit. Sachez cela et allez. L'ignorer vous perdrait. »

Il a paru pensif et s'est éloigné. Puis il est revenu et m'a remercié vivement.

Nous nous remîmes à causer. Nous parlâmes de la presse. Je lui conseillai de la respecter profondément, et de faire à côté une presse de l'État. « L'État sans journal, au milieu des journaux, lui dis-je, se bornant à faire du gouvernement pendant qu'on fait de la publicité et de la polémique, ressemble aux chevaliers du xive siècle qui s'obstinaient à se battre à l'arme blanche contre les canons à feu ; ils étaient toujours battus. Je vous accorde que c'était noble, vous m'accorderez que c'était bête. »

Il me parla de l'empereur. « C'est ici, me dit-il, que je l'ai vu pour la dernière fois. Je n'ai pu rentrer dans ce palais sans émotion. L'empereur me fit amener et posa sa main sur ma tête. J'avais sept ans. C'était dans le grand salon d'en bas. »

Puis Louis Bonaparte me parla de la Malmaison.

« On l'a respectée. Je l'ai visitée en détail, il y a six semaines. Voici comment. J'étais allé voir M. Odilon Barrot à Bougival. — Dînez avec moi, me dit-il. — Je veux bien. — Il était trois heures. — Qu'allons-nous faire en attendant le dîner ? — Allons voir la Malmaison, dit M. Barrot.

Nous partîmes. Nous étions tous deux seuls. Arrivés à la Malmaison, nous sonnâmes. Un portier vint ouvrir la grille. M. Barrot prit la parole : — Nous voudrions voir la Malmaison.

Le portier répondit : — Impossible.

— Comment! impossible!

— J'ai des ordres.

— De qui ?

— De Sa Majesté la reine Christine, à qui est le château à présent.

— Mais monsieur est un étranger qui vient exprès.

— Impossible.

— Parbleu! s'écria M. Odilon Barrot, il est curieux que cette porte soit fermée au neveu de l'empereur !

Le portier tressaillit et jeta son bonnet à terre. C'était un vieux soldat, auquel on avait fait cette retraite.

— Le neveu de l'empereur! s'écria-t-il. Oh! sire, entrez!

Il voulait baiser mes habits.

Nous visitâmes le château. Tout y est encore à peu près à sa place. J'y ai presque tout reconnu, le cabinet du premier consul, la chambre de ma mère, la mienne. Les meubles sont encore les mêmes dans beaucoup de chambres. J'ai retrouvé un petit fauteuil que j'avais quand j'étais enfant. »

Je dis au prince : « Voilà. Les trônes tombent, les fauteuils restent.

Pendant que nous causions, quelques personnes vinrent, entre autres M. Duclerc, l'ex-ministre des finances de la Commission exécutive, puis une vieille femme en velours noir que je ne connaissais pas, puis lord Normanby, ambassadeur d'Angleterre, que le prince emmena vivement dans un salon voisin. J'ai vu le même lord Normanby emmené de même par le roi Louis-Philippe.

Le prince dans son salon avait l'air timide et point chez lui. Il allait et venait d'un groupe à l'autre plutôt comme un étranger embarrassé que comme le maître de la maison. Du reste, il parle à propos et quelquefois avec esprit.

Il a vainement essayé de me faire expliquer sur son ministère. Je ne voulais lui en dire ni bien ni mal.

Ce ministère n'est d'ailleurs qu'un masque, ou pour mieux dire, un paravent qui cache un magot. Thiers est derrière. Cela commence à gêner Louis Bonaparte. Il faut qu'il tienne tête à huit ministres qui tous cherchent à l'amoindrir. Chacun tire la nappe à soi. Parmi ces ministres, quelques ennemis avoués. Les nominations, les promotions, les listes, arrivent toutes faites de la place Saint-Georges[1]. Il faut accepter, signer, endosser.

Hier, Louis Bonaparte se plaignait au prince de la Moskowa ; il disait spirituellement : « Ils veulent faire de moi le prince Albert de la République. »

Odilon Barrot paraît triste et découragé. Aujourd'hui, il est sorti du Conseil, l'air accablé. M. de la Moskowa était là. « Eh bien ? a-t-il dit, comment vont les choses ? » Odilon Barrot a répondu : « Priez pour nous!

— Diable! a dit La Moskowa, voilà qui est tragique! »

Odilon Barrot a repris : « Que voulez-vous que nous fassions! Comment rebâtir cette vieille société où tout s'écroule ? L'effort qu'on fait pour l'étayer achève de l'ébranler. On y touche, elle tombe. Ah! priez pour nous!»

Et il a levé les yeux au ciel.

Je suis sorti de l'Élysée vers dix heures. Comme je m'en allais, le président m'a dit : « Attendez un instant. » Puis il est entré dans une pièce voisine et est ressorti un moment après avec des papiers qu'il m'a remis dans la main en disant : « Pour Mme Victor Hugo. » C'étaient des billets d'entrée pour voir la revue d'aujourd'hui, de la galerie du Garde-Meuble.

Et tout en m'en allant, je songeais. Je songeais à cet emménagement brusque, à cette étiquette essayée, à ce mélange de bourgeois, de républicain et d'impérial, à cette surface d'une chose profonde qu'on appelle aujourd'hui : le président de la République, à l'entourage, à la personne, à tout l'accident. Ce n'est pas une des moindres curiosités et un des faits les moins caractéristiques de la situation, que cet homme auquel on peut dire, et on dit en même temps et de tous les côtés à la fois : prince, altesse, monsieur, monseigneur et citoyen.

Tout ce qui passe en ce moment met pêle-mêle sa marque sur ce personnage à toutes fins.

26 décembre 1848.

Première séance du cabinet Odilon Barrot.

Les tribunes regorgent. L'assemblée est nombreuse. Cavaignac et Lamartine sont à leur banc. Lamartine à sa place ordinaire, vêtu de noir, l'habit boutonné, le visage calme et triste. Cavaignac est au quatrième banc de la troisième section des gauches au-dessus de Lamartine. Il est vêtu d'une redingote noire ouverte, avec un gilet croisé, à carreaux noirs et gris, il a des jumelles d'ivoire à la main et regarde beaucoup les femmes de la tribune qui est en face de lui.

Les neuf ministres occupent les deux sections de leurs bancs, à gauche. Tous ont une attitude grave et

silencieuse. Seul M. Léon Faucher, pendant les inter-
pellations de Ledru-Rollin, ne peut contenir sa pétu-
lance, s'agite, lève les yeux au ciel et donne des coups
de coude indignés à son voisin, M. de Falloux.

Les derniers changements ont modifié les bancs de la
gauche et de la montagne. Cavaignac est à côté de
Jules de Lasteyrie, reconnaissable à son crâne chauve
et à son abat-jour vert. Étienne Arago est allé s'asseoir
à côté de David d'Angers au deuxième banc de la
montagne. Dupont de l'Eure est à sa place ordinaire.
Au-dessus de lui, M. Martin de Strasbourg, dont la
calvitie imite une tonsure ; il se penche à chaque instant à l'oreille de M. Dupont de l'Eure qui approuve de
l'épaule.

Lamartine paraît pour la première fois à l'Assemblée
depuis son échec. Un seul représentant, M. Hubert
de Lisle, est venu lui serrer la main. Béranger et La
Rochejacquelein sont venus successivement s'asseoir
au banc des ministres. La large face lunaire de La
Rochejacquelein, épanouie à côté de la figure en biseau
de Bixio a fait rire un moment l'Assemblée, pauvre
cohue qui pense difficilement et rit aisément.

Cette première séance fut mauvaise pour le nouveau
ministère. Succès de surface ; échec au fond. On s'étonna
de voir Odilon Barrot, vieux jurisconsulte, trébucher
du premier pas à un texte de loi. L'avocat rencontra une
chicane ¹ à son début, et Ledru-Rollin fut pour Odilon
Barrot en 1848 ce qu'Odilon Barrot avait été pour
Guizot en 1830.

Et puis, le jour où Odilon Barrot, après dix-huit ans
d'opposition, passa du banc des tribuns au siège des
hommes d'État, son éloquence parut ce qu'elle était,
toute de sentiment, trop haute pour les affaires, pas
assez grande pour les idées. Or les esprits propres au
gouvernement ne sont que de deux sortes, hommes
d'affaires ou hommes d'idées. En politique, les hommes

de sentiment dégénèrent promptement en hommes
d'opinions et d'hommes d'opinions en hommes de
partis. Avec ces éléments, sentiment, opinion, logique
des partis, on fait de la passion, on ne fait pas du pouvoir. C'est un danger qu'un trop long séjour dans
l'opposition ; cela gâte la main. On ne tient pas le gou-
vernail de la même manière dont on pousse le bélier.
Les habitudes d'impulsion se prennent selon le travail
qu'on fait, et vous restent. Odilon Barrot l'éprouva.
Le pas était difficile, il s'en tira mal. Pendant qu'il
parlait, les hommes qui se souvenaient du gouvernement
de la veille disaient : « *Où est Dufaure ?* » Et ceux qui
se souvenaient du gouvernement de l'avant-veille
disaient : « *Où est Guizot ?* »

M. Guizot et M. Dufaure en effet, quoique fort divers
et fort inégaux, avaient l'un et l'autre cette rare qualité
de l'orateur homme d'État, peu enviable pour les
cœurs honnêtes, mais la plus utile de toutes peut-être,
qui consiste à embrouiller les questions par une série
d'éclaircissements. Ils expliquent si bien les choses qu'on
n'y comprend plus rien. Ils ont une clarté qui obscurcit.
Ils sont si nets, si lucides, qu'on se récrie à chaque
instant : « Comme c'est vrai ! comme c'est juste ! comme
c'est lumineux ! » Ils font le jour, et quand ils ont bien
fait le jour, on n'y voit plus goutte. Qualité rare, je
le répète, triste, mais nécessaire dans les assemblées,
car ces cohues se conduisent bien plutôt par les ombres
qu'on y jette que par les lumières qu'on y répand.
Voulez-vous gouverner un parlement ? Ne mentez sur
rien, ne trompez personne, cela est grossier ; embrouillez
tout.

L'Assemblée nationale, toujours éprise en secret de
Cavaignac, livrée par la nation à Louis Bonaparte
comme une fille mariée contre son gré qui songe à son
amant dans le lit de son mari, reçut mal Odilon Barrot,
et lui céda pourtant. Elle lui accorda tout, même
l'illégalité qu'il lui demandait ; car, n'ayant pas su

mourir avec honneur, elle ne pouvait plus désormais que vivre avec déshonneur.

Elle se montra tout à la fois taquine et plate, ne voulant pas acclamer et n'osant pas résister. Elle en était à mettre entre elle et le pouvoir nouveau on ne sait quelles misères qui étaient des griefs et qui n'étaient pas des obstacles. Son président, M. Marrast, avait été jusqu'à marchander sa visite au président de la République.

« Quelle politesse lui avez-vous faite? demandait M. Lacrosse à M. Marrast.

— Je lui ai envoyé ma carte.

— Votre carte?

— Oui.

— Vous appelez cela une politesse?

— Oui.

— J'appelle cela une impertinence. »

M. Marrast comprit et fit la visite.

26 décembre 1848.

Portrait du bourgeois fait hier par ma femme : « Vous aurez beau faire, n'en espérez rien ; il aimera toujours Thiers ; il aimera toujours Cavaignac ; il aimera toujours l'acajou ; il trouvera toujours que les condamnés sont coupables, et il sera toujours content quand on leur coupera le cou. »

29 décembre 1848. Vendredi.

Hier jeudi, j'avais deux devoirs à la même heure, l'Assemblée et l'Académie, la question du sel d'une part, de l'autre, la question beaucoup plus petite des deux fauteuils vacants. J'ai pourtant donné la préférence à la dernière ; voici pourquoi. Au palais Bourbon il s'agissait d'empêcher le parti Cavaignac de tuer le nouveau cabinet ; au palais Mazarin, il s'agissait d'em-

pêcher l'Académie d'outrager la mémoire de Chateaubriand. Il y a des cas où les morts pèsent plus que les
vivants ; je suis allé à l'Académie.

L'Académie avait décidé brusquement jeudi dernier,
à l'ouverture de la séance, à l'heure où personne encore
n'est venu, à quatre ou cinq qu'ils étaient autour du
tapis vert, qu'elle remplirait, le 11 janvier (c'est-à-dire
dans trois semaines), les deux places laissées vacantes
par MM. de Chateaubriand et Vatout. Cette étrange
alliance, je ne dis pas de noms, mais de mots — *remplacer MM. de Chateaubriand et Vatout* — ne l'avait
pas arrêtée une minute. L'Académie est ainsi faite ;
son esprit, cette sagesse qui produit tant de folies, se
compose de l'extrême légèreté combinée avec l'extrême
pesanteur. De là beaucoup de sottise et beaucoup de
sottises.

Sous cette légèreté, pourtant, il y avait une intention.
Cette étourderie était pleine de profondeur. Le brave
parti qui mène l'Académie (car il y a des partis partout,
même à l'Académie) espérait, l'attention publique
étant ailleurs, la politique absorbant tout, escamoter
le fauteuil de Chateaubriand pêle-mêle avec le fauteuil
de Vatout ; deux muscades dans le même gobelet. De
cette façon, le public stupéfait se serait retourné un
beau matin et aurait vu tout bonnement M. de Noailles
dans le fauteuil de Chateaubriand. Peu de chose : un
grand seigneur à la place d'un grand écrivain.

Puis, après l'éclat de rire, chacun se serait remis
à ses affaires ; les distractions seraient venues bien
vite, grâce au roulis de la politique, et, quant à l'Académie, mon Dieu! un duc et pair de plus dedans, un
ridicule de plus dessus, la belle histoire! Elle eût vécu
comme cela.

M. de Noailles est un personnage d'ailleurs considérable. Un grand nom, de hautes manières, une immense
fortune, un certain poids en politique sous Louis-Philippe, accepté des conservateurs quoique ou parce que

légitimiste, lisant des discours qu'on écoutait, il avait une grande place dans la Chambre des pairs ; ce qui prouve que la Chambre des pairs avait une petite place dans le pays.

M. de Chateaubriand, qui haïssait tout ce qui pouvait le remplacer et souriait à tout ce qui pouvait le faire regretter, avait eu la bonté de lui dire quelquefois, au coin du feu de Mme Récamier, « qu'il le souhaitait pour successeur » ; ce qui, M. de Chateaubriand mort, avait fait bâcler bien vite à M. de Noailles un gros livre en deux volumes sur Mme de Maintenon, au seuil duquel une faute de français seigneuriale m'avait arrêté dès la première page de la préface.

Voilà où en était la chose quand je me décidai à aller à l'Académie.

La séance indiquée pour deux heures comme à l'ordinaire s'ouvrit comme à l'ordinaire à trois heures un quart [1].

Décembre 1848.

Voici comment le cabinet Odilon Barrot s'est formé. On a pris des queues auxquelles on a dit de chercher des têtes. Ainsi c'est M. de Tracy qui a amené M. Passy. « Comment voulez-vous que je sois de ce ministère ? » disait Passy. « J'en suis bien, moi! » a dit Tracy.

On eût dû faire le contraire : les têtes d'abord.

La situation du président est, du reste, et est fort difficile. Il est obligé de s'entendre avec son cabinet, qui est forcé de s'entendre avec la rue de Poitiers, qui est contrainte de s'entendre avec le parti légitimiste, qui s'entend avec le duc de Bordeaux. Vous voyez les deux bouts du fil, l'un au pied de Louis Bonaparte, l'autre dans les mains de Henri V. Il est désagréable de se rêver empereur et de se réveiller pantin. C'est un peu là le résultat du suffrage du 10 décembre.

Hier, 29 décembre, le conflit a éclaté, la première

rupture s'est faite. Louis Bonaparte a voulu nommer
directeur des Musées le comte de Nieuwerkerke, amant
de la princesse Mathilde Demidoff, fille de Jérôme.
M. de Nieuwerkerke est un homme du monde, sculpteur
distingué et beau garçon. Le choix était fort accepta-
ble. Mais il s'est trouvé que, par grand hasard, Février
avait eu la main heureuse en remplaçant M. de Cailleux
dans la direction des Musées. Les gens d'alors avaient
pris Jeanron, républicain et peintre de talent. Jeanron
a admirablement fait. Il a tiré de l'ombre un tas de
merveilles inconnues et aujourd'hui le vieux musée,
grâce à lui, est un musée nouveau. Le chasser pour sa
peine, c'était gauche. Et puis, me disait B. [1], le chasser
pour un gentilhomme, pour un amant de la princesse,
ceci eût fait crier à la fois la démagogie qui est envieuse
et la bourgeoisie qui est prude. On mettait du coup
contre soi ces deux choses farouches, l'esprit d'égalité
des sans-culottes et la vertu des bourgeois.

M. de Maleville, ministre de l'Intérieur, a résisté. Il a
dit : « J'en parlerai au conseil. » Le prince Louis, oubliant
le président, a riposté par une lettre impérative, et le
ministre, oubliant le prince, a répliqué par un billet
impertinent. Brouille complète. M. de Maleville a dit :
« *Ce président est un polisson.* » Deux heures après, sa
démission était donnée. Il se mêlait à cela un massacre
de préfets *rouges* qu'il voulait, et l'amnistie dont il ne
voulait pas. Ainsi, une cause politique, l'amnistie, et
une cause domestique, Nieuwerkerke ; il n'en fallait
pas tant; le cabinet s'est fêlé. L'échec sur le sel [2] a achevé
l'ébranlement. Tout ce qui ne tenait pas à un bon clou
est tombé. Maleville a entraîné Bixio. Passy quoique
plus secoué en apparence par le choc de la Chambre,
est resté en place, son clou, à lui, étant plus solide. Le
clou de Passy, c'est Thiers.

L'affaire Nieuwerkerke est mauvaise. On en chuchote,
et l'on ajoute que Louis Bonaparte est bien forcé d'en
passer par où veut la princesse Mathilde, sa cousine

étant sa caissière. Le 10 décembre aurait coûté, dit-on, deux cent mille francs, avancés par Mme Mathilde. Il est curieux que ce soit l'argent de ce moujick russe Demidoff qui fasse les frais de nos élections républicaines.

A propos du comte Demidoff, on a fait sur lui ce distique :

> *Mon père m'a fait serf ;*
> *Ma femme m'a fait cerf.*

Les détails sur l'incident Nieuwerkerke ont foisonné dans les racontages des salons. Le président aurait écrit à M. de Maleville une lettre ainsi conçue : « Monsieur le Ministre, vous ne m'avez pas encore apporté à signer la nomination de M. de Nieuwerkerke. Je suis forcé de vous en témoigner mon mécontentement. Vous ne me communiquez pas vos correspondances secrètes avec l'extérieur. J'entends qu'elles me soient soumises. Vous négligez de me transmettre à leur arrivée les dépêches télégraphiques. Ayez ce soin à l'avenir. J'attends toujours les dossiers des affaires de Strasbourg et de Boulogne. Veuillez me les envoyer. Je vous en avais prié, je vous l'ordonne. Occupez-vous aussi d'exécuter mes intentions quant aux changements de préfets (la nomination de M. Bohain). Il ne faut pas que les ministres que j'ai nommés s'imaginent qu'ils feront de moi quelque chose comme le grand électeur de l'abbé Sieyès. — Louis Bonaparte. »

M. de Maleville envoya la missive à M. Odilon Barrot avec ce mot : « *Ci-joint une lettre insolente du président, et ma démission.* »

Le lendemain matin, Odilon Barrot entrait chez le prince de grand matin.

« Vous attendez sans doute ma visite ?

— Ma foi non.

— Voici la démission du cabinet. »

Le prince s'amenda, le cabinet resta. Seuls Maleville et Bixio s'obstinèrent.

Au milieu de tout cela, Louis Bonaparte donnait hier à dîner à Émile de Girardin, recevait les frères Dupin et disait à mon fils qui lui parlait d'Odilon Barrot : « *Ce n'est pas un homme pratique.* » Il ajoutait en parlant de son cabinet et du vote de la Chambre sur le sel : « *Donneront-ils leur démission ? Comment vont-ils se tirer de là ?* » prenant ainsi des façons de roi constitutionnel qui ne vont pas à un président, croyant bien faire, mais se trompant. Ce qui est excellent dans la bouche du roi d'Angleterre est absurde dans la bouche du président des États-Unis. Pourquoi ? C'est que le roi n'est pas responsable et que le président l'est.

Chose étrange et frappante, il a ce droit, que n'a pas le roi constitutionnel, de dire à la majorité du parlement : « Je ne veux pas de votre volonté. Je veux gouverner sans vos hommes. » En effet, sa tête est en jeu. Le gouvernement d'un président de république doit être, de toute nécessité, un gouvernement personnel. Nous sommes destinés peut-être à ceci qu'après avoir vu tomber le roi Louis-Philippe pour avoir voulu gouverner comme un président, nous verrons tomber le président Louis Bonaparte pour vouloir gouverner comme un roi.

En attendant la Chambre fait des calembours à la fin de cette année 1848, fatale au vieux régime. « — Nous entrons dans l'empire », disait un député. « Comment ! Nous en sortons ! » a dit un autre.

Et puis on dit du changement de ministère : « Faucher fauche Maleville et Lacrosse crosse Faucher. »

Le 30 décembre 1848 fut un samedi. Le samedi était le jour de réception de M. de Lamartine ; M. de Girardin alla le voir ; tant d'événements étaient survenus depuis leur rupture que le rapprochement était devenu possible. En politique, les événements qui éloignent les dates

rapprochent les hommes. On parla de l'élection du président. M. de Lamartine, blanc, courbé depuis février,
vieilli de dix ans en dix mois, était calme, souriant et
triste. Il prenait avec gravité son échec. « *Je n'ai rien
à dire, le suffrage universel m'a conspué. Je n'accepte ni ne
refuse le jugement. J'attends.* » Il avait raison d'attendre,
car les personnages comme Lamartine peuvent être jugés
en première instance par la raison des hommes, mais ne
sont jamais jugés en dernier ressort que par la raison
des choses.

Du reste toujours le même ; noble, tranquille, généreux, tout entier au pays, poussant le patriotisme
jusqu'au dévouement, et le dévouement jusqu'à l'abnégation. Il y eut un moment où il dit une parole remarquable. Émile de Girardin lui disait : « Le ministère
chétif qu'on vient de faire, sur le conseil intéressé de
Thiers, est une faute peut-être irréparable. Louis Bonaparte eût dû appeler à lui toutes les renommées, tous
les talents, toutes les illustrations de la France et en
composer son cabinet... »

Quelqu'un interrompit : « Mais comment auriez-vous
fait pour vous assurer le consentement de tous ces
hommes ? »

« Je ne le leur eusse pas demandé, répondit Girardin.
J'eusse simplement mis dans *le Moniteur*, moi, Louis
Bonaparte, chef de l'État, un manifeste dans lequel
j'aurais invoqué le patriotisme de tous les hommes
capables, les nommant aux plus hautes fonctions, et
les rendant responsables devant la France de leur refus,
et à la suite de ce manifeste j'eusse publié, sans avoir
consulté les intéresssés, un cabinet où on eût trouvé
M. Odilon Barrot, M. Thiers, M. Molé, M. Bugeaud,
M. Berryer, M. Defaure, M. Changarnier, M. Victor
Hugo et M. de Lamartine ici présent. J'affirme que, la
chose ainsi faite, tous eussent accepté. »

« Vous avez raison, s'écria M. de Lamartine ; en ces
termes et de cette façon, j'eusse accepté du président de

la République un ministère quelconque, le dernier, celui
dont personne n'aurait voulu. »

Et évidemment, en parlant ainsi, il entendait au fond
de sa conscience une voix qui lui disait : « *Et plus ce
ministère aurait été petit, plus tu aurais été grand.* »

II

M. Thiers

M. Thiers veut traiter des hommes, des idées et des
événements révolutionnaires avec la routine parle-
mentaire. Il joue son vieux jeu des roueries constitu-
tionnelles en présence des abîmes et des effrayants soulè-
vements du chimérique et de l'inattendu. Il ne se rend
pas compte de la transformation de tout; il trouve des
ressemblances entre les temps où nous sommes et les
temps où il a gouverné, et il part de là ; ces ressemblances
existent en effet, mais il s'y mêle je ne sais quoi de colos-
sal et de monstrueux. M. Thiers ne s'en doute pas, et
va son train. Il a passé sa vie à caresser des chats, à les
amadouer par toutes sortes de procédés câlins et de
manières félines ; aujourd'hui il veut continuer son
manège, et il ne s'aperçoit pas que les bêtes ont démesu-
rément grandi, et que ce qu'il a maintenant autour de
lui, ce ne sont plus des chats, ce sont des tigres.

Spectacle étrange que ce petit homme essayant de
passer sa petite main sur le mufle rugissant d'une révolution.

Quand M. Thiers est interrompu, il se démène, croise
ses bras, les décroise brusquement, puis porte ses mains

à sa bouche, à son nez, à ses lunettes, puis hausse les épaules et finit par se saisir convulsivement, des deux mains, le derrière de la tête.

Voici un mot de M. Thiers qui peint M. Thiers : « Je n'ai pas de collègues! »

Parole vraie de Thiers. (Système hypothécaire.) « Je ne suis pas novateur, je ne suis pas novateur, cependant, cependant, cependant (*crescendo*) je ne veux pas défendre des traditions fâcheuses, fâcheuses. Je vous accorde l'expérience, je vous l'accorde ; je ne vous accorde pas la routine, je ne vous l'accorde pas. Savez-vous pourquoi ? »

. . . .

« Que si vous voulez imiter le système prussien, le système polonais, je ne m'y oppose pas pour ma part, je ne m'y oppose pas pour ma part. Ce à quoi je m'oppose, avec toute l'énergie dont je suis capable, c'est la création du papier forcé, du papier forcé, du papier-monnaie. Savez-vous pourquoi ? »

M. Thiers, M. Scribe [1], M. Horace Vernet [2], c'est le même homme sous les trois espèces différentes de l'homme politique, de l'auteur dramatique et de l'artiste. Ce qui prouve que cela est vrai, c'est que l'assimilation leur plairait à tous les trois. Talents faciles, clairs, abondants, rapides ; sans imagination, sans invention, sans poésie ; sans science, sans correction, sans philosophie, sans style ; improvisateurs quelquefois charmants, mais toujours vulgaires, lors même qu'ils sont charmants ; prenant la foule par tous ses petits côtés, jamais par les grands ; bourgeois plutôt que populaires ; compris plutôt qu'intelligents ; faits à l'image du premier venu, par conséquent triomphant toujours ; ayant les défauts qui plaisent sans les qualités qui choquent ; capables au besoin d'un vaste tableau, d'une longue pièce ou

d'un énorme livre, mais où le petit se fera toujours
sentir ; hommes du présent, vivant dans la minute,
sans le souvenir d'hier et sans la divination de demain ;
n'ayant ni le sens du passé ni l'instinct de l'avenir ;
également antipathiques aux nouveautés et aux traditions ; travaillant beaucoup, pensant peu ; promis à
une immense renommée et à un immense oubli ; créés
pour faire vite, et pour passer vite.

M. Thiers, c'est le petit homme à l'état complet. De
l'esprit, de la finesse, de l'envie ; de la supériorité par
instants, quand il a réussi à se hisser sur quelque chose ;
force gestes pour dissimuler la petitesse par le mouvement ; de la familiarité avec les grands événements,
les grandes idées et les grands hommes, pour marquer
peu d'étonnement, et par conséquent quelque égalité ;
de l'entrain, du parlage, de l'impertinence, des expédients, de l'abondance, qualités qui prennent les gens
médiocres ; dans la conversation, ni rayons, ni éclairs,
mais cette espèce particulière d'étincelles qui éblouit
les myopes ; dans le style, beaucoup de vulgarité naturelle, que le gros des lecteurs érige en clarté ; par-dessus
tout, de l'aplomb, de l'audace, de la confiance ; taille
basse et tête haute ; derrière soi, à portée de la main,
dans le bagage, une foule de théories de toutes dimen-
sions, c'est-à-dire des échelles pour monter à tout.

J'ai toujours éprouvé pour cet illustre homme d'État,
pour cet éminent orateur, pour cet historien distingué,
pour cet écrivain médiocre, pour ce cœur étroit
et petit, un sentiment indéfinissable d'enthousiasme,
d'aversion et de dédain.

Thiers est un grand petit esprit.

Dufaure

M. Dufaure est un avocat de Saintes qui était le premier de sa ville vers 1833. Ceci le poussa à la Chambre. M. Dufaure y arriva avec un accent provincial et enchifrené qui était étrange ; mais c'était un esprit clair jusqu'à être parfois décisif. Avec cela, une parole lente et froide, mais sûre, solide, et poussant avec calme les difficultés devant elle.

M. Dufaure réussit. Il fut député, puis ministre. Ce n'est pas un sage, c'est un homme honnête et grave, qui a tenu le pouvoir sans grandeur, mais avec probité, et qui tient la tribune sans éclat, mais avec autorité.

Sa personne ressemble à son talent ; elle est digne, simple et terne. Il vient à la Chambre boutonné dans une redingote gris-noir, avec une cravate noire et un collet de chemise qui lui monte aux oreilles. Il a un gros nez, les lèvres épaisses, les sourcils épais, l'œil intelligent et sévère, et des cheveux gris en désordre.

M. Dufaure est extrêmement lié avec M. Vivien qui est enchifrené comme lui.

Le jour où Cavaignac le choisit comme ministre à la place de M. Sénart, M. Portalis l'attaqua comme ancien ministre de Louis-Philippe. M. Dufaure, à son banc de ministre, haussa les épaules en riant d'un air un peu embarrassé. Le lendemain, le général Bedeau le défendit comme homme de haute probité et de complet désintéressement ; M. Ledru-Rollin cria de sa place : « Qu'est-ce que cela prouve ? et M. Guizot ! »

M. Dufaure, en arrivant de Saintes à la Chambre des députés, avait des habitudes d'avocat de province, la lecture des journaux au café tous les soirs et la partie de dominos. Après le 12 mai 1839, on le fit ministre de l'Intérieur. Le soir de son installation à l'hôtel du minis-

tère il reçut force visites, une moitié de la Chambre des
députés, beaucoup de pairs. La cohue écoulée, vers dix
heures, trois ou quatre intimes restés dans le salon,
M. Dufaure dit : « Qui veut faire une partie de dominos ? » L'offre fut acceptée. Mais où trouver un jeu de
dominos ? On bouleversa tout l'hôtel, point de dominos.
On finit par s'adresser au portier qui avait dans un
coin de sa loge une vieille boîte à dominos qui servait
aux laquais et dont le ministre se régala. Le lendemain
ce quatrain fut affiché sur la porte de l'hôtel :

> *Dans ce lieu que les bourrasques*
> *Remplissent d'hommes nouveaux,*
> *On n'a point de dominos,*
> *Mais on n'y trouve des masques.*

Odilon Barrot

Odilon Barrot monte à la tribune marche à marche et
lentement, solennel avant d'être éloquent. Puis, il
pose sa main droite sur la table de la tribune, rejetant
sa main gauche derrière son dos, et se présentant ainsi à
l'Assemblée de côté, dans l'attitude de l'athlète. Il est
toujours en noir, bien brossé et bien boutonné.

Sa parole, d'abord lente s'anime peu à peu, de même
que sa pensée. Mais en s'animant, sa parole s'enroue et
sa pensée s'obscurcit ; de là une certaine hésitation dans
l'auditoire, les uns entendant mal, les autres ne compre-
nant pas. Tout à coup, du nuage il sort un éclair et l'on
est ébloui. La différence entre ces hommes et Mirabeau,
c'est qu'ils ont tous des éclairs : Mirabeau seul a le coup
de foudre.

Changarnier

Changarnier a l'air d'un vieil académicien, de même
que Soult a l'air d'un vieil archevêque.

Changarnier a soixante-quatre ou cinq ans [1], l'enco-
lure longue et sèche, la parole douce, l'air gracieux et
compassé, une perruque châtaine comme M. Pasquier
et un sourire à madrigaux comme M. Brifaut.

Avec cela, c'est un homme bref, hardi, expéditif,
résolu, mais double et ténébreux.

Il siège à la Chambre à l'extrémité du quatrième banc
de la dernière section à gauche, précisément au-dessous
de M. Ledru-Rollin. Il se tient là, les bras habituellement croisés. Ce banc où siègent Ledru-Rollin et La
Mennais est peut-être le plus habituellement irrité de la
gauche. Pendant que l'Assemblée crie, murmure, hurle,
rugit, rage et tempête, Changarnier bâille.

Changarnier est hautain et brave. Il supporte avec
impatience la suprématie de son ancien subordonné
Cavaignac. Il en parle toujours comme de l'homme qui
doit lui céder le pas dans les grandes occasions. L'autre
jour il disait :

« *Soyez tranquille. Le cheval de Cavaignac est bien
dressé. Il sait son devoir. Il viendra toujours de lui-même
se placer derrière le mien.* »

Lagrange

Lagrange a, dit-on, tiré le coup de pistolet du boulevard des Capucines, fatale étincelle qui a mis le feu aux
colères et allumé l'embrasement de Février. Il s'intitule :
« Détenu politique et représentant du peuple. »

Lagrange a des moustaches grises, une barbe grise, de
longs cheveux gris ; il déborde de générosité aigrie, de
violence charitable et de je ne sais quelle démagogie
chevaleresque ; il a dans le cœur de l'amour avec lequel
il attise toutes les haines ; il est long, mince, maigre,
jeune de loin, vieux de près, ridé, effaré, enroué, ahuri,
gesticulant, blême avec le regard fou ; c'est le Don Qui-

chotte de la Montagne. Lui aussi donne des coups de
lance aux moulins, c'est-à-dire au crédit, à l'ordre, à la
paix, au commerce, à l'industrie, à tous ces mécanismes
d'où sort le pain. Le bon lourdaud Deville est son Sancho
Pança.

Avec cela, point d'idées ; des enjambées continuelles
de la justice à la clémence et de la cordialité à la menace.
Il proclame, acclame, réclame et déclame. Il prononce
cito-ïens. C'est un de ces hommes qu'on ne prend jamais
au sérieux, mais qu'on est quelquefois forcé de prendre
au tragique.

La Mennais

L'abbé de La Mennais, figure de fouine, avec l'œil de
l'aigle ; cravate de couleur en coton mal nouée, redingote
brune usée, vaste pantalon de nankin, trop court, bas
bleus, gros souliers. La décoration de représentant à la
boutonnière. Voix si faible qu'on vient se grouper au
pied de la tribune pour l'entendre et qu'on l'entend à
peine.

Après les journées de Juin, Blaise, le neveu de La Mennais, s'en va voir son oncle pour lui dire : « Je me porte
bien. » Blaise était un officier de la garde nationale. Du
plus loin que l'abbé de La Mennais l'aperçoit, il lui crie,
sans même donner à Blaise le temps d'ouvrir la bouche :
« Va-t'en ! tu me fais horreur, toi qui viens de tirer sur
des pauvres ! »

Le mot est beau.

La Mennais siège à la troisième place du troisième
banc de la Montagne, seconde travée à gauche du président, à côté de Jean Reynaud [1]. Il a son chapeau devant
lui et, comme il est petit, son chapeau le cache. Il passe
son temps à se rogner les ongles avec un canif.

Il a longtemps demeuré quartier Beaujon, tout à côté
de Théophile Gautier. Delaage [2] allait de l'un chez

l'autre. Gautier lui disait en parlant de La Mennais :
« Va-t'en voir ton vieux dans ses nuages. »

5 août 1848.

L'abbé de La Mennais. Première phase : sans calotte.
Deuxième phase : sans culotte.

Béranger et La Mennais s'entreflattent aux dépens
du prochain, ayant chacun quelque chose de grand et
quelque chose de petit. Curieuse coterie à deux.

La Mennais, Béranger, intimes sur le tard.
Orgueil et vanité faisant ménage ensemble.

Proudhon

Proudhon est le fils d'un tonnelier de Besançon. Il est
né en 1808. Il a des cheveux blonds rares, en désordre,
mal peignés, une mèche ramenée sur le front, qui est
haut et intelligent. Il porte des lunettes. Son regard est
à la fois trouble, pénétrant et fixe. Il y a du doguin dans
son nez presque camard, et du singe dans son collier de
barbe. Sa bouche, dont la lèvre inférieure est épaisse, a
l'expression habituelle de l'humeur. Il a l'accent franc-
comtois ; il précipite les syllabes du milieu des mots et
traîne les syllabes finales ; il met des accents circon-
flexes sur tous les *a*, et prononce comme Charles Nodier [1],
comme M. Droz [2] : honorâble, remarquâble. Il parle mal
et écrit bien. A la tribune, son geste se compose de petits
coups fébriles du plat de la main sur son manuscrit.
Quelquefois il s'irrite et écume, mais c'est de la bave
froide. Le principal caractère de sa contenance et de sa
physionomie, c'est l'embarras mêlé à l'assurance.

J'écris ceci pendant qu'il est à la tribune.

Dans les derniers temps, il demeurait rue Dauphine et y faisait son journal, *le Représentant du Peuple*. Ceux qui avaient affaire au rédacteur montaient là à une espèce de chenil et y trouvaient Proudhon rédigeant, en blouse et en sabots.

M. Proudhon est un homme de taille moyenne, blond, blafard, avec un collier de barbe et des cheveux rares, des besicles, les oreilles saillantes, le nez plus camus que retroussé, quelque chose d'un orgueil bourru, l'air sombre et commun. Il a un col de chemise rabattu, une redingote noire boutonnée, un pantalon gris, pas de gants. Il siège à l'extrémité gauche du second banc supérieur de la septième travée de gauche, à côté des citoyens Lagrange et Chelat, l'un gris et l'autre blond.

M. Proudhon vient volontiers faire groupe au pied de la tribune. Là, il croise les bras et hoche la tête aux bons endroits des orateurs. Il écoute supérieurement. Il ne parle pas comme il écrit.

Comme écrivain, c'est un talent de second ordre. En somme, il a plus de valeur que Pierre Leroux, mais tous deux avortent. Parler l'idée, cela leur est refusé. Proudhon bégaie, comme celui qui ne peut pas ; Pierre Leroux balbutie, comme celui qui ne sait pas.

Proudhon, le bœuf qui laboure, mais qui est eunuque. Pierre Leroux, la grenouille qui veut se faire aussi grosse que le bœuf.

Pierre Leroux : un de ces hommes dont l'esprit bégaie.

Armand Marrast

M. Armand Marrast, qui est, du reste, un homme d'esprit, et que je crois galant homme, avant de faire *la Tribune*, puis le *National*, avait été maître d'études à

un collège, je ne sais plus lequel, Louis-le-Grand, je crois.
Le jour où il a été fait président de l'Assemblée, on s'est
dit : « Ce pauvre Marrast ! Lui, président de l'Assemblée
nationale ! Avec sa petite voix pointue et sa mine chétive ! Lui, cet ancien pion ! Comme ça va le couler ! » Point
du tout. M. Marrast a été un président remarquable.

Pourquoi ? Précisément parce qu'il avait été maître
d'études. Il s'est trouvé que ces habitudes de pion composaient précisément le talent de président d'une assemblée
« — Silence, Messieurs ! — Monsieur un tel, à votre place !
— Pan ! pan ! pan ! (Le couteau de bois sur la table.) —
Monsieur de La Rochejaquelein, je n'entends que
vous ! — Messieurs les ministres, vous causez si haut
qu'on ne s'entend pas ! Etc., etc... »

C'est tout simple. Mener les écoliers, mener les hommes
c'est la même chose. C'est qu'il y a déjà de l'homme dans
l'écolier et qu'il y a toujours de l'écolier dans l'homme.

Marrast est un Pasquier perfectionné.

Ledru-Rollin, Garnier-Pagès, etc...

Quand Ledru-Rollin parle, son ventre s'appuie sur la
tribune et y déborde.

Garnier-Pagès a une espèce de grosse loupe au milieu
du front, au-dessus de l'œil gauche.

M. Vivien [1] est un de ces hommes qui ne disent que la
moitié de leur pensée et n'adoptent que la moitié de la
pensée d'autrui, qui ne sont jamais complètement pour
ni jamais complètement contre quoi que ce soit, qui sont
composés dans une proportion presque égale du oui et
du non. Ces hommes-là réussissent. Les philosophes les
proclament sages ; les politiques les déclarent modérés ;
les penseurs les trouvent médiocres. Or ne sont-ce point
là les trois conditions du bonheur : sagesse, modération,
médiocrité ?

M. Babaud-Laribière [1] est une grande barbe, une grosse voix et un petit homme.

Il y a dans l'Assemblée les géants et les nains. Les géants : Caussidière, Ledru-Rollin, Antony, Thouret, Lucien Murat, La Rochejaquelein. — Les nains : Louis Blanc, Thiers, Marrast, Crémieux. Babaud-Laribière est un des nains à la suite.

M. Goudchaux [2] : rose, énorme, joufflu, le dos d'un homme de soixante ans, l'air naïf et juif, le regard pudique ; un banquier.

M. de Maleville [3], un gros homme fin.

Lucien Murat [4] : un ventre.

Adolphe Blanqui [5] : Sa bouche disait : « Je cherche » ; et son œil disait : « J'ai trouvé. »

Blanqui

Blanqui en était à ce point de ne plus porter de chemise. Il avait sur le corps les mêmes habits depuis douze ans, ses habits de prison, des haillons, qu'il étalait avec un orgueil sombre dans son club. Il ne renouvelait que ses chaussures, et ses gants qui étaient toujours noirs.

A Vincennes, pendant ses huit mois de captivité pour l'affaire du 15 mai, Blanqui ne mangeait que du pain et des pommes crues, refusant toute autre nourriture. Sa mère seule parvenait quelquefois à lui faire prendre un peu de bouillon.

Avec cela des ablutions fréquentes, la propreté mêlée au cynisme, de petites mains, de petits pieds ; jamais de chemise, toujours des gants. Il y avait dans cet homme un aristocrate brisé et foulé aux pieds par un démagogue,

Une habileté profonde ; nulle hypocrisie. Le même dans l'intimité et en public. Apre, dur, sérieux, ne riant

jamais, payant le respect par l'ironie, l'admiration par le
sarcasme, l'amour par le dédain, et inspirant des dévouements extraordinaires. Figure sinistre.

Il n'y avait dans Blanqui rien du peuple, tout de la
populace. Avec cela, lettré, presque érudit. A de certains
moments, ce n'était plus un homme, c'était une sorte
d'apparition lugubre dans laquelle semblaient s'être
incarnées toutes les haines nées de toutes les misères.

Après Février, j'ai régné huit jours dans le VIIIe arrondissement. Quelque jour, je conterai cette étrange
semaine. Le peuple m'adorait ; je le haranguais du balcon
de la mairie ; les ouvriers m'envoyaient des baisers quand
je passais dans les rues. J'organisais les postes, je faisais
défaire les barricades, remettre les pavés, garder les prisons, illuminer les rues.

Un matin, j'étais encore couché, un homme effaré
entre dans ma chambre. C'était M. Adolphe Blanqui,
professeur au Conservatoire des arts et métiers, membre
de l'Institut, et huit jours auparavant député de la
nuance Sallandrouze. Il était épouvanté et pâle, il me
prend les mains en me criant : « Sauvez-moi !

— De qui ?

— De mon frère. »

Son frère, Auguste Blanqui, arrivait en effet de prison
et était venu se loger dans le VIIIe arrondissement où
demeurait aussi l'aîné. Seulement Adolphe demeurait
sur le boulevard près de la rue Ménilmontant et Auguste
au rond-point de la barrière du Trône.

En 1848, quand Blanqui sortit de prison (hôpital de
Tours), il vint sur-le-champ à Paris. Sa vieille mère, qui
l'adorait, se mit à sa recherche, allant chez lui cinq ou
six fois par jour sans le trouver. Le troisième jour de son
arrivée, il alla à *la Réforme* et dit à Ribeyrolles : « J'ouvre
un club. Annonce-le. — J'annonce tous les clubs, dit
Ribeyrolles. J'annoncerai le tien. As-tu vu ta mère ? —

Il s'agit bien de ma mère, dit Blanqui, il s'agit de mon club. »

(Conté par Ribeyrolles,
hier 18 mars 1857 à Guernesey.)

... [1] était le vrai conspirateur vénitien. Il avait passé neuf ans de sa vie en prison, quatre en cellule ; ses cheveux y avaient blanchi ; il en était joyeux. C'était la seule joie qu'il connût ; il y avait de la vengeance au fond de cette joie. Nature triste et profonde. Rien dans ce cœur ; pas un goût, pas une affection, pas un amour, pas un vice, pas une femme. Il passait sa vie à construire des plans mystérieux, des labyrinthes de galeries souterraines pour miner la société ; il était inépuisable en imaginations de ce genre ; la *Société des familles*, la *Société des saisons*, toutes ces sociétés secrètes sortirent de son cerveau, armées. Le 11 mai 1839, il enterra une sœur qui l'avait élevé et tendrement aimé ; il sortit du Père-Lachaise pour s'en aller de rue en rue reconnaître les positions de l'émeute et combiner l'attaque du lendemain. Il portait des habits râpés, des chapeaux troués, des bottes percées, buvait de l'eau, mangeait du pain, couchait où il pouvait, et vivait avec six sous par jour. Partout où il y avait une paillasse à terre, il avait ce qu'il lui fallait. Au Mont Saint-Michel, il passait son temps à inventer des chiffres pour correspondre au dehors ; il avait trouvé jusqu'à cinquante-quatre combinaisons de cette sorte, toutes impénétrables. Son esprit était vide de toute autre chose. Il avait eu une femme et un enfant qui étaient morts de misère pendant qu'il était en prison. Il était inaccessible aux jouissances qui énervent les sens et aux passions qui domptent l'âme. Il était brave ; dans les émeutes, comme il avait la vue basse, il allait reconnaître avec un lorgnon les bataillons qui tiraient sur lui. C'était un furieux froid. Ce qu'il voulait était simple : mettre en bas ce qui est en haut et en haut ce qui est en bas. Il exprimait un jour son but de cette façon : « Je veux désarmer les bourgeois et armer les ouvriers ; je veux déshabiller les riches et habiller les pauvres. » Comme on le voit, sa liberté emprisonnait, son égalité dégradait, et sa fraternité tuait. C'était un de ces hommes qui ont une idée. Leur pays d'un côté, leur idée de l'autre, ils préfèrent leur idée. Leur logique tombe sur tous les sentiments humains comme le couteau de la guillotine. Vous leur dites : « Mais votre idée dresse l'échafaud ! — Sans doute. — Pour tous. — Je l'espère. — Pour vous-même. — Je le sais. »

Leur propre tête roulant dans le panier de Sanson leur sourit.

Les privations, le dénuement, les fatigues, les complots, les cachots l'avaient usé. Il était pâle, de taille médiocre et de constitution chétive. Il crachait le sang. A quarante ans, il avait l'air d'un vieillard. Ses lèvres étaient livides, son front était ridé, ses mains tremblaient, mais on voyait dans ses yeux farouches la jeunesse d'une pensée éternelle. Cet homme violent disait des choses implacables avec un accent calme et un sourire tranquille. Son regard était si sombre et sa voix était si douce qu'on se sentait pris de terreur devant lui. On comprenait que sous cette douceur se cachaient et se condensaient les explosions inouïes de la haine. Après Février, il sortit de prison (de Doullens, je crois, où il avait été transféré en quittant le Mont Saint-Michel) et il écrivit à son frère qu'il haïssait : « *Je sors une fourche de fer rouge à la main.* » Ce fut en effet au milieu de cette révolution, pleine de clartés mystérieuses et de ténèbres inconnues, une apparition terrible.

Il se mit à l'œuvre sur-le-champ, et ouvrit un club qu'il présida. Il avait là, au milieu des rumeurs furieuses, une attitude réfléchie, la tête un peu inclinée, laissant pendre ses mains entre ses genoux. Dans cette posture et sans hausser la voix, il demandait la tête de Lamartine, et il offrait la tête de son frère.

Toutes les lueurs de 93 étaient dans sa prunelle. Il

avait un double idéal : pour la pensée Marat, pour l'action Alibaud [1]. Homme effrayant, promis à des destinées sombres, qui avait l'air d'un spectre lorsqu'il songeait au passé et d'un démon lorsqu'il songeait à l'avenir.

Le cabinet Guizot, ce ministère né de la crainte d'une guerre [2] et mort de la crainte d'une révolution.

Car le 23 février, avant de mourir lui-même, Louis-Philippe tua Guizot. Immolation tardive qui ne sauva pas la dynastie.

Regardez le peuple un jour d'insurrection. C'est une mer. Il se gonfle, il se roule, il bondit, il presse de mille vagues furieuses le système gouvernant, qui vogue ou qui flotte sur lui. Si le navire vous paraît grand, ce n'est qu'une émeute ; si le navire vous semble petit, c'est une révolution.

> *Soudain on crie : A bas Polignac ou Guizot :*
> *Le gamin des faubourgs donne en chantant l'assaut*
> *A huit siècles d'histoire incarnés dans un homme.*
> *Le gamin prend Paris ainsi qu'il prendrait Rome,*
> *En riant. Le sang coule. En vain on se défend,*
> *Il l'emporte. Il est roi sans cesser d'être enfant.*
> *Il court ; il tient le Louvre ; il entre aux Tuileries ;*
> *A lui le trône, à lui les hautes galeries ;*
> *Il se promène, avec Marrast pour courtisan,*
> *Du pavillon de Flore au pavillon Marsan.*

Sous le Gouvernement Provisoire, pendant deux mois, le ministère des Finances fut, comme le dit plus tard Garnier-Pagès à la tribune, pour ainsi dire en état de siège. On n'y délibérait que sous la protection d'un poste de renfort et avec des sentinelles avancées dans toutes les rues aboutissant au trésor.

Les quatre mois qui suivirent Février furent un moment étrange et terrible. La France stupéfaite, déconcertée, en apparence joyeuse et terrifiée en secret, éblouie d'un éblouissement plein d'épouvantes, aveuglée par toutes les lueurs du doute, ayant perdu l'autorité et tâchant de trouver le génie, en était à ne pas distinguer le faux du vrai, le bien du mal, le juste de l'injuste, le sexe du sexe, le jour de la nuit, entre cette femme qui s'appelait Lamartine et cet homme qui s'appelait George Sand.

Une baraque en plâtre avec un toit en zinc
Dont le mur charbonné porte : Vive Henri cinq!
Un plafond taché d'huile ; un tapis taché d'encre ;
Deux figures au seuil, dont l'une tient une ancre,
L'autre un soc ; rideaux blancs aux vitres des châssis
D'où tombe un jour blafard sur neuf cents fronts transis ;
Neuf lustres clignotants qu'à la brume on dévoile ;
Une salle en plâtras ; une tribune en toile ;
Des orateurs de bois ; rumeurs, fureurs, travers ;
Les mêmes lâchetés sous des masques divers ;
Tous les cœurs remplis d'ombre ayant chacun leur rêve ;
Souvent le mot stylet, jamais le discours glaive.

Après juillet 1830, le ministre de l'Intérieur s'appela Bondy. Après février 1848, il s'appela Sénart. Il a fallu deux révolutions pour que ces deux forêts arrivassent aux affaires.

L'abbé Fayet, ancien précepteur de M. le duc de Bordeaux, adorateur béat du banc de Cavaignac.
Évêque prêt à se faire rouge pour devenir cardinal.

Après une homélie de l'abbé Fayet :

Notre république est mal faite ;
Tout y devient grotesque et laid.

> *La première avait La Fayette.*
> *La nôtre n'a que le Fayet.*

Il y a, à l'Assemblée, un avocat de Colmar nommé Chauffour, bavard et fort rouge. La première fois qu'il parla, il eut beau être ardent, il n'eut aucun succès.

On fit circuler son portrait dans la salle avec ce vers écrit au crayon :

> *Un four, pour être chaud, n'en est pas moins un four.*

> J'ai vu
> *Passer dans ce fauteuil où l'impuissance monte*
> *Marrast après Pasquier, Scapin après Géronte.*

C... [1] eût été à coup sûr un excellent inquisiteur général au xvi⁰ siècle et un excellent terroriste en 93. Il est absolu, tranchant, extrême, envieux, vaniteux ; esprit faux, cœur froid. Aujourd'hui, ce n'est qu'un cuistre. Pour être Farinace ou Marat, il ne suffit pas d'être féroce, il faut encore être pédant.

> Voici qu'en un instant
> *L'émeute sombre, horrible, à grands cris, en chantant,*
> *Accourt, s'étend, bondit, sème les embuscades,*
> *Fait de terre en hurlant sortir les barricades,*
> *Et que la mort jaillit des caves et des toits.*

Ce n'est pas une opération aisée que la ligature d'une émeute.

> *Philosophe, tu te demandes*
> *D'où vient, dans nos tristes partis,*
> *Quand les hommes sont si petits*
> *Que les sottises soient si grandes.*

Chaque orateur, à la tribune, a son mot qui revient toujours. Le mot de Ledru-Rollin est : «*encore un coup.* »

Ceux que l'Assemblée hue assez ordinairement :
Pierre Leroux. — La Mennais. — Considérant.
— Louis Blanc.
Ceux qu'elle applaudit avec enthousiasme :
MM. Fresneau. — Freslon. — Frechon. — Frichon.

1848. *La foule dans les tribunes*

— *Cavaignac nous rassure. — Et Marrast nous cajole.*
— *En fait d'opinions, moi, je crains la rougeole.*
— *Et moi la tumeur blanche et le choléra bleu.*
— *Par la grâce du peuple ou la grâce de Dieu,*
Tout prince quel qu'il soit, m'importune et me pèse ;
Et je chasse Henri quatre avec la Marseillaise.

Il y a, à l'Assemblée, un borgne, M. Ruffet. C'est
dommage. Il a un assez beau profil grec. Une des causes
de la haine de l'Assemblée contre moi, c'est que j'ai
dit un jour : « Il devrait être roi, ici ! »

C'est l'heure où le pasteur rassemble son troupeau
Où Proudhon, grave et lent, mène paître Greppo [1].

Ch. Dupin me disait : « Cette Assemblée, c'est l'anarchie constituée. »
J'ai ajouté : « Et constituante. »

A côté de la salle des Pas-Perdus, la salle des Mots
Perdus.

On cause, après le Clos-Vougeot,
Émeute, Albert, Blanqui Cavaignac et Bugeaud ;
On rit. . . . .
Et l'on ne songe pas à ce pauvre ouvrier
Qui passe dans la rue, et, depuis février,
Sans aller demander l'aumône chez le maire,
Avec son dur labeur soutient sa vieille mère,

Et qui, manquant enfin de travail et de pain,
Dans sa chambre où l'air siffle aux fentes du sapin,
Et n'ayant pas de quoi payer une falourde,
Pour la première fois trouve sa mère lourde.

Hélas! ce pays a l'abaissement facile.

Après 1830, un prêtre appelé Châtel eut l'idée de se faire pape et même un peu Dieu. Il inventa une religion, loua une boutique boulevard Saint-Denis et se déclara primat des Gaules. La religion et la boutique s'appelèrent *Église française.* On n'y parlait pas latin ; on n'y parlait pas français non plus.

L'abbé Châtel avait un vicaire, nommé l'abbé Auzou ; il appela ce vicaire : coadjuteur.

La boutique gagna peu de prosélytes ; la religion fit faillite ; l'Église ferma. L'abbé Auzou jeta sa soutane aux chardons ; la bourgeoisie qui régnait alors, voltairienne, accueillit le coadjuteur défroqué et lui donna un bureau de poste. Où ? Je ne sais plus trop. Là, je perds de vue l'abbé Auzou.

Quelques années se passent. Le coadjuteur de Châtel est toujours à X..., toujours directeur de la poste. Un beau jour, ou plutôt une belle nuit, il entre dans son bureau, brise la serrure de sa porte, force sa caisse avec une pesée, y fourre la main, en tire l'argent, sacs et billets, cache le tout et crie : « Au voleur ! » On accourt. « Je suis volé », dit Auzou. C'était l'État qui était volé. On le prouve un peu au sieur Auzou. Mais Février étant venu, le sieur Auzou était devenu le citoyen Auzou. Quelque licence se glissait dans la liberté. Que fait-on d'Auzou ? On le change de place, voilà tout. On l'envoie à La Palud.

Là, nouvelles aventures. Des infidélités dans le service sont observées et dénoncées. En outre, on note que l'abbé Auzou reçoit dans son logis force petits garçons. Il ne passe pas un jeune maçon par La Palud

que le directeur du bureau de poste ne lui donne à dîner
et à coucher. Un nommé Alexis, qui est devenu depuis
un fameux somnambule, est un de ces jeunes garçons de La Palud. On croit remarquer que l'abbé Auzou
fait des efforts (infructueux) pour devenir son Corydon.

Sur ce, la République, représentée par Étienne
Arago, destitue l'Église française, représentée par
l'abbé Auzou. Auzou plonge et disparaît.

Voici quelle est la fin de l'abbé Auzou. Quant à l'abbé
Châtel, il n'a pas encore fini [1].

La vie un peu aventureuse de Louis Bonaparte
faisait naître autour de lui les intrigues et pulluler les
intrigants. Il est étrange de dire jusqu'où cela allait.
Un jour, un des hommes qui l'approchaient, porteur
d'un nom historique lié au sien, s'en allait à Bercy,
entrait chez un gros marchand de vin, se nommait et
disait : « Voici l'élection du président qui approche.
Le prince Louis-Napoléon vous achète trois cents
barriques de vin, et vous prie de les mettre immédiatement à ma disposition. » Le marchand s'ébahissait :
« Trois cents barriques! Et pourquoi faire? — Pour
faire boire le peuple du faubourg Saint-Antoine. » Ceci
semblait vraisemblable au marchand, et l'on prenait
jour pour la livraison du vin. Cependant une inquiétude
reprenait le marchand qui s'en allait chez le prince :

— Monseigneur...

— Quoi?

— Je suis le marchand de vin.

— Quel marchand de vin?

— Est-ce que vous n'avez pas demandé trois cents
barriques?

— Pas une bouteille!

Une autre fois, une femme Sylvain, jolie et effrontée,
en grand deuil, se présentait chez le prince avec une
lettre de change signée Louis Bonaparte, et trouvée,
disait-elle, dans les papiers d'un mari qu'elle avait et

qui venait de mourir. Au moment de payer, le caissier, en vérifiant la signature, s'apercevait qu'elle était fausse.

Un autre jour, un nommé Ponsard écrivait au prince pour lui dénoncer, en termes indignés, une aventurière nommée Catherine Bouvard, laquelle compromettait le nom de Louis Bonaparte et traînait partout trois enfants qu'elle avait de lui, disait-elle. Le Ponsard terminait son épître en engageant le prince à donner quelque argent à cette drôlesse pour lui faire quitter la France. Comme le prince ne répondait pas, le Ponsard insistait. Deux, trois messages se succédaient. Ponsard donnait de nouveaux détails. La Catherine Bouvard demeurait dans un bouge, plaine Saint-Denis ; elle hantait tous les cabarets de la banlieue avec les petits bohémiens qu'elle attribuait à Louis-Napoléon et qu'elle appelait les petits princes. Cela faisait scandale, etc., etc. Si bien qu'un matin, le prince, exaspéré, entrait dans le cabinet de son secrétaire Mocquart et s'écriait : « Délivrez-moi de Catherine Bouvard! »

Vérification faite, la police consultée, on allait chez l'homme, lequel demeurait rue des Grands-Augustins, et il se trouvait que Ponsard vivait avec Catherine Bouvard, que le dénonciateur faisait ménage avec la dénoncée, que les petites altesses imputées à Louis-Napoléon n'étaient autre chose que des petits Ponsard, et que l'indignation des quatre épîtres n'avait d'autre but que d'extorquer quelques napoléons à Louis ou quelques louis à Napoléon.

J'ai été la dupe du parjure avant d'être la victime du traître [1].

L'Assemblée constituante de 1848 a de l'honnêteté et du courage. Son malheur est d'être médiocre, ce qui la fait hostile aux grandes intelligences qu'elle contient. L'éloquence vraie, mâle et ferme, l'étonne et la hérisse.

Le beau langage lui est patois. Elle est presque entièrement composée d'hommes qui, ne sachant pas parler, ne savent pas écouter. Ils ne savent que dire, et ils ne veulent pas se taire. Que faire ? Ils font du bruit.

On sent que cette assemblée est d'hier et qu'elle n'a pas de demain. Elle vient de naître et elle va mourir. De là un bizarre amalgame des défauts de l'enfance et des misères de la décrépitude. Elle est puérile et sénile. Elle discute, dispute, avance, recule, dit oui et non, se fâche, s'impatiente, boude, bougonne ; elle se hâte et elle se traîne. Jamais de hauteur, jamais de profondeur, même dans la colère. Pas de tempêtes, des giboulées.

Je contemple souvent en rêvant l'immensité de la salle et la petitesse de l'Assemblée.

République, c'est bien. Tâchons que le mot n'empêche pas la chose.

La nation souveraine succède au roi, le suffrage universel au droit divin. Le principe d'hérédité fait place au principe d'élection. Le gouvernement de l'hérédité s'appuyait sur les privilèges et les inamovibilités. Le gouvernement de l'élection vivra par les talents et par les popularités. La magistrature inamovible ira où est allée la pairie héréditaire.

Chaque système doit disparaître avec ses démolitions.

Le grand péril et le grand problème de la situation actuelle, c'est la vieillesse des choses aux prises avec la nouveauté des idées.

Ne vous pressez pas trop d'admirer les grands politiques de quart d'heure, dont on dit : sans eux la France ne pourrait marcher. C'est peu de chose après tout. Ce sont des souliers qui deviendront des savates. Où est M. Corbières ? Qu'est devenu M. de Villèle ?

Qu'est-ce que c'est que M. Molé? Rien n'est triste à voir comme un homme d'État éculé.

En mars on crut que ce serait une tragédie, en mai on vit que ce n'était qu'un mélodrame.

Prenons garde!
La démocratie peut être à elle-même son propre abîme.

Prenez garde! Ne troublez pas le fond de la vague! Ne faites pas tout gronder à la fois autour de ce pauvre navire en perdition! Il serait beau, si simple et si facile de voguer tous fraternellement, passagers et matelots de la civilisation nouvelle, vers le nouveau monde de l'avenir! Ne nous faites pas rebrousser chemin! Ne nous faites pas désirer la côte! En avant, et que le ciel soit bleu!
Autrement, tout est perdu.
Prenez garde! Si la République est la tempête, la royauté sera le port.

Il y a certaines idées puissantes qui vomissent le bruit, la flamme et la fumée, et qui traînent, remorquent, conduisent et emportent tout un siècle.

Malheur à qui ne sait pas bien mener ces effrayantes locomotives!

Savoir au juste la quantité d'avenir qu'on peut introduire dans le présent, c'est là tout le secret d'un grand gouvernement.
Mettez toujours de l'avenir dans ce que vous faites; seulement, mesurez la dose. N'en pas mettre du tout à perdu Louis-Philippe; tout mettre, jeter tout l'avenir en bloc dans le présent, a compromis la grande œuvre de 1793

Les marins doivent le plus austère de leur vertu à ce qu'ils sont toujours en présence de l'imprévu et de l'inconnu. De là le dévouement, l'abnégation, le courage, l'oubli de soi-même, la gaîté hardie, la foi en Dieu, une certaine rudesse insouciante et satisfaisante. Ce que l'océan fait pour le marin, les révolutions le font pour le citoyen. L'imprévu et l'inconnu, contemplation féconde, attente sombre qui grandit les âmes.

La question des nobles a été agitée et vidée ; maintenant c'est la question des riches qui s'agite.

Que la bourgeoisie y prenne garde !

Un 93 des riches ne serait pas seulement la chute de la monarchie, ce serait la chute même de la civilisation.

Dieu, à cette heure, fait évidemment une expérience.

Le péril, la singularité et le mystère de ce temps-ci, c'est que c'est une époque forte livrée à des hommes faibles.

Regardez autour de vous, regardez sur ce plateau où est le pouvoir ; de quelque côté que vous vous tourniez, l'immensité des événements, la violence des idées, ces deux grands vents qui soufflent, ne courbent que de petits hommes.

Il est vrai que, par moments, le vent qui les courbe les redresse aussi et alors ils se croient grands.

Qui est-ce qui pense au peuple ? Personne. Pas même les populaires. On songe à soi.

Qui n'a pas la vanité a l'intérêt, qui n'a pas l'intérêt a l'ambition, qui n'a pas l'ambition a le néant dans l'esprit.

Personne n'a l'amour.

Quand le penseur regarde l'horizon, c'est-à-dire le cœur humain, il n'y trouve que l'égoïsme. Maintenant, traversez ce désert.

Et ce qui est triste, c'est que nous sommes dans un de ces moments où un grand homme, par cela seul qu'il est grand, n'est pas applicable. Il n'y a pas de lit fait pour un géant.

Ayez donc une idée vaste, et essayez de la faire entrer dans tous ces cerveaux étroits !

Ayez une idée tendre, et tâchez de l'introduire dans tous ces cœurs secs.

Soyez aigle, pour commander à une armée de moineaux !

Des républicains de l'espèce dite : *républicains farouches* ne sont pas autre chose que des autocrates retournés.

Ils disent : « La République, c'est nous ! » absolument comme Louis XIV disait : « L'État, c'est moi. »

Il n'y a pas cent socialismes comme on le dit volontiers. Il y en a deux. Le mauvais et le bon.

Il y a le socialisme qui veut substituer l'État aux activités spontanées, et qui, sous prétexte de distribuer à tous le bien-être, ôte à chacun sa liberté. La France couvent, mais couvent où l'on ne croit pas ; une espèce de théocratie à froid, sans prêtre et sans Dieu. Ce socialisme-là détruit la société.

Il y a le socialisme qui abolit la misère, l'ignorance, la prostitution, les fiscalités, les vengeances par les lois, les inégalités démenties par le droit ou par la nature, toutes les ligatures, depuis le mariage indissoluble jusqu'à la peine irrévocable. Ce socialisme-là ne détruit pas la société ; il la transfigure.

En d'autres termes, sous le mot socialisme comme sous tous les mots humains, il y a la vérité et il y a l'erreur.

Je suis contre l'erreur et pour la vérité.

Les théories sociales se sont aventurées jusqu'aux frontières de ce qu'on appelait autrefois le vol.

Ni l'émeute de la rue, ni l'état de siège, ni même les décrets de l'Assemblée nationale ne me feront faire ce que je ne regarderai pas comme juste et bon.

La liberté dans le peuple, la santé dans l'homme, même fait.
La maladie n'est qu'une sorte de servitude.

L'autre jour, au milieu d'une tourmente, sur les côtes de Barfleur, des pêcheurs, en perdition ont trouvé sur un écueil une ancre que la tempête y avait jetée. C'est de cette façon que la révolution de Février a produit le suffrage universel. Là aussi, l'ancre de salut est sortie de la tempête.

Pierres précieuses tombées de la tribune

M. Duvergier de Hauranne (sur les deux Chambres). « Je veux une constitution qui oblige à réfléchir les votes. »

M. Victor Hugo (sur la peine de mort). « Vous ou vos successeurs l'aboliront demain. »

9 août 1848.

Flocon vient de faire rire la Chambre en parlant d'un gérant responsable de journal qui *balayait les lampes*.

4 septembre.

M. Léon Faucher. « Les ouvriers réclament l'abrègement... »
L'Assemblée murmure. M. Faucher s'aperçoit qu'il parle français, il se reprend et fait un quasi-barbarisme :

« ... l'abréviation des heures de travail. » (L'Assemblée est satisfaite.)

M. Dufaure (réponse à Pierre Leroux). « Nous n'avons pas eu l'idée d'avoir la pensée de rien faire qui pût nous faire supposer l'intention d'avoir, du plus loin possible, la pensée de faire planer la souveraineté du fait dans les considérations qui militent en faveur de la souveraineté du droit. » (Très bien, très bien!)

7 septembre 1848.

M. de Lamartine. « Je retrouve partout en France cette même fugitivité, cette même passagèreté, cette même viagèreté. »

12 septembre.

M. Duvergier de Hauranne, *répondant à M. Ledru-Rollin.* « Jusqu'ici, dans tous les remèdes qu'on nous a proposés, il n'y a eu que des mots. »
(Une moitié de l'Assemblée entend : *des maux* ; l'autre rit du calembour).

14 septembre 1848.

M. Goudchaux.
« La révolution de féveurier... »
On rit. Il se reprend :
« La révolution de feuvrier... »
On rit de plus belle. Il essuie le velours de la tribune, de la main gauche, d'un air satisfait.

14 septembre.

M. Goudchaux (sur l'amendement Glais-Bizoin.)
« Je ne veux pas de *cette* amendement ; *elle* peut amener

les troubles les plus graves ; *elle* peut détruire la Constitution que vous faites. »

14 septembre.

M. Dufaure, *répondant à M. Billaut.* « Mes adversaires demandent des paroles qui n'auraient pas la portée qu'ils espèrent leur faire produire. »
(*L'Assemblée :* Très bien! très bien!)

22 septembre.

Charencey, *répondant au général Cavaignac.* « Je réponds-z-hardiment qu'il n'en est pas ainsi! »

23 septembre 1848.

Le ministre du Commerce M. Thouret. « Quoi! l'on m'accuse de présenter un projet aristocrate! » (*L'Assemblée :* tique! tique!)

28 septembre.

M. de La Rochejaquelein. « Je comprends parfaitement le sentiment qui a dicté l'amendement qu'on discute en ce moment. »

M. Boursy. « Je repousse sans hésitation la proposition de la Commission qui répond aux principes de la révolution par une restriction où je ne vois qu'indécision. »

Discussion du *droit au travail.*
M. de Lamartine avait dit : « J'adore la propriété. »
M. Duvergier de Hauranne a répondu : « On ne respecte pas toujours ce qu'on adore. »

2 octobre.

M. DE MONTREUIL (à propos de la loi agricole) : « Je
ne hais point le fourrage. »

3 octobre.

M. THOURET, ministre de l'Agriculture et du Commerce, propose de nommer pour sa loi agricole une Commission de *quinze* membres, dont *la moitié* seront représentants du peuple.

(Ce qui fera dans la Commission *sept représentants et
demi*.)

5 octobre.

M. DE PARIEU (question du président). « Sous la monarchie constitutionnelle, le roi avait un pied dans le
pouvoir exécutif, un pied dans le pouvoir législatif, un
pied dans le pouvoir judiciaire, un pied dans le pouvoir administratif. »

9 octobre.

M. DEVILLE (amendement contre les généraux et les
princes). « Vous croyez tenir le pouvoir. Vous ne le
tenez pas. Rien dans notre temps n'est plus mobile que
cet *instrument*. »

10 octobre.

M. GOUDCHAUX, ministre des Finances (sur le Crédit foncier). « Je répondrai à mon honorable *prédécesseur*
qui m'a *suivi* à cette tribune... » (Immense rire.)

Le même. « J'irai plus loin —z—encore. »

(La Chambre, accoutumée, rit un peu, puis dit :
« Allez! Parlez! » Le ministre continue.)

(Un orateur, sur le prince Louis).

« Dans ce pays-ci, quand il arrive un point lumineux quelconque, il y a des gens qui ont le nez si fin qu'ils font tous leurs efforts pour y arriver, au risque de ne pas le trouver et qui s'y rattachent. »

16 octobre.

M. Ducoux (sur le nouveau cabinet). « Si j'examine ce *mariage* ministériel, je trouve que le hasard a présidé à cet *enfantement* et produit cette *conception* définitive. » (Immense éclat de rire.)

20 octobre.

M. Marrast. « Je mettrai cette proposition (la proposition Lagrange) à l'ordre du jour après celles que l'Assemblée a déjà décidé devoir être les premières à l'ordre du jour. »

30 octobre.

M. Portalis (sur les finances). « Un vaisseau de ligne coûte trois millions à l'État ; le commerce vous le fournirait pour un million, tout aussi bien *agréé*. » (Immense rire.)

Un représentant a dit l'autre jour :

« Inquiétez-vous de l'accroissement des populations. Consultez les statistiques. Rendez-vous compte de ce que les hommes et les femmes d'un pays comme la France peuvent faire d'enfants par an, *l'un dans l'autre.* »

NOTES

1847

Page 32.

1. Jules Lefèvre (1797-1857). Ajouta le nom de Deumier à son propre nom (en 1842), à la suite du décès d'une tante fort riche dont il fut l'héritier. Ce n'est pas un auteur négligeable. Il contribua, avec Xavier Forneret et Aloysius Bertrand, à l'ébaboration du poème en prose. Il avait connu Victor Hugo par l'intermédiaire de Soumet.

M. P..., ici, est, sans aucun doute, Ponsard.

2. La Bourdonnais (1795-1840). Mort à Londres, il était le petit-fils du gouverneur de l'Ile de France. Il avait une grande réputation de joueur d'échecs.

3. *La Revanche de Waterloo, ou Une partie d'échecs*, 1836. Méry y raconte dans le détail la partie qui, au club des Panoramas, opposa La Bourdonnais à l'Écossais Mac Donnel. Journet et Robert citent la fin du poème, fin qui n'est pas sans rapport avec la plaisanterie de Victor Hugo :

> *La Bourdonnais vainqueur, sorti de cette guerre,*
> *Fut sacré roi de France et roi de l'Angleterre,*
> *Par le droit des échecs ; le rapide Océan*
> *L'annonça dans Bagdad, Cachemire, Ispahan,*
> *Sous les Balkans neigeux, sous l'aride Caucase,*
> *Climats où Mahomet a guidé sur la case*
> *Fou, pion, éléphant, roi, dame, cavalier,*
> *Jeu que jamais ses fils ne surent oublier.*

4. Casimir Bonjour (1795-1856). Normalien. Libéral sous
la Restauration. Bibliothécaire à Sainte-Geneviève. Auteur
de comédies légères.

5. Auguste Trognon (1795-1873). Normalien. Historien.
Précepteur du prince de Joinville (dès 1825). Attaché au
destin de la famille d'Orléans. En 1848, il est secrétaire des
Commandements du prince de Joinville. Il suivra le roi dans
son exil de Claremont.

Page 33.

1. Vieux J... Journet et Robert supposent qu'il s'agit
de Joseph Méry. Guillemin écrit qu'il faut comprendre
Jay.

2. Mme L... D'après Journet et Robert : Léonie d'Aunet.

3. Né en 1822, le duc d'Aumale épousa en 1844 Marie-
Caroline-Auguste des Deux-Siciles, qui avait le même âge que
lui. Le prince de Condé, leur fils, naît en 1845. En 1845 naît
également le duc de Penthièvre, qui est le fils du prince de
Joinville.

4. Victor Vilain. On sait qu'il est né en 1813 ou en 1818 et
qu'il est mort en 1899. Il fut prix de Rome en 1838. C'était
un élève de Pradier et de Delaroche. Il a travaillé pour le
Louvre, les Tuileries, l'Opéra, l'Hôtel-de-Ville... En 1849, au
Salon, il expose un buste de Victor Hugo. Il se rendit également à Guernesey, où il exécuta divers portraits de la famille
Hugo.

Page 35.

1. Cette première a eu lieu à l'Odéon le 22 décembre 1846.

2. Pierre Thouzé, dit Bocage (1797-1863). Avait débuté
à l'Odéon en 1826, et en fut nommé directeur le 1er juin
1845.

3. Pierre Laujon (1727-1811). Il avait quatre-vingts ans
lorsqu'il fut élu à l'Académie française (1807). Mme de Pompa-
dour avait goûté sa pastorale *Daphnis et Chloé* (1747).

4. Chateaubriand fut élu en 1811.

5. Leverrier était alors âgé de trente-six ans. Par le calcul,
il avait découvert l'existence nécessaire d'une planète qui
expliquait les perturbations d'Uranus. La « planète Leverrier »
fut baptisée finalement Neptune.

Page 36.

1. Joseph Victor Le Clerc, qui est mort en 1865 fut, à partir de 1824, professeur d'éloquence latine à la Sorbonne. Il fut doyen de 1832 à sa mort. Membre de l'Académie des Inscriptions en 1834.

2. Émile Deschamps (1791-1871). Familier et admirateur de Hugo depuis 1821.

Page 42.

1. Parallèle au boulevard du Temple, cette rue est devenue, après la mort du chansonnier (1857) la rue Béranger. Journet et Robert précisent que le jardin turc se trouvait au 29 boulevard du Temple, et les bains turcs au 94 de la rue du Temple.

Page 43.

1. Rue Saint-Denis, à l'enseigne du « Chat noir », le père de Scribe était marchand drapier. Certains pensent qu'entre autres influences exercées sur Balzac par Scribe, ce lieu de sa naissance et son milieu familial seraient pour beaucoup dans la genèse de *La Maison du Chat-qui-pelote.*

Page 49.

1. Dans l'édition qu'il a faite du *Journal*, Henri Guillemin, pour éclairer ce passage, ajoute la note suivante :

A la Chambre des députés, le 10 février, M. de Castellane avait demandé des explications au ministère sur les faits suivants (je cite les paroles de Castellane, d'après *Le Moniteur* du jeudi 11 février) :

« Messieurs, il y a quelques mois, un bruit s'est répandu ; un célèbre entrepreneur de feuilletons... (*hilarité*) aurait été chargé, sur les fonds destinés à encourager les lettres indigentes (*mouvement*), d'une mission pour aller explorer l'Algérie française et la faire connaître à la France.

« Ce n'est pas tout ; ce ne serait même rien. Un bateau à vapeur de la marine royale, le *Véloce*, aurait été détourné de sa destination, envoyé à Cadix, y aurait été prendre ce monsieur... (*rire général*), y aurait été prendre ce monsieur, et mis dès lors à sa disposition absolue, et, s'il faut même l'en croire, sous ses ordres immédiats, l'aurait successivement porté à Oran, à Alger, à Tunis, à Bône, à Philippeville et l'aurait ramené enfin dans la capitale de nos possessions d'Afrique.

« Messieurs, je ne parle pas du ridicule, il est énorme. (*Rires et approbation.*) Je ne parle même pas de la dépense. J'ai là un compte qui est, je crois, d'une grande exactitude et qui

porte à 30 000 francs la dépense que ce voyage a occasionnée
à la marine royale ; mais, ce m'est-il permis de le dire, le
respect du pavillon, celui de la chose publique, les sentiments
les plus délicats des marins, peut-être même ceux de la
Chambre, n'ont-ils pas été offensés dans une certaine mesure ?
(*Très bien ! très bien !*) »

2. Baron Alexandre Guiraud, né en 1788, membre de
l'Académie française en 1826. Préromantique. Il écrivit des
tragédies, des poèmes et des romans chrétiens. Sa réputation
vient d'un seul poème élégiaque : *Le Petit Savoyard.*

Page 52.

1. C'est en juin 1845 que Victor Bohain, Granier de Cassagnac et Solar fondèrent *L'Époque* (*journal complet et universel*). Émile de Girardin, directeur de *La Presse*, le combat-
tait violemment.

2. C'est le 1er juin 1845 que Pierre-François Touzé, dit
Bocage (ouvrier cardeur avant d'être comédien), obtint pour
cinq années la direction de l'Opéra. Il abandonna cette fonction le 1er mars 1847, en invoquant des raisons de santé.

3. Léon Gozlan (1803-1866). Journaliste, essayiste, romancier (*Les Nuits du Père-Lachaise*), dramaturge. Il fut président
de la Société des Gens de Lettres.

4. Frédérick Lemaître (1800-1876). Acteur considérable.
Mena une existence agitée. A ses obsèques, Victor Hugo prononça un discours.

Page 53.

1. C'est le 13 janvier 1847 que débutent dans l'Indre, à
Buzançais, les troubles provoqués par la disette du blé. Le 14,
un propriétaire nommé Chambert tue un émeutier d'un coup
de fusil. Il est aussitôt massacré par la foule. Le 4 mars, la
cour d'assises de l'Indre, sous la présidence de Mater, rend
son verdict : trois condamnations à mort, quatre aux travaux
forcés à perpétuité, dix-huit aux travaux forcés à temps, un
acquittement.

2. Cette dernière phrase sera presque textuellement
reprise pour dépeindre, dans *Les Misérables*, Marius blessé.

Page 55.

1. Augustine Brohan (1824-1893). Fille de Suzanne Brohan,
qui fut, elle aussi, actrice réputée. À son talent de comédienne,
Augustine Brohan joignait l'art de « faire des mots ». Elle fit

un « Courrier » dans *Le Figaro* et égratigna Victor Hugo. On lui doit des proverbes. Elle avait débuté en 1841 à la Comédie-Française. Elle succéda à Rachel comme professeur au Conservatoire.

2. Nicolas Kisseleff, né en 1800, fut chargé de légation et ministre plénipotentiaire à Paris de 1847 à 1854. Son frère, prénommé Paul, et qui était de douze ans son aîné, fut ambassadeur à Paris de 1856 à 1862.

Page 56.

1. *Alceste* d'Euripide, arrangé pour la scène française par Hippolyte Lucas, musique de Elwart.

2. Marie-Louise Bettoni, dite Araldi, danseuse puis tragédienne d'origine italienne. Débuta au Théâtre-Français en 1843. Elle fut évincée par Rachel.

3. Mme Halley. Elle fut pensionnaire à la Comédie-Française. Elle joua, en 1847, à la Porte-Saint-Martin.

4. Fanny Elssler (et non Essler) est née à Vienne en 1810 Danseuse à l'Opéra, elle fit dans le monde des tournées triomphales. Elle se retira en 1845.

5. Cette querelle remontait à la réception de Vigny à l'Académie, le 29 janvier 1846.

Page 58.

1. Mlle Mars était née en 1779. Ses parents étaient acteurs et se nommaient Monvel et Mlle Boutet. Elle avait quitté, en 1841, la scène pour enseigner au Conservatoire. Elle défendit courageusement *Hernani*.

2. Cette banque est liée à la banque Gontard de Francfort. Journet et Robert remettent ici en mémoire la Diotima de Holderlin : Suzette Gontard.

Page 60.

1. Mlle Clarisse Miroy était à cette époque la maîtresse de Frédérick Lemaître.

2. Léocadie-Aimée Doze (1823-1859). Elle débute en 1839 à la Comédie-Française. Épouse de Roger de Beauvoir, elle quitta son mari en 1850 et abandonna le théâtre pour la littérature. Elle fit des pièces de théâtre et publia, en 1855, *Les Confidences de Mlle Mars*.

Page 61.

1. Durant les Cent-Jours, Mlle Mars arborait des violettes sur scène, ces fleurs étant le signe de ralliement des partisans de l'empereur.

2. Mme Volnys. De la Comédie-Française. Joua dans *Angelo* en 1835.

3. Louis Lablache, de l'Opéra Italien (dit : les Bouffes).

Page 62.

1. Le baron de Schauenbourg et le duc d'Harcourt.

2. Antoine Madrolle (1792-1861). Écrivain catholique abondant et antilibéral avec violence. Devint disciple de Pierre-Michel Vintras.

Page 78.

1. Cordelia Greffulhe. Épouse en 1813 le comte Victor-Boniface de Castellane (1788-1862), qui fut maréchal de France sous le second Empire.

Page 79.

1. Prince Adam Czartorisky (1770-1861). Ministre des Affaires étrangères d'Alexandre Ier, puis président du gouvernement provisoire de Pologne. Se réfugia en France où il mourut.

2. Charles Dupin (1784-1873), frère de Dupin aîné. Économiste, il fut baron et pair de France sous Louis-Philippe, et sénateur sous l'Empire.

3. Alexis comte de Saint-Priest (1805-1851). Diplomate et historien. Journet et Robert notent : pair de France, partisan convaincu du régime de Juillet.

4. Vicomte d'Arlincourt (1786-1856). Écrivain prolifique qui fut une illustration de la littérature *frénétique* sous la Restauration. Il fit des vers d'un comique involontaire et des romans singuliers.

5. Jean Vatout (1792-1848). En 1820, secrétaire et bibliothécaire du duc d'Orléans. Dévoué à la monarchie de Juillet. Député en 1831, il entre à l'Académie en 1848 et accompagne Louis-Philippe en exil. Il écrivait des chansons satiriques et parfois gauloises, des poésies légères et des textes politiques et historiques.

6. Interrompu dans la rédaction de *Jean Tréjean*, qui deviendra *Les Misérables*.

Page 80.

1. Henri Guillemin note : « Lire : l'amiral Grivel ».

2. Jean-Jacques Ampère (1800-1864), qui était le fils du physicien célèbre et enseignait au Collège de France. Il était membre de l'Académie des inscriptions et belles-lettres.

Page 82.

1. Le 5 mai 1847, Charles Hugo recevait un « ordre de comparaître devant le conseil de révision ». Le tirage au sort pouvant lui être défavorable on lui chercha un remplaçant. Ce fut Adolphe Grangé qui accepta pour 1 100 F de signer l'acte administratif de substitution. Comme le remarque Henri Guillemin, Victor Hugo, en 1822, avait su échapper au service militaire en faisant valoir qu'il était lauréat aux Jeux floraux. Le second fils du poète, François-Victor, sera réformé, étant de santé fragile.

2. Sophie Plessy (1819-1897). Débuta en 1834 à la Comédie-Française. Épousa en 1845 l'écrivain Arnould et partit, cette même année, pour Londres et la Russie.

3. Pièce en cinq actes et en vers, de Legouvé. La première eut lieu le 4 janvier 1845.

4. Journaliste à *L'Époque*, Louis Lurine écrivait des ouvrages de vulgarisation (parmi ceux-ci, Journet et Robert retiennent, en 1846 : *Les Mystères du travail*).

Page 83.

1. Rose-Marie Cizos, dite Rose Chéri (1824-1861), fille de l'acteur Cizos. Elle entra au Gymnase en 1842, connut un triomphe en interprétant Clarisse Harlowe (1846) et épousa Lemoine-Montigny (directeur du Gymnase) en 1847.

2. J.-B. Teste était, en 1842, ministre des Travaux publics. Il fut accusé d'avoir en cette qualité accepté une somme de 94 000 F en échange de la concession d'une mine de sel à une société dont faisait partie Parmentier. Cette société exploitait, depuis 1828, une mine de charbon à Gouhenans dans la Haute-Saône. La mine de sel fut découverte au même endroit, et le général Cubières, qui avait des actions dans la société, proposa à Parmentier d'obtenir l'appui de Teste en échange d'un paquet d'actions. La concession fut en effet accordée à

la fin de l'année 1842. Cependant, fin 1846, Parmentier déposa, contre Cubières, une plainte en escroquerie. Le plaignant affirmait que la corruption n'avait pas eu lieu, et que Cubières s'était contenté d'en profiter pour s'emparer de valeurs importantes.

En 1847, Teste, pair de France, était président de chambre à la Cour de cassation.

Le général Despans-Cubières, pair de France depuis 1839, fut ministre de la Guerre en 1839 et en 1840.

Page 86.

1. Les étonnantes injures qu'inventait Jean Journet s'adressaient généralement à son rival en fouriérisme : Victor Considérant. La fréquence avec laquelle le nom de Journet revient dans les carnets, et l'éloge de Fourier dans *Les Misérables* ne permettent pas de conclure aussi nettement que certains l'ont fait qu'il n'y eut aucune influence d'aucune sorte du fouriérisme sur Hugo.

2. Étienne-Jean-François d'Aligre est né en 1770. Il reçut Louis XVIII à Paris en 1814. Il fut nommé pair en 1815. Son avarice était célèbre.

3. Théodorine Thiesset (1813-1886), devenue Mme Mélingue, débuta à la Comédie-Française dans *Les Burgraves*, où Hugo l'imposa dans le rôle de Ganhumara.

4. Pierre-François Beauvallet (1801-1873), sociétaire de la Comédie-Française dès 1831. Joua également dans *Les Burgraves*. Était réputé pour son mauvais caractère.

Page 87.

1. Sans doute Léonie d'Aunet.

2. Fortunée Gariot, dite au théâtre « Mlle Maxime » (1811-1887), entra à la Comédie-Française en 1842. Elle épousa le spirite Charles Fauvety.

3. Auguste de Kératry (1769-1859), pair de France en 1837, vice-président du Conseil d'État. Fut l'un de ceux qui réussirent à faire tourner la révolution de Juillet au profit du duc d'Orléans. Journet et Robert citent deux vers de Hugo à son propos et écrits à cette époque :

> *Alors le nain breton, le hideux Kératry,*
> *Ouvrit sa gueule énorme et fit un affreux cri.*

4. Amédée Pichot (1795-1877) fut un grand ami de Charles Nodier : ils écrivirent ensemble un « essai sur le gaz hydrogène », et Nodier préfaça sa traduction des œuvres de Byron.

Il a écrit quelques romans, mais fut surtout un traducteur d'ouvrages anglais. Il dirigea *La Revue britannique*. Quant à François Buloz, on sait qu'il fut le directeur célèbre de *La Revue des Deux Mondes*. Comme il était borgne, on l'avait surnommé le Polyphème de la rue Saint-Benoît (rue où se trouvaient les bureaux de la revue).

5. Des trois singes et de leurs modèles, Dumas écrivait (en 1867) : « Nous appellerons, si vous le voulez, le traducteur *Potich*, le romancier, *le dernier des Laidmanoirs*, et la guenon *mademoiselle Desgarcins* ».

« Potich », c'est Pichot. « Mlle Desgarcins », c'est Mlle Maxime. Et Keratry a droit à ce titre de dernier des Laidmanoirs » parce qu'il avait publié, en 1825, un roman qui avait pour titre :
Les derniers des Beaumanoirs ou la Tour d'Helvin.

Page 88.

1. Cette lettre n'a pas été retrouvée. Hélène-Virginie Gaussain, dite Gaussin, avait été à la Comédie-Française, puis à l'Odéon. Elle s'en fut ensuite à Bruxelles où elle épousa Alphonse Patey. Le vol dont il s'agit était un vol d'argenterie, pour lequel elle fut condamnée. Elle mourut en mer, alors qu'elle se rendait en Amérique.

2. Justine Pilloy, dite Alice Ozy (1820-1893). Henri Guillemin remarque : « Il semble bien que Victor Hugo, comme son fils Charles, ait été parmi ses amants. »

Page 91.

1. Nouvelle interruption dans la rédaction de *Jean Tréjean*.

Page 92.

1. Pierre-Simon Ballanche, né à Lyon en 1776. Académicien en 1844. Ami de Nodier. Exerça une influence certaine. C'est Alexis de Saint-Priest qui lui succéda à l'Académie en janvier 1849.

2. Jérôme, ancien roi de Westphalie, demandait l'abolition des lois d'exil prononcées contre la famille Bonaparte. Hugo prit la parole, à la Chambre des pairs, le 14 juin 1847. Il parla en faveur de cette requête (voir : *Actes et Paroles*). Henri Guillemin cite quatre vers qui se trouvent dans les dossiers de l'écrivain et qui semblent être inspirés par la pétition de Jérôme Napoléon :

> *A ce cri d'un vieillard, d'un soldat et d'un roi,*
> *Mon père, le regard plein d'un feu qui me brûle,*
> *S'est levé de sa tombe et m'a dit : Lève-toi*
> *De ta chaise curule !*

Page 93.

1. Napoléon Lannes, duc de Montebello (1801-1874), pair de France à 14 ans. Ambassadeur. Ministre des Affaires étrangères en 1839. Ministre de la Marine en 1847. Ambassadeur à Saint-Pétersbourg de 1858 à 1864.

Page 94.

1. Le 12 mai, dans *La Presse*, Émile de Girardin publie un violent article dénonçant un trafic de croix d'honneur et de titres de pairs. Le nom de l' « acheteur » est sur toutes les lèvres : c'est le banquier Fould. Le 3 juin, la Chambre des pairs décide de citer Girardin à comparaître.

2. Claire Pradier, fille unique de Juliette Drouet, morte à vingt ans, le 21 juin 1846.

Page 95.

1. Charles Dupin et Daunant avaient, lors de la séance du 22 juin, proposé — pour des raisons d'objectivité — la formation en comité secret.

Page 97.

1. Journet et Robert remarquent que le duc de B..., ici, pourrait être ou bien le duc de Brissac, ou bien le duc de Broglie, ou bien le duc de Brancas.

Page 98.

1. Note de Guillemin dans son édition du *Journal* :
« Il faut lire très certainement : " *la princesse Mathilde Napoléon* " et, très probablement : " chez Mme de *Coppens* ". »

Page 99.

1. Amand. — c'est une dame anglaise qui figure, à cette date, dans un « catalogue » tenu par Hugo pour ces années 46-48 : Journet et Robert y ont trouvé Mme Amanda Fitz-Allan Clarke (Nathalie).

Page 100.

1. Amédée Trébuchet, cousin de Victor Hugo, qui a longtemps résidé dans l'île Maurice. Son frère, Adolphe Trébuchet, fut un grand ami d'adolescence du poète.

2. Il s'agit non d'un secrétaire particulier, mais du secrétaire auquel Victor Hugo a droit en tant que pair de France.

Page 141.

1. Nous avons suivi la version publiée par Henri Guillemin, lequel note que n'est pas reproduit ici un long développement sur les places qu'occupaient, durant ces séances, à la Chambre, les pairs.

Page 143.

1. Journet et Robert précisent :
« Le dessin dont il s'agit est probablement un projet de frontispice pour *Le Rhin.* »

Page 144.

1. Georges Guyon (1809-1850) dit « le Talma du boulevard ».

Page 147.

1. Ces « quelques mots » ne figurant ni dans les notes ni dans le « reliquat » des *Actes et Paroles*, Henri Guillemin en a publié le texte tel qu'on le trouve dans *Le Moniteur* du 4 août 1847, et que nous reproduisons à notre tour :
M. le vicomte Victor Hugo : « — Un mot seulement. Cette question de théâtre, loin d'être futile, comme vient de le dire l'orateur qui descend de la tribune, est une des plus sérieuses qui puissent s'agiter devant une assemblée française, parce qu'elle est une des plus fécondes pour l'honneur du pays. Je ne veux pas la traiter aujourd'hui ; la fin toute prochaine de la session ôterait leur opportunité à des développements qui seraient pourtant nécessaires. Je regrette l'absence de M. le ministre de l'Intérieur ; ce serait à lui de répondre à l'honorable pair.
« Je me bornerai à dire que les accusations exprimées par l'honorable pair ressemblent à toutes les accusations portées contre ce qui caractérise l'esprit général d'un siècle, et manquent tout à la fois de gravité et de réalité.
« Quant à moi, loin d'arrêter le pouvoir dans ses velléités littéraires, je le stimulerai. Je suis de ceux qui pensent que le

Gouvernement doit aide, protection et encouragement à la pensée sous toutes ses formes, et particulièrement sous cette illustre forme du théâtre. C'est par la pensée, c'est en particulier par son théâtre, que notre pays, depuis trois siècles et de nos jours plus que jamais, répand sur l'Europe, sur le monde entier, cette lumière française qui est la clarté même de la civilisation *(C'est vrai !)* Occupons-nous de lui, et non de tous ces petits détails sans importance, inconvénients de toutes les époques, qui ne peuvent sérieusement servir de base à une accusation, soit contre le Gouvernement, soit contre la littérature.

« Je n'ajoute rien. Un jour viendra où toutes ces questions seront traitées comme elles doivent l'être, avec gravité et grandeur. Il faut du temps pour cela, il faut une chambre moins fatiguée, une session moins avancée. Ce jour-là, messieurs, je ne ferai pas défaut au débat. »

Fulchiron critiquait les subventions accordées à la représentation des drames romantiques qu'il jugeait subversifs et immoraux.

2. Félix Tournachon, bien mieux connu sous le pseudonyme de Nadar, et qui vécut de 1820 à 1910, avait publié dans *Le Journal du Dimanche* du 13 juin 1847 un long article : *La vie et la mort de Lequeux*. Tournachon-Nadar y parlait d'un personnage vif et intelligent, amateur de mystifications, fantaisiste et généreux, mort à 39 ans, et célèbre dans un café fréquenté par des étudiants aux opinions très avancées, le Café des Progrès, rue Sainte-Hyacinthe-Saint-Michel. Journet et Robert pensent « que cet article a pu apporter à Hugo quelques suggestions pour sa description du café Musain et du personnage de Grantaire dans *Les Misérables* ».

Page 148.

1. Dans son édition du *Journal*, Henri Guillemin fait suivre ce texte de la note suivante, que nous reproduisons dans son entier :

Un document conservé par Victor Hugo dans ses dossiers éclaire ce texte. C'est un double feuillet où figure une « adresse » : « *à MM. les Chancelier et membres de la Chambre des pairs* », datée « *Paris, le 4 août 1847* », signée : « *A. Warnery, délégué de la ville de Bône* » ; sur le premier feuillet, Hugo a noté : « *Lettre qui a fait scandale à la Chambre des pairs dans la séance du 5 août 1847.* »

Warnery, dans ce document — plein d'intérêt — dénonce aux pairs l'existence d'une « société d'accaparement » qui, dit-il, « a jeté son dévolu sur les richesses de la France et sur toutes celles de l'Afrique » ; ladite « société » s'est procuré, par les moyens appropriés, la bienveillance d'un grand nombre de personnages officiels et, notamment en ce qui concerne les mines d'Algérie, a su « obtenir de l'administration de la guerre » une série d' « ordonnances » à son profit, dont Warnery indique les dates, avec toute la précision souhaitable.

Page 149.

1. Paul Foucher (1810-1875). Beau-frère de Victor Hugo. Auteur dramatique d'une grande fécondité. Journaliste.

2. Journet et Robert, comme il y a, à cette époque, plusieurs actrices du nom de Léontine, supposent qu'il s'agit ici de Caroline Garben épouse Eustache (1809-1872). Elle tenait des rôles cocasses à la Gaîté et au Palais-Royal.

3. Mlle Liévenne avait pour amant de cœur, à partir de 1852, François-Victor, lequel voulait l'épouser. Elle vint même à Jersey, et la famille Hugo éprouva quelques difficultés à faire rompre cette liaison.

4. Judith Bernat était la cousine de Rachel. Elle naquit en 1827, joua aux Folies-Dramatiques, aux Variétés, à la Comédie-Française. En 1859, elle épousa Bernard-Derosne, un angliciste. Elle alla jusqu'à traduire *L'Abîme*, roman de Charles Dickens.

Mlle Juliette était, fin 1847, dans la troupe du Palais-Royal.

5. Journet et Robert remarquent que Hugo, sans doute, s'est contenté de lire l'affiche de cette pièce, qui se jouait bien Boulevard du Temple, mais aux Délassements-Comiques et non aux Folies-Dramatiques.

Fifres et Tambours du Beaujolais, 3 actes de M. de Lustière, parade militaire « féminine », cette pièce (!) fut jouée de juillet à septembre 1847.

Page 152.

1. Pour l'année 1847, au Concours général des collèges de Paris et de Versailles : Hugo, Victor, élève du collège Charlemagne, obtint le deuxième prix de vers latins et le quatrième accessit de discours français.

2. Journet et Robert pensent qu'il s'agit de l'abréviation du prénom d'Alice Ozy.

Page 153.

1. Le duc de Choiseul-Praslin, pair de France, avait épousé

en 1824 la fille du maréchal de Sébastiani. Vingt ans plus tard,
il devint l'amant de Mlle Deluzy, « gouvernante » de sa maison.
Son beau-père le somma — sous peine de séparation légale —
de renvoyer sa maîtresse. Praslin assassina sa femme, le
18 août 1847, lui portant trente coups de couteau. Il avait
quarante-deux ans. Sa femme, trente-neuf. Il absorba de
l'arsenic (avec, disait-on, la complicité du gouvernement),
mais ne succomba que le 24. Survenant après l'affaire Teste-
Cubières, ce nouveau scandale troubla l'opinion.

Page 162.

1. La rédaction de *Jean Tréjean*.

Page 169.

1. Le corps de Claire Pradier — fille de Juliette Drouet —
a été exhumé pour être placé dans un caveau.

Page 171.

1. Henriette Deluzy, préceptrice des enfants du ménage
Praslin. Bénéficia le 17 novembre d'une ordonnance de non-
lieu.

2. Lire : Victor Foucher (1802-1866). Beau-frère de Victor
Hugo, il fit, à travers les régimes successifs, une brillante
carrière de magistrat. On lui doit des ouvrages de Droit.

Page 172.

1. L'abbé Jean-Baptiste Ladvocat (1709-1765). Occupa la
chaire d'hébreu à la Sorbonne. Parmi les ouvrages qu'il a
publiés, figure un *Dictionnaire géographique portatif*, qu'il
signa Vosgien.

Page 173.

1. Frédéric Soulié (1800-1847). Auteur abondant, romancier et dramaturge. Au théâtre, ses succès furent *Clotilde*
(1832) et surtout *La Closerie des genêts* (1846). Il fut surtout
un auteur du genre romanesque « noir ». Son ouvrage le plus
célèbre, et qui se lit aujourd'hui encore a pour titre : *les
Mémoires du Diable* (1837).

2. D'après Journet et Robert, il s'agirait du comte Joseph
Portalis (1778-1859), qui habitait place Royale.

3. Guillemin dit qu'il y a là un signe qui pourrait être 3
ou Z. Journet et Robert déchiffrent 3.

Page 174.

1. On trouvera le texte de cette allocution dans *Actes et Paroles*.

2. Charles Matharel de Fiennes, critique dramatique au *Siècle*.

3. Il faut lire : Mme Bossange. On sait que Soulié, qui écrivit énormément, n'avait pas de collaborateurs, sauf au théâtre. C'est le mari de Mme Bossange qui l'aida dans ses tentatives théâtrales malheureuses. Soulié, amant de la dame, resta grand ami du couple. On comprend ce que Béranger dira à Victor Hugo le 4 novembre 1847 (« un grand homme du quart d'heure mort entre son confesseur, sa maîtresse et son cocu »).

Page 176.

1. E.-L.-A. Cavé (1794-1852) avait écrit, avec Dittemer, *Les Soirées de Neuilly* (1827), ouvrage composé de proverbes dramatiques et signé Fougeray. Sous Louis-Philippe, de 1830 à 1848, il fut directeur des Beaux-Arts et des théâtres au ministère de l'Intérieur.

Page 177.

1. Le premier fils de Rachel était du comte Walewski. Le second, Gabriel-Victor Félix, était, par la rumeur publique attribué à Arthur Bertrand, le fils du général.

Page 179.

1. Paul-François Dubois, né en 1795. Il dirigea le *Globe* de 1824 jusqu'en août 1830, date à laquelle il laissa la place à Pierre Leroux. Député de Nantes, il fut directeur de l'École Normale supérieure à partir de 1840.

2. Barbiste signifie : ancien élève du collège Sainte-Barbe. Il y avait trois frères Labrousse. Journet et Robert soulignent que celui-ci est l'aîné, Alexandre, qui dirigea l'établissement de 1838 à 1866.

3. Victor Regnault (1810-1878), physicien spécialisé dans l'étude des fluides.

Page 182.

1. Alexandre Thomas (1818-1857). Nommé à la Faculté des lettres de Dijon, Salvandy, ministre de l'Instruction publique, décida de lui ôter sa chaire et de le nommer professeur dans le collège de la même ville. Thomas protesta,

et le Conseil général de l'Instruction publique le soutint.

Alexandre Thomas collabora beaucoup au *Journal des Débats* et à *La Revue des Deux Mondes*. En décembre 1851, il s'exila et fut un adversaire virulent du régime impérial.

2. Voici, reproduite, la note qu'Henri Guillemin a rédigée à propos de cette notation de Hugo (*Journal*) :

Au nombre de ces « choses » qui « attristent » le poète, il y a certainement la conduite de son fils Charles. La preuve en est dans ces lignes que Victor Hugo adressera à sa femme, le 30 septembre 1848 : « *Charles travaille et me donne autant de satisfaction et de joie cette année qu'il me donnait de chagrin, l'an dernier.* »

3. Le comte Hector Mortier. Fut ministre plénipotentiaire à Lisbonne.

Page 185.

1. Adolphe Nourrit (1802-1839). Artiste lyrique, il fut, en 1836, l'un des créateurs de *La Esméralda*. La version du suicide est généralement contestée.

Page 187.

1. Journet et Robert citent ici ce mot de Salvandy à Hugo, du 9 novembre 1847 :

« Les souffrances auxquelles j'ai dû venir en aide dans les deux années si pénibles qui viennent de s'écouler, ne me laissent aucun moyen d'offrir, quant à présent, à M. Soulié père le soulagement qui m'est demandé par lui et auquel lui donneraient droit les brillants travaux de son fils. »

2. Pour Guillemin : l'auteur dramatique qui fit, en 1838, *Les Saltimbanques*.

Pour Journet et Robert : le bibliothécaire adjoint de l'Arsenal, fort lié avec la famille Hugo.

Page 188.

1. Ces lettres ne sont pas dans les dossiers.

2. Louis-François-Auguste duc de Rohan-Chabot (1788-1833). Officier de mousquetaires sous Louis XVIII, il entra dans les Ordres après la mort de son épouse.

Page 189.

1. Auguste Barthélemy (1796-1867). A écrit en collaboration avec Joseph Méry la *Villéliade* en 1826, et *Napoléon en Égypte* en 1827. Ils rédigèrent ensemble, de mars 1831 à

juin 1832, la publication satirique *Némésis*. Barthélemy pu-
bliait périodiquement dans le *Siècle* des satires de l'actualité
dont le titre général était *le Zodiaque* (elles furent rassemblées
en deux volumes). La satire dont il est ici question a pour
titre : *A Victor Hugo — La poésie*, et elle parut dans le *Siècle*
du 12 décembre. Journet et Robert en donnent l'analyse,
qu'il nous semble intéressant de reprendre telle quelle :
« La déchéance actuelle de la poésie s'explique par deux
raisons :

1º l'époque est matérialiste :
Notre règne est passé, c'est celui des maçons.

2º Les poètes ont renoncé à leur rôle d'apôtres pour se
réfugier dans l'art pour l'art. Ce ne fut pas le cas de Corneille,
Molière, La Fontaine et Voltaire. Quant au romantisme, il
s'est complu dans un passé lointain, à deux exceptions près :
Béranger et Casimir Delavigne.

Puis le poète s'adresse, en toute franchise, à Victor Hugo :
tout en rendant hommage à son génie, il l'adjure, pour finir,
de se faire le chantre de la Liberté et du Progrès. »

Page 190.

1. Journet et Robert se demandent si ce poète doit être
identifié à cet H. H. Pescheux-de-Vendôme, dont le catalogue
de la B. N. ne mentionne qu'un seul ouvrage (et fort ridicule) :
La Vie de M. de Sausin, évêque de Blois, paru en 1844.

2. François Leuret (1797-1851). Fut médecin-chef de
Bicêtre.

Page 191.

1. Journet et Robert ont rétabli le texte exact, qui est
celui-ci :
« Cujus cortex, vino mixtus, porrigitur ad bibendum his,
quorum corpus est secandum, ut dolorem non sentiant sopo
rati. »
(*Proprietas rerum*, de Barthélemy de Glanville, éd. G. B.
Pontanus, Francfort, 1609, p. 880.)

2. Henri Guillemin cite ces vers, qui sont parmi les « vers
épars », et qui semblent dater de décembre 1847 :
Guiccioli, blonde comme l'aurore
Qu'eût peinte avec amour Léonard de Vinci,
Commence par Byron et finit par Boissy.

Page 192.

1. Pierre Giraud (1791-1850). Archevêque de Cambrai

en 1841. Cardinal en 1847. Fut parmi les dénonciateurs
— auprès du pape — de *L'Avenir* de Lamennais.

2. Cependant, Vatout sera élu le 6 janvier 1848.

Page 193.

1. « En effet, ce n'est ni pour nous une honte que d'en-
durer de la part de nos frères ce qu'a souffert Christ, ni pour
eux une gloire de faire ce qu'a fait Judas. »

2. Le 11 mars 1845, Rosemond de Beauvallon, beau-frère
de Granier de Cassagnac, et journaliste au *Globe*, avait tué
— dans un duel dont les conditions parurent suspectes —
Dujarier, journaliste de *La Presse*. Beauvallon vint devant les
assises à la fin du mois de mars 1846, et fut acquitté. L'affaire
fut reprise en août 1847, et en octobre de la même année
Beauvallon fut condamné à huit ans de réclusion. Les débats
mirent en cause un grand nombre de personnalités de la
politique, de la presse et du « monde » parisien.

Page 194.

1. Journet et Robert soulignent qu'à son propos Chateaubriand notait les « incroyables menteries du futur évêque du
Maroc ».

2. Le cardinal de Cheverus (1768-1836). Fut fait cardinal
l'année de sa mort. Émigré en 1792, il fut évêque de Boston
en 1808, puis rentra en France.

3. La faillite du notaire parisien Lehon eut beaucoup de
retentissement en 1842. Outrebon, notaire rue Saint-Honoré,
fut arrêté le 27 décembre 1847 pour abus de confiance, faux
et usage de faux.

Page 195.

1. Mlle Anaïs Fargueil avait joué dans *Angelo*. Elle était
d'une santé chancelante et dut abandonner l'Opéra.

2. Madame Adélaïde, née le 23 août 1777.

Page 196.

1. Le docteur Louis (1787-1872), médecin de la famille
royale (mais aussi de la famille Hugo). Il était membre de
l'Académie de médecine, médecin de l'Hôtel-Dieu et médecin-chef des épidémies du département de la Seine.

Page 218.

1. Sous le nom de Louise Baudoin, Mlle Atala Beauchêne, en 1838, avait créé le rôle de la reine dans *Ruy Blas.*

Page 225.

1. Latour de Saint-Ybars (1810-1891) obtint un vif succès avec *Virginie,* une pièce interprétée par Rachel en 1845.

Page 227.

1. Note de M. Henri Guillemin : « Sur la même feuille de papier, en 1870, Hugo a écrit ce qui suit : *Et pourquoi pas ? Ceux qui souffrent ont le droit d'envier. Et, au fond de cette envie, n'y a-t-il pas une grande équité ? Aujourd'hui, je refais ainsi la définition de la Révolution : une grande lumière mise au service d'une grande justice. Ah ! pair de France, le proscrit te dit ton fait.* »

1848

Page 232.

1. Nous reproduisons ici la note qu'Henri Guillemin, dans son édition du *Journal,* a rédigée :

Hugo avait-il gardé une « minute » de sa lettre à Lacretelle ? Ou n'a-t-il pas encore, le 4 janvier, envoyé cette lettre, datée du 3 ? Ou transcrit-il de mémoire ? Voici le texte exact de ce qu'il a écrit, le 3 janvier, à Charles de Lacretelle, au sujet de son *Histoire du Consulat et de l'Empire* dont les deux derniers volumes venaient de paraître : *On respire, dans tout ce grand ouvrage que vous nous donnez, un parfum d'honnêteté, de vertu et de douceur. Cela mêlé à la hauteur des vues et à la dignité sereine des idées. Quelquefois, je vous trouve un peu plus que sévère pour le grand empereur. Je suis de ceux qui, toutes restrictions faites et acceptées, admirent pleinement et définitivement Napoléon. Je le renvoie du jury de l'histoire absous et couronné. Ce qu'on lui reproche est de l'homme ; le reste est de l'archange et du géant.*

J'ai trouvé Lamartine (et je le lui ai dit) pas assez sévère pour Robespierre, et je vous trouve (parfois) trop sévère pour Bonaparte ; et puis je vous aime et je vous relis tous les deux.

Page 233.

1. D'après René Journet et Guy Robert, il s'agit de Labouisse-Rochefort (1778-1852), bon légitimiste, auteur de nombreux ouvrages, dont : *Amours à Éléonore* (1808 et 1817), sa femme. On l'avait surnommé le *Poète de l'hymen.*

Page 234.

1. Discours sur l'Italie, célébrant le libéralisme de Pie IX. Hugo intervenait pour proposer un amendement. Lorsqu'il monta à la tribune, la nouvelle rédaction était déjà acceptée. Les pairs lui signifièrent que son discours était, alors, inutile.

2. Richy, le perruquier de Victor Hugo.

Page 235.

1. Alexis-Vincent-Charles Berbiguier de Terre-Neuve du Thym (1776-1851). Originaire de Carpentras, il publia, en 1821, les 3 volumes de son ouvrage : *Les Farfadets, ou tous les démons ne sont pas de l'autre monde,* qui est une sorte d'autobiographie délirante. Il avait pris la liste des démons dans le *Dictionnaire infernal* de Collin de Plancy, et déclarait les découvrir sous le masque d'hommes vivants et connus, comme le docteur Pinel ou les Prieur. Berbiguier est mort à l'hôpital de Carpentras.

2. Le comte L. de Sainte-Aulaire (1778-1854) était pair de France et académicien. Il fut ambassadeur à Rome, à Vienne et à Londres. On lui doit une *Histoire de la Fronde.*

3. Nommé aux fonctions de médecin-inspecteur des eaux de Néris, le député du Puy, Richond des Brus, était, par cela même, soumis à réélection. Réélu, certains prétendirent qu'il avait acheté des voix. L'élection fut cependant validée.

Page 237.

1. Denis Mater (1780-1862). Premier président de la Cour royale de Bourges en 1830. Député du Cher en 1839. Sous l'Empire, fut à la Cour de cassation. Publia quelques recueils de vers.

2. Joseph Mezzofanti (1771-1848), cardinal. Polyglotte (57 langues et dialectes). N'a pratiquement rien publié.

Page 238.

1. Petit, ex-receveur des finances à Corbeil, faisait procès à sa femme pour l'avoir trompé avec Bertin de Vaux, pair

de France. Il déclara que dans le bureau de Génie, chef de cabinet particulier de Guizot, il avait négocié la démission de plusieurs membres de la Cour des comptes, moyennant finances.

2. Christian VIII, roi de Danemark (1786-1848).

Page 239.

1. A. Warnery, délégué de la ville de Bône, avait adressé le 4 août 1847, une lettre aux chanceliers et membres de la Chambre de Paris. Le vicomte Dubouchage en donna lecture à la Chambre des pairs le 5. Warnery demandait qu'une enquête soit faite « sur les faits révélés dans plusieurs numéros du *Courrier Français* », ajoutant que cette enquête permettrait de révéler (nous abrégeons cette lettre en 12 points) :

« 1° Que depuis 1843, il s'est formé une société d'accapareurs qui, non seulement a jeté son dévolu sur les richesses de la France, mais sur toutes celles de l'Algérie.

2° Que cette société a reçu dans son sein des fonctionnaires puissants, des représentants dans la Chambre élective, des pairs de France, des employés de toute espèce et de tout grade, des financiers considérables, etc., etc.

(...)

4° Que les efforts de cette société ont eu pour résultat de s'emparer scandaleusement de plusieurs mines d'Algérie et d'un nombre incalculable de terres arables, les meilleures et les mieux situées de la Colonie.

5° Que sous toutes ces concessions, il y a des actes de la plus révoltante impudeur ; que des *intérêts généraux, locaux et industriels*, ont été sacrifiés à cette bande d'agioteurs et de concussionnaires tellement puissants qu'ils faisaient et font la loi à l'Administration.

(...)

11° Que c'est pour avoir à leur libre disposition toutes les richesses de l'Algérie, que ces trop heureux monopoleurs ont fait retirer au Maréchal Bugeaud le droit d'accorder des concessions, et celui même de s'opposer à celles consenties à leur profit »...

Puis, plus avant, Warnery ajoutait :

« Je pourrais, dès aujourd'hui, nommer tous les membres de l'Association scandaleuse contre laquelle nous luttons mais à quoi bon donner à nos adversaires le temps de se mettre à l'abri. Pourtant, je signale à la Chambre et à la Presse, comme ayant pris part à toutes ces ténébreuses menées, soit par faiblesse, soit par suite d'une coupable vénalité, MM. le Maréchal Soult, Général Moline de Saint-Yon,

Vauchelle, ex-directeur des bureaux de la Guerre, Delarue, directeur des bureaux de la Guerre, Urtis ancien chef du Service de la Colonisation aujourd'hui pourvu d'une siné-cure ridicule ; quant aux autres, l'enquête les trouvera. Je les nommerai au besoin »...

A la Chambre des pairs, cette lettre est mal accueillie.

Le 29 août, une dénonciation adressée par Warnery au procureur général est transmise au procureur du roi. Le 20 octobre, un non-lieu est rendu par le tribunal de première instance de la Seine en ce qui concerne les accusations proférées par Warnery et leur auteur est lui-même renvoyé devant le tribunal correctionnel, et le procès débute le 30 novembre. Condamné, la Cour de cassation va rejeter son pourvoi le 19 janvier 1848. Son procès pour dénonciations calomnieuses s'ouvrira donc en février devant la 8e Chambre de police correctionnelle.

2. Faustin Soulouque (1789-1867). Élu chef de l'État de Haïti le 1er mars 1847. Courtois dirigeait *La Feuille du Commerce* et se moquait plus ou moins ouvertement de Soulou-que. Finalement, le consul de France étant intervenu, Courtois fut condamné au bannissement. En 1852, Soulouque se proclama empereur et prit le nom de Faustin 1er. Journet et Robert ajoutent que « ce fut une providence pour les cari-caturistes français qui trouvaient là un moyen détourné de se moquer de Napoléon III ».

Page 240.

1. Il s'agit du personnage des futurs *Misérables*.

2. C'est le 7 qu'avait commencé, sans publicité de la part de la presse gouvernementale, le procès, à Toulouse, du frère Léotade, accusé du viol et de l'assassinat de Cécile Combettes, ouvrière religieuse âgée de 14 ans.

3. François Froment-Meurice (1802-1855), demi-frère de Paul Meurice, et orfèvre de talent. Voir, dans *Les Contem-plations*, I-xvii, le poème que lui dédie Hugo :

> *Nous sommes frères : la fleur*
> *Par deux arts peut être faite.*
> *Le poète est ciseleur,*
> *Le ciseleur est poète...*

Ce poème est daté du 22 octobre 1841.

Page 241.

1. Il est important de reproduire ici, intégralement, la note que, dans son édition, a insérée Henri Guillemin :

Hugo avait lisiblement écrit : « *Nuit du 23 au 24 février* » ;
puis il a, plus tard, biffé les « 2 », de telle sorte que la date
devenait celle-ci : « *nuit du 3 au 4 février* ». Ce curieux maquil-
lage paraît assez bien indiquer qu'il s'agissait de février 1848 ;
Hugo n'a pas voulu, pour la postérité, avouer que, la nuit
qui précéda l'immense événement national du 24 février
1848, il soupait avec Alice Ozy. Car « Zubiri » est bien Alice
Ozy, comme « Sério », à peine travesti, est le peintre Chassé-
riau. (Cf. *Mercure de France*, 1ᵉʳ septembre 1950 : H. Guillemin, « *Victor Hugo et Alice Ozy* ».) Gustave Simon, qui
maintient pieusement dans les *Choses vues* la date fallacieuse
du 3-4 février, a eu soin de placer ce texte en 1849 (t. II, p. 27).

Page 247.

1. A la suite de l'édition du *Journal* donnée par Henri
Guillemin, nous reproduisons ce que l'éditeur a groupé sous
ce titre. Certains fragments, marqués *F.*, *P.* proviennent de
Feuilles paginées, ce manuscrit rassemblant des notes et
remarques écrites par Victor Hugo entre 1828 et 1837.

Page 250.

1. Alexandre Soumet (1788-1845) connut, par ses tragédies
un grand succès dès 1820. Ami de Hugo à partir de 1819.
Il fut du *Conservateur littéraire* et de *La Muse française*,
avec autorité, — mais il rompit en 1824 avec la jeune école.
Son poème *La Divine Épopée*, qu'il publia en 1840, n'est
pas sans rapport avec *La Fin de Satan*.

2. D'après Henri Guillemin, il s'agirait là de Sainte-Beuve.

Page 251.

1. Ulric Guttinguer (1785-1866), ami de Sainte-Beuve,
publie en 1832 un curieux roman autobiographique : *Arthur*.
Romantique par tempérament, il incarnait, autour des
années 30, le visage du martyr de la passion. Collaborateur
de *La Muse française*.

2. Louis Boulanger (1806-1867). Peintre de l'École romantique, ami de Victor Hugo. Célèbre par son *Mazeppa* exposé
au Salon de 1827.

3. Parseval de Grandmaison (1759-1834). Académicien
en 1811.

4. Joseph Michaud (1767-1839), historien des croisades,
membre de l'Académie en 1813.

5. Désiré Nisard (1806-1888). Ennemi des romantiques, ce critique et journaliste du *Journal des Débats*, et du *National*, se rallia à l'Empire, fut inspecteur général de l'enseignement, professeur d'éloquence à la Sorbonne, directeur de l'École normale supérieure. Il fut de l'Académie française en 1850.

6. Les armoiries de Bourges portaient trois moutons en leur centre.

Page 252.

1. Émile de Girardin tua en duel le journaliste Armand Carrel. En 1836.

2. Heine n'aimait pas Hugo. Il l'attaque dans la série de « lettres » plus tard réunies sous le titre : « De la France ». Dans son recueil « Lutèce », il écrira que Victor Hugo est bossu tant au physique qu'au moral. Il ajoutera que les *Burgraves* sont « de la choucroute versifiée ».

3. Henri Guillemin soutient avec raison qu'il s'agit d'une allusion à Gustave Planche (« ce cuistre ») qui était malpropre avec obstination.

4. En note, Henri Guillemin ajoute ceci :

Les *Feuilles paginées*, sous la date du 1er janvier [1832], contiennent le texte inédit qu'on va lire et qui paraît bien concerner G. Planche et la désagréable aventure dont il est question dans ces lignes :

« *Il s'était levé, ce jour-là, plus sceptique, plus pyrrhonien et plus ironique que jamais, n'ayant mangé depuis trois jours qu'une croûte de pain dur et se sentant, pauvre diable, toutes sortes de cavités sonores dans l'estomac.*

« *Il avait reçu la veille, des coups de bâton d'un sien ennemi devant la boutique du parfumeur Mouilleron, rue de Seine, ce qui avait achevé de mettre en loques son habit noir et l'avait exposé pendant plusieurs minutes aux regards de la foule dans la posture ridicule d'un philosophe que font sautiller en cadence des coups de canne dans les jambes, et qui protège alternativement le mollet de l'une avec le talon de l'autre* [etc.]. »

Page 253.

1. Devenu « boulevard des Italiens ».

Page 254.

1. Diaz de la Peña (1807-1876). On appréciait surtout ses *Nymphes*.

Page 255.

1. Ferdinand VII. Il monta sur le trône en 1813 et mourut en 1833.

Page 256.

1. Charles-Albert naquit en 1798, et fut roi de Sardaigne de 1832 à 1849.

2. François Granet (1775-1849) fut parmi les disciples de David. Conservateur du musée de Versailles.

Page 258.

1. Salvandy (1795-1856), protégé du duc Victor de Broglie, avait été, sous Louis-Philippe, ministre de l'Instruction publique.

Page 270.

1. Propriétaire du dépôt des tapisseries d'Aubusson, Sallandrouze, qui est membre de l'opposition dynastique, était l'un des plus riches parmi les commerçants parisiens.

2. Comme dans un passage précédent, il ne s'agit pas d'Auguste Blanqui, le révolutionnaire, mais de son frère Adolphe Blanqui, membre de l'Institut.

Page 273.

1. Jules Sandeau (1811-1883). Son nom est lié à celui de George Sand, avec laquelle il vit et collabore en 1831. Après leur rupture, il écrira de nombreux romans, dont *Mademoiselle de la Seiglière, Le Docteur Herbeau*, etc. Il écrira également des pièces de théâtre, dont, en collaboration avec Émile Augier, *Le gendre de M. Poirier*. En 1853, il est nommé conservateur de la bibliothèque Mazarine. Il entre à l'Académie française en 1858.

Page 275.

1. Jeudi 24 février 1848.

2. Il s'agit de Louis-Philippe.

3. A la hauteur du ministère des Affaires étrangères, le soir du 23 février, des soldats ont ouvert le feu contre les manifestants, — pour des raisons demeurées obscures.

Page 283.

1. Son capitaine dans la Garde nationale.

Page 286.

1. Pierre-Jules Hetzel (1814-1886) fut un éditeur considérable. Exilé sous le second Empire, il rentre après l'amnistie du 17 août 1859, et reprend son activité d'éditeur et d'opposant. Il découvre et publie Jules Verne. On consultera l'ouvrage de A. Parménie et C. Bonnier de La Chapelle : *Histoire d'un éditeur et de ses auteurs*, Paris, 1953.

Page 289.

1. Elles brillent plus sûrement que les astres.

Page 290.

1. Lamartine a prononcé ces paroles le 6 octobre 1848 dans son discours en faveur de l'élection du président de la République au suffrage universel.

Page 294.

1. La veille, Victor Hugo avait suggéré que l'on crée, dans le VIIIe arrondissement, une « garde civique ». En effet le 24 février au soir, à la prison de la Force une mutinerie éclata. Hugo conseilla au maire de créer une « garde civique » — où de nombreux ouvriers s'enrôlèrent — et qui fit connaître aux insurgés qu'ils tireraient sur eux. Les détenus se calmèrent.

Page 295.

1. Cette « garde civique » du VIIIe créée la veille.

Page 309.

1. Italien naturalisé français, professeur au Collège de France, membre de l'Institut, inspecteur général des bibliothèques (en 1848), Guillaume Libri s'était indûment emparé de livres et de manuscrits. On fit, sur ce vol, un rapport qui fut soumis à Guizot. Ce dernier, protecteur de Libri, mit le rapport sous clé. Ce n'est que le 20 mars 1848 qu'une information fut ouverte contre Libri, lequel s'enfuit en Angleterre. Il fut condamné, par contumace, à dix ans de réclusion.

Page 310.

1. D'après Henri Guillemin, « paillasse » veut dire Dupont de l'Eure ; et « pitre » désigne Marrast.

2. Le 26 février, sur la proposition de Lamartine et de Louis Blanc, l'abolition de la peine de mort en matière politique fut décrétée par le gouvernement provisoire.

Page 311.

1. Nuit du 13 au 14 mars 1848.

Page 314.

1. René-Charles Guilbert de Pixérécourt (1773-1844). Il écrivit cent vingt pièces de théâtre et triompha dans le mélodrame. Ses ouvrages furent représentés environ trente mille fois de son vivant. Son œuvre la plus célèbre est *Cœlina ou l'Enfant du Mystère* (1800). Charles Nodier préfaça élogieusement son *Théâtre choisi*. Pixérécourt fonda la Société des Bibliophiles français.

Page 315.

1. Courtais était général de la Garde nationale. Il était détesté par les conservateurs. Nommé à ce poste par le gouvernement provisoire, il fut assailli, le 16 mars, devant l'Hôtel de Ville par des gardes nationaux venus des compagnies de nantis. Les agresseurs de Courtais étaient passibles du Conseil de guerre. Le gouvernement préféra ne pas sévir afin de ne pas mécontenter les riches. Ces compagnies de nantis venaient d'être dissoutes par décret.

Page 317.

1. Voici la note que Guillemin a rédigée à propos de cette Suzanne : Il s'agit de la femme de chambre de Juliette Drouet. Hugo aimait à noter certaines réflexions, qui l'amusaient, de cette domestique dont le langage était incertain : « *heureuse comme une poule au pot* », disait-elle, par exemple. Le 26 mai 1848, lorsque le ministre de l'Intérieur, à l'instigation de Falloux, fit arrêter Émile Thomas (directeur des Ateliers nationaux et suspect de vouloir donner, enfin, un travail positif à ces cent mille hommes que l'unique pensée de Falloux était de jeter maintenant à la rue), Hugo vit Suzanne accourir vers lui, apportant cette nouvelle obscure et d'autant

plus tragique : « *Monsieur ! Monsieur ! C'est affreux ! Il paraît
que le gouvernement vient d'arrêter dix mille Thomas !* »

2. Il s'agit d'un lavabo mobile.

Page 318.

1. A ce propos, et pour expliquer cette interruption dans
le texte, Henri Guillemin précise :

Ici quelques mots indéchiffrables ; tout ce texte est d'une
écriture extrêmement rapide et les lettres sont à peine for-
mées. Il est précédé de cette indication, entre parenthèses,
et que je comprends mal : « *Avant que l'abdication de L. Ph.
fût connue ; avant que les événements eussent dit leur dernier
mot* »; la teneur de ce fragment indique cependant, de façon
claire et incontestable, qu'il date de mars 1848.

Page 319.

1. Félix Pyat (1810-1889). Se rallie, après 1830, aux idées
républicaines. Journaliste (au *Siècle* et au *National*), il s'illustre comme auteur dramatique avec *Le Brigand* et *Le
Philosophe* (1834), *Les Deux serruriers* (1841), *Le Chiffonnier
de Paris* (1847). En avril 1848, il est élu député du Cher. Il
sera réélu à la Législative en 1849, mais devra prendre la
fuite après la manifestation du 13 juin. Il vit en Belgique,
puis, après le coup d'État, en Angleterre. Il rentre en France
en 1869, doit fuir à nouveau et revient après la chute de
l'Empire. Il fonde alors *Le Combat,* qui attaque le gouvernement de la Défense nationale et qui est interdit. Pyat fonde
alors *Le Vengeur.* Député de la Seine en 1871, il vote contre le
traité de paix et quitte l'Assemblée. Élu membre de la Commune pour le Xe, prend des positions extrémistes, disparaît
le 22 mai. Condamné à mort par contumace, il vit à l'étranger
jusqu'à l'amnistie. En 1880, il fonde *La Commune,* puis, en
1881, *La Commune libre.* En 1887, il est élu sénateur du Cher.
Il renonce à son mandat pour se faire élire, en 1888, député
des Bouches-du-Rhône. Avant de mourir, il prend énergique-
ment position contre Boulanger.

Page 321.

1. Pour préparer les élections d'avril, le gouvernement
provisoire avait envoyé dans les départements des « commissaires extraordinaires », qui étaient particulièrement
détestés par les conservateurs.

Page 324.

1. Alphonse Esquiros (1814-1876) fut un écrivain à tendance socialiste. Son *Histoire des Montagnards* paraît en 1847. En 1849, il est élu à la Législative. Exilé en 1851. En 1869, il sera élu député des Bouches-du-Rhône. Il sera sénateur en 1876.

2. Le procuteur Sénard, à Rouen, devenu député, avait, le 27 avril, fait tirer sur les ouvriers. Résultat : trente-quatre morts, soixante-seize blessés, deux cent quarante-quatre arrestations du côté des « anarchistes ». Pas une seule victime dans les rangs des forces de l'ordre. Sénard tira de cet événement un immense prestige auprès des conservateurs et de ceux qu'Henri Guillemin nomme les « honnêtes gens ».

Page 325.

1. Le 15 mai, un grand nombre de manifestants, sous prétexte d'une pétition à présenter à l'Assemblée en faveur de la Pologne, envahit la Salle des séances où Walewski développait à la tribune une interpellation sur la Pologne. Les principaux chefs révolutionnaires qui les dirigeaient furent arrêtés et traduits devant la haute cour de Bourges. Blanqui, notamment, fut condamné à dix ans de prison.

Page 327.

1. Ce fragment, dit Henri Guillemin, provient d'une lettre à Lacretelle. Guillemin ajoute que nous n'en connaissons que ces lignes, reproduites dans un catalogue d'autographes.

2. Cette Société dite « de Petit Bourg » avait été créée « pour le patronage et la fondation de colonies agricoles en faveur des jeunes garçons pauvres ou indigents, des enfants trouvés, abandonnés, ou orphelins, de France ».

Page 329.

1. Hugo était inscrit sur la liste conservatrice pour les élections du 4 juin. Il fut d'ailleurs élu par 86 695 voix. Henri Guillemin estime que ce fragment, ainsi que les deux suivants, fut rédigé en vue de la « profession de foi » du candidat.

Page 332.

1. Thiers et Bugeaud étaient responsables du massacre opéré par la troupe rue Transnonain en 1834. Les lois de septembre (1835), combattues par Lamartine, muselaient la presse.

2. Henri Guillemin remarque qu'au bas de ce feuillet, Victor Hugo — en note — a indiqué les professions des candidats : Mallarmé, « scieur de long » ; Savary, « cordonnier » ; Adam, « cambreur » ; Flotte, « cuisinier ».

Page 334.

1. Voici la note rédigée à ce propos par Henri Guillemin : Dans toutes les éditions des *Choses vues*, on lit ici « 20 juin », mais il paraissait bien surprenant que Victor Hugo, élu le 4, ne se fût rendu à l'Assemblée que le 20, jour où il y prononça son premier discours. L'examen du manuscrit ne révèle rien, Hugo dessinant souvent ses 1 comme des 2. Le fragment qu'on lira immédiatement après celui-ci, et que les *Choses vues* n'avaient point recueilli, tranche la question. C'est bien le 10 juin que Victor Hugo prit séance à l'Assemblée. Notification lui avait été faite de son élection par une lettre ainsi conçue : « *Paris, le 8 juin 1848. Citoyen et collègue, je m'empresse de vous annoncer qu'en conséquence du dépouillement des votes, qui a eu lieu aujourd'hui à l'Hôtel de Ville, je vous ai proclamé Représentant du Peuple, élu dans le département de la Seine. J'adresse immédiatement au Ministère de l'Intérieur le procès-verbal des dernières élections afin que l'Assemblée Nationale soit en mesure de procéder sans délai à la vérification de vos pouvoirs. Salut et fraternité. Le Représentant du Peuple, Maire de Paris, Armand Marrast.* »

2. Edgar Quinet (1803-1875). Il a vingt ans lorsqu'il publie son premier ouvrage : *Les Tablettes du Juif errant.* Il séjourne en Allemagne où il subit l'influence de Herder. Il accompagne l'armée française en Grèce. Il publie de longs poèmes en prose : *Ahasverus* (1833), *Napoléon* (1836), *Prométhée* (1838). Professeur à Lyon, il proclame ses convictions républicaines. Nommé au Collège de France, il fait paraître son ouvrage essentiel : *Du Génie des religions* (1842). En 1851, il se réfugie en Belgique puis en Suisse et continue à publier. En 1870, il rentre en France et siège à l'Assemblée nationale.

Page 335.

1. Membre du gouvernement provisoire, Flocon, qui était homme de gauche et plébéien, fut, en compagnie de Louis Blanc et d'Albert, particulièrement détesté par les conservateurs.

2. Du 11 mai au 24 juin 1848, Duclerc, sous la Commission exécutive, fut ministre des Finances. La droite le détestait. Il était d'une fidélité inconditionnelle à Lamartine.

Page 336.

1. Au-dessous de « pamphlétaires », le manuscrit porte en interligne : *M. Blanqui, M. Raspail.*

Page 338.

1. « Affirmation contestable », remarque Henri Guillemin.

Page 343.

1. Nous reproduisons le commentaire très intéressant qu'Henri Guillemin a ajouté, en note, à ce fragment :
Ce texte constitue un document important sur le rôle véritable de Cavaignac, en juin 1848. Le plan des monarchistes, conduits par Falloux, avait été de provoquer, sous les pas de la Commission exécutive (où siégeaient deux hommes abhorrés : Ledru-Rollin et Lamartine) une insurrection ouvrière dont on tiendrait la Commission pour responsable et dont on tirerait prétexte pour la renverser et la remplacer par un « gouvernement fort », sous Cavaignac. Il importait donc à Cavaignac de ne fournir à la Commission ni le moyen de prévenir l'insurrection par un vaste déploiement de troupes, ni la possibilité d'en venir immédiatement à bout. L'insurrection éclata le 23. Cavaignac attendit que la majorité ait jeté bas la Commission exécutive pour commencer cette répression foudroyante dont il entendait se réserver la gloire.

Page 347.

1. Henri Guillemin, dans ses notes à son édition de « Souvenirs personnels », ajoute :
A ce groupe de textes consacrés aux Journées de Juin, ajoutons ce document qui ne figure pas dans la *Correspondance* de Hugo telle qu'elle a été publiée, si imparfaitement, dans l'édition dite « de l'Imprimerie Nationale ». C'est une lettre qu'adressa le poète à Juliette Drouet, le « *lundi 26 juin, cinq heures et demie* » : « *Mon doux ange adoré, me voici. Je ne te trouve pas, je te sais inquiète, tu es partie et je suis là, ceci empoisonne ma joie, car j'ai si peu d'instants à moi, et c'était pour moi revenir à la vie que de te revoir. Je ne sais pas si je pourrai revenir dans le quartier ce soir. Je suis un des soixante délégués chargés par l'Assemblée d'un pouvoir souverain pour toutes mesures à prendre. J'ai usé de mon mandat depuis trois jours pour concilier les cœurs et arrêter l'effusion de sang ; j'ai un peu réussi. Je suis exténué de fatigue. J'ai*

passé trois jours et trois nuits debout dans la mêlée, sans un lit
pour dormir, m'asseyant par instants sur un pavé, presque sans
boire et sans manger. De braves gens m'ont donné un morceau
de pain et un verre d'eau ; un autre m'a donné du linge. Enfin
cette affreuse guerre de frères à frères est finie. Je suis, quant à
moi, sain et sauf ; mais que de désastres ! Jamais je n'oublierai
tout ce que j'ai vu de terrible depuis quarante-huit heures.

Ma bien aimée, si tu ne me revois pas ce soir, ne t'inquiète
pas, c'est que mes fonctions m'auront empêché de rentrer ; mais
sois tranquille, il n'y a plus de danger, absolument plus rien à
craindre. Oh ! je t'aime. J'ai soif de te revoir et de t'embrasser,
mon ange bien aimé. Aime-moi. A aujourd'hui peut-être. A
demain à coup sûr. Oh ! quelle joie quand je te reverrai. »

Page 349.

1. Mgr Affre, qui fut tué, le 26 juin, faubourg Saint-Antoine.

Page 352.

1. Présidée par Barrot, une commission fut mise en place
dès le 26 juin, sur proposition du Sénat. Cette commission
était chargée d'enquêter sur les origines des journées de juin,
et du 15 mai. Lamartine y voyait un instrument destiné à
perdre les membres du gouvernement provisoire dans l'esprit
du public.

2. Pierre Leroux (1797-1871). Ouvrier typographe, il devint
l'un des leaders du *Globe*. Adepte de Saint-Simon, il rejoint
Bazard lorsque celui-ci se sépare d'Enfantin. Il fonde, en
1839, *La Revue indépendante* ; et, en 1841, *L'Encyclopédie*
nouvelle (dont huit volumes paraîtront). Il est représentant
de la Seine à la Constituante et à la Législative, et siège à la
Montagne. En 1851, il s'exile à Jersey et accusera Victor
Hugo de se livrer à l'art pour l'art.

Page 353.

1. Barrot, président de la commission d'enquête, avait
remis le soin du rapport à Quentin-Bauchart.

Page 356.

1. Député de gauche, Champvans fut élu grâce à Lamartine. Mais il abandonnera Lamartine en 1849.

Page 360.

1. C'était un ancien membre de l'opposition dynastique.

2. Bastide succédait à Lamartine aux Affaires étrangères. Lamartine avait voulu ouvrir à Charles Hugo une carrière diplomatique. Venu au pouvoir, Bastide s'y opposa.

Page 362.

1. Protégé de Cavaignac, Mgr Fayet était évêque d'Orléans.

2. Il s'agit du préambule de la Constitution.

Page 363.

1. Où il venait d'intervenir contre la peine de mort.

Page 365.

1. Henri Guillemin note que Victor Hugo est intervenu deux fois (le 2 septembre et le 11 octobre) à la tribune de l'Assemblée contre l'état de siège que Cavaignac maintenait depuis le 24 juin.

2. Il s'agit de Cavaignac.

Page 366.

1. Élu de gauche en Saône-et-Loire.

2. Alphonse Rabbe (1786-1829). Devint ami de Hugo en prenant la défense de *Han d'Islande.* Administrateur militaire en Espagne durant l'occupation française, Rabbe en revint syphilitique et commença à être lentement et affreusement défiguré. Son ouvrage le plus connu est *l'Album d'un pessimiste* (1835).

Page 373.

1. Le 28 septembre 1848 furent votés les articles 25 et 26 de la Constitution ;
« Sont électeurs tous les Français âgés de vingt et un ans et jouissant de leurs droits civils et politiques. »
« Sont éligibles, sans condition de cens ni de domicile, tous les Français âgés de vingt-cinq ans et jouissant de leurs droits civils et politiques. »

Page 374.

1. Dans le tome III de son *Conseiller du Peuple,* Lamartine

écrira : « Je ne défendais ce système que pour cinq ans ».
Autrement dit : il n'était favorable que dans l'immédiat à la
chambre unique.

Page 378.

1. Voici la note écrite à propos de ce fragment par Henri
Guillemin :   « Pernetty (1766-1856) avait été fait baron par
Napoléon Ier ; Napoléon III le fera sénateur. Cette dernière
phrase, qui me reste obscure, signifie peut-être que Bory-
Papy, représentant du peuple, était en même temps recruteur
bonapartiste au service de Pernetty.

Page 380.

1. Journaliste républicain. Mort en 1845.

Page 382.

1. Ainsi que le souligne Henri Guillemin, il s'agit ici
(comme dans le fragment suivant) des politiciens de l'équipe
du *National*, menés par Marrast, Marie et Bastide, et qui —
derrière Cavaignac — s'étaient rués sur les emplois.

Page 383.

1. Victor Hugo avait voté contre.

2. Henri Guillemin note ceci :
Au bas de ce fragment, beaucoup plus tard, en mars 1870,
je suppose, Hugo a ajouté ce qui suit : « *Le salut n'est pas
dans deux chambres distinctes, comme je l'ai cru longtemps. Je
me fais sur ce point beaucoup d'objections à moi-même. Tout le
problème est dans ceci : constituer le droit des minorités. Il faut
donner à la minorité de l'Assemblée, dans certains cas, le droit
d'appel au suffrage universel, c'est-à-dire au peuple, c'est-à-
dire au souverain. De cette façon, le définitif sortira du peuple
même et les majorités des assemblées n'y opprimeront plus les
minorités. Moins de frottements, plus de froissements. Le peuple,
c'est le fond solide. Appeler au peuple, c'est jeter l'ancre.* »

Page 385.

1. 12 novembre 1848.

Page 389.

1. Cavaignac

2. Louis Bonaparte. *L'Événement*, journal inspiré par Hugo, dirigé par Meurice et Vacquerie soutenait la candidature de Louis Bonaparte à la présidence.

Page 390.

1. Alexis-Charles-Henri-Maurice Cléret de Tocqueville (1805-1859). Juge auditeur au tribunal de Versailles en 1827, il se lie avec Gustave de Beaumont et se rend avec lui en Amérique. Au retour, ils publient en collaboration : *Du Système pénitencier aux États-Unis et de son application en France*. Tocqueville visita ensuite l'Angleterre et mit au point *La Démocratie en Amérique* (1835-1840), et fut élu à l'Académie française en 1841. Député, il demanda, le 2 décembre 1851, la mise en accusation du Prince-Président, ce qui lui valut de connaître la prison puis l'exil. Rentré en France, il publia avant de mourir la première partie de son œuvre maîtresse : *L'Ancien régime et la Révolution*.

Page 391.

1. Armand Marrast avait remplacé Marie à la présidence de l'Assemblée le 19 juillet 1848.

Page 392.

1. Louis Véron est né le 5 avril 1798. Il s'installe comme médecin en 1824. Il lance, par la publicité des petites annonces des journaux un produit pharmaceutique : la pâte Regnauld, ce qui lui donna la fortune. Collaborateur à *La Quotidienne*, il fonde la prestigieuse *Revue de Paris* (1829). Il devint ensuite directeur de l'Opéra. En 1838, il est administrateur-gérant du *Constitutionnel*. Il mourut le 27 septembre 1867.

Page 393.

1. On demandait à Cavaignac de s'expliquer sur son attitude en juin, alors qu'il était ministre de la Guerre.

Page 397.

1. Faubourg Saint-Antoine, la salle Roisin était, sous Louis-Philippe, un lieu de rencontre des républicains.

Page 402.

1. Grandin, député de droite, élu de Seine-Inférieure,

tis,

industriel de son état, s'était distingué par son acharnement
contre les Ateliers nationaux.

Page 406.

1. Le scrutin qui devait désigner le président de la République.

2. François-Vincent Raspail (1794-1878). Médecin, journaliste, homme politique. Il fut incarcéré de nombreuses fois, et d'abord après 1830. En 1848, il prend activement part aux mouvements révolutionnaires de Février. Il est emprisonné le 15 mai. Il est représentant à la Constituante puis condamné à six années de prison et banni. Aux élections présidentielles de décembre 1848, il représente l'extrême gauche. Il se fixe en Belgique et ne rentre en France qu'en 1863. Les élections du 31 mai 1869 en font un député de Lyon. Il demeure à Paris durant le Siège et la Commune, mais sans prendre clairement position. En 1873, il publie un éloge de Delescluze, ce qui lui vaut d'être condamné à un an de prison pour « apologie de faits qualifiés crimes ». Le 5 mars 1876, il est élu député de Marseille. Il se range, au 16 mai, parmi les opposants, ce qui lui valut, en octobre 1877, une réélection triomphale. La bibliographie des œuvres de Raspail compte 54 numéros.

Page 410.

1. Gabriel Donnadieu (1777-1849). Napoléon Ier le fit général et baron. En 1815, il devient légitimiste avec ardeur. En 1821, il est député. Le gouvernement de juillet le mit à la retraite.

2. Les combattants de février reçurent des « récompenses nationales », — mais, parmi eux, il y avait des « droit commun », ce dont la droite entendit tirer le meilleur parti à la veille de l'élection présidentielle. Cavaignac, pour empêcher que la province ne connût trop tôt cette révélation, fit retarder le départ des malles-poste.

3. Clément Thomas (1809-1871). Il collabore au *National*. Il est exilé pendant l'Empire. En 1870, il est commandant supérieur des gardes nationales et réprime divers mouvements populaires. Le 18 mars, il est reconnu par les insurgés et fusillé rue des Rosiers.

Page 425.

1. Où se trouvait l'hôtel particulier de Thiers.

Page 427.

1. La nomination de Changarnier à la fois comme général commandant la première division militaire et commandant en chef des gardes nationales représentait un cumul interdit par la loi de 1831. Odilon Barrot ne put que mal défendre le maintien de cette décision gouvernementale.

Page 431.

1. L'élection fut repoussée au 11 janvier 1849.

Page 432.

1. D'après Henri Guillemin, il faut entendre « Béranger ».

2. L'Assemblée voulait réduire l'impôt sur le sel. Elle l'emporta sur le ministère qui souhaitait maintenir l'impôt tel qu'il était.

Page 438.

1. Augustin-Eugène Scribe (1791-1861). Son œuvre dramatique comprend trente-sept comédies, onze drames ou mélodrames, vingt-huit livrets d'opéras, quatre-vingt-quinze livrets d'opéras-comiques, deux cents quarante-deux vaudevilles et huit arguments de ballets. A quoi il faut ajouter quelques romans. Il fut de l'Académie française en 1836.

2. Horace Vernet (1789-1863). Peintre. Ses œuvres sont souvent inspirées par les campagnes napoléoniennes. Il s'est également inspiré de la conquête de l'Algérie et de la guerre de Crimée.

Page 443.

1. Jean Reynaud, de Lyon (1806-1863). Sorti de Polytechnique, il se fit disciple de Saint-Simon et publiera, en 1854, *Terre et Ciel.*

2. Henri Delaage était, de son métier, oculiste. Il a publié, en 1849 : *Le Sang du Christ.* En 1850 : *Le Perfectionnement physique de la race humaine.*

Page 444.

1. De la même façon, Nodier prononçait son propre nom suivant l'orthographe ancienne : son grand-père signait *Naudier.*

2. Il fut l'un des professeurs de Charles Nodier.

Page 446.

1. Alexandre Vivien (1799-1854). Ministre de la Justice en
1840. Cavaignac le nomma ministre des Travaux publics. Il
fut ensuite président du Conseil d'État.

Page 447.

1. Léonide Babaud-Laribière (1819-1873). A l'Assemblée
nationale, député de la gauche. En 1870, grand maître de la
franc-maçonnerie de France. A sa mort, il était préfet des
Pyrénées-Orientales.

2. Michel Goudchaux (1797-1862). Israélite. Banquier.
Fut ministre des Finances dans le gouvernement provisoire,
poste dont il avait bientôt démissionné.

3. Léon de Maleville (1803-1879). Membre de l'opposition
dynastique sous Louis-Philippe. Refuse de se rallier au second
Empire. En 1871, élu à l'Assemblée nationale. A sa mort, il
était sénateur inamovible.

4. Lucien Murat (1803-1878). Député dans le Lot. Louis-
Napoléon Ier le nommera ministre plénipotentiaire à Turin.
Sénateur sous le second Empire.

5. Adolphe Blanqui (1798-1854). Frère aîné du révolutionnaire. Membre de l'Institut.

Page 449.

1. Henri Guillemin indique qu'il faut lire : Auguste Blanqui.

Page 451.

1. Né à Nîmes en 1810, Louis Alibaud avait, le 25 juin 1836,
tenté d'abattre Louis-Philippe. Il fut exécuté le 11 juillet 1836.

2. En 1840, le ministère Guizot succéda au ministère Thiers
dont la politique semblait belliqueuse.

Page 453.

1. Henri Guillemin remarque, ici, que Victor Hugo avait
écrit C... puis un ou deux mots qu'il a biffés, et que l'épaisseur
de l'encre ne permet pas de déchiffrer.

Page 454.

1. L'artisan Greppo, de l'extrême gauche, sera arrêté au 2 décembre.

Page 456.

1. Si Louis-Napoléon Auzou rentrera dans le giron de l'Église, Châtel sera membre de divers clubs extrémistes en 1848. En 1850, il sera condamné pour « outrages à la morale et à la religion ». Il mourra, épicier, en 1857.

Page 457.

1. Voici le commentaire que fait, à ce fragment, Henri Guillemin :
Cette note, qui est évidemment postérieure au Coup d'État, n'est pas inexacte. Lorsqu'il avait mené campagne pour son élection à la présidence de la République, Louis Bonaparte avait eu soin de tenir à chacun de ses interlocuteurs le langage le mieux fait pour le séduire ; il s'était donné pour « socialiste » devant Proudhon, et devant Falloux et Montalembert, pour un conservateur intransigeant, tout dévoué aux intérêts temporels de l'Église. Chez Victor Hugo, rue de la Tour-d'Auvergne, il avait joué au Washington. Hugo, qui se souvenait de l'*Extinction du Paupérisme*, avait cru trouver en lui quelqu'un qui aborderait de front le problème, capital, de la misère ; et, le 28 octobre 1848, l'*Événement*, qu'inspirait le poète, s'était chaleureusement prononcé en faveur du prince, voyant en lui le « candidat des classes souffrantes ».